SCARPETTA

Patricia Cornwell est née à Miami, en Floride. Elle est l'auteur de dix-huit romans et de deux biographies, traduits dans le monde entier. Grâce à la fondation qu'elle a créée, elle apporte son soutien à diverses œuvres sociales comme l'éducation, la lutte contre l'illettrisme, l'aide et le soutien aux victimes. Elle réside la plupart du temps dans le Massachusetts.

Paru dans Le Livre de Poche :

Les enquêtes de Kay Scarpetta

Les enquêtes de Judy Hammer et Andy Brazil

PATRICIA CORNWELL

Scarpetta

ROMAN TRADUIT DE L'ANGLAIS (ÉTATS-UNIS) PAR ANDREA H. JAPP

ÉDITIONS DES DEUX TERRES

Titre original :

SCARPETTA
Publié par G. P. Putnam's Sons, New York

*À Ruth
(1920-2007).*

*Et, comme toujours, à Staci,
avec gratitude.*

« En effet, l'état mental du fou peut être décrit comme un somnambulisme de déséquilibré. »

Montagu LOMAX,
Expériences d'un médecin d'asile d'aliénés, 1921.

Chapitre 1

De la matière cérébrale collait aux manches de la blouse maculée de sang que portait le Dr Kay Scarpetta, évoquant des flocons d'ouate. Les scies Stryker stridulaient, l'eau tambourinait dans les éviers et de la poussière d'os s'élevait en volutes comme une farine très fine. Trois des tables étaient occupées. D'autres cadavres allaient arriver sous peu. C'était mardi, le 1er janvier, jour de la nouvelle année.

Scarpetta n'avait nul besoin d'analyses toxicologiques pour savoir que son patient avait bu avant de presser la détente à l'aide de son doigt de pied. À l'instant où elle l'avait incisé, elle avait perçu cette odeur à la fois âcre et écœurante de l'alcool en cours de métabolisation. Des années auparavant, alors qu'elle était interne en pathologie, elle s'était souvent demandé si une visite guidée de la morgue aurait une chance de choquer et de dissuader les toxicomanes divers et variés. Si elle leur montrait une calotte crânienne découpée tel un œuf à la coque, s'ils reniflaient les relents désagréables du champagne *post mortem*, peut-être passeraient-ils au Perrier ? Si seulement les choses pouvaient fonctionner de cette façon !

Elle lança un regard à son assistant en chef, Jack Fielding, comme il soulevait les organes luisants de la cavité thoracique d'une étudiante d'université, volée et abattue alors qu'elle retirait de l'argent à un distributeur automatique. Scarpetta attendait son mouvement d'humeur. Ce matin, au cours de la réunion du personnel, Fielding avait balancé, révolté, que la victime avait le même âge que sa propre fille et que toutes deux, non contentes d'être étudiantes en médecine, étaient en plus des championnes d'athlétisme. Rien de bon ne pouvait survenir lorsque Fielding personnalisait un cas.

— Et alors, on ne donne plus les instruments à aiguiser ? beugla-t-il.

La lame oscillante d'une scie Stryker hurlait et l'assistant de morgue, qui ouvrait une boîte crânienne, cria en retour :

— J'ai l'air de regarder les mouches voler, là ?

Fielding balança son bistouri sur un chariot. L'instrument rebondit dans un cliquettement métallique.

— Bordel, comment est-ce que je suis censé faire quelque chose de correct ici !

— Ah, mon Dieu, mais qu'on lui file un Xanax ou un truc du même genre ! protesta l'assistant de morgue en soulevant la calotte à l'aide d'un ciseau à os.

Scarpetta déposa un poumon sur une balance et en nota le poids avec son stylo numérique sur un « calepin » non moins numérique. Il n'y avait plus un stylo ou une feuille de papier en vue. Lorsqu'elle remonterait, il ne lui resterait qu'à enregistrer directement sur son ordinateur ce qu'elle avait noté ou dessiné. Toutefois, la technologie n'était pas d'une grande aide en ce qui concernait ses incessantes réflexions, et elle persistait à vouloir les dicter dès qu'elle en avait terminé et retiré ses gants.

Elle jouissait de locaux modernes pour son travail de médecin expert, encore améliorés par les perfectionnements, essentiels à ses yeux, dans ce monde qu'elle ne reconnaissait plus, un monde où le public croyait tout ce qu'il voyait à la télé en matière de sciences légales et où la violence n'était plus un problème de société mais une véritable guerre.

Elle entreprit de découper le poumon, se faisant la réflexion qu'il était lisse et brillant, enveloppé du feuillet viscéral de la plèvre et formé d'un parenchyme rose-marron atélectasique. Elle ne remarqua qu'une quantité minimale d'écume rosâtre. Aucune lésion macroscopique apparente, quant à la vascularisation, elle paraissait normale. Elle marqua une pause lorsque Bryce, son assistant administratif, entra, un air de dédain et de feinte indifférence peint sur son visage juvénile. Ce qui se déroulait en ce lieu n'impressionnait certes pas Bryce. Cependant il était ulcéré pour un tas d'excellentes raisons. Il arracha plusieurs feuilles de papier essuie-tout d'un distributeur et s'en couvrit les mains avant de saisir le combiné noir d'un poste téléphonique mural. La ligne 1 clignotait.

— Benton, vous êtes toujours là ? demanda-t-il. Elle est juste à côté de moi, armée d'un énorme couteau. Je suis certain qu'elle vous a énuméré nos spécialités du jour ? Le clou, c'est l'étudiante de Tufts. Sa vie contre deux cents dollars ! Les Bloods ou les Crips, un sale tordu de gang, il faudrait que vous le voyiez sur la vidéo de surveillance. Les médias ne parlent que de ça. Jack ne devrait pas pratiquer cette autopsie. Mais personne ne prend mon avis en compte ! Il va nous faire un anévrisme. Quant au suicide, ahhh ! Le gars revient d'Irak sans une égratignure. Tout baigne pour lui. Allez, mon gars, joyeuses fêtes et une bonne vie !

Scarpetta retira son heaume de protection. Elle enleva ses gants ensanglantés et les jeta dans une poubelle d'un rouge vif, réservée aux déchets biologiques.

Elle se nettoya les mains dans un profond évier en inox.

— Pas besoin de mettre le nez dehors pour avoir mauvais temps ! continuait à papoter Bryce au profit d'un Benton que les papotages n'intéressaient guère. On est pleins comme un œuf et Jack est déprimé et irritable. Je vous l'ai dit ? Il faudrait peut-être intervenir. Une sorte de week-end de détente dans cet hôpital de Harvard où vous travaillez. Ils pourraient nous faire un prix de groupe...

Scarpetta lui enleva le téléphone des mains et chiffonna les feuilles d'essuie-tout avant de les jeter dans une corbeille.

— Arrêtez de chercher des poux à Jack ! lança-t-elle à Bryce.

— Selon moi, il se bourre à nouveau de stéroïdes et c'est pour ça qu'il est tellement grincheux.

Elle lui tourna le dos, une façon de s'isoler de tout le reste.

— Que se passe-t-il, Benton ?

Ils s'étaient déjà téléphoné au lever du jour. Le fait qu'il la rappelle quelques heures plus tard, sachant qu'elle était au beau milieu d'autopsies, n'augurait rien de bon.

— J'ai bien peur que nous nous retrouvions avec un gros problème sur les bras.

Il avait énoncé la même phrase la veille au soir, alors qu'elle venait tout juste de rentrer de la scène de crime où avait été abattue l'étudiante de Tufts. Il était en train d'enfiler son manteau pour foncer à Logan, l'aéroport international de Boston, et sauter dans le premier avion. Le département de police de New York avait un « problème » et réclamait instamment sa présence.

— Jaime Berger demande si tu peux nous rejoindre, poursuivit Benton.

Entendre le nom du procureur troublait toujours Scarpetta, au point qu'elle sentait sa poitrine se serrer à cette simple évocation. La personnalité de Berger n'était pas en cause. Toutefois, la magistrate serait toujours liée à un passé que Scarpetta souhaitait oublier.

— Le plus tôt sera le mieux, insista Benton. Tu peux peut-être attraper l'avion de treize heures ?

La pendule murale indiquait presque dix heures. Elle allait d'abord devoir terminer son autopsie, se doucher, se changer, et puis elle repasserait chez elle. *À manger !* songea-t-elle. De la mozzarella au lait cru, de la soupe de pois, des boulettes de viande, du pain. Quoi d'autre ? La ricotta avec du basilic frais que Benton appréciait tant sur une pizza maison. Elle avait préparé tout cela et plein d'autres choses encore hier, sans soupçonner le moins du monde qu'elle allait passer le réveillon du nouvel an toute seule. Il n'y aurait rien à se mettre sous la dent dans leur appartement de New York. Lorsque Benton s'y trouvait en célibataire, il fréquentait les traiteurs.

— Rejoins-moi directement au Bellevue, précisa-t-il. Tu peux laisser tes sacs dans mon bureau. J'ai ta mallette de scène de crime à portée de main.

Sa voix était couverte par le son rauque produit par une lame aiguisée à grands gestes hargneux, par le beuglement de la sonnette de la baie de déchargement, et elle l'entendait à peine. Elle jeta un regard à l'écran de surveillance posé sur une paillasse. La manche sombre du conducteur émergea par la vitre d'une camionnette blanche, alors que des employés chargés des transferts de corps s'obstinaient à sonner.

— Quelqu'un peut-il s'en occuper, s'il vous plaît ? hurla Scarpetta pour couvrir le vacarme.

Benton se trouvait à l'étage carcéral du récent hôpital Bellevue. Le mince fil de son écouteur le reliait à sa femme, à presque deux cent cinquante kilomètres de là.

Il expliqua que la nuit précédente un homme avait été admis dans le service de psychiatrie légale, insistant :

— Berger veut que tu examines ses blessures.

— De quoi est-il accusé ? s'enquit Scarpetta.

Le brouhaha ambiant lui parvenait, mélange de voix indiscernables, le bruit de la morgue, ou plutôt, ainsi qu'il l'avait baptisé non sans ironie, du site de déconstruction de Scarpetta.

— De rien, du moins pour l'instant. Un meurtre a été commis hier soir. Un meurtre inhabituel.

Il enfonça la flèche de descente sur son clavier, parcourant ce qui était affiché à l'écran.

— Tu veux dire qu'aucun juge n'a ordonné son examen ?

La voix de Scarpetta lui parvenait à la vitesse du son.

— Pas encore. Cela étant, il faut que ce soit fait au plus vite.

— On aurait déjà dû l'examiner. À la minute où il a été admis. S'il était porteur de traces, d'indices, il est fort probable que ceux-ci soient maintenant contaminés ou carrément détruits.

Benton enfonçait toujours la flèche de descente, lisant à nouveau le texte affiché sur son écran, se demandant comment il allait aborder le problème avec elle. À son ton, il était évident qu'elle n'était pas au courant, et il espérait ardemment être le premier à tout lui déballer. Il avait lourdement insisté auprès de Lucy Farinelli, sa nièce par alliance, et elle avait intérêt à respecter son souhait. Toutefois, jusque-là on ne pouvait pas dire qu'il se soit montré à la hauteur de sa tâche.

Lorsqu'elle l'avait appelé quelques minutes auparavant, Jaime Berger avait adopté son ton très professionnel. À ce qu'il en avait déduit, elle n'était pas encore au courant du torchon de ragots consultable sur Internet. Pourquoi n'avait-il pas abordé le sujet au cours de leur conversation ? Il n'en savait trop rien. Il aurait dû le faire et pourtant il s'était tu. Il aurait dû être honnête envers Berger, dès le début. Il aurait dû tout lui expliquer, déjà presque six mois auparavant.

— Ses blessures sont superficielles, reprit Benton. Il est à l'isolement. Il refuse de parler, de coopérer, sauf si tu viens. Berger a exclu un recours à la contrainte, arguant du fait que l'examen pouvait attendre ton arrivée. Puisque c'est également ce qu'il souhaite...

— Depuis quand un détenu dicte-t-il ses volontés ?

— RP. Raisons politiques. De surcroît, il n'est pas incarcéré. De toute façon, personne dans ce service de psychiatrie n'est jamais considéré comme un prisonnier. Ce sont des patients...

Lui-même fut déconcerté par ses paroles décousues et sa nervosité. Il poursuivit :

— Ainsi que je te l'ai dit, il n'est accusé d'aucun crime. Pas de mandat lancé contre lui. Rien. En réalité, il s'agit de l'admission civile d'un patient lambda. On ne peut même pas l'obliger à rester durant les soixante-douze heures légales puisqu'il n'a pas signé d'autorisation et que – je me répète – il n'est accusé de rien. Du moins jusqu'à présent. Peut-être les choses évolueront-elles lorsque tu l'auras regardé sous toutes les coutures. Cela étant, au point où nous en sommes, il peut quitter le service dès que ça lui chante.

— Tu espères que je vais trouver quelque chose qui permettra à la police de le considérer comme suspect d'un meurtre ? Et que veux-tu dire par « il n'a pas signé d'autorisation » ? Attends... Ce patient aurait demandé son admission dans un service de psychiatrie carcérale à la condition qu'il puisse en ressortir quand l'envie l'en prend ?

— Écoute, je t'expliquerai en détail dès que tu seras ici. Je n'espère pas que tu trouves quoi que ce soit. Je n'ai aucune attente particulière à ce sujet. Je te demande juste de me rejoindre parce qu'il s'agit d'une situation très complexe. En plus, Berger souhaite ta présence.

— Même s'il existe une probabilité non négligeable qu'il soit parti lorsque j'arriverai ?

Il perçut la question qu'elle ne poserait pas. Il n'agissait pas comme le psychologue légal posé et imperturbable qu'elle connaissait depuis vingt ans. Toutefois, elle n'allait pas le lui faire remarquer. Elle se trouvait à l'institut médico-légal et elle n'était pas seule. Il était donc exclu qu'elle lui demande ce qui ne tournait pas rond chez lui.

— Il ne partira pas avant de t'avoir vue. Ça, c'est certain, reprit Benton.

— Je ne comprends toujours pas ce qu'il fabrique au Bellevue, insista-t-elle.

— Nous ne sommes sûrs de rien, mais je peux te résumer les faits en trois mots. Lorsque les flics sont arrivés sur la scène de crime, il a exigé d'être transporté à l'hôpital carcéral.

— Son nom ?

— Oscar Bane. Il a expliqué que j'étais le seul psychologue qu'il autorisait à mener son évaluation mentale. Du coup j'ai été appelé à New York et, comme tu le sais, je suis aussitôt parti. Il a peur des médecins et est sujet aux crises de panique.

— D'où te connaissait-il ?

— À ce que j'ai compris, par ton intermédiaire.

— Il sait qui je suis ? répéta-t-elle.

— Les flics ont récupéré ses vêtements. Il insiste sur le fait que s'ils veulent prélever des indices physiques sur lui – et puisqu'il n'y a pas de mandat contre lui –, il faudra que ce soit toi qui t'en charges. Sur le moment, nous avons espéré qu'il se calmerait un peu, qu'il accepterait que le médecin expert présent sur place l'approche. Cependant il ne va pas s'apaiser et il ne changera pas d'avis. Au contraire, il est de plus en plus inflexible. Il affirme que les médecins le terrorisent et qu'il souffre d'odynophobie et de dishabiliophobie.

— Il redoute la souffrance et le fait de se déshabiller ?

— Et aussi de calligynéphobie. La peur des femmes aux formes voluptueuses.

— Oh, je vois. Et c'est donc pour cela qu'il se sentira bien avec moi !

— J'essayais de faire un peu d'humour. Il pense que tu es très belle, mais il n'a pas peur de toi. Du tout. Je suis plutôt celui qui devrait se méfier.

Au fond, c'était la vérité. Benton n'avait aucune envie qu'elle le rejoigne. Il ne voulait pas qu'elle vienne à New York.

— Attends, est-ce que j'ai bien compris ? Jaime Berger veut que je saute dans un avion en pleine tempête de neige et que j'examine un patient admis dans un service psychiatrique carcéral, lequel patient n'est accusé de rien ?...

— Si tu parviens à sortir de Boston, tout ira bien. Il fait beau ici. Juste froid.

Benton jeta un regard par la fenêtre à la grisaille du jour.

— Laisse-moi finir avec mon sergent réserviste, qui

ne s'est découvert victime de la guerre d'Irak qu'après son retour au pays. Je te rejoins dans le milieu de l'après-midi, annonça-t-elle.

— Bon vol. Je t'aime.

Benton raccrocha et fit défiler le texte affiché sur son écran, montant, puis descendant le long des lignes, comme s'il espérait qu'à force de relire les calomnies anonymes elles lui paraîtraient moins insultantes, moins hideuses, moins haineuses. Des méchancetés de cour de récréation, aurait tranché Scarpetta. Peut-être était-ce vrai au cours élémentaire, mais pas dans une vie d'adulte. Les mots pouvaient blesser. Ils pouvaient faire terriblement mal. Quel genre de monstre fallait-il être pour écrire de pareilles choses ? Et comment le monstre en question était-il au courant ?

Il tendit la main vers le téléphone.

Scarpetta prêtait à peine attention à Bryce. Il n'avait cessé de parler d'une chose ou d'une autre depuis qu'il était passé la prendre chez elle pour l'accompagner à l'aéroport international de Logan.

Surtout, ses doléances au sujet du Dr Jack Fielding étaient intarissables. Il ressassait que convoquer son passé, c'est agir comme un chien qui déterre son vieil os ou la femme de Lot qui se retourne et est changée en statue de sel. Les références bibliques de Bryce étaient inépuisables et très agaçantes. Elles n'avaient rien à voir avec ses croyances, si tant est qu'il en eût. Il ne fallait y voir que les vestiges d'un devoir de fin de trimestre qu'il avait pondu à l'université et dont le thème était « la Bible dans une perspective littéraire ».

Selon son assistant administratif, on n'engageait pas des gens de son passé. Fielding avait un temps partagé celui de Scarpetta. Certes, il avait eu ses problèmes, mais qui n'en a pas ? Lorsqu'elle avait accepté ce nouveau poste dans le Massachusetts et s'était mise en quête d'un adjoint, elle s'était demandé ce que devenait Fielding, ce qu'il faisait. Elle était parvenue à le retrouver pour se rendre compte que, justement, il ne faisait pas grand-chose.

Contrairement à son habitude, Benton y était allé de commentaires assez vagues, à la limite de la condescendance, et elle commençait à en percevoir la raison. Il lui avait affirmé qu'elle recherchait la stabilité, que parfois les gens ont tendance à reculer plutôt que d'avancer lorsqu'ils ont le sentiment d'être dépassés par les changements.

Toutefois, Benton avait omis avec soin d'analyser les raisons pour lesquelles elle ne se sentait pas en sécurité. Il n'avait surtout pas voulu aborder le sujet de leur vie domestique, toujours aussi chaotique et peu harmonieuse que dans le passé, et encore moins la façon dont Scarpetta la supportait.

Leur relation avait débuté quinze ans plus tôt, par un adultère. Mais ils n'avaient jamais vécu ensemble et n'avaient aucune idée de ce que pouvait représenter le quotidien à deux, du moins jusqu'à l'été précédent. Leur cérémonie de mariage, célébrée dans le jardin du relais de poste où Scarpetta avait élu domicile à Charleston, en Caroline du Sud, avait été très simple. C'était également dans cette ville qu'elle avait monté son cabinet privé de médecine légale, cabinet qu'elle avait été contrainte de fermer.

Ils avaient ensuite déménagé à Belmont, dans l'État du Massachusetts, afin de se rapprocher du McLean, l'hôpital psychiatrique dans lequel travaillait Benton, mais également de Watertown, où Scarpetta avait accepté le poste de médecin expert pour le district nord-est du Commonwealth. En raison de la proximité de New York, Scarpetta avait jugé opportun d'accéder à la requête du John Jay College, spécialisé en justice pénale, qui souhaitait leur collaboration en tant que conférenciers associés, collaboration qui incluait des consultations gratuites au profit du département de police ou des bureaux du médecin expert en chef de New York, mais également de services de psychiatrie légale tels que celui du Bellevue.

— ... Je sais que ce n'est pas le genre de choses qui retiennent votre attention et ont une quelconque importance à vos yeux, mais, au risque de vous casser les pieds, je vais quand même insister.

La voix de Bryce parvint enfin à se frayer un chemin dans son esprit.

— Quelles choses importantes ?

— Hello, la Terre ? Surtout faites comme si je n'étais pas là. J'adore me parler à moi-même !

— Je suis désolée. Reprenez.

— Si je n'ai rien dit après la réunion du personnel, c'est que je ne voulais pas en rajouter une couche avec toute la merde que vous aviez déjà sur les bras ce matin. Je me suis dit que ça pouvait attendre jusqu'à ce que vous ayez terminé, et qu'ensuite nous aurions une petite discussion privée dans votre bureau. Et puisque personne n'y a fait allusion, je crois que je suis le seul à être au courant. Ce qui est plutôt une bonne chose, non ? Jack était déjà suffisamment à cran. D'un autre côté, il l'est en permanence, ce qui explique son eczéma et ses problèmes d'alopécie. À propos, est-ce que vous avez vu cette sorte de croûte qu'il a derrière l'oreille droite ? En voilà un qui devrait passer les fêtes en famille. C'est souverain pour les nerfs.

— Combien de tasses de café avez-vous bues depuis ce matin ?

— Pourquoi ça retombe toujours sur moi ? Je suis

l'oiseau de mauvais augure et on m'étrangle ? Ce que je vous raconte entre par une oreille et ressort par l'autre. Mais un jour ça va atteindre la masse critique, et boum ! Et, bien sûr, j'aurai encore le rôle du sale type. Si vous comptez rester à New York plus d'une nuit, prévenez-moi au plus vite, que je prévoie tout. Est-ce que je dois prendre rendez-vous avec ce coach que vous appréciez tant ? C'est quoi son nom, déjà ?

Un doigt posé sur les lèvres, il fouilla sa mémoire.

— Kit ! s'exclama-t-il. Peut-être qu'un jour, quand vous aurez besoin de moi à New York, je lui demanderai de s'occuper de mes poignées d'amour.

Il se pinça la taille et ajouta :

— D'un autre côté, j'ai entendu dire que passé trente ans il n'y a plus que la liposuccion qui marche. C'est l'heure du sérum de vérité ?

Il lui lança un regard, ses mains s'agitant comme si elles avaient une vie propre, indépendante de lui.

— Figurez-vous que j'ai fait une recherche à son sujet sur Internet, avoua-t-il. Je suis surpris que Benton tolère sa présence à vos côtés. Il me rappelle... C'est quoi déjà son nom dans *Queer as Folk* ? Cette star du football. Il conduisait un Hummer, le genre bien homophobe, jusqu'à ce qu'il se branche sur Emmett, dont tout le monde prétend qu'il me ressemble, ou l'inverse puisque c'est lui qui est célèbre. Bon, mais vous ne regardez sans doute pas.

— Pour quelle raison devrait-on étrangler l'oiseau de mauvais augure ? demanda Scarpetta. Et gardez au moins l'une de vos mains sur le volant. Je vous rappelle que nous roulons en plein blizzard. Combien de doses de caféine vous êtes-vous offertes ce matin dans votre Starbucks ? J'ai remarqué deux gobelets sur votre bureau et j'espère que l'un datait de la veille.

Vous vous souvenez de notre discussion au sujet de la caféine ? C'est une drogue, de ce fait addictive.

— C'est vous qui faites la une, poursuivit Bryce. Je n'ai jamais vu un truc comme ça avant. Très étrange. En général, ça ne concerne pas qu'une seule célébrité. En fait, et qui que ce soit, ce... rédacteur se balade dans toute la ville comme un connard de journaliste en planque et il tartine sa merde en prenant plusieurs personnes comme cibles. La semaine dernière, c'était Bloomberg et... Comment elle s'appelle déjà ? Ce top model qui se fait toujours arrêter parce qu'elle jette des trucs à la figure des gens... Ben, cette fois, c'est elle qui s'est fait jeter d'Elaine – le show télévisé – parce qu'elle avait balancé quelque chose d'indécent à Charlie Rose, le joueur de base-ball. Non, attendez... elle passait avec Barbara Walters ? Non. Je suis en train de mélanger avec quelque chose que j'ai vu dans *The View*. Peut-être que ce top model, Machin-Chose, a commencé à courir après le chanteur d'*American Idol*. Non, non... lui était invité sur le plateau d'Ellen De Generes – l'autre *talk-show*, pas celui d'Elaine. Et c'est pas Clay Aiken, ni même Kelly Clarkson. C'est qui l'autre, déjà ? Le DVR, ça me tue ! C'est génial ce truc qui permet de reprendre où on en était après une interruption ! C'est comme si la télécommande zappait toute seule, alors que vous ne la touchez même pas. Ça vous est déjà arrivé ?

La neige tourbillonnait comme un essaim de moucherons. Les essuie-glaces inefficaces s'obstinaient dans leur danse hypnotisante.

— Bryce, quelle chose importante ? insista Scarpetta du ton qu'elle utilisait lorsqu'elle avait envie qu'il cesse de bavarder et se contente de répondre à sa question.

— Ce site de révoltants ragots. *Dans le collimateur de Gotham.*

Elle avait vu leurs pubs sur les bus et les taxis de New York. Il s'agissait d'un site d'actualités, anonyme et particulièrement venimeux. Le grand jeu consistait à savoir qui se trouvait derrière – du parfait inconnu jusqu'au Prix Pulitzer, un journaliste qui s'amusait comme un petit fou en répandant son fiel et en ramassant pas mal d'argent au passage.

— Mé-chant, commenta Bryce. Bien sûr, c'est censé être teigneux, mais là on est en dessous de la ceinture. Remarquez, je ne suis pas un lecteur assidu de ce genre d'imbécillités. Cela étant, j'ai créé une alerte Google vous concernant, pour des raisons évidentes. Y a même une photo de vous, et alors là c'est la catastrophe. Vraiment pas flatteuse.

Chapitre 2

Benton, le téléphone en main, se laissa aller contre le dossier de son siège de bureau, le regard perdu vers la fenêtre et le mur de brique rouge, hideux dans cette plate lumière hivernale.

— On dirait que vous avez attrapé un rhume.

— Je me sens un peu patraque aujourd'hui. C'est la raison pour laquelle je ne vous ai pas rappelé plus tôt. Ne me demandez pas ce que nous avons fait la nuit dernière pour mériter cela. Gerald refuse de sortir du lit, et pas pour une raison agréable, si vous voyez ce que je veux dire, rétorqua le Dr Thomas.

Le Dr Thomas était l'une des consœurs de Benton au McLean, mais également sa psychiatre personnelle. Rien d'anormal là-dedans. Le Dr Thomas, originaire de l'arrière-pays minier à l'ouest de la Virginie, le répétait à l'envi : les hôpitaux sont encore plus incestueux que les péquenauds des montagnes. Les médecins se soignent entre eux, sans oublier leurs familles et leurs amis. Ils s'envoient en l'air entre eux, et on peut juste espérer qu'ils oublient leurs familles ou leurs amis dans la foulée. De temps en temps, ils se marient même entre eux. Ainsi, le Dr Thomas avait épousé un radiologue, celui qui réalisait les scans de Lucy, la nièce de Scarpetta, dans le laboratoire d'imagerie où Benton travaillait. Le Dr Thomas n'ignorait pas grand-chose des recherches de Benton. Quelques mois auparavant, lorsque celui-ci avait éprouvé la nécessité de parler à quelqu'un, elle était la première personne qui lui soit venue à l'esprit.

— Avez-vous ouvert le lien que je vous ai expédié par *e-mail* ? s'enquit-il.

— Tout à fait, et la vraie question est : pour qui vous faites-vous le plus de souci ? Je crois que la bonne réponse est : vous. Je me trompe ?

— En d'autres termes, cela ferait de moi un épouvantable égoïste, commenta Benton.

— Il serait assez logique que vous vous sentiez bafoué, humilié, argumenta-t-elle.

— J'avais oublié que vous étiez une actrice shakespearienne dans une vie antérieure. Je ne me souviens pas de la dernière fois où j'ai entendu un cocu se transformer en « bafoué ». De surcroît, cela n'a rien à voir. Kay n'a jamais traîné ses guêtres en dehors du nid conjugal pour atterrir dans les bras d'un autre homme. Elle a été agressée. Si j'avais dû me sentir cocu, cela aurait été au moment des faits. Ça n'a jamais été le cas. J'étais bien trop inquiet à son sujet. Et ne me rétorquez pas : « La dame se défend avec trop de véhémence », comme dans *Hamlet*.

— Non, en revanche ce que je dirais, c'est qu'au moment des... événements, il n'y avait aucun témoin de la scène, rectifia le Dr Thomas. Peut-être le fait que tout le monde est au courant rend-il les choses plus réelles ? Lui avez-vous appris ce que l'on pouvait lire sur Internet ? A-t-elle pris connaissance de cet article ?

— Je ne lui ai rien dit et je suis certain qu'elle n'est pas au courant. Elle m'aurait téléphoné pour me mettre en garde. Elle est comme ça. Étrange, non ?

— Oui. Kay et ses fragiles héros aux pieds d'argile. Pourquoi ne pas l'en avoir informée ?

— Ce n'était pas le bon moment.

— Pour vous ou pour elle ?

— Elle se trouvait à la morgue. J'ai préféré attendre, avoir une conversation face à face.

— Reprenons au début, Benton. Vous lui avez parlé aux aurores. Laissez-moi deviner. N'est-ce pas ce que vous faites toujours lorsque vous êtes séparés ?

— En effet.

— Donc, lorsque vous vous êtes appelés tôt ce matin, vous saviez déjà ce qui venait d'être publié sur Internet parce que Lucy vous avait prévenu. Quand ? À une heure du matin, puisque votre maniaque de nièce par alliance a équipé ses moteurs de recherche d'alarmes sonores qui la tirent du lit, à l'instar d'un pompier, dès que quelque chose d'important se profile dans le cyberespace, compléta le Dr Thomas.

La psychiatre ne plaisantait pas. De fait, Lucy avait équipé ses ordinateurs de signaux sonores capables de la prévenir dès que ses moteurs de recherche relevaient un élément intéressant.

— En réalité, elle m'a téléphoné à minuit. Dès que ce truc a été balancé sur Internet.

— Pourtant elle n'a pas appelé Kay.

— Et c'est tout à son honneur. Elle a laissé tomber lorsque je lui ai promis que j'allais m'en charger.

— Ce que vous n'avez pourtant pas fait, souligna le Dr Thomas. Nous voilà revenus à notre point de départ. Vous discutez donc avec Kay ce matin, alors que vous savez depuis des heures ce qui traîne sur Internet. Cependant vous ne dites rien. Au demeurant, vous n'avez toujours rien divulgué. Franchement, je ne crois pas que le problème soit le besoin d'une conversation en tête à tête. Car, malheureusement, il existe une probabilité non négligeable qu'elle l'apprenne par quelqu'un d'autre, si ce n'est déjà fait.

Benton soupira. Il serra les lèvres, se demandant quand au juste il avait commencé à perdre foi en lui-même, en sa capacité de décrypter son environnement et de réagir en conséquence. Aussi loin qu'il s'en souvenait, il avait toujours possédé l'étrange talent de savoir jauger les gens, sur un simple regard ou quelques mots. Scarpetta l'avait baptisé sa « botte secrète en société ». Il rencontrait quelqu'un, des bribes de conversation lui parvenaient et il savait à qui il avait affaire. Il se trompait rarement.

Pourtant, cette fois-ci, il n'avait même pas vu le danger qui leur pendait au nez. Il ne parvenait toujours pas à comprendre comment il avait pu être si obtus. Il savait bien que la colère et la frustration de Marino couvaient depuis des années, qu'un jour ou l'autre la rage et l'autodétestation du grand flic atteindraient le point de non-retour, et que ce serait l'explosion. Cependant Benton n'avait pas redouté ce jour. Il n'estimait pas assez Marino pour avoir peur de ses réactions. Au fond, il n'était pas certain d'avoir jamais pensé que Marino possédait une bite avant qu'elle ne se transforme en arme.

Rétrospectivement, cela n'avait aucun sens. Pour n'importe qui d'autre, il était impossible de passer outre au machisme mal dégrossi et à l'instabilité caractérielle de Marino. De plus, cette combinaison était la base du travail de Benton. La violence sexuelle, quel que soit son catalyseur, est le pain quotidien des psychologues légaux.

— Je dois dire que j'ai des envies de meurtre quand je pense à lui, avoua Benton au Dr Thomas. Bien sûr, je ne passerai jamais à l'acte. Il s'agit juste de fantasmes. Tant de choses me viennent à l'esprit. J'ai cru à un moment que je lui avais pardonné. Je me sentais très fier de moi, de la façon dont j'avais géré la situation. Après tout, où serait-il sans moi ? Je me suis défoncé pour l'aider et maintenant j'ai envie de le tuer. Lucy aussi veut lui faire la peau. Le... rappel de ce matin n'aide pas. Maintenant tout le monde est au courant. J'ai l'impression que tout recommence.

— Ou peut-être que ça commence seulement. À cause de cet article, les choses vous paraissent réelles pour la première fois.

— Oh, ça paraît réel. Ça l'a toujours paru, rectifia Benton.

— Certes, mais c'est différent lorsqu'on le lit sur Internet et qu'on se dit qu'un autre million de personnes en a pris connaissance. On se retrouve à un autre niveau de réalité. Vous avez enfin une réaction de type émotionnel. Elle n'était qu'intellectuelle auparavant. Vous aviez tout rationalisé, un processus d'autodéfense. C'est un progrès, Benton. Un pas en avant même s'il est très désagréable, et j'en suis désolée.

— Il ignore que Lucy se trouve à New York, et si jamais elle le rencontre... (Il s'interrompt et rectifia :) Non, c'est faux. Elle n'aurait pas réellement envie de le descendre parce qu'elle est déjà passée par ce stade. Elle a dépassé le cap depuis longtemps. Elle ne le tuerait pas, soyez tranquille.

Par la fenêtre, Benton contempla la subtile métamorphose des briques rouges sous le ciel gris. Il se redressa dans son fauteuil et se passa la main sur le visage, percevant son odeur d'homme et frôlant le duvet qui couvrait son menton, dont Scarpetta affirmait que l'on aurait cru du sable. Il n'avait pas dormi de la nuit, s'attardant à l'hôpital. Il avait besoin de prendre une douche, de se raser. Il avait besoin de se restaurer et d'un peu de sommeil.

— Parfois je m'étonne moi-même, reprit-il. Lorsque je sors des trucs de ce genre au sujet de Lucy, en réalité il s'agit d'une prise de conscience, d'un rappel de la vie complètement pervertie que je mène. La seule personne qui n'a jamais voulu le tuer, c'est Kay. Elle continue à se persuader que, quelque part, c'est elle la fautive, et ça me met en rogne. Très en colère. Du coup j'évite le sujet en sa présence, ce qui explique sans doute que je ne lui ai rien dit. La Terre entière est en train d'en prendre connaissance grâce à ce foutu Internet. Je suis fatigué. Je n'ai pas fermé l'œil de la nuit à cause de quelqu'un dont je ne peux pas vous parler mais dont je sais qu'il va devenir un problème d'envergure.

Son regard abandonna le paysage situé au-delà de la fenêtre.

— Enfin, on arrive quelque part, commenta le Dr Thomas. Je me demandais quand vous cesseriez ces bobards sur le mode « je suis un saint ». Vous êtes furieux et certainement pas un saint. Au fait, ça n'existe pas, les saints !

— Furieux ? En effet, je suis furieux.

— Furieux contre elle.

— Oui, avoua Benton – et pourtant l'admettre le terrorisait. Je sais que c'est injuste. Mince, c'est elle qui a été meurtrie et elle n'a vraiment rien fait pour provoquer Marino. Elle a travaillé en sa compagnie presque la moitié de sa vie. Pourquoi l'aurait-elle jeté de chez elle alors qu'il était saoul et si mal dans sa tête ? Elle s'est conduite en amie. Même en considérant qu'elle savait ce qu'il ressentait pour elle, elle n'a commis aucun faux pas.

— Il la désirait depuis leur première rencontre, rappela le Dr Thomas. En réalité, il éprouvait un peu les mêmes sentiments que vous. Il est tombé amoureux d'elle. Comme vous. D'ailleurs, je me demande lequel de vous deux est tombé amoureux le premier. Vous l'avez rencontrée à peu près à la même époque, n'est-ce pas ? En 1990.

— Son désir pour elle... En effet, ça ne date pas d'hier. Tout comme cela fait longtemps qu'elle prétend ne rien comprendre, qu'elle tente par tous les moyens de ne pas lui faire de la peine. Je pourrais rester ici et analyser la situation des heures durant, mais franchement...

Le regard de Benton se perdit à nouveau vers la fenêtre et il continua à parler aux briques rouges :

— Elle ne pouvait pas agir autrement. Elle n'a aucune responsabilité dans ce qu'il lui a fait. Et, d'une certaine façon, ça n'était pas non plus de sa faute, à lui. Il n'aurait jamais tenté une chose pareille s'il avait été sobre. Pas même un geste déplacé.

— En tout cas, vous avez l'air d'en être convaincu, rétorqua le Dr Thomas.

Benton détourna le regard et revint à ce qui s'était affiché sur l'écran de son ordinateur. Puis ses yeux repartirent en direction de la fenêtre, comme si ce ciel glacial, gris acier, lui envoyait un message, une sorte de métaphore. Il retira le trombone maintenant les feuillets de la publication scientifique qu'il était en train de corriger et agrafa les pages ensemble, soudain furieux. La Société américaine de psychologie n'allait certainement pas accepter un autre fichu article concernant la réponse émotionnelle à apporter aux exclus. Un chercheur de Princeton venait tout juste de publier un papier presque similaire à celui que Benton comptait soumettre. Il déplia le fil métallique du trombone. La difficulté consistait à l'étirer parfaitement, afin qu'il ne reste aucun vestige de ses courbes. Mais le fil finissait toujours par casser.

— Comment ai-je pu être si irrationnel, si déconnecté ? Et pourtant c'est le cas, depuis le début. Irrationnel sur tout, et maintenant je vais le payer.

— Vous allez payer parce que d'autres personnes savent ce que votre ami Pete Marino a fait subir à Kay ?

— Ce n'est pas mon ami.

— Je pensais qu'il l'était. Du moins, je pensais que vous le croyiez, insista le Dr Thomas.

— Nous ne nous sommes jamais rapprochés. Nous n'avons rien en commun. Le bowling, la pêche, les motos, le foot et la bière. Pas la bière. Enfin, plus maintenant. Tout ça, c'est Marino. C'est-à-dire pas moi. D'ailleurs je viens à l'instant de m'apercevoir que nous ne sommes jamais allés dîner ensemble. Je veux dire tous les deux. Pas une seule fois en vingt ans. Nous n'avons rien en commun. Nous n'aurons jamais rien en commun.

— Il ne vient pas d'une famille élitiste de la Nouvelle-Angleterre ? Il n'a pas fait d'études supérieures ? Il n'a jamais été profileur au FBI ? Il n'appartient pas à la prestigieuse faculté de médecine de Harvard ? Est-ce là où vous voulez en venir ?

— Je ne cherche pas à être snob.

— Il y a au moins une chose que vous avez tous deux en commun : Kay.

— Pas de cette façon. Ça n'a jamais été aussi loin, se défendit Benton.

— Jusqu'où cela devait-il aller ?

— Elle m'a affirmé que ça n'avait jamais été... à ce stade. Il a fait d'autres choses. Lorsqu'elle a finalement accepté de se déshabiller devant moi, je l'ai constaté. Elle a tenté de trouver de piètres explications. Durant un jour ou deux. Comme si je pouvais croire qu'elle s'était rabattu le hayon arrière de la voiture sur les poignets !

Benton revit les ecchymoses, aussi sombres que des nuages de mauvais augure. Des ecchymoses qui avaient exactement la forme de celles que porte une femme dont on a maintenu de force les mains dans le dos en la poussant contre un mur. Elle s'était tue lorsque Benton avait enfin découvert ses seins. Jamais personne ne lui avait fait subir une telle chose. Quant à lui, il n'avait vu ce genre de marques que dans le cadre de son travail. Lorsqu'il s'était assis sur le lit, la fixant, il avait soudain pensé que ce qu'il avait sous les yeux ressemblait à l'œuvre d'un monstrueux crétin mutilant les ailes d'une colombe ou martyrisant la chair fragile d'un enfant. Soudain, la vision d'un Marino tentant d'arracher sa chair à pleines dents lui avait traversé l'esprit.

— Vous êtes-vous déjà senti en compétition avec lui ? demanda le Dr Thomas d'une voix distante.

L'importun souvenir des stigmates de Kay s'imposa à Benton, qui n'en voulait pas. Il s'entendit répondre :

— Je n'ai jamais senti grand-chose au sujet de Marino, et c'est sans doute cela qui n'allait pas.

— Il a passé beaucoup plus de temps avec Kay que vous. Ce genre de situation peut pousser les gens à l'émulation. Ça peut les insécuriser.

— Il n'a jamais attiré Kay. Même s'il était la seule personne sur la Terre, elle ne serait pas intéressée.

— Nous ne pourrions en être certains que s'ils se retrouvaient seuls sur la Terre. Auquel cas, nous ne le saurions pas !

— J'aurais dû mieux la protéger. C'est une chose que je sais faire. Protéger les gens. Ceux que j'aime, moi-même ou des inconnus, peu importe. C'est mon domaine d'expertise. D'ailleurs, sans cela je serais déjà mort depuis longtemps. Et bien d'autres aussi.

— Tout à fait, James Bond ! Cela étant, vous n'étiez pas présent cette nuit-là puisque vous vous trouviez à New York.

Le Dr Thomas aurait aussi bien pu lui balancer un coup de poing en pleine poitrine. Benton demeura coi, ne parvenant à respirer qu'avec grande difficulté. Il tripotait son trombone, pliant le fil métallique, le dépliant. Le trombone cassa.

— Vous en tenez-vous rigueur, Benton ?

— Nous avons déjà discuté de cela. De surcroît, je n'ai pas dormi de la nuit.

— Nous avons, en effet, discuté de beaucoup de choses. Entre autres, du fait que vous ne vous êtes jamais autorisé à ressentir l'insulte personnelle que représentait ce que Marino a fait subir à Kay, que vous avez épousée peu après. Peut-être trop rapidement ? Parce que vous aviez besoin de tout contenir, surtout puisque vous aviez été incapable de lui épargner cela, incapable de l'empêcher... C'est très similaire à ce que vous faites lorsque vous vous lancez dans une enquête criminelle, je trouve. Vous prenez la suite d'une investigation, vous vous occupez de tous les aspects, vous prêtez attention aux plus petits détails, tout en gardant une distance prudente pour épargner votre esprit. Mais ce genre de règles ne s'applique pas dans nos vies personnelles. Vous me dites que vous éprouvez des envies de meurtre vis-à-vis de Marino et, lors de nos dernières conversations, nous en sommes arrivés à ce que vous nommez vos « dérives » sexuelles, dont Kay n'est vraisemblablement pas consciente. C'est toujours vrai ? Pas plus qu'elle n'est consciente que vous regardez d'autres femmes d'une certaine façon, et que cela vous perturbe. C'est toujours le cas, aussi ?

— Il est parfaitement normal qu'un homme ressente une attirance, sans toutefois aller plus loin.

— Seuls les hommes sont concernés ? le poussa le Dr Thomas.

— Vous savez très bien ce que je veux dire.

— Selon vous, jusqu'à quel point Kay est-elle au courant ?

— J'essaie d'être un bon mari. Je l'aime. Je suis amoureux d'elle.

— Redouteriez-vous d'avoir une aventure, de la tromper ?

— Non, certainement pas. Je ne ferais jamais une telle chose, rétorqua-t-il.

— Non. Jamais. Vous avez trompé Connie. Vous l'avez quittée pour Kay. Mais c'était il y a bien longtemps, n'est-ce pas ?

— Je n'ai jamais aimé quelqu'un autant que Kay. Je ne pourrais jamais me le pardonner.

— Ma question était autre : avez-vous une confiance absolue en vous-même ?

— Je ne sais pas.

— Avez-vous une confiance aveugle en Kay ? Elle est très séduisante, d'autant que, maintenant, avec l'émission sur CNN, elle doit avoir des hordes de fans. Une femme de son envergure, avec son physique, n'a que l'embarras du choix. Et son coach ? Vous m'avez dit que vous ne supportiez pas l'idée qu'il pose ses mains sur elle.

— Je suis ravi qu'elle prenne soin d'elle, et avoir recours à un coach est une démarche sensée. Ça évite de se faire du mal, notamment lorsqu'on n'a jamais soulevé d'haltères et qu'on n'a plus vingt ans.

— Il s'appelle Kit, c'est bien cela ?

Benton ne l'aimait pas. Il trouvait toujours un prétexte pour éviter le gymnase de leur immeuble lorsque le coach y faisait travailler Kay.

— En réalité, reprit le Dr Thomas, que vous ayez confiance en Kay ou pas ne changera rien à l'affaire. C'est entre ses mains, pas les vôtres. Non, ce qui m'intéresse davantage, c'est si vous vous faites confiance, à vous-même.

— Pourquoi continuez-vous à m'asticoter sur ce sujet ?

— Vos habitudes sexuelles ont évolué depuis votre mariage. Du moins est-ce ce que vous m'avez confié lors de notre première séance. Vous vous débrouillez pour éviter les relations sexuelles lorsque la possibilité s'en présente et, en revanche, lorsque le moment n'est plus opportun, vous en avez envie. Est-ce toujours exact ?

— Sans doute.

— C'est une façon de lui rendre la monnaie de sa pièce.

— Je n'ai pas à me venger de ce qui s'est passé avec Marino. Certainement pas ! Elle n'a rien fait de mal, rétorqua Benton en tentant de gommer la colère qui transparaissait dans sa voix.

— Non. Je pense plus probable que vous vous vengiez d'elle parce qu'elle est devenue votre femme, insista le Dr Thomas. Vous ne voulez pas d'une épouse. Vous n'en avez jamais eu envie et n'en êtes pas tombé amoureux. Vous êtes tombé amoureux d'une femme puissante, pas d'une épouse. Kay Scarpetta vous attire sexuellement, mais pas votre femme.

— Elle est Kay Scarpetta et ma femme. En fait, et de pas mal de façons, elle est plus puissante aujourd'hui qu'elle ne l'a jamais été.

— Ce n'est pas nous, je veux dire les personnes

extérieures, qui avons besoin d'être convaincus, Benton.

Elle lui offrait un traitement spécial, comme à chaque fois : plus agressive et cherchant davantage le conflit qu'avec ses autres patients. Les points communs entre le Dr Thomas et Benton allaient bien au-delà de leur lien thérapeutique. Chacun comprenait comment l'autre recevait les informations, et le Dr Thomas ne se laissait jamais berner par le camouflage linguistique. La dénégation, les faux-fuyants ou la communication passive n'étaient pas une option à ses yeux. Les longues séances mutiques où le psy attend que son patient crispé décide enfin de se lancer et d'évoquer ce qui le dérange étaient exclues. Une minute de vide et elle allait pousser Benton à parler, comme la dernière fois : *Êtes-vous passé pour me permettre d'admirer votre cravate Hermès ? Ou avez-vous quelque chose à me dire ? Peut-être devrions-nous reprendre où nous en étions restés ? Parlez-moi de votre libido.*

Elle dit :

— Et Marino ? Comptez-vous lui parler ?

— Sans doute pas.

— Eh bien, j'ai l'impression qu'il y a plein de gens à qui vous ne voulez rien dire. Avant de vous quitter, je vous livre ma petite théorie, assez originale : d'une certaine façon, nous ne faisons que ce que nous voulions faire. C'est pour cette raison qu'il est crucial de fouiller nos intentions avant qu'elles ne nous déstabilisent. Gerald m'attend. Nous avons des courses à faire. Nous recevons à dîner, et franchement nous en avions besoin comme de nous tirer une balle dans le pied.

C'était sa façon de lui signifier que leur entretien était terminé. Benton avait besoin d'intégrer leur échange.

Il se leva de son fauteuil et s'immobilisa devant la fenêtre de son bureau, contemplant le ciel de plomb de cet après-midi d'hiver. Dix-neuf étages plus bas, le jardinet de l'hôpital avait été dénudé par le froid et la fontaine de ciment vidée de son eau.

Chapitre 3

Bonne année à tous !

Ma résolution vous concerne : qu'est-ce qui va vous attirer, vous interpeller ? J'étais en train de réfléchir à cela... Vous connaissez cette manie qu'ils ont de récapituler tout ce qui s'est déroulé lors de l'année qui vient de s'écouler ? Ça vous permet de vous souvenir de toutes les choses horribles qui se sont passées, histoire d'être à nouveau déprimé. Et devinez qui s'est étalé sur mon sublime écran géant plasma HD Samsung ?

Celle qui est à tomber raide, la reine : le Dr Kay Scarpetta.

Elle grimpait les marches du palais de justice pour aller témoigner dans le cadre d'un meurtre à sensation, remorquant derrière elle son sous-fifre d'enquêteur, Pete Marino. Ça signifie donc que le procès en question a eu lieu il y a six ou sept mois. Nous savons tous que ce pauvre type assez répugnant n'est plus son faire-valoir. Quelqu'un l'aurait-il vu ? Est-il bouclé dans une prison spatiale ? (Vous vous imaginez travaillant pour une diva des sciences légales comme Scarpetta ? Moi, je pense que je me suiciderais en espérant qu'elle ne soit pas chargée de mon autopsie.)

Quoi qu'il en soit, revenons-en au moment où elle grimpait les marches. Des caméras, les médias, des futurs médecins légistes, des spectateurs partout. Après tout, c'est elle l'expert, non ? On l'appelle jusqu'en Italie, parce que c'est la meilleure, non ? Du coup, je me suis servi un autre verre de Maker's Mark, j'ai mis le CD de Coldplay et je l'ai regardée durant quelques minutes. Elle témoignait dans ce langage pathologique qu'elle affectionne et que si peu d'entre nous comprennent. Du coup, ce n'est qu'au bout d'un moment qu'on finissait par saisir qu'une petite fille avait été violée de toutes les façons possibles. Ils ont même retrouvé du sperme dans son oreille (je croyais que cela ne pouvait arriver qu'en ayant recours à un service téléphonique érotique). On lui avait cogné la tête sur le carrelage du sol et la cause de la mort était des « coups violents ». Et soudain je me suis dit :

Mais d'abord, qui est Scarpetta ?

Si vous retirez le battage médiatique, est-ce qu'il restera quelque chose derrière ? Je me suis donc livré à quelques recherches. Première chose : c'est une politicarde. Ne vous laissez pas piéger par sa guimauve quand elle tente de se faire passer pour une défenseuse des innocents, une voix pour ceux qui n'en ont plus, bref la dame médecin qui croit en : « Je m'abstiendrai de tout mal et de toute injustice. » D'ailleurs, est-ce qu'on est vraiment certain que le mot « hypocrite » ne dérive pas d'« Hippocrate » ? En réalité, Scarpetta est une mégalomane qui nous manipule grâce à CNN en nous faisant gober qu'elle sert de façon altruiste la société, alors qu'elle ne sert qu'elle-même...

Scarpetta en avait assez lu et elle fourra son Black-Berry dans son sac à main, dégoûtée que Bryce l'ait incitée à consulter cette pourriture. Elle lui en voulait comme s'il avait écrit cet article, et elle se serait volontiers passée de son appréciation au sujet de la photo d'accompagnement. En dépit de la taille de l'écran de son BlackBerry, elle en avait vu assez pour comprendre ce qu'il avait voulu dire lorsqu'il avait lancé que le cliché n'était pas flatteur.

Elle ressemblait à une diablesse dans sa blouse ensanglantée, avec son heaume de protection et sa charlotte sur la tête. Elle avait la bouche entrouverte sur une phrase et sa main gantée, gainée de sang, brandissait un scalpel comme si elle était en train de menacer un interlocuteur. La montre en plastique noir qu'elle portait au poignet était un cadeau de Lucy pour son anniversaire en 2005. En d'autres termes, la photo ne pouvait avoir été prise qu'au cours des trois années et demie qui venaient de s'écouler.

Mais prise où ?

Scarpetta l'ignorait. L'arrière-plan avait été gommé.

— Trente-quatre dollars et vingt *cents*, annonça son chauffeur en s'arrêtant brutalement.

Elle regarda par la vitre et découvrit les grilles de fer forgé noir de l'ancien hôpital psychiatrique Bellevue, un peu engageant bâtiment de pierre rouge édifié deux siècles plus tôt et qui n'avait pas vu un seul patient depuis des décennies. Aucune lumière, nulle voiture, personne. La guérite du gardien derrière la grille était déserte.

— Ce n'est pas ici, lança-t-elle en s'approchant de l'ouverture ménagée dans la vitre de plexiglas qui séparait le chauffeur des clients. Ce n'est pas le bon Bellevue.

Elle répéta l'adresse qu'elle lui avait donnée lorsqu'elle était montée dans son véhicule à l'aéroport de La Guardia. Toutefois, plus elle s'expliquait, plus il s'obstinait, pointant du doigt en direction de l'entrée, où les lettres « hôpital psychiatrique » étaient gravées dans le granit. Elle se pencha vers lui, tentant de lui montrer les hauts bâtiments comme dessinés en gris qui s'élevaient plus loin. Mais, en dépit de son anglais plus qu'approximatif, il semblait très assuré. Il n'avait aucune intention de la conduire ailleurs et elle devait

immédiatement descendre de son véhicule. Un soup-
çon traversa l'esprit de Scarpetta : peut-être ignorait-
il vraiment que ce vieux bâtiment sinistre et moche,
tout droit sorti de *Vol au-dessus d'un nid de coucou*,
n'avait rien à voir avec le nouvel hôpital Bellevue ?
Sans doute pensait-il que sa passagère était une
patiente de l'établissement, une folle criminelle en
phase de rechute. Sinon, pourquoi aurait-elle eu des
bagages ?

Scarpetta préférait encore marcher, environnée par
les bourrasques de vent arctique, que de s'acharner à
le convaincre. Elle régla la course, descendit de voiture et passa deux sacs en bandoulière avant de remorquer le long du trottoir sa valise à roulettes bourrée
de spécialités culinaires maison. Elle enfonça le petit
bouton de son écouteur sans fil.

— Je suis presque arrivée..., commença-t-elle lorsque Benton fut en ligne. Mince !

Sa valise venait de se renverser, comme si quelqu'un avait tiré dessus.

— Kay ? Où es-tu ?

— Je viens de me faire jeter d'un taxi...

— Quoi ? Jeter d'où ça ?... Je suis en train de
perdre la communication, ajouta-t-il juste avant que la
batterie la lâche.

En pleine bagarre avec ses bagages, elle se fit un
peu l'impression d'une SDF. La valise se retournait
sans cesse, et lorsqu'elle se penchait pour la redresser,
ses sacs lui glissaient des épaules. Glacée, de mauvaise
humeur, elle progressa jusqu'au nouvel hôpital Bellevue situé au coin de la 1re Avenue et de la 27e Rue
Est, un établissement polyvalent avec une entrée tout
en verre, des unités de traumatologie et de soins inten-
sifs très réputées, sans oublier l'étage réservé à la
psychiatrie, dont les patients masculins étaient soup-

çonnés de délits allant du resquillage dans le métro au meurtre de John Lennon.

À peine quelques minutes après que la communication avec Scarpetta avait été interrompue, la sonnerie du téléphone de bureau de Benton retentit. Certain qu'il s'agissait d'elle, il décrocha :

— Que s'est-il passé ? demanda-t-il.

La voix de Jaime Berger lui répondit :

— J'allais vous poser la même question.

— Oh, je suis désolé, j'ai cru que c'était Kay. Elle a un problème, je n'ai pas trop...

— C'est aussi ce que je dirais ! C'était sympathique de l'évoquer lorsque nous nous sommes parlé. Voyons, il y a six ou sept heures de cela. Pourquoi n'avez-vous rien lâché ?

Berger avait dû lire la chronique publiée sur le site *Dans le collimateur de Gotham*.

— C'est compliqué, avoua Benton.

— Je n'en doute pas. Cela étant, nous avons à faire face à pas mal de complications. Je suis à deux minutes de l'hôpital. Rejoignez-moi à la cafétéria.

Le deux-pièces qu'occupait Pete Marino dans un immeuble sans ascenseur était si proche de Manna's Soul Food qu'il vivait perpétuellement environné des odeurs de poulet frit et de travers de porc. Une situation plutôt intenable pour un homme au régime strict – et sec de surcroît –, chez qui les privations engendraient un insatiable appétit pour tout ce qui lui était interdit.

Son coin repas se limitait à une table de télévision et à une chaise noire poussées non loin de la fenêtre qui donnait sur l'incessante circulation de la 5e Avenue. Il empila des tranches de rôti de dinde sur du pain

44

complet, qu'il replia en sandwich sur une assiette en carton, avant de noyer le tout dans une mare de moutarde Nathan's Coney Island. En deux gorgées, il descendit un bon tiers d'une bouteille de Sharp's, une bière sans alcool. Il avait perdu une vingtaine de kilos depuis qu'il s'était enfui de Charleston, en plus de certaines composantes de son ancienne personnalité. Des cartons bourrés de vêtements de motard, dont une impressionnante collection de blousons et de pantalons de cuir Harley Davidson, avaient terminé dans une boutique de la 116e Rue, en échange de trois costumes, d'un blazer, de deux paires de chaussures de ville, sans oublier des cravates et des chemises – du bas de gamme *made in China*.

Il avait abandonné son clou d'oreille en diamant, dont le seul vestige était un petit trou qui perçait son lobe droit, sorte de symbole de sa vie marginale et peu gratifiante. Il avait cessé de se raser le crâne comme une boule de billard et ce qu'il lui restait de cheveux gris encerclait maintenant sa grosse tête, évoquant un halo d'argent terni reposant sur ses oreilles. Il s'était promis d'éviter les rencontres féminines jusqu'au moment où il serait prêt. Quant à sa moto et à son gros pick-up, ils n'avaient plus grande utilité dans un endroit où il était impossible de se garer, aussi s'en était-il séparé. Sa thérapeute du centre, Nancy, l'avait aidé à comprendre à quel point la maîtrise de soi dans ses relations quotidiennes avec les autres était cruciale, et peu importait ce qui n'allait pas chez eux ou ce qui allait leur tomber dessus.

Ayant recours, à son habitude, à une image, elle avait insisté sur le fait que l'alcool était l'allumette qui enflammait sa colère. Elle avait poursuivi en expliquant que son alcoolisme était une maladie qu'il avait héritée de son père, un ouvrier sans éducation ni aucun talent pour la paternité qui se saoulait chaque jour de paye et devenait violent. En bref, Marino avait contracté cette maladie fatale. S'il en jugeait par l'intense fréquentation de tous les bars et cavistes devant lesquels il passait d'un pas vif, il s'agissait d'une véritable épidémie. Selon Marino, ça ne datait pas d'hier, et ce n'était sans doute pas une pomme que le serpent avait offerte à Ève dans le jardin d'Éden, mais une bouteille de bourbon qu'elle avait partagée avec Adam. Ensuite, ils avaient couché ensemble et avaient été jetés hors du paradis avec des feuilles de figuier comme cache-sexe.

Nancy avait mis Marino en garde. Elle avait souligné que s'il ne se rendait pas religieusement aux réunions des Alcooliques anonymes, il deviendrait un poivrot sobre, incapable de juguler ses crises de fureur, sa méchanceté, incapable de se contrôler, tout cela sans même le plaisir d'un ou deux packs de canettes de bière. Le lieu de réunion des AA le plus proche du domicile de Marino était une église située non loin du Centre professionnel africain de nattage des cheveux. Toutefois, Marino n'en était pas devenu un familier. Au début de son installation dans le quartier, il avait assisté à trois séances en trois jours, affreusement embarrassé lorsque les autres participants, dont la gentillesse et l'accueil bienveillant lui paraissaient suspects, s'étaient présentés à tour de rôle, passant de l'un à l'autre, ne lui laissant que le choix d'admettre solennellement, comme s'il prêtait serment devant un tribunal :

— *Mon nom est Pete et je suis un alcoolique.*

— *Salut, Pete !*

Il avait ensuite envoyé quelques *e-mails* à Nancy pour lui expliquer que le fait d'avouer, surtout dans une salle bourrée de gens qu'il ne connaissait pas, allait à l'encontre de sa nature et de son entraînement de flic. De surcroît, il n'était pas exclu que l'un des étrangers qu'il avait rencontrés s'avère un sale tordu de poivrot sobre qu'il devrait boucler un jour ou l'autre. Enfin, ces trois réunions lui avaient permis de gravir en accéléré les douze étapes du programme, et ce bien qu'il ait décidé de ne pas établir la fameuse liste des personnes à qui il avait porté préjudice pour ensuite faire amende honorable. La raison qui, à ses yeux, justifiait cette omission était clairement indiquée dans l'étape 9 : il était hors de question de faire amende honorable si l'on risquait de peiner encore plus ceux que l'on avait blessés. Or Marino avait conclu que cela incluait toutes ses victimes passées.

En revanche, l'étape 10 avait été aisée et il avait rempli un calepin avec les noms de tous ceux qui lui avaient fait du mal tout au long de sa vie.

Il avait exclu Scarpetta des deux listes jusqu'à ce qu'une étrange coïncidence survienne. Il venait de trouver l'appartement qu'il occupait aujourd'hui, négociant un rabais sur le loyer avec le propriétaire en échange de petits services – comme de mettre à la porte certains locataires –, lorsqu'il s'était rendu compte que son immeuble était situé non loin des anciens bureaux du président Bill Clinton. Du reste, Marino passait souvent devant le bâtiment de quatorze étages lorsqu'il rejoignait la station de métro située au croisement de la 125e Rue et de Lenox. Le souvenir de l'ancien président avait conduit Marino à penser à Hillary Clinton et aux autres femmes assez puissantes pour devenir présidentes ici ou ailleurs. Du coup, Scarpetta s'était imposée à son esprit.

Le rapprochement entre les deux femmes en était arrivé au point où il finissait par les confondre dans ses fantasmes. Il voyait Hillary sur CNN, puis Scarpetta, et avant qu'il ait eu le temps de changer de chaîne, en optant le plus souvent pour ESPN, la chaîne de sport en continu, ou pour celle qui proposait des films à la carte, dans l'espoir de se changer les idées, il se retrouvait déprimé. Son cœur lui faisait mal dans sa poitrine. Obsédé par Scarpetta, il songeait aux listes sur lesquelles elle n'était pas. Il traçait son nom sur l'une d'elles, puis le rayait pour le gribouiller sur l'autre. Il imaginait ce qui se produirait si elle devenait présidente des États-Unis. Il se retrouverait soudain sur la liste noire des Services secrets, comme ennemi d'État, et devrait fuir au Canada.

Ou alors au Mexique. Il avait passé plusieurs années en Floride du Sud et se débrouillait bien mieux avec les hispanophones qu'avec les francophones. Il n'avait jamais compris les Français et n'aimait pas leur nourriture. D'ailleurs ça en disait assez long sur un pays de ne pas avoir de bière nationale comme Budweiser, Corona, Dos Equis Heineken ou Red Stripe !

Il termina un second sandwich à la dinde, avala une nouvelle gorgée de Sharp's et regarda tous ces gens dont les ambitions se limitaient à trouver un traiteur antillais, des boutiques, un bar à jus de fruits, un magasin de vêtements ou peut-être l'Apollo Theater, non loin de là. Le vacarme des voitures, des camions, des passants lui parvenait tel celui d'un dissonant orchestre. Toutefois, cela ne le gênait pas. Il gardait ses fenêtres ouvertes aux beaux jours jusqu'à ce qu'il n'en puisse plus de la poussière. En réalité, ce qu'il évitait, c'était le silence. Il avait eu sa dose lorsqu'il était en cure de désintoxication, la musique et la télévision lui étant interdites. Ne restaient plus pour se remplir la tête que les confessions des alcoolos ou des camés et les pensées qui le hantaient, sans oublier le souvenir de ses embarrassantes conversations à cœur ouvert avec Nancy.

Il se leva, ramassa son assiette détrempée, sa serviette en papier et sa bouteille vide de Sharp's. La cuisine n'était distante que de six pas. Elle était éclairée par une petite fenêtre située au-dessus de l'évier, fenêtre qui donnait sur une langue de ciment recouverte de gazon artificiel, ponctuée de tables et de chaises en aluminium et entourée d'un grillage : l'arrière-cour de l'immeuble.

Son ordinateur trônait sur le plan de travail et il lut les ragots du matin, ceux qu'il avait sauvegardés, déterminé à découvrir qui se trouvait derrière. Lorsqu'il aurait mis la main sur l'ordure en question, homme ou femme, il lui arrangerait le portrait de façon permanente.

Cependant aucun des outils informatiques qu'il maîtrisait ne parvenait à l'aider. Il pouvait fouiller sur Google, traquer *Dans le collimateur de Gotham* jusqu'à prendre racine, rien n'en sortirait qu'il ne savait déjà. Quant à remonter jusqu'aux annonceurs qui payaient pour qu'apparaissent sur l'écran des publicités vantant aliments, boissons, livres, matériel électronique, films ou émissions de télé, c'était illusoire. Il n'existait aucune logique et une seule conclusion s'imposait : des millions de fans étaient accros à ce site de merde, ce site qui le matin même avait fait du pire moment de la vie de Marino sa pièce maîtresse.

La sonnerie de son téléphone se déclencha.

Il s'agissait du détective Mike Morales.

— Qu'est-ce qu'il y a ? demanda Marino.

— À la pêche aux infos via les banques de données, mon frère.

— J'suis pas ton frère. Évite-moi tes conneries de rappeur.

La tactique de Morales consistait à avoir l'air en

permanence à moitié endormi, ou ennuyé au possible, voire bourré de sédatifs ou d'anti-douleurs, quoique Marino en doutât. D'un autre côté, on n'est jamais sûr de rien. Mais derrière cette attitude un peu décalée se dissimulait un salopard de snobinard qui avait fait ses études à Dartmouth, puis au Johns Hopkins, pour décider soudain qu'il préférait devenir flic à New York, affirmation que Marino considérait avec la plus grande prudence. Quel médecin potentiel irait choisir une carrière de policier ?

À part ça, il était passé maître ès bobards, répandant un tas d'anecdotes à son propre sujet et se gondolant de rire lorsque d'autres flics y ajoutaient foi. Son cousin était soi-disant le président bolivien, son père avait déménagé toute la famille aux États-Unis parce qu'il croyait au capitalisme et en avait soupé de mener les troupeaux de lamas. Morales avait soi-disant grandi dans les cités de Chicago et était devenu un des bons copains de Barack Obama, jusqu'à ce que la politique les sépare, un dénouement qui pouvait paraître assez sensé à ceux qui gobaient ses histoires. Quel candidat à la présidence souhaiterait être ami avec quelqu'un qui appelle tout le monde « mon frère » et ressemble à un membre de gang dans le moindre détail, jusqu'au jean trop large porté à mi-hanches, aux grosses chaînes et bagues en or et aux cheveux tressés en fines nattes ?

— J'ai passé la journée à faire des recherches, insista Morales.

— De quoi tu parles au juste ?

— J'oublie toujours que t'as même pas terminé le lycée ! Je cherchais tous les schémas habituels, les tendances, les *modus operandi*, les plaintes, partout où je pouvais. Je crois que j'ai fait une touche.

— Ah ouais ? Avec Berger ? ironisa Marino.

— C'est quoi le truc chez des femmes comme elle

ou Kay Scarpetta ? Peut-être que ça vaudrait le coup de se damner pour avoir ses mains partout sur moi ? Tu te vois en train de te les taper toutes les deux en même temps ? Qu'est-ce que je dis ? Bien sûr que tu t'y vois.

L'antipathie de Marino pour Morales vira à la haine. Il fallait toujours qu'il essaie de se faire Marino, de le rabaisser, et la seule raison pour laquelle celui-ci ne contre-attaquait pas en encore plus méchant tenait en peu de mots : la période de réhabilitation qu'il s'était lui-même imposée. Benton avait requis une faveur de Berger. Dieu seul savait où l'ancien flic aurait terminé si le procureur la lui avait refusée. Peut-être serait-il devenu dispatcheur dans le département de police merdique d'une ville paumée. Peut-être serait-il fin bourré dans un refuge réservé aux clodos. Peut-être aurait-il crevé.

— Il est possible que notre tueur ait déjà frappé, poursuivit Morales. J'ai dégotté deux autres homicides un peu similaires. Pas à New York. Bon, mais il faut garder à l'esprit qu'Oscar est son seul patron, comme il dit, et qu'il a pas besoin de se rendre au boulot tous les jours. En plus, il a une voiture. Il dispose d'un revenu, parce que chaque année, pour son anniversaire, sa famille lui envoie un chèque, net d'impôts. La limite est passée à douze mille dollars. C'est leur manière de pas se sentir coupables envers leur bête curieuse de fils unique. En plus, il a que lui à s'occuper. Et puis, on sait pas s'il voyage beaucoup, ni même ce qu'il fabrique au juste, pas vrai ? Je pourrais peut-être élucider deux vieilles affaires en plus, dans la foulée.

Marino tira la porte du réfrigérateur, récupéra une autre bouteille de Sharp's qu'il ouvrit, balançant d'un geste sec la capsule qui cliqueta contre les parois de l'évier comme une volée de chevrotines heurtant une cible de métal.

— Quels deux autres homicides ? insista-t-il.

— J'ai eu deux touches dans notre banque de données. Comme je viens de te le dire, c'est pas des affaires new-yorkaises, c'est pour ça que personne y a pensé. Toutes les deux à l'été 2003, à deux mois d'intervalle. Un gamin de quatorze ans, accro aux oxys. Il a été retrouvé nu, les poignets et les chevilles attachés, étranglé avec un lien qu'on a pas retrouvé sur les lieux. Le gosse venait d'une bonne famille de Greenwich, dans le Connecticut. Le cadavre avait été balancé pas très loin d'un concessionnaire Bugatti. L'enquête a abouti à rien. Pas de suspects.

— Et où se trouvait Oscar durant l'été 2003 ? s'enquit Marino.

— Au même endroit qu'aujourd'hui. Même boulot. Vivant sa petite vie de dingo dans le même appartement. Ce qui veut dire qu'il aurait pu se trouver n'importe où au moment des faits.

— Je vois vraiment pas le rapport, contra Marino. Quoi, ce gamin ? Il taillait des pipes pour s'offrir ses doses et il s'est fait ramasser par le client qu'il fallait pas rencontrer ? En tout cas, c'est ce que ça m'évoque. En plus, t'as aucune raison de soupçonner qu'Oscar Bane fait dans les adolescents.

— Ça t'a pas frappé qu'on sait jamais dans quoi sont les gens jusqu'au moment où ils commencent à violer et à tuer, et que ça ressort à la surface ? Oscar aurait pu faire le coup. Je te répète qu'il a une voiture. Il a les moyens de se balader où ça le branche et il a tout le temps qu'il veut. En plus, il est fort comme un bœuf. Faut garder l'esprit ouvert.

— Et l'autre affaire ? Ça concernait aussi un ado ?

— Non, une femme.

— Dis-moi qui, et pourquoi Oscar s'en serait pris à elle.

Morales bâilla avec application.

— Oups... Attends, faut que je parcoure mes notes. Hors service ! Elle s'est fait descendre la première, et ensuite le gamin. Belle fille, vingt et un ans. Elle venait juste d'emménager à Baltimore. Elle était originaire d'une bourgade de Caroline du Nord. Elle avait dégotté un petit boulot dans une station de radio, espérait entrer à la télévision et, au lieu de ça, elle s'est embarquée dans des activités pas vraiment dans son curriculum pour se payer ses doses d'oxys. Ça en faisait une proie vulnérable, facile à ramasser. Étranglée avec un lien qu'a pas été retrouvé, nue, les mains attachées. Le corps a été découvert dans une benne à ordures, pas loin du port.

— Et l'ADN dans les deux cas ?

— Rien qui puisse servir. Aucune trace d'agression sexuelle. Pas de sperme.

— Je ne vois toujours pas le rapport, insista Marino. Des homicides dont les victimes faisaient sans doute des passes pour se payer leur came et qui terminent ligotées, étranglées et balancées dans la nature, y en a quinze à la douzaine !

— T'es au courant que Terri Bridges portait une fine chaînette en or à la cheville gauche ? Personne sait d'où elle sort. C'est quand même marrant parce qu'elle avait aucun autre bijou, et quand j'ai poussé Oscar à ce sujet, il a affirmé qu'il l'avait jamais vue auparavant.

— Et ?

— Ben, dans les deux autres cas c'est pareil. Les victimes portaient une chaînette autour de la cheville gauche. Du côté du cœur, non ? Comme un fer au pied... Genre : « T'es mon esclave sexuel... » Ça pourrait être la signature du tueur. Celle d'Oscar, par exemple. Je suis en train de réunir tous les dossiers. Je continue mes recherches et je fouine pour déterrer d'autres infos. Et puis j'enverrai des messages à l'équipe habituelle, en incluant ton petit gang du temps jadis.

Les pensées déjà sombres de Marino virèrent à l'orage, bloquant toute tentative d'analyse.

— Quel petit gang ?

— Benton Wesley. Et cette poulette sexy, ancien agent, flic, je sais plus trop quoi, avec laquelle je n'ai, malheureusement, aucune chance si j'en crois la rumeur. Ça, c'est sûr que le fait de découvrir les ordinateurs portables quand tu as déboulé un peu plus tôt sur la scène de crime, sans ma permission, lui a donné un os à ronger.

— J'ai pas besoin de ta permission. T'es pas ma cheftaine.

— Juste. La cheftaine, ce serait Berger. Peut-être que tu pourrais lui demander qui dirige l'enquête ?

— Si le besoin s'en fait sentir, j'y manquerai pas ! Pour l'instant, je fais mon boulot. J'enquête sur cet homicide et c'est précisément ce qu'elle attend de moi.

Il avala la dernière gorgée de sa bouteille de Sharp's et du verre tinta dans le réfrigérateur lorsqu'il en extirpa une autre. En partant du principe que chaque bouteille renfermait 0,3 gramme d'alcool, s'il se fiait à ses calculs, il parviendrait aux premiers symptômes d'ébriété s'il en descendait au moins douze d'affilée. Il avait déjà tenté l'expérience, mais tout ce qu'il avait obtenu se résumait à d'intenables envies d'uriner.

Morales poursuivit :

— Elle possède cette société d'informatique dédiée aux sciences légales que Berger meurt d'envie d'utiliser. Lucy, tu vois ? Ça s'écrit comme la nièce de Kay Scarpetta.

— Je sais qui c'est.

Marino n'ignorait pas l'existence de cette société qui avait ouvert dans le Village, ni que Scarpetta et Benton collaboraient avec le John Jay. Il y avait beaucoup de choses qu'il ne souhaitait pas aborder avec Morales, ou quiconque d'ailleurs. En revanche, il n'était pas au courant de l'implication de Lucy, de sa tante et de son oncle par alliance dans l'affaire Terri Bridges, ni surtout de leur présence à New York en cet instant même.

La voix suffisante de Morales continua de se déverser dans l'appareil :

— Ça te soulagera peut-être de savoir que je crois pas que Kay s'incrustera très longtemps dans les parages. Ça t'évitera une rencontre gênante.

Il ne pouvait plus y avoir de doutes : Morales avait parcouru cette foutue chronique.

— Elle est venue pour examiner Oscar.

— Et pourquoi, bordel ? lança Marino.

— C'est le spécial du jour dans le menu d'Oscar. Il a réclamé sa venue et Berger offre au petit gars tout ce que désire son petit cœur.

La pensée de Scarpetta seule en compagnie d'Oscar était insupportable à Marino. Qu'il ait requis spécifiquement sa présence troublait le flic parce que cela signifiait une chose : Oscar Bane avait conscience de l'existence de Scarpetta bien plus qu'il n'aurait été souhaitable.

— T'es en train de suggérer que ce type est un tueur en série, alors qu'est-ce qu'il fabrique avec la Doc ? J'arrive pas à croire que Berger, ou qui que ce soit, ait organisé un truc pareil. Surtout qu'Oscar peut ressortir quand il en a envie. Merde !

Il arpentait son appartement. En douze pas il en couvrait toute la surface.

— Une fois qu'elle en aura terminé, elle repartira peut-être aussi sec dans le Massachusetts et t'auras pas à te faire de souci. Ça, c'est plutôt chouette, non ? Parce que, ça te manque pas, les soucis en ce moment.

— Ah ouais ? Et si tu t'expliquais un peu ? lança Marino.

— Je te rappelle que c'est une affaire délicate et que tu t'y es pas trop bien pris le mois dernier quand Oscar Bane s'est répandu en confidences auprès de toi.

— J'ai tout fait dans les règles.

— C'est marrant, ça. Et quand survient un problème, tout le monde s'en cogne. En ce qui concerne ton ancienne patronne, Kay, je te conseille de l'éviter. Remarque, t'as aucune raison de la rencontrer et encore moins de te pointer à l'improviste au Bellevue. Par exemple.

L'entendre désigner Scarpetta par son prénom hérissait Marino. Lui ne l'avait jamais appelée « Kay ». Pourtant ils avaient travaillé côte à côte durant des années. Il avait sans doute passé dix mille heures en sa compagnie, que ce soit à la morgue, dans son bureau, dans une voiture, sur des scènes de crime ou chez elle, pendant les vacances aussi. Il avait parfois pris un verre ou deux avec elle dans sa chambre d'hôtel lorsqu'ils travaillaient sur des enquêtes nécessitant un déplacement. Alors, si lui ne se permettait pas de l'appeler « Kay », pour qui se prenait Morales !

— Mon conseil, au fond, c'est de te faire rare tant que Kay est en ville, insista celui-ci. Elle n'a pas besoin qu'on lui rajoute une autre source de stress, tu m'entends, mon frère ? En fait, je veux pas que la prochaine fois qu'on l'appelle à la rescousse, elle nous plante à cause de toi. On a vraiment pas envie qu'elle quitte ses fonctions au John Jay, qu'elle lâche son rôle de consultante par ta faute. Parce que Benton s'en irait, lui aussi, du moins s'il veut faire plaisir à sa femme. En d'autres termes, on les perdrait tous les deux à cause de toi. J'ai bien l'intention de travailler de longues années avec eux. Un genre de trois mousquetaires.

— Tu les connais pas !

La colère avait envahi Marino au point qu'il sentait les battements de son cœur jusque dans les artères de son cou.

— Ils démissionnent et ça fera un remue-ménage médiatique. Et tu sais comment les choses se propagent. Ça fera un scandale parce que ça s'étalera en première page du *Post*. Un gros titre de trois mètres de haut expliquant que Jaime Berger, la crème des procureurs qui pourchasse les criminels sexuels, a engagé un délinquant sexuel, justement. Peut-être qu'elle sera virée. Tu n'imagines pas comment un château de cartes peut se dégommer, mon pote. Bon, va falloir que je te laisse. Concernant ce truc sur Internet, ce qui s'est passé entre toi et Kay... C'est pas que je veux fourrer mon nez...

— Eh ben, le fourre pas ! lui balança Marino.

Chapitre 4

Les jambes glabres d'Oscar Bane, entravées, se balançaient au bord de la table d'examen d'une des infirmeries de l'étage de psychiatrie carcérale. Les yeux qui la dévisageaient, l'un bleu, l'autre vert, donnaient à Scarpetta la déroutante impression que deux personnes la fixaient.

Un des gardiens de la prison se tenait près du mur, présence aussi solide et silencieuse qu'une montagne, lui laissant assez d'espace pour lui permettre de travailler tout en restant assez proche d'elle pour intervenir si Oscar devenait menaçant, ce qui semblait peu probable. Il avait peur et il avait pleuré. Elle ne percevait aucune agressivité chez lui alors qu'il était assis sur la table, embarrassé, seulement vêtu d'une chemise d'hôpital en fin coton qui semblait longue sur lui, mais s'entrouvrait de temps en temps juste en dessous de la ceinture. Les chaînes de ses pieds et les menottes de ses poignets cliquetaient doucement lorsqu'il tentait de changer de position pour se couvrir.

Oscar était ce qu'il est convenu de nommer une personne de petite taille, un nain. Ses pieds, ses mains et ses doigts étaient anormalement courts. Toutefois, sa chemise d'hôpital trop fine révélait qu'il était très bien doté par ailleurs. On aurait même pu dire que Dieu avait surcompensé ici ce qu'il avait ôté là. Scarpetta soupçonna une achondroplasie, une malformation due à une mutation, sans doute spontanée, du gène impliqué dans la formation osseuse, principalement des os longs des bras et des jambes. Sa tête et son torse étaient beaucoup trop grands comparés aux extrémités de son corps, et ses doigts épais et courts s'écartaient entre le majeur et l'annulaire, donnant à la main une forme en trident. Hormis ces particularités, le reste de son anatomie paraissait normale, du moins si l'on excluait ce qu'il s'était infligé et qui, outre des souffrances, avait dû lui coûter très cher.

Ses dents éclatantes avaient été facettées ou blanchies, probablement couronnées, et ses cheveux courts avaient été teints en blond doré. Ses ongles étaient polis avec soin et limés au carré. Bien que Scarpetta n'eût juré de rien, si des injections de Botox avaient été à l'origine de ce beau front lisse, elle n'en aurait pas été surprise. Toutefois, ce qui frappait sans doute le plus, c'était ce corps qui paraissait sculpté dans du marbre beige de Carrare, à peine veiné de bleu-gris, un corps presque totalement imberbe et admirablement musclé. De fait, son apparence, ses yeux étranges et intenses, cette sorte d'éclat de jeune dieu grec donnaient une impression d'irréalité assez déconcertante. Elle se souvint du commentaire de Benton au sujet des phobies d'Oscar et se demanda si ce n'était pas abusif. Oscar Bane ne pouvait pas être devenu l'homme qu'elle découvrait sans avoir supporté la souffrance et s'être prosterné aux pieds des praticiens qui la dispensaient.

Elle sentit le poids de son regard bleu-vert lorsqu'elle ouvrit la mallette de scène de crime que Benton conservait dans son bureau au cas où elle en aurait besoin.

Contrairement à ceux dont les professions n'exigeaient pas de pinces, de sachets à indices, de piluliers, d'équipement photographique, de lampes dotées de différents filtres, de scalpels et autres, Scarpetta était contrainte à la multiplication de ses outils de travail. Si une bouteille d'eau minérale ne passait plus les postes de sécurité des aéroports, il y avait de grandes chances pour qu'une mallette de scène de crime se fasse refouler ! Quant à faire étalage de son badge de médecin légiste, cela risquait surtout d'attirer encore plus l'attention, ce dont elle se passait volontiers.

Elle avait tenté un jour l'expérience à l'aéroport de Logan et s'était retrouvée dans une pièce où on l'avait fouillée, interrogée, soumise à tous les contrôles imaginables afin de s'assurer qu'elle n'était pas une terroriste. Certes, avaient admis les officiers chargés de la sécurité, elle ressemblait comme deux gouttes d'eau à cette dame, médecin expert, qu'on voyait sur CNN. Il n'en demeurait pas moins qu'on ne lui avait pas permis d'emporter sa mallette en bagage à main. Puisqu'elle refusait de l'enregistrer en soute, elle avait fini par faire le voyage en voiture. Depuis, elle s'était équipée d'une sacoche jumelle destinée à rester à Manhattan, dans laquelle elle conservait l'ensemble de ses instruments si menaçants.

— Avez-vous compris pourquoi je vais collecter ces échantillons et êtes-vous informé que vous avez le droit de refuser que je les prélève ?

Il la regarda étaler les enveloppes et sachets, des pinces, un mètre souple et d'autres instruments sur la table d'examen recouverte d'une large feuille de papier blanc. Il détourna la tête et s'absorba dans la contemplation du mur.

Le gardien intervint :

— Regarde le docteur quand elle te parle, Oscar.

Oscar continua à contempler le mur.

D'une voix tendue, une belle voix de ténor, il demanda :

— Pourriez-vous répéter ce que vous venez de dire, s'il vous plaît, docteur Scarpetta ?

— Vous avez signé une décharge selon laquelle vous m'autorisiez à prélever certains échantillons biologiques, expliqua-t-elle. Je souhaite que vous me confirmiez que vous êtes au courant des informations scientifiques que peuvent nous donner ces échantillons, et aussi que personne ne les a exigés de vous.

Oscar n'était toujours pas accusé de meurtre. Scarpetta se demanda si Benton, Berger et la police n'espéraient pas que ses phobies, ses blessures ne soient qu'une comédie, et qu'il finisse par avouer un crime dont elle ignorait encore tout. Cette situation la mettait dans une position nouvelle pour elle et, de surcroît, plutôt intenable. En effet, puisque Oscar n'avait pas encore été arrêté, elle ne pourrait rien divulguer de ce qu'il lui révélerait, sauf si lui-même renonçait au secret médical. Or, pour l'instant, la seule décharge qu'il avait signée autorisait juste Scarpetta à prélever des échantillons biologiques.

Oscar la regarda et lâcha :

— Je sais à quoi ils vont servir. C'est pour l'ADN. Je sais pourquoi vous avez besoin de cheveux.

— Les échantillons seront analysés et nous obtiendrons, en effet, votre empreinte ADN. Quant aux cheveux, ils peuvent nous dire si vous êtes un consommateur régulier de drogue. La police et les scientifiques chercheront également d'autres choses. Les traces...

— Je sais de quoi il s'agit.

— Je veux m'assurer que tout est clair dans votre esprit.

— Je ne prends aucune drogue et je ne suis certainement pas un utilisateur chronique de quelque substance que ce soit, affirma-t-il d'une voix heurtée en fixant à nouveau le mur. Quant à mon ADN et à mes empreintes digitales, il y en a partout dans son appartement. Mon sang aussi. Je me suis coupé le doigt.

Il tendit son pouce droit, dont la deuxième phalange était entourée d'un pansement.

— Quand je suis arrivé ici, j'ai accepté qu'ils relèvent mes empreintes digitales, poursuivit-il. Vous ne me trouverez dans aucune de vos banques de données. Ils verront bien que je n'ai jamais commis de crime. Je n'ai même jamais eu de contravention. J'évite toujours les ennuis.

Son regard scruta les pinces qu'elle récupérait et la peur s'infiltra dans son étrange regard.

— Je n'ai pas besoin de ça, dit-il. Je vais me débrouiller tout seul.

Elle reposa les pinces.

— Avez-vous pris une douche depuis votre arrivée ?

— Non. Je leur ai dit que j'attendais que vous m'ayez examiné.

— Vos mains ? Vous vous les êtes lavées ?

— Non. Et j'ai touché le moins de choses possible. À part le crayon que m'a prêté votre mari pour certains tests psychologiques. Les dessins de personnages. J'ai refusé de manger. Je voulais conserver mon corps intact de tout jusqu'à votre arrivée. J'ai peur des médecins. Je déteste souffrir.

Pas un seul de ses mouvements ne lui échappait pendant qu'elle ouvrait des sachets d'écouvillons et d'applicateurs, comme s'il redoutait qu'elle lui fasse mal.

— J'aimerais gratter le résidu qui se trouve sous vos ongles, si cela ne vous pose pas de problème, annonça-t-elle. On peut retrouver des indices microscopiques, de l'ADN, tout comme sous les ongles des doigts de pied.

— Je sais à quoi cela sert, répéta-t-il. Vous ne découvrirez rien qui indique que j'aie pu lui faire quelque chose. Même si vous obtenez son ADN, ça ne démontrera rien. Je vous l'ai dit, le mien est partout chez elle.

Il se tint tranquille pendant qu'elle approchait une fine tige de bois pour gratter sous ses ongles. Elle pouvait sentir son regard sur elle, sur son crâne, sorte de lumière tiède qui se posait sur son corps. Ses yeux, l'un bleu, l'autre vert, semblaient l'examiner. Lorsqu'elle eut terminé et qu'elle leva le visage vers lui, il ne considérait que le mur. Il lui demanda de ne pas regarder pendant qu'il s'arrachait quelques cheveux qu'elle l'aida à placer dans une enveloppe, puis quelques poils pubiens qui finirent dans une autre. Pour quelqu'un qui clamait ne pas supporter la souffrance, il ne recula pas ni ne tressaillit. Toutefois son visage était crispé et la sueur humectait son front.

Elle retira la protection d'un écouvillon buccal qu'il promena à l'intérieur de sa joue. Elle remarqua que ses mains tremblaient.

— Et maintenant, s'il vous plaît, demandez-lui de partir.

Il faisait référence au gardien.

— Vous n'avez pas besoin de sa présence, reprit Oscar. Je ne dirai rien s'il reste.

— Ça marche pas comme ça, rétorqua le gardien. C'est pas à toi de décider.

Oscar demeura silencieux, le regard perdu vers le mur. Le gardien fixait Scarpetta, attendant de voir ce qu'elle allait faire.

— Écoutez, je crois que tout va bien se passer, décida-t-elle.

— Ça m'ennuie vraiment, Doc. Il est passablement énervé.

Il n'avait pas du tout l'air énervé, mais elle garda son commentaire pour elle. En revanche, il semblait bouleversé, hébété et au bord de la crise de nerfs.

— Je suis enchaîné comme Houdini, lâcha Oscar. C'est une chose de se retrouver en cellule, mais je n'ai pas besoin qu'on me ligote comme un tueur en série ! Je suis surpris que vous ne m'ayez pas conduit à l'infirmerie dans une cage à la Hannibal Lecter ! Le personnel de cet établissement ignore de toute évidence que la camisole de force a été supprimée dans les hôpitaux psychiatriques au milieu du XIXᵉ siècle. Mais qu'est-ce que j'ai fait pour mériter ça ?

Il en bredouillait d'indignation et tendit ses poignets menottés.

— Tout cela parce que les ignorants comme vous pensent que je suis un monstre de foire, assena-t-il.

— Hé, Oscar, le scoop de l'année : tu n'es pas dans un hôpital psychiatrique normal, rétorqua le garde. Ceci est un établissement carcéral où tu es entré de ton plein gré.

Se tournant vers Scarpetta, il ajouta :

— Je préférerais rester, Doc.

— Un monstre. C'est ce que pensent des ignares comme vous.

— Tout va bien, assura-t-elle au gardien.

Elle comprenait parfaitement pour quelle raison Berger faisait preuve de prudence. Oscar avait un talent certain pour épingler tout ce qu'il jugeait injuste. Il ne ratait pas une occasion de rappeler à tous qu'il était une personne de petite taille, alors qu'en réalité ce n'était probablement pas la chose la plus frappante lorsqu'on le rencontrait, du moins quand il ne se tenait pas debout. En tout cas, ce n'était pas ce qui avait attiré l'attention de Scarpetta lorsqu'elle avait pénétré dans l'infirmerie. En revanche, ses yeux de couleurs différentes l'avaient stupéfiée, tant leur vert et leur bleu étaient saisissants par contraste avec la blancheur de ses dents et la couleur de ses cheveux. Bien que les caractéristiques physiques d'Oscar n'aient pas mérité le qualificatif de parfaites, l'ensemble produisait un effet qui attirait le regard, engageait à le détailler. Elle ne parvenait toujours pas à définir au juste à quoi il lui faisait penser. Un buste antique sur une vieille pièce de monnaie en or, peut-être.

— Bon, je suis juste à côté, se décida le gardien.

Il quitta l'infirmerie, poussant la porte dépourvue de poignée, comme toutes celles de l'étage. Seuls les gardiens en possédaient les clés. Aussi était-il crucial de maintenir la serrure à double cylindre en position de fermeture. Si le verrou était sorti, la porte ne pouvait plus se refermer complètement et emprisonner par accident un membre du personnel ou un consultant en visite, comme elle, dans une minuscule cellule, en compagnie d'un individu de cent kilos qui venait tout juste de démembrer la femme qu'il avait rencontrée dans un bar, par exemple.

Scarpetta ramassa le mètre et expliqua à Oscar :

— J'aimerais maintenant mesurer vos bras et vos jambes. Je veux connaître votre taille et votre poids exacts.

— Je mesure un mètre vingt-deux et demi et je pèse quarante-neuf kilos. Je chausse du 38, parfois du 37 chez les hommes ou du 39,5, voire du 38,5 lorsqu'il s'agit de chaussures de femme. Ça dépend. J'ai le pied large.

— Bras gauche depuis l'articulation gléno-humérale jusqu'à l'extrémité de votre majeur. Pourriez-vous tendre vos bras aussi droit que possible, s'il vous plaît ? C'est parfait. Quarante et un centimètres pour le bras gauche. Quarante et un et un quart de centimètre pour le droit. C'est fréquent. La plupart des gens n'ont pas les deux bras exactement de la même longueur. Les jambes maintenant. Je prends la mesure à partir de l'acétabule, c'est-à-dire l'articulation de la hanche.

Elle détermina l'endroit précis en palpant sa hanche sous le fin coton de la chemise d'hôpital et mesura les deux jambes jusqu'à l'extrémité des doigts de pied. Les entraves de ses chevilles cliquetèrent doucement quand ses muscles se contractèrent. Comparées à ses bras, ses jambes n'étaient plus longues que de cinq centimètres et légèrement arquées. Scarpetta nota toutes les mesures et récupéra un dossier sur la paillasse.

— J'aimerais que nous confirmions ensemble les renseignements qu'ils m'ont donnés à mon arrivée. Vous êtes âgé de trente-quatre ans et votre deuxième prénom est Lawrence. Si j'en crois cette fiche, vous êtes droitier.

Elle poursuivit, vérifiant sa date de naissance et son adresse, avant qu'il ne l'interrompe :

— Vous n'allez pas me demander pour quelle raison je voulais que vous veniez ? Pour quelle raison j'ai exigé votre présence ? Pourquoi je me suis assuré que Jaime Berger serait informée que je ne collaborerais que si on accédait à ma requête ? Qu'elle aille se faire foutre, celle-là ! (Son débit flancha et ses yeux se remplirent de larmes.) Terri serait toujours là sans Berger.

Il tourna la tête vers la droite et détailla à nouveau le mur.

— Éprouvez-vous des difficultés à m'entendre, Oscar ?

66

— Mon oreille droite, avoua-t-il d'une voix heurtée qui changeait parfois d'octave.

— Mais vous m'entendez de l'oreille gauche, non ?

— J'ai eu des otites à répétition lorsque j'étais enfant. Je suis sourd de l'oreille droite.

— Vous connaissez Jaime Berger ?

— C'est une femme insensible qui n'en a rien à foutre, de personne. Vous n'avez rien en commun avec elle. Vous prenez soin des victimes. Or j'en suis une. Il faut que vous vous intéressiez à mon cas, parce que je n'ai que vous.

Scarpetta annotait les enveloppes de prélèvements.

— Dans quel sens affirmez-vous être une victime ?

— Ma vie est fichue. L'être qui m'était le plus cher est mort. Je ne la verrai plus jamais. C'est fini, elle n'est plus. J'ai tout perdu et ça m'est égal de mourir. Je sais qui vous êtes et ce que vous faites. Même si vous n'étiez pas célèbre, je le saurais. Je saurais ce que vous êtes. Il a fallu que je réfléchisse vite, très vite. Je veux dire, après avoir découvert... découvert Terri... (Sa voix se brisa et il lutta contre les larmes.) J'ai demandé à la police de m'amener ici. Je savais que j'y serais en sécurité.

— Comment cela, « en sécurité » ?

— Je leur ai expliqué que j'étais un danger pour moi-même. Ils m'ont demandé si je pouvais aussi être dangereux pour les autres. J'ai répondu que non, seulement envers moi. J'ai exigé un confinement solitaire parce que je ne peux pas me retrouver avec les autres. Ils m'appellent le « nabot ». Ils m'ont baptisé le « nabot meurtrier » ici. Ils se moquent de moi. La police n'a aucun motif pour m'arrêter, mais ils pensent que je suis dérangé et ils ont peur que je m'évanouisse dans la nature. J'ai de l'argent et un passeport parce que je viens d'une bonne famille du Connecticut, même si mes parents ne sont pas très gentils. Ça m'est égal de mourir. Aux yeux de Jaime Berger et de la police, je suis coupable.

— Ils font quand même ce qu'ils peuvent pour satisfaire vos exigences, lui rappela-t-elle. Vous êtes au Bellevue. Vous avez rencontré le Dr Wesley. Et me voici.

— Ils se servent de vous. Ils n'en ont rien à faire de moi.

— Je vous promets que je ne laisserai personne m'utiliser.

— Oh, mais c'est déjà fait ! Ils sont en train de se couvrir. Ils m'ont déjà jugé et déclaré coupable dans leur esprit. Du coup, ils n'iront pas chercher ailleurs. Or le vrai tueur est toujours dans la nature et il sait qui je suis. Quelqu'un d'autre va se faire tuer. Le vrai meurtrier frappera à nouveau. Ils ont un mobile, une raison. J'ai été prévenu, mais je n'ai pas pensé une seconde que Terri était concernée. Je n'ai jamais soupçonné qu'ils pouvaient s'en prendre à elle.

— Prévenu ?

— Ils communiquent avec moi.

— L'avez-vous dit à la police ?

— Quand on ne sait pas qui ils sont au juste, il faut être très prudent, ne pas faire de confidences à n'importe qui. Il y a un mois, j'ai essayé de mettre en garde Jaime Berger en lui expliquant à quel point il serait risqué pour moi de déballer tout ce que je savais. Mais je n'ai jamais pensé que je mettais Terri en danger. Ils ne l'ont jamais évoqué lors de nos communications. Du coup, je ne savais pas, je ne me suis pas douté des risques qu'elle courait.

Il essuya ses larmes du revers de ses mains dans un cliquettement de chaînes.

— Comment avez-vous prévenu Jaime Berger, ou du moins tenté de le faire ? demanda Scarpetta.

— J'ai appelé ses bureaux. Elle vous le confirmera. Poussez-la un peu : vous verrez à quel point elle est indifférente à tous, à quel point elle s'en fiche ! Parce qu'elle se fiche de tout le monde ! (Les larmes dévalèrent le long de ses joues.) Et maintenant Terri est morte. Je savais que quelque chose d'affreux allait se produire, mais je n'ai jamais pensé que ça lui tomberait dessus. Vous vous demandez pourquoi, n'est-ce pas ? Je n'en sais rien. Peut-être parce qu'ils détestent les personnes de petite taille et qu'ils ont décidé de nous éliminer. Un peu comme les nazis ont fait avec les juifs, les homosexuels, les tziganes, les handicapés ou les malades psychiatriques. Tous ceux qui ne faisaient pas partie de la Race Supérieure de Hitler ont fini au four crématoire. J'ignore comment ils se sont débrouillés, mais ils m'ont volé mon identité et mes pensées, et ils savent tout de moi. J'ai raconté tout cela, mais Berger n'en avait rien à faire. J'ai exigé qu'on me rende justice, la justice mentale, mais elle n'a même pas daigné me parler au téléphone.

— Parlez-moi un peu de cette justice mentale.

— Quand on vous vole votre esprit, c'est justice qu'on vous le rende. C'est de sa faute. Berger aurait pu mettre un terme à tout ça. On ne m'a pas rendu mon esprit. J'ai perdu Terri. Il ne me reste que vous. Je vous en prie, aidez-moi.

Scarpetta plongea ses mains gantées dans les poches de sa blouse et sentit qu'un monde d'ennuis se profilait. Elle n'avait aucune envie de devenir le médecin d'Oscar Bane. Elle aurait dû lui annoncer sur-le-champ qu'elle ne voulait plus avoir de relations avec lui. Elle aurait dû ouvrir cette porte d'acier peinte en beige et sortir sans se retourner.

— Ils l'ont tuée. Je sais que c'est eux, insista Oscar.

— Et selon vous, qui sont-*ils* ?

— Je n'en ai pas la moindre idée. Ils me suivent, une sorte de groupe qui défend une cause quelconque. Je suis leur cible. Ça fait des mois que ça dure. Comment se fait-il qu'elle soit morte ? Peut-être que je suis un danger pour moi-même. Peut-être que je veux vraiment mourir.

Il fondit en larmes.

— Je l'aimais plus que tout. Je n'ai jamais aimé personne à ce point. Je n'arrête pas de me dire que c'est un cauchemar, que je vais me réveiller, que ça ne peut pas être vrai, que je ne suis pas vraiment assis là. Je déteste Jaime Berger. Peut-être qu'un jour ils tueront quelqu'un qu'elle aime et elle verra ce que ça fait. Elle vivra à son tour cet enfer. J'espère que ça lui arrivera. J'espère que quelqu'un tuera la personne qui lui est le plus chère.

— Et vous, aimeriez-vous tuer une personne qu'elle aime ? demanda Scarpetta.

Elle fourra quelques mouchoirs en papier dans ses mains menottées. Les larmes lui trempaient les joues et son nez coulait.

— J'ignore qui ils sont, répéta-t-il. Si je sors d'ici, ils vont à nouveau me suivre. Ils savent très bien que je suis au Bellevue. Ils tentent de me contrôler par la peur, le harcèlement.

— Mais comment y parviennent-ils ? Avez-vous le sentiment d'être suivi ?

— L'électronique haut de gamme. Une multitude d'appareils sont accessibles au public sur Internet. Des micro-ondes qui transmettent la voix directement au cerveau. Le son silencieux. Un radar capable de traverser les murs. J'ai toutes les raisons de croire qu'ils m'ont choisi comme cible, pour contrôler mon esprit.

Et si vous pensez que des trucs de ce genre n'existent pas, rappelez-vous ces expériences avec de la radioactivité qui ont été conduites sur des humains juste après la Seconde Guerre mondiale. On leur donnait de la radioactivité à manger, on leur injectait du plutonium, tout cela dans le cadre des recherches sur la guerre nucléaire. Je n'invente rien.

— Je suis au courant des expériences sur la radioactivité. Personne ne peut nier qu'elles ont eu lieu, intervint Scarpetta.

— Je ne sais pas ce qu'ils me veulent, reprit-il. C'est la faute de Berger. Tout ça est de sa faute !

— Expliquez-vous.

— Le bureau du procureur est chargé d'enquêter sur les vols d'identité, sur le harcèlement, ou si vous êtes traqué par quelqu'un. J'ai appelé et j'ai demandé à lui parler, mais ils n'ont jamais voulu me la passer. Je vous l'ai déjà raconté. Ils m'ont passé cet abruti de flic. Il a pensé que j'étais timbré, bien sûr, et personne n'a rien fait. Il n'y a eu aucune enquête. Tout le monde s'en fiche. J'ai confiance en vous. Je sais que vous vous intéressez aux gens. Je l'ai constaté de mes propres yeux. Aidez-moi, s'il vous plaît. Je vous en prie. Je n'ai pas de bouclier ici, plus aucune protection.

Elle examina les écorchures superficielles du côté gauche de son cou. La croûte en formation semblait récente, indiquant que la plaie datait de moins de trente heures.

— Et pourquoi me feriez-vous confiance ? s'enquit-elle.

— Je ne peux pas croire que vous sortiez un truc pareil ! C'est quoi ? Une manipulation ?

— Je n'ai pas pour habitude de manipuler les gens et aucune intention de commencer avec vous.

Il étudia son visage alors qu'elle examinait d'autres écorchures.

— D'accord, lâcha-t-il. Je comprends très bien que vous deviez être prudente. Il faut que vous fassiez attention à ce que vous dites. Peu importe. J'éprouvais beaucoup de respect pour vous, bien avant tout ça. Vous ne savez pas non plus qui ils sont. Vous devez faire attention.

— « Avant tout ça » ?

— C'était très courageux de votre part d'aborder à la télé l'assassinat de Buttho. Terri et moi, on vous a regardée sur CNN. Vous avez fait une longue intervention durant laquelle vous avez parlé de cette terrible tragédie avec tant de compassion, de respect. Vous étiez si brave, si professionnelle, mais j'ai senti à quel point cela vous touchait. J'ai senti que vous étiez aussi anéantie que nous et que ce n'était pas de la comédie. Et pourtant vous faisiez des efforts pour dissimuler votre émotion. J'ai compris que je pouvais vous faire confiance. Terri aussi, bien sûr. Mais, selon elle, c'était un peu décevant. Je lui ai expliqué qu'elle devait se mettre à votre place. Parce que je savais que je pouvais avoir confiance en vous.

— Je ne suis pas certaine de comprendre en quoi le fait de me voir à la télé pouvait vous encourager à avoir confiance en moi.

Elle extirpa un appareil photo de sa mallette de scène de crime.

Devant son mutisme, elle biaisa :

— Pourquoi Terri était-elle déçue ?

— Vous le savez et on peut fort bien la comprendre. Vous respectez les gens. Vous faites attention à eux. Vous les aidez. J'évite au maximum les médecins, sauf quand je ne peux pas faire autrement. Je ne supporte pas la souffrance. Je leur demande de

72

m'anesthésier, de me faire une piqûre de Demerol, de tout tenter pour éviter que ça me fasse mal. J'admets : j'ai peur des médecins et de la souffrance. Je ne peux même pas regarder l'aiguille quand on me fait une piqûre. Si jamais je la vois, je me trouve mal. Je leur demande de me bander les yeux ou de me piquer là où je ne peux pas voir la seringue. Vous n'allez pas me faire mal, n'est-ce pas ? Ni me faire de piqûre, hein ?

— Non. Rien de ce que je vais faire ne devrait être pénible, le rassura-t-elle en examinant les égratignures qui se trouvaient sous son oreille gauche.

Encore une fois, elles étaient peu profondes, sans signe de régénération épithéliale aux berges. Comme précédemment, la croûte datait de moins de trente heures. Oscar sembla soulagé par ce qu'elle venait de dire et apaisé par le contact de ses doigts.

Il reprit, se répétant :

— J'ignore qui me suit et m'espionne. Peut-être le gouvernement, mais lequel ? Peut-être un groupuscule haineux ou une secte. Je sais que vous n'avez peur de personne, d'aucun gouvernement, d'aucun groupe, d'aucune secte. Dans le cas contraire, vous ne discute-riez pas des sujets que vous choisissez pour la télé. Terri disait la même chose. Vous étiez son héroïne. Si seulement elle pouvait savoir que je suis assis dans cette pièce en votre compagnie, et que nous sommes en train de parler d'elle ! Peut-être qu'elle le voit. Vous croyez qu'il existe quelque chose derrière la mort ? Que les âmes de ceux qu'on aime ne vous quit-tent pas ?

Il leva ses yeux injectés de sang vers le plafond, comme s'il cherchait Terri.

— Je ne sais pas ce que je vais faire, conclut-il.

— Soyons clairs...

Scarpetta tira une chaise en plastique et s'assit à côté de la table d'examen.

— ... J'ignore tout de cette affaire, continua-t-elle. Je ne sais pas ce que vous avez soi-disant fait ou pas. Quant à Terri, je n'ai pas la moindre idée de qui elle est.

La stupeur se peignit sur le visage d'Oscar.

— Qu'est-ce que vous dites ?

— Monsieur Bane, je dis qu'on m'a appelée pour que j'analyse vos blessures et que j'ai accepté de le faire. De plus, je ne suis sans doute pas la personne à laquelle vous devriez vous confier. Votre bien-être n'est pas ma priorité absolue et je me sens donc obligée de vous prévenir que plus vous me parlez de Terri, de ce qui s'est produit, plus vous prenez des risques.

— Mais vous êtes la seule à qui je doive en parler, contra-t-il.

Il s'essuya les yeux et le nez, la dévisageant comme s'il tentait de percer un secret crucial, et argumenta :

— Vous avez vos raisons. Peut-être que vous savez quelque chose.

— Vous devriez prendre un avocat, qui, lui, sera soumis au secret professionnel, quoi qu'il advienne.

— Vous êtes médecin. Vous êtes liée par le secret médical. Vous n'avez pas le droit d'autoriser la police à interférer avec les soins qui me sont dispensés et ils ne peuvent pas avoir accès à ce que je vous ai dit, ce que vous avez déduit, sauf si je leur en donne la permission ou que le juge en décide ainsi. Vous devez protéger ma dignité, c'est la loi.

— La loi indique aussi que si vous êtes accusé de meurtre, les informations en ma possession peuvent faire l'objet d'une commission rogatoire à la demande de la défense ou de l'accusation. Vous devez garder cela à l'esprit si vous décidez de me révéler d'autres choses, sur Terri ou sur ce qui s'est passé la nuit dernière. Je peux être amenée à révéler tout ce que je sais, souligna-t-elle.

— J'ai offert à Jaime Berger une chance de m'interroger. Vous êtes si différente. Elle mérite d'être virée. Elle mérite de souffrir autant que moi et de perdre ce que j'ai perdu. C'est de sa faute.

— Vous souhaitez lui faire du mal ?

— Je ne ferais de mal à personne. De toute façon, elle n'a pas eu besoin de moi. C'est de sa faute. On est toujours puni comme on a blessé, c'est la loi de l'univers. Si elle perd un être qu'elle aime, elle ne pourra s'en prendre qu'à elle.

— J'insiste à nouveau sur ce point : si vous êtes accusé d'un crime, je peux être contrainte par la loi de révéler absolument tout ce que je sais, tout ce que j'ai observé. Et, en effet, Jaime Berger peut demander un ordre du juge dans ce sens. Vous avez bien compris ?

Ses yeux de couleurs différentes la fixaient et la colère avait tendu son corps. Scarpetta se demanda si elle ne devrait pas ouvrir la lourde porte d'acier.

— Ils ne trouveront aucun argument pour me coller ça sur le dos, contre-attaqua-t-il. Je n'ai pas protesté lorsqu'ils m'ont pris mes vêtements ou ma voiture. Je les ai autorisés à pénétrer chez moi parce que je n'ai rien à cacher. D'ailleurs, ça vous permettra de voir comment je suis forcé de vivre. Je veux que vous le voyiez. J'insiste. Je leur ai dit qu'ils ne pourraient entrer dans mon appartement que si vous le visitiez. Ils ne trouveront aucun indice révélant que j'aurais fait du mal à Terri, sauf s'ils le fabriquent. Et peut-être qu'ils le feront. Mais vous me protégerez parce que vous êtes mon témoin. Vous veillerez sur moi, où que je sois, et si quelque chose m'arrive, vous saurez que ça fait partie d'un plan. À l'heure actuelle, d'un point de vue légal, vous ne pouvez rien révéler de ce qui se passe entre nous, pas même à votre mari. Je lui ai donné la permission de réaliser mon évaluation psychologique et il vous dira que je ne suis pas fou. J'ai confiance en ses qualités professionnelles. Mais le plus important, c'est que je savais que lui pourrait vous atteindre.

— Lui avez-vous fait part de ce que vous me racontez ?

— Je l'ai laissé faire son évaluation et c'est tout. Je lui ai dit qu'il pouvait sonder mon esprit et que vous examineriez le reste, que, sans cela, je refusais de coopérer. Vous ne pouvez rien lui répéter. Pas même à lui. Que se passera-t-il si la situation évolue, si on m'accuse à tort et que vous êtes contrainte de parler ? À ce moment-là, vous saurez que je dis la vérité et, de toute façon, vous vous battrez pour moi. Vous devriez me croire. Enfin, ce n'est pas comme si vous n'aviez jamais entendu parler de moi !

— Qu'est-ce qui vous fait croire que je vous connais par ailleurs ?

Le regard d'Oscar Bane se fit implacable.

— Je vois. On vous a recommandé de vous taire. Bien. Je n'aime pas ce jeu. Mais allons-y. D'accord. Tout ce que je vous demande, c'est de m'écouter et de ne pas me trahir, de ne pas bafouer le serment que vous avez prêté un jour.

Elle songea qu'elle devrait mettre un terme à cette histoire, maintenant. Mais Berger ne quittait pas son esprit. Oscar n'avait pas menacé le procureur. Pas encore. S'il n'en venait pas là, elle ne pourrait rien révéler de leur conversation. Il n'en demeurait pas moins qu'elle s'inquiétait pour la magistrate, pour ceux qui l'entouraient. Elle en venait à espérer qu'Oscar en finisse, profère des menaces sans équivoque, impliquant qu'il avait l'intention de se venger de Berger ou de quelqu'un d'autre. À ce moment-là la confidentialité de leurs échanges cesserait, du moins tomberait-il sous le coup de la loi.

— Je vais prendre des notes que je conserverai dans un dossier de consultation, annonça-t-elle.

— Oui, des notes. Je veux qu'il existe une trace de la vérité entre vos mains. Au cas où quelque chose se passerait.

Elle tira un carnet et un stylo d'une des poches de sa blouse.

— Au cas où je mourrais, précisa-t-il. Je n'ai probablement aucune chance de m'en sortir et ils vont sans doute me descendre. Peut-être est-ce la dernière nouvelle année que je vis. Peut-être que je m'en fiche.

— Qu'est-ce qui vous fait dire cela ?

— Quoi que je fasse, où que j'aille, ils sont au courant.

— Même ici ?

Il jeta un regard vers la porte.

— Peut-être. Mais vous savez quoi ? Il y a une sacrée épaisseur d'acier à traverser. Je ne suis pas sûr qu'ils y parviennent. Ça n'empêche que je vais être très prudent dans ce que je vais vous confier et dans ce que je penserai. Il faut que vous m'écoutiez avec la plus grande attention. Lisez dans mon esprit pendant que c'est encore possible. À un moment ou à un autre, ils parviendront à me maîtriser totalement, à m'enlever mon libre arbitre, mes pensées. D'ailleurs, peut-être qu'ils s'entraînent sur moi. Il faut bien qu'ils expérimentent sur quelqu'un. On sait que la CIA poursuit depuis un demi-siècle des programmes secrets sur les modifications neuro-électromagnétiques du comportement. Et, à votre avis, qui sont leurs cobayes ? Et, selon vous, que se passe-t-il si vous allez voir la police ? De très étrange manière, aucune plainte n'est enregistrée. C'est ce qui s'est passé lorsque j'ai tenté d'informer Mme Berger. On m'a ignoré. Et maintenant Terri est morte. Je ne suis pas paranoïaque. Je ne souffre pas d'un épisode psychotique, schizoïde. Je n'ai pas de désordres de la personnalité. Je ne délire pas. Je ne crois pas que des pervers me poursuivent dans leur machine infernale à balancer des rayons et des gaz, quoique l'on soit fondé à s'interroger sur les politiciens et si ce n'est pas pour cette raison que nous sommes en guerre au Moyen-Orient. Je plaisante, bien sûr. Cela étant, plus grand-chose ne me surprend.

— Vous semblez très versé dans la psychologie et dans l'histoire de la psychiatrie.

— J'ai un doctorat. J'enseigne l'histoire de la psychiatrie à l'université de Gotham.

Elle n'avait jamais entendu parler de cet établissement universitaire et lui demanda où il se trouvait.

— Nulle part.

Chapitre 5

Son pseudonyme était « Mégère » parce que son mari l'appelait ainsi. Ce n'était pas toujours une insulte dans sa bouche. Parfois il s'agissait d'un mot tendre.

« Ne sois pas une fichue mégère », lançait-il, mot pour mot, quand elle se plaignait de ses cigares ou du fait qu'il ne rangeait jamais rien. « Et si on prenait un verre, mon adorable petite mégère ? » Ça, en revanche, signifiait qu'il était cinq heures du soir, qu'il était plutôt de bonne humeur et avait envie d'écouter les informations.

Elle préparait leurs boissons ainsi qu'une soucoupe de noix de cajou et il tapotait le coussin du canapé en velours côtelé fauve. Après une demi-heure d'informations qui, inutile de le préciser, n'étaient jamais réjouissantes, il devenait silencieux, ne l'appelait plus sa « mégère ». D'ailleurs il ne lui adressait même plus la parole. Le dîner n'était troublé que par des bruits de mastication. Ensuite, il se retirait dans leur chambre pour lire. Un jour, il était parti faire une course et il n'était jamais revenu.

Elle ne se faisait aucune illusion sur ce qu'il dirait s'il était toujours là. Il n'approuverait pas qu'elle soit devenue l'administratrice système du site *Dans le collimateur de Gotham*. Il lui balancerait qu'elle propageait des détritus répugnants dont le seul but était d'exploiter sans vergogne, de faire du mal, et il ajouterait que c'était insensé de sa part de travailler pour des gens qu'elle n'avait jamais rencontrés et dont elle ne connaissait même pas les noms. Il terminerait en déclarant qu'il était scandaleux et très suspect que sa mégère ne sache pas qui était le chroniqueur anonyme qui noircissait les colonnes du site.

Plus que tout, il serait atterré qu'elle ait été engagée au téléphone, par l'entremise d'un « agent » qui n'était pas américain. Le type en question avait prétendu qu'il vivait en Grande-Bretagne, mais il avait l'air à peu près aussi anglais que Tony Soprano. Il avait forcé la Mégère à signer une multitude de documents légaux, sans lui laisser l'opportunité de les faire lire par son conseil. Une fois qu'elle eut fait tout ce qu'on exigeait d'elle, on lui avait proposé un mois d'essai. Sans rémunération. À la fin de cette période, personne ne l'avait appelée pour la féliciter de son excellent travail, ni pour lui dire à quel point le Patron (puisque c'était ainsi qu'elle avait baptisé le chroniqueur anonyme) était ravi de l'avoir à bord. Elle n'avait eu aucune nouvelle.

Elle avait donc continué. Une somme était transférée toutes les deux semaines sur son compte bancaire. Aucune taxe ou impôt n'étaient retenus de son salaire. En revanche elle ne jouissait d'aucune prestation sociale, pas plus qu'elle n'était remboursée des dépenses qu'elle engageait, comme lorsqu'elle avait dû remplacer son ordinateur quelques mois auparavant ou s'équiper d'une borne d'accès pour le réseau sans fil. Il était hors de question d'avoir un arrêt-maladie, des vacances ou même d'être payée pour ses heures supplémentaires. L'agent le lui avait expliqué, cela faisait partie de ses attributions d'être disponible vingt-quatre heures sur vingt-quatre, sept jours sur sept.

Dans une vie antérieure, la Mégère avait eu de vrais boulots dans de vraies compagnies. Elle avait terminé sa vie de salariée comme directrice du marketing pour une banque de données dans une boîte de consultants. Elle n'était pas un bébé. Elle était parfaitement consciente que les exigences de son employeur actuel étaient déraisonnables et qu'elle pouvait le traîner en justice. Du moins si elle avait connu la personne pour qui elle travaillait. Toutefois, elle n'avait pas vraiment envie de se plaindre. Elle était assez bien payée et c'était un honneur d'être employée par une célébrité anonyme dont les articles en ligne faisaient parler tout New York et peut-être même tout le pays.

Les fêtes de fin d'année étaient une période très dense pour la Mégère. Pas pour des raisons personnelles. D'ailleurs on ne l'autorisait pas à avoir des « raisons personnelles » pour quoi que ce fût. Mais la fréquentation des sites Internet connaissait une inévitable inflation, et la page d'accueil représentait un formidable défi. La Mégère était intelligente, mais, il fallait bien l'avouer, elle n'avait jamais été une graphiste de talent.

À cette époque de l'année la fréquence de publication explosait, elle aussi. Le Patron avait accéléré l'allure afin de satisfaire les fans et les sponsors, et les récompenser d'une année de fidélité, d'enthousiasme, sans oublier qu'ils représentaient un public très lucratif. Dès le réveillon de Noël, la Mégère avait reçu l'ordre d'envoyer un article par jour au lieu de trois par semaine. Parfois elle avait de la chance et en recevait plusieurs à la fois. Elle les arrangeait un peu et ils attendaient ensuite leur affichage automatique sur Internet. Du coup, elle s'accordait un petit répit, le temps pour une ou deux courses frivoles, un rendez-vous chez le coiffeur ou même une balade, plutôt que d'attendre les envois du Patron. Le Patron ne semblait guère prêter attention aux dérangements qu'il occasionnait à son employée. Pire, si ça se trouve, ses intentions étaient encore plus sombres et troubles.

La Mégère en était venue à soupçonner le Patron d'orchestrer les choses comme il le souhaitait, de programmer l'arrivée d'un article chaque jour en dépit du fait que plusieurs étaient déjà prêts et dans la boîte. Cela sous-entendait deux aspects importants de son fonctionnement.

Tout d'abord, et contrairement à la Mégère, le Patron avait une vie et une confortable avance en matière de travail, de sorte que lui – ou elle ? – puisse faire autre chose, entreprendre un petit voyage, voir ses amis, profiter de sa famille ou tout bonnement se reposer. Deuxième aspect : le patron pensait souvent à la Mégère. Il, ou elle, était assez investi dans leur relation pour tenir à lui rappeler régulièrement à quel point elle était minuscule, sans importance et à la disposition de la célébrité anonyme qui rédigeait les articles. La Mégère était une non-existence et il n'y avait aucune raison pour qu'on lui accorde un jour ou deux de liberté lorsqu'elle avait terminé son travail et qu'elle n'avait plus besoin de s'en préoccuper. Elle était au service du Patron et devait se soumettre à son bon plaisir. Le Patron répondait aux requêtes de la Mégère ou pas, un doigt sur le clic de souris, la flèche du curseur sur « envoyer ».

Au fond, c'était plutôt une chance qu'elle en soit venue à redouter cette période des fêtes, même si on lui avait donné l'opportunité d'en profiter. Il ne s'agissait de rien d'autre que d'un navire désert qui la transportait d'une année dans la suivante, en lui rappelant ce qu'elle n'avait pas, ce qui ne l'attendait pas, et à quel point la biologie était injuste et jouait de vilains tours. Elle ne se souvenait pas que le processus ait été graduel, contrairement à ce que la logique aurait pu laisser supposer : une petite mèche grise ici, une petite ride là, une articulation récalcitrante ailleurs.

Un jour, elle s'était regardée dans la glace et n'avait pas retrouvé la femme de trente ans qu'elle était toujours dans son esprit. Elle n'avait pas reconnu la ruine qui lui rendait son regard par l'intermédiaire du miroir. Lorsqu'elle chaussait ses lunettes, elle ne voyait plus qu'une peau relâchée, plissée. Elle découvrait que des taches pigmentées avaient colonisé tout son corps, à la manière d'envahisseurs. Ses cheveux, qui pendaient négligés, s'étaient éclaircis, remplacés par des poils qui poussaient un peu n'importe où. Elle se demandait pourquoi elle avait soudain besoin de tant de veines. Pour amener un afflux de sang à ses cellules qui s'obstinaient à mourir, juste par amusement ?

Au fond, cela lui convenait de n'avoir pas eu une seconde de répit durant cette affligeante période qui s'étalait entre Noël et le jour de l'an. Elle avait été sans cesse sur le pont, attendant la nouvelle chronique, même si le Patron en gardait un certain nombre en réserve, le suspense parvenant à son comble le premier jour de l'année, lorsqu'il lui en avait expédié deux. En toute logique, ces deux-là devaient être les plus saisissantes.

La Mégère avait reçu la seconde un peu plus tôt et son contenu la laissait surprise, pour ne pas dire perplexe. Le Patron n'avait jamais pris pour cible la même personnalité deux fois de suite, notamment pour la rubrique quotidienne « Double mise gagnante ». Or les deux rubriques du jour étaient consacrées au Dr Kay Scarpetta, à elle seule. Ça allait faire un tabac, à n'en point douter, puisque tous les ingrédients essentiels s'y trouvaient : le sexe, la violence et l'Église catholique.

La Mégère se préparait à une nuée de commentaires de la part des fans du site, et peut-être à une nouvelle récompense décernée par le Stylo vitriolé, une distinction très convoitée. Du coup, à l'instar de la dernière fois, les supputations iraient bon train lorsque personne ne se présenterait pour recueillir le prix en question. Toutefois, elle ne pouvait s'empêcher de s'interroger, non sans une certaine nervosité. Qu'est-ce qui, chez cette dame médecin expert si respectée, avait pu déclencher ainsi l'intérêt venimeux du Patron ?

Elle relut avec soin la dernière chronique afin de s'assurer qu'elle n'était pas passée à côté d'une coquille typographique ou d'une faute d'orthographe. Elle adapta le texte au format habituel, tout en se demandant où le Patron avait pu dénicher ces renseignements de nature très personnelle, renseignements qu'elle signala en rouge sous l'onglet « En stricte exclusivité », le type d'informations qui attiraient aussitôt leurs visiteurs. Le plus souvent, le contenu de cette page, ainsi que les autres cancans amassés sur le site, n'était que la traduction d'anecdotes, de choses entrevues, de rumeurs et d'inventions pures et simples envoyées par leurs fans. La Mégère les passait au crible et balançait ensuite le tout sur un dossier informatique accessible au Patron. Cependant aucune des informations « exclusives » au sujet de Scarpetta n'avait transité par la Mégère.

En d'autres termes, où le Patron avait-il pu se les procurer ?

Si l'on ajoutait foi à l'article, il semblait que le Dr Scarpetta ait grandi dans une famille italienne assez pauvre et sans éducation. Elle avait une sœur qui s'était envoyée en l'air avec tous les garçons, et ce bien avant la puberté, une grosse gourde de mère, un père manœuvre tout juste descendu de son bateau d'exil que la petite Kay aidait dans l'épicerie qu'il avait montée. Elle avait veillé son interminable agonie alors qu'il mourait d'un cancer, ce qui expliquait sa probable addiction à la mort. Le prêtre qui s'occupait d'elle l'avait prise en pitié et s'était débrouillé pour lui obtenir une bourse qui lui avait permis d'étudier à l'école paroissiale de Miami, où elle était devenue une petite boutonneuse geignarde, cafteuse de surcroît. Bien sûr, les autres filles la détestaient, avec raison.

Parvenu à ce point, le Patron changeait pour le mode narratif, une habitude lorsque le récit devenait particulièrement incisif :

... Cet après-midi-là, le petit génie de Floride, notre Kay, se trouvait seule dans le laboratoire de chimie, en train de travailler sur un projet pour ramasser encore quelques bons points. Soudain apparut sœur Polly. Vêtue de sa robe noire, de sa coiffe et de son voile, elle semblait flotter au travers de la pièce presque déserte. Elle vrilla ses petits yeux dévots dans ceux de la pauvre Kay.

— Que nous dit notre Père au sujet du pardon, Kay ? demanda-t-elle, impérieuse, mains posées sur ses hanches virginales.

— Que nous devons pardonner aux autres, comme Il nous pardonne à nous-mêmes.

— Et as-tu obéi à Son commandement ? Qu'en penses-tu ?

— Non.

— Parce que tu as dénoncé quelqu'un.

— Je travaillais sur mon problème de mathématiques, sœur Polly, et j'avais mes crayons alignés sur le bureau. Sarah les a tous cassés en deux. Il a fallu qu'on m'en rachète. Or elle sait que ma famille est pauvre, et...

— Tu dénonces à nouveau ! Dieu croit qu'il faut rendre ce que nous prenons.

Elle plongea la main dans sa robe et en extirpa vingt-cinq *cents* qu'elle enfonça dans la paume de la petite Kay avant de la gifler.

Sœur Polly lui ordonna ensuite de prier pour ses ennemis et de leur pardonner leurs offenses. Elle réprimanda avec grande sévérité la petite Kay, une pécheresse dotée d'une langue trop bien pendue. Elle assura à la petite fille qu'elle avait grand besoin qu'on lui rappelle que Dieu n'avait pas d'affection pour les mouchards et les cancaniers.

Une fois dans la salle de bains située de l'autre côté du couloir, sœur Polly poussa le verrou et tira sa ceinture de cuir noir tout en ordonnant à la petite Kay de retirer sa robe chasuble écossaise, son chemisier et tout ce qui se trouvait dessous, puis de se pencher et de serrer ses genoux entre ses bras.

Satisfaite par sa relecture et le fait qu'elle pouvait lâcher la rubrique sur Internet, la Mégère tapa son code d'administrateur système pour entrer sur la programmation du site. Elle expédia l'article, non sans arrière-pensées.

Le Dr Scarpetta avait-elle récemment fait quelque chose qui attise ainsi la haine du Patron, qui que puisse être ce dernier ?

Le regard de la Mégère abandonna l'écran de l'ordinateur et se perdit au loin, par la fenêtre située derrière, ce qui lui rappela qu'une voiture de police était restée garée toute la journée devant l'immeuble de grès brun juste en face de chez elle, de l'autre côté de la rue. Peut-être un policier venait-il d'y emménager ? Toutefois, elle doutait qu'une paye de flic moyen suffise pour s'offrir un loyer dans Murray Hill. Elle se demanda ensuite s'il n'était pas plutôt en surveillance. Y avait-il un cambrioleur ou un dingue en liberté dans les parages ? Ses pensées revinrent au Patron, à son évidente intention de gâcher les fêtes de fin d'année de la dame médecin expert pour laquelle la Mégère avait toujours éprouvé de l'admiration.

La dernière fois qu'elle avait vu le Dr Scarpetta à la télé, c'était quelques jours après Noël, à la suite de l'assassinat de Benazir Bhutto. Le Dr Scarpetta avait expliqué, avec tact et diplomatie, les dégâts que pouvaient causer un éclat d'obus, une balle, voire un coup brutal en fonction de la zone du cerveau ou de la moelle épinière atteinte. Cette intervention avait-elle quelque chose à voir avec la première chronique du Patron, reçue ce matin, ou celle qui venait d'arriver sous forme de bonus pour le nouvel an ? Le Dr Scarpetta avait-elle touché un point particulièrement sensible ? Dans ce cas, pour quel genre d'individu travaillait donc la Mégère ? S'agissait-il de quelqu'un qui détestait les Pakistanais, l'islam, la démocratie, les droits de l'homme ou les femmes de pouvoir ? D'un autre côté, peut-être ne fallait-il y voir qu'une pure coïncidence.

Pourtant la Mégère n'y croyait pas, et son instinct l'entraîna dans un monde de spéculations inédites. Après tout, comment pouvait-elle être certaine qu'elle ne travaillait pas pour une organisation terroriste qui utilisait ce site Internet d'infâmes cancans – site très lucratif – afin de communiquer de façon subliminale avec des sympathisants extrémistes, répandre sa propagande et, surtout, financer des actions subversives ?

Elle n'en savait rien. Cependant, si elle avait vu juste, tôt ou tard quelqu'un déboulerait chez elle, qu'il s'agisse de la Sécurité intérieure ou d'un des membres de la secte terroriste qui se trouvait derrière le très secret et franchement suspect boulot qu'elle avait accepté et qu'elle n'avait jamais mentionné à qui que ce soit.

À sa connaissance, deux personnes seulement étaient au courant de ses occupations : l'agent italien qui l'avait engagée par téléphone – agent qu'elle n'avait jamais rencontré et dont elle ignorait jusqu'au nom – et la célébrité anonyme qui écrivait les chroniques, les lui envoyait par *e-mail* afin qu'elle les revoie de façon succincte et les mette au bon format. Ensuite, elle les injectait sur le site et le système de programmation faisait le reste. Chaque chronique devait apparaître à minuit passé d'une minute. Si des terroristes étaient impliqués, cela signifiait que le Dr Scarpetta était une de leurs cibles. Ils essayaient de la démolir tant professionnellement que personnellement et sa vie était peut-être en danger.

La Mégère devait la mettre en garde.

Mais comment y parvenir sans admettre du même coup qu'elle était la très confidentielle administratrice système du site ?

C'était impossible.

Assise devant son ordinateur, elle pesa le pour et le contre, fixant par la fenêtre la voiture de police garée de l'autre côté de la rue, cherchant s'il n'existait pas un moyen de faire parvenir un message anonyme à la dame médecin expert.

Perdue dans ses pensées paranoïaques et en tout cas fort déplaisantes, elle sursauta lorsque quelqu'un frappa à la porte de son appartement. Peut-être était-ce cet étrange jeune homme, son voisin de palier ? Comme tous ceux qui ont la chance d'être entourés par une famille aimante, il était parti pour les fêtes. Peut-être était-il de retour, avait-il besoin de lui emprunter quelque chose ou d'un simple renseignement ?

Elle regarda par l'œilleton, stupéfaite lorsqu'elle découvrit un gros visage buriné, un crâne chauve et un nez chaussé de lunettes à monture de métal démodée.

Dieu du ciel !

Elle se saisit du téléphone et composa le numéro d'urgence de la police.

Benton Wesley et Jaime Berger s'étaient installés dans l'un des box roses de la cafétéria de l'hôpital Bellevue. Adossés au mur, ils pouvaient ainsi jouir d'un peu de discrétion. Même les gens qui ne reconnaissaient pas Berger la remarquaient.

La magistrate était une très belle femme, d'une élégance sans faille, mince et de taille moyenne, avec des yeux d'un bleu profond et de magnifiques cheveux bruns soyeux. Elle portait ce jour-là un blazer en cachemire anthracite sur un pull noir à encolure boutonnée, une jupe noire fendue sur l'arrière et des escarpins, noirs également, ornés de petites boucles latérales argentées. Pas le moins du monde provocante, Berger ne craignait cependant pas d'avoir l'air d'une femme. Il était de notoriété publique que lorsqu'un avocat, un flic, voire un criminel se laissait quelque peu égarer par son physique, elle se rapprochait de lui, pointait du doigt ses yeux d'un bleu profond en assenant :

— Regardez là. Regardez-moi dans les yeux lorsque je vous parle !

Elle lui évoquait Scarpetta. Sa voix avait cette même tonalité assez basse qui appelait l'attention parce qu'elle ne la requérait pas, ses traits possédaient la même intensité, quant à sa silhouette, elle était dotée de tout ce que Benton aimait : des lignes sobres décrivant des courbes généreuses. Il l'admettait bien volontiers, certaines particularités physiques l'attiraient spécialement. Toutefois, ainsi qu'il l'avait affirmé au Dr Thomas un peu plus tôt lors de leur conversation téléphonique, il était fidèle à Scarpetta et il le demeurerait. Il lui était fidèle, même en esprit, et lorsque ses fantasmes s'aventuraient sur des terrains érotiques d'où elle était absente, il s'efforçait aussitôt de penser à autre chose. Non, il ne la tromperait jamais. Jamais.

Cela étant, sa conduite n'avait pas toujours été aussi vertueuse. Ce que lui avait rétorqué le Dr Thomas était exact. Il avait trompé sa première femme, Connie. S'il voulait être tout à fait honnête, cette trahison avait commencé bien plus tôt, lorsqu'il avait décidé qu'il était légitime, pour ne pas dire sain, qu'il profite des mêmes magazines ou films que les autres gars, notamment durant ces quatre mois de réclusion monacale à l'Académie du FBI, alors qu'il n'y avait pas grand-chose à faire le soir venu, sinon boire quelques bières au bar avant de rejoindre sa chambre, où il pouvait soulager de façon furtive son stress et s'évader un peu de sa vie assez collet monté.

Il avait vécu cette routine sexuelle clandestine mais réconfortante durant tout le temps de son mariage bien raisonnable, jusqu'au jour où lui et Scarpetta, après une autre enquête, s'étaient retrouvés au Travel-Eze Motel. Il avait abandonné sa femme, la moitié de sa considérable fortune familiale, et ses trois filles persistaient à ne plus vouloir entendre parler de lui. Aujourd'hui encore, certains de ses anciens collègues du FBI avaient perdu toute estime pour lui, ou du moins se répandaient-ils sur sa conception de la morale. Benton n'en avait cure.

C'était bien au-delà de l'indifférence ou d'un gigantesque vide, là où aurait dû exister le remords, du moins une étincelle de remords. En effet, à la vérité, s'il en avait l'opportunité, il recommencerait tout, comme par le passé. Au demeurant, il recommençait souvent, en pensée. Il se rejouait la scène de ce motel, alors qu'il s'était taillladé et saignait, et que ses plaies exigeaient des points de suture. Scarpetta s'était occupée de lui. Elle n'avait pas terminé de panser ses blessures qu'il la dévêtait. Et cela, c'était au-delà du fantasme.

Ce qui le frappait surtout lorsqu'il repensait à cette époque, c'était le fait qu'il avait pu travailler si longtemps à ses côtés avant de succomber. Plus il passait en revue les pages de sa vie au profit du Dr Thomas, plus un certain nombre de choses le déroutaient, dont l'espèce d'imperméabilité de Scarpetta. Sans doute un de ses traits les plus surprenants. En toute honnêteté, elle ne s'était jamais doutée de ce qu'il ressentait, étant beaucoup plus lucide sur ce qu'elle éprouvait. Du moins le lui avait-elle dit lorsqu'il lui avait avoué qu'à de rares exceptions près, quand il plaquait son ordinateur portable sur ses genoux en sa présence, c'était pour dissimuler une érection.

— *Même la première fois, lorsque nous nous sommes rencontrés ?*

— *Sans doute.*

— *À la morgue ?*

— *Oui.*

— *Alors que nous étions installés dans votre effroyable salle de réunion de Quantico, en train de passer en revue des rapports, des photos, que nous discutions sans fin ?*

— *Surtout dans ces moments-là. Ensuite, lorsque je te reconduisais à ta voiture, je faisais tout ce que je pouvais pour ne pas...*

— *Si j'avais su*, avait confessé Scarpetta une nuit, alors qu'ils avaient bu beaucoup trop de vin, *je t'aurais immédiatement séduit au lieu de patienter durant cinq longues et solitaires années.*

— *Solitaires années ? Veux-tu dire que...*

— *Ce n'est pas parce que je travaille avec des cadavres que j'en suis un.*

— C'est la raison majeure pour laquelle je ne le ferai pas, lâcha Berger à Benton. Le politiquement correct, le politiquement sensible. Est-ce que vous prêtez un peu attention à ce que je vous dis ?

— Oui. Si j'ai l'air hagard, c'est que je manque de sommeil.

— Ce que je tiens à tout prix à éviter, c'est que le public se convainque d'une injustice, d'une discrimination. Surtout maintenant, alors que tout le monde est très sensible au problème du nanisme, aux idées fausses et aux stéréotypes qui y ont été associés dans le passé. Un exemple, le *Post* de ce matin. Un titre de cinq centimètres de hauteur, dit-elle en écartant les mains. « Le meurtre du nabot ». Affreux. C'est exactement ce que nous ne voulons pas. Si jamais des choses de ce genre étaient publiées par d'autres organes de presse et que ça se répande partout, nous pourrions nous attendre à une réaction violente...

Elle marqua une pause en le dévisageant.

— ... Malheureusement, ni vous ni moi ne pouvons contrôler la presse.

Elle lâcha cela comme si elle taisait ce qu'elle voulait vraiment dire.

Or c'était ce qu'elle voulait vraiment dire qui intéressait Benton. Il savait parfaitement que l'enquête sur le meurtre de Terri Bridges n'était pas l'unique priorité de Berger. Il avait commis une erreur tactique. Il aurait dû mettre la rubrique publiée par *Dans le collimateur de Gotham* sur le tapis alors qu'il en avait l'opportunité.

— Les bonheurs du journalisme actuel, poursuivit-elle. On ne sait jamais ce qui est vrai.

Elle ne manquerait pas d'accuser Benton de mensonge par omission. Pourtant tel n'était pas le cas, parce que, au fond, Pete Marino n'était coupable d'aucun crime. Ce qu'avait dit le Dr Thomas était exact. Benton ne se trouvait pas chez Scarpetta durant cette nuit chaude et humide de Charleston en mai dernier. Il était donc dans l'incapacité de savoir précisément ce que Marino avait fait à Kay. L'attitude d'ivrogne, largement inappropriée, de Marino avait à peine été l'objet de discussions et Scarpetta avait refusé d'entrer dans les détails. Quant à Benton, il s'était convaincu que faire la moindre allusion à cette scène équivaudrait à une trahison de Kay, et même de Marino en l'occurrence. De plus, Berger considérerait qu'une telle narration s'apparentait à des ouï-dire, ce qu'elle ne tolérerait pas dans d'autres circonstances.

— Malheureusement, dit Benton, le même genre de choses est en train de se produire à l'étage de psychiatrie. Les autres patients couvrent Oscar de quolibets.

— Animal de cirque, masque de carnaval et magicien d'Oz, compléta Berger.

Elle prit sa tasse de café. À chacun de ses gestes, Benton remarquait l'absence de son magnifique solitaire et de son alliance en diamants. L'été dernier, il avait même failli lui poser la question, sans doute parce que cela faisait des années qu'il ne l'avait pas revue. Toutefois, il s'en était gardé lorsqu'il avait constaté qu'elle ne faisait plus aucune allusion à son mari multimilliardaire, ni à ses beaux-enfants. Berger ne faisait jamais référence à sa vie privée. Même les flics restaient muets à ce sujet.

Cela étant, peut-être n'y avait-il rien à en dire. Peut-être son mariage était-il toujours harmonieux. Peut-être avait-elle développé une allergie au métal ou craignait-elle de se faire arracher ses bagues par un voleur. Cependant, dans ce dernier cas, elle devrait aussi s'inquiéter de la Blancpain qu'elle portait au poignet.

À vue d'œil, Benton estimait cette pièce numérotée à environ cent mille dollars.

— Des représentations négatives dans les médias, au cinéma, poursuivit Berger. Des imbéciles. Le film *Ne vous retournez pas*. Les nains des contes, ceux des cours royales. Sans oublier le nain omniprésent, le témoin qui assiste à tout, depuis le triomphe de Jules César jusqu'à la découverte de Moïse dans les roseaux. Assez juste dans ce cas, puisque Oscar Bane a été témoin de quelque chose et qu'il accuse les autres de tout savoir. Si l'on se fie à ses allégations, il serait traqué, espionné, soumis à une forme de harcèlement électronique. La CIA serait impliquée et le torturerait avec des armes électroniques et antipersonnel dans le cadre d'une expérience, ou simplement pour le bonheur de le persécuter.

— Il n'est pas entré dans ces détails lorsque je l'ai vu, remarqua Benton.

— C'est ce qu'il a affirmé lorsqu'il a contacté mes bureaux il y a un mois. J'y reviendrai. Comment qualifieriez-vous son état mental ?

— Une contradiction assez déroutante dans son évaluation. MMPI-2, l'inventaire multiphasique de personnalités, met en évidence des composantes d'introversion sociale. Au cours du test de Rorschach, il a vu des bâtiments, des fleurs, des lacs et des montagnes, mais pas d'êtres humains. On obtient un schéma similaire avec le TAT, le test d'aperception. Une forêt avec des yeux et des visages qui apparaissent dans les feuilles, indiquant un sujet déconnecté de ses semblables, un être profondément angoissé, paranoïaque. Solitude, frustration, peur. Les dessins de personnages étaient matures, sans toutefois de silhouettes humaines, juste des visages aux yeux vides. Encore la paranoïa. La sensation d'être épié. Pourtant je n'ai rien découvert qui puisse suggérer que cette paranoïa est ancienne. C'est la contradiction et elle me laisse perplexe. Il est paranoïaque, mais c'est récent, insista-t-il.

— Il a peur de quelque chose depuis peu de temps, une chose qu'il croit réelle.

— Oui, c'est mon opinion. Il est effrayé et déprimé.

— Vous ne pensez donc pas que sa paranoïa soit inhérente à sa personnalité ? s'enquit Berger. Ça ne remonte pas à son enfance ? Ce que je veux dire, c'est qu'il aurait pu manifester cette pathologie depuis toujours parce qu'il est nain. Peut-être s'est-on moqué de lui, l'a-t-on maltraité ? Peut-être a-t-il été victime de discriminations ?

— Je n'ai pas eu le sentiment qu'il ait subi ce genre de choses dans l'enfance. C'est surtout avec la police qu'il a eu des problèmes. Il m'a répété qu'il détestait les flics. Et vous aussi d'ailleurs.

— Et pourtant il collabore avec la police. Étroitement même. Laissez-moi deviner : son extrême bonne volonté ne se révélera d'aucune utilité, rétorqua-t-elle comme si elle n'avait pas entendu qu'Oscar la détestait, elle aussi.

— J'espère que vous arriverez à quelque chose avec lui.

Une blague circulait : si la victime était une fenêtre brisée, Berger obtiendrait les aveux de la pierre.

— Ce qui me fascine, c'est sa coopération avec des gens en qui il n'a aucune confiance. De fait, il nous a laissé carte blanche. Une déclaration et des échantillons biologiques si Kay était celle qui les collectait. Ses vêtements, sa voiture, son appartement, toujours si Kay était présente. Pourquoi ?

— En rapport avec ses peurs ? J'irai jusqu'à affirmer qu'il veut prouver que rien ne l'incrimine dans le meurtre de Terri Bridges. Et ce qu'il souhaite par-dessus tout, c'est le prouver à Kay.

— Il devrait surtout s'inquiéter de me le prouver à moi, contra Berger.

— Il n'a aucune confiance en vous, contrairement à ce qu'il ressent pour elle. Au demeurant, son irrationnelle foi en Kay me préoccupe beaucoup. Mais revenons-en à la façon dont il fonctionne. Il veut démontrer à Kay qu'il est un type bien, qu'il n'a rien fait de mal. Tant qu'elle croira en lui, il se sentira en sécurité, physiquement et aussi dans sa perception de lui-même. Au fond, il en est à un point où il a besoin de la validation de Kay. Sans elle, il ne sait plus au juste qui il est.

— Sans blague ? Nous savons qui il est et ce qu'il a probablement fait.

— Il faut que vous compreniez que cette terreur du contrôle mental est très réelle pour les milliers de personnes qui sont convaincues d'en être victimes, expliqua Benton. Elles sont persuadées que le gouvernement les épie, les reprogramme, dirige leurs pensées, leur vie, par l'intermédiaire de films, de jeux informatiques, de substances chimiques, d'implants et de micro-ondes. Ces peurs ont progressé de façon exponentielle depuis huit ans. Je me promenais dans Central Park il n'y a pas si longtemps, et j'ai croisé ce type qui discutait avec les écureuils. Je l'ai regardé un petit moment, puis il s'est tourné vers moi en affirmant qu'il était soumis au harcèlement dont nous discutons. Rendre visite aux écureuils, c'était sa façon de tenir le coup. Si les petites bêtes venaient lui manger des cacahuètes dans la main, il n'avait pas encore pété les plombs. Et ces salopards ne l'auraient pas.

— Oh oui, c'est bien New York ! Et les pigeons sont équipés de missiles à tête chercheuse.

— Et les radars Tesla sont utilisés pour faire des lavages de cerveau aux piverts.

Berger fronça les sourcils.

— On a des piverts dans le coin ?

— Interrogez donc Lucy sur les avancées de la technologie, sur certaines expériences qui ressemblent à un cauchemar schizophrène, conseilla Benton. Ce qu'elle vous apprendra est exact. Il n'en demeure pas moins que je suis certain qu'Oscar croit dire la vérité.

— Selon moi, personne n'en doute. Tout le monde le pense fou. Ils se demandent si sa folie ne l'a pas poussé à assassiner sa petite amie. J'ai fait allusion à ses... étranges gadgets de protection. Une sorte d'écran en plastique collé à l'arrière de son téléphone mobile. Un autre collé dans la poche arrière de son jean. Une antenne extérieure sur son SUV, montée sur aimant, dont il est difficile de comprendre l'utilité. Le détective Morales – vous ne l'avez pas encore rencontré – prétend qu'il s'agit de trucs anti-radiations. Ce genre de choses et un... attendez que je m'en souvienne... un TriField ?

— Ça sert à mesurer rapidement les champs électromagnétiques dans les gammes ELF et VLF. Il s'agit d'un détecteur doublé d'un appareil de mesure. Il suffit de le brandir dans une pièce pour voir si vous êtes contrôlé électroniquement.

— Ça marche ?

— C'est très prisé pour la chasse aux fantômes, fit Benton.

Chapitre 6

L'enquêteur P.R. Marino refusa pour la troisième fois un thé, un café, un soda ou un verre d'eau. Elle s'obstina :

— Après tout, il est cinq heures du soir quelque part, lança-t-elle en reprenant à son compte la vieille boutade de son mari. Que diriez-vous d'une petite larme de bourbon ?

— Non, ça va, merci, déclina l'enquêteur Marino.

— Vous êtes sûr ? Ça ne m'ennuie pas. J'en prendrais bien une goutte aussi.

Elle revint au salon.

— Non, merci.

Elle se réinstalla et joignit le geste à la parole en se servant une généreuse rasade. Les glaçons tintèrent lorsqu'elle posa sa boisson sur un dessous-de-verre.

— C'est exceptionnel, vous savez, précisa-t-elle, assise sur le canapé de velours côtelé. Je n'ai rien d'une pocharde.

— J'ai pas pour habitude de juger les gens, lâcha Marino, son regard caressant le verre comme s'il s'agissait d'une très jolie femme.

— Parfois on a besoin d'un petit quelque chose pour se calmer les nerfs. Je mentirais si je prétendais que vous ne m'avez pas un peu effrayée.

Après dix minutes d'interrogatoire, d'inquiétudes

quant au fait qu'il appartenait bien à la police, elle tremblait encore. Brandir un badge devant l'œilleton de la porte, c'était un piège qu'elle avait vu cent fois dans des films. Si l'opérateur du numéro d'urgence n'était pas resté en ligne avec elle, s'il ne lui avait pas assuré que l'homme qui avait frappé chez elle était bien un flic, s'il avait raccroché avant qu'elle n'ouvre pour le laisser entrer, il ne serait certainement pas assis en ce moment dans son salon.

L'enquêteur Marino était une grande baraque d'homme à la peau burinée, d'une couleur tirant sur le brique qui indiquait qu'il devrait se préoccuper de sa tension artérielle. À peu près chauve, à l'exception de quelques fâcheuses mèches grises qui persistaient autour de son crâne en dessinant une sorte de croissant de lune, il était évident à son comportement que c'était le genre à tout prendre en force, à n'écouter personne. Le genre à ne pas traiter à la légère. Elle était certaine qu'il était capable d'attraper deux voyous par le collet, un dans chaque main, pour les balancer à l'autre bout de la pièce comme des plumes. Elle songea qu'il avait dû être assez bel homme lorsqu'il était jeune. Elle pensa également qu'il devait être célibataire, ou alors qu'il avait fait une erreur de jugement parce que, s'il avait une petite amie qui le laissait partir dans cet état, cela signifiait qu'elle n'avait pas grand-chose à faire de lui ou qu'elle avait une éducation douteuse.

Vraiment, la Mégère aurait adoré lui donner un ou deux petits conseils pour s'habiller mieux. La règle pour un homme baraqué était simple : les costumes bon marché et de piètre qualité, surtout noirs, les chemises de coton blanc sans cravate, les chaussures noires lacées à semelle de caoutchouc avaient tendance à vous faire un peu ressembler au monstre de la famille Addams. Cela étant, elle n'avait nulle intention de se risquer à lui donner son avis en matière vestimentaire, de peur qu'il réagisse comme son mari, et elle prenait garde à ne pas trop le dévisager.

À la place, elle continuait à faire des petits commentaires nerveux, à tendre la main pour récupérer son bourbon, à lui demander s'il souhaitait quelque chose, à avaler une gorgée, puis à reposer son verre. Plus elle parlait, descendait les gorgées d'alcool, plus il demeurait silencieux, installé dans le fauteuil relax que préférait son mari.

L'enquêteur Marino ne lui avait toujours pas expliqué l'objet de sa visite.

Enfin elle lança :

— Assez parlé de moi. Je suis certaine que vous êtes très occupé. Un cambriolage, je suppose ? Les fêtes, c'est la période rêvée. Si je pouvais, j'habiterais un immeuble proposant tous les services et avec un portier. Je veux dire : ce qui s'est produit dans l'immeuble d'en face, c'est pour ça que vous êtes là, non ?

— Tout ce que vous pourrez me dire à ce sujet m'intéresse, l'encouragea Marino. Vous l'avez lu dans le *Post* ou alors un voisin vous a dit quelque chose ?

Son énorme présence installée dans le relax faisait rétrécir l'image qu'elle conservait de son mari lorsqu'il était installé à la même place.

— Rien de tout cela.

— Si je vous pose la question, c'est que les médias en ont très peu parlé. Nous ne tenons pas à ce que les détails se répandent. On a nos raisons pour ça. Pour l'instant, moins les gens en savent, mieux c'est. Vous comprenez notre point de vue, non ? En d'autres termes, vous et moi, on a une petite conversation privée. Rien ne doit parvenir aux oreilles des voisins, ni de quiconque. Je suis enquêteur pour les bureaux du procureur. Ça se termine en général en procès. Je sais bien que vous ne voudriez rien faire qui nous plombe une affaire devant le tribunal. Vous avez entendu parler de Jaime Berger ?

— Oh, bien sûr, affirma la Mégère tout en regrettant ces paroles qui pouvaient impliquer qu'elle était au courant de quelque chose et en se demandant si elle ne s'était pas fourrée dans les ennuis. J'éprouve de l'admiration pour son combat en faveur des droits des animaux.

Il la considéra en silence et elle lui rendit son regard jusqu'à ne plus pouvoir supporter cet échange muet.

Elle récupéra son verre.

— Ai-je dit quelque chose qu'il ne fallait pas ?

Marino tourna son attention vers l'appartement, l'examinant comme s'il cherchait un objet perdu ou dissimulé. Il sembla particulièrement intéressé par sa collection de chiens en cristal et en porcelaine, par les photos la représentant avec son mari en compagnie des différents chiens qu'ils avaient eus au cours de leur vie. Elle aimait les chiens. Elle les aimait bien plus que ses propres enfants.

Puis le regard de l'enquêteur descendit vers le tapis tressé marron et bleu sur lequel reposait la table basse en vieux merisier.

— Vous avez un animal de compagnie ? s'enquit-il.

Il venait de remarquer les fins poils noir et blanc incrustés dans le tapis. Ça n'était pas vraiment de la faute de la Mégère. Elle avait tenté, sans grand succès, de les éliminer à l'aide de l'aspirateur et n'avait pas envie de se mettre à quatre pattes pour les arracher un à un alors qu'elle n'en avait pas terminé avec son deuil, après la mort prématurée d'Ivy.

— Je sais tenir ma maison, mais les poils de chien se faufilent partout et il est difficile de les déloger tous. C'est un peu ce que les chiens font avec vos sentiments. Ils se faufilent jusqu'à eux. Je ne sais pas trop ce qu'il y a en eux, mais c'est certain que Dieu y a mis du sien. Quant aux gens qui prétendent que ce sont juste des animaux, ils n'ont pas d'âme. Les chiens sont des anges tombés du ciel, alors que les chats ne vivent pas dans notre monde. Ils se contentent de le visiter. Vous savez, quand on marche nu-pieds, leurs poils peuvent se planter dans votre peau comme des échardes. J'ai toujours eu des chiens. Pas en ce moment. Êtes-vous impliqué dans la croisade de Mme Berger contre la cruauté envers les animaux ? Le bourbon me monte un peu à la tête, j'en ai peur.

— De quels animaux voulez-vous parler ? À quatre pattes ou à deux ?

Peut-être tentait-il d'alléger la tension, mais elle n'en était pas certaine, aussi jugea-t-elle préférable de rester sérieuse :

— Je suis certaine que vous avez votre lot d'animaux à deux pattes. Cependant, à mes yeux, le terme est impropre, terriblement. Les animaux n'ont pas le cœur dur, ni une imagination qui les pousse à la cruauté. Ils veulent juste qu'on les aime, sauf s'ils sont atteints de la rage, ou qu'un autre truc cloche chez eux, ou alors qu'ils cherchent à se nourrir. Mais même dans ces circonstances-là, ils ne volent pas et n'assassinent pas des gens innocents. Ils ne s'introduisent pas dans les appartements pendant que les propriétaires sont partis en vacances. J'arrive à peine à imaginer ce que l'on doit ressentir lorsqu'on rentre chez soi pour découvrir une chose aussi affreuse. La plupart des appartements dans les immeubles avoisinants sont des cibles faciles, si vous voulez mon opinion. Pas de portier, pas de personnel de sécurité, très peu de systèmes d'alarme. Personnellement je n'en ai pas. Je suis sûre que vous l'avez remarqué. Être attentif fait partie de votre entraînement, de votre travail, et, si j'en juge par ce que je vois, vous n'êtes pas novice dans ce métier. Non, je voulais parler du genre à quatre pattes.

— Quel genre à quatre pattes ?

L'enquêteur Marino semblait sur le point de sourire, comme s'il la trouvait distrayante. C'était sans doute son imagination. Sans oublier le bourbon.

— Pardonnez, je vous prie, mes coq-à-l'âne. J'ai lu des articles sur Jaime Berger. Quelle femme remarquable ! Quiconque défend les animaux est quelqu'un de bien à mes yeux. Elle a permis de nettoyer pas mal de ces horribles boutiques dans lesquelles on vend des animaux malades, ou alors avec des défauts génétiques, et peut-être l'avez-vous aidée dans sa tâche. Si tel est le cas, je vous en suis très reconnaissante. J'ai eu un chiot qui venait de l'un de ces endroits.

Il l'écoutait, indéchiffrable. Plus il l'écoutait, plus elle parlait, plus elle tendait une main hésitante vers son bourbon, en général trois fois avant de se saisir du verre et d'avaler une gorgée. La première impression de la Mégère avait basculé en l'espace d'une ou deux minutes. Elle avait pensé qu'il la trouvait intéressante, mais désormais elle était persuadée qu'il la soupçonnait de quelque chose.

— Mon dernier chien était un Boston terrier. Ivy, précisa-t-elle en serrant un mouchoir en papier dans sa main qui reposait sur ses cuisses.

— J'ai mentionné ça parce que je me demandais si vous sortiez beaucoup, précisa-t-il. On sort pas mal lorsqu'on a un chien. Je me demandais si vous faisiez attention à ce qui se passe dans le voisinage. En général, les maîtres qui baladent leur animal sont assez observateurs. Davantage que les gens avec leur bébé dans une poussette. C'est un fait qu'on ignore souvent.

(Les verres de ses lunettes revinrent sur elle.) Vous avez déjà remarqué combien de parents traversent la rue en poussant le bébé devant eux ? À votre avis, qui se fait percuter en premier ? Les propriétaires de chiens font plus attention.

Ravie de n'être pas la seule à s'inquiéter de cette manie idiote consistant à traverser les rues embouteillées de New York poussette en avant, elle s'exclama :

— Tout à fait ! Mais non, je n'ai plus de chien.

Un autre long silence s'installa. Pourtant, cette fois, ce fut lui qui le rompit :

— Qu'est-ce qui est arrivé à Ivy ?

— Eh bien... ce n'est pas moi qui l'ai achetée dans cette boutique au coin, Puppingham Palace, ça s'appelle. « Où les animaux de compagnie sont traités comme des rois. » Ils devraient plutôt dire : « Où les vétérinaires sont traités comme des rois », parce que les vétos du coin réalisent la plupart de leurs consultations grâce à cet endroit innommable. C'est la dame qui habite de l'autre côté de la rue qui me l'a donnée. On la lui avait offerte. Mais elle ne pouvait pas la garder. Elle était affolée et j'ai accepté de prendre la chienne. Il ne s'est pas écoulé une semaine avant qu'Ivy meure d'un parvovirus. Il n'y a pas très longtemps. Durant Thanksgiving.

Soudain, un doute saisit la Mégère, qui s'enquit :

— Ne me dites pas que c'est Terri qui s'est fait cambrioler. Ça ne m'a pas traversé l'esprit une seconde puisqu'elle est la seule à ne pas être partie en vacances, j'ai vu de la lumière chez elle. Personne ne serait assez stupide pour pénétrer par effraction dans un appartement alors que les propriétaires sont présents, non ?

Elle récupéra son verre et le serra.

— Je suppose qu'elle a dû sortir hier soir pour le

réveillon du premier de l'an, comme tout le monde, poursuivit-elle.

Elle avala une longue gorgée, reprenant :

— Qu'est-ce que j'en sais, après tout ! Je reste toujours à la maison et je me retire dans ma chambre sans attendre minuit. Ça ne m'intéresse vraiment pas. C'est un jour comme les autres.

— À quelle heure vous êtes-vous couchée hier soir ? s'informa Marino.

Elle fut certaine qu'il ne lui posait cette question que parce qu'il croyait qu'elle mentait en affirmant qu'elle n'avait rien vu.

— Bien sûr, je vois où vous voulez en venir. Le problème n'est pas quand je suis allée me coucher. Ce que je veux dire, c'est que je n'étais pas installée devant mon ordinateur.

L'ordinateur était posé juste devant la fenêtre qui offrait une vue imprenable sur l'appartement de Terri, situé au rez-de-chaussée. Marino le contempla un moment.

— Ce n'est pas que je passe ma vie à regarder par la fenêtre, se défendit-elle. J'ai dîné dans la cuisine à l'heure habituelle, vers six heures du soir. Un reste de ragoût de thon. Ensuite, j'ai lu un peu dans ma chambre. Les doubles rideaux sont toujours tirés.

— Et c'est quoi, ce que vous lisez ?

— Ah, je vois, vous me testez pour déterminer si je vous mène en bateau. *Sur la plage de Chesil*, d'Ian McEwan. C'est la troisième fois que je le relis. Je ne peux pas m'empêcher d'espérer qu'ils se retrouveront à la fin. Ça vous est déjà arrivé de voir un film ou de lire un bouquin en pensant que ça va se terminer comme vous en avez envie ?

— Ça se termine comme ça se termine, sauf avec la télé-réalité. Ça ressemble pas mal au crime et à la tragédie. Vous pouvez en discuter pendant cent ans, ça ne changera rien : les gens se feront toujours agresser, tuer dans un épouvantable accident ou, pire, assassiner.

La Mégère se leva du canapé.

— Je vais me resservir. Vous êtes sûr de ne pas vouloir m'accompagner ?

Elle se dirigea vers la petite cuisine qui n'avait pas été refaite depuis quarante ans. La voix de Marino l'y suivit :

— À titre d'information, personne n'était à son domicile hier, ni dans votre immeuble, ni dans celui d'en face. Tous les résidents, excepté vous, sont partis pour les vacances et cela depuis avant Noël.

Il avait fait des vérifications. Elle songea qu'il savait tout sur tout le monde, elle incluse. Elle versa une autre rasade de Maker's Mark dans son verre, rien à faire des glaçons. Et alors, qu'est-ce que ça changeait ? Son mari était un comptable très respecté, et ni lui ni elle n'avaient jamais rien commis de répréhensible, ni ne s'étaient acoquinés avec des gens peu recommandables. Si l'on excluait sa vie professionnelle secrète, vie dont même un enquêteur de police ne pouvait avoir eu vent, la Mégère n'avait rien à cacher.

— Essayez de vous concentrer, lui conseilla-t-il alors qu'elle se réinstallait sur le canapé. Est-ce que vous avez vu ou entendu quelque chose hier, n'importe quand, qui pourrait se révéler important ? Quelqu'un qui a attiré votre attention dans les parages ? Ou bien les semaines ou les jours précédents ? Un individu, dans le coin, qui vous a paru louche ou qui vous a juste fait une sensation étrange ? Vous voyez ce que je veux dire ? Une sensation là.

Il pointa en direction de son ventre, dont elle soupçonnait qu'il avait dû être bien plus imposant dans le passé qu'aujourd'hui. Elle fondait son diagnostic sur la peau distendue de ses joues. Il avait dû être beaucoup plus corpulent.

— Non, répondit-elle. C'est un quartier paisible. Certaines personnes ne viennent pas ici. Voyez, par exemple, le jeune homme qui occupe l'autre appartement sur mon palier, c'est un médecin de l'hôpital Bellevue. Il fume de la marijuana, mais je suis certaine qu'il ne l'achète pas dans le coin. Plutôt près de l'hôpital, qui n'est pas le meilleur des voisinages. La femme qui occupe l'appartement situé juste sous le mien, qui donne, lui aussi, sur la rue...

— Ces deux personnes ne se trouvaient pas chez elles la nuit dernière.

— Elle n'est pas très cordiale. Elle a un ami avec qui elle n'arrête pas de se bagarrer. Mais comme il vient depuis un an, je suppose que ce n'est pas un criminel.

— Et les ouvriers, des gars de la maintenance, n'importe qui ?

— De temps en temps, les gens de la compagnie du câble passent...

Son regard se perdit vers la fenêtre, de l'autre côté de la rue.

— ... Il y a une parabole sur le toit. Je la vois bien. Parfois, j'ai aperçu quelqu'un là-haut qui s'en occupait.

Il se leva et regarda à son tour le toit plat de l'immeuble, au bas duquel était garée la voiture de police. Sa veste était trop tendue sur ses épaules, pourtant elle n'était pas boutonnée.

Il lança, sans se tourner vers elle :

— J'aperçois une vieille échelle d'incendie. Je me demande si c'est par là que les gars de la maintenance montent. Vous avez déjà vu quelqu'un emprunter cette échelle ? D'un autre côté, je me demande comment ils pourraient monter une parabole par là. Mince ! C'est pas un boulot pour moi. Pour tout l'or du monde.

Il scrutait l'autre côté de la rue plongé dans l'obscurité, qui, en cette période de l'année, s'installait dès quatre heures de l'après-midi.

— Je ne sais rien concernant cette échelle, admit-elle. Je ne me souviens pas d'y avoir vu grimper quelqu'un. Je me demande s'il n'existe pas un autre accès, directement par le toit. Vous pensez que le cambrioleur aurait pu passer par là ? Parce que, dans ce cas, c'est très inquiétant. Ça soulève des questions au sujet de mon immeuble.

Elle leva le regard vers le plâtre de son plafond, se demandant ce qui pouvait bien se trouver de l'autre côté.

— J'habite le premier étage. En d'autres termes, ça me rend très vulnérable en cas d'intrusion. Enfin, je crois. Ils doivent verrouiller tous les accès.

Elle était en train de se monter la tête.

— Mon immeuble est également équipé d'une ancienne échelle d'incendie, vous savez ?

— Parlez-moi de la dame qui vous a donné le chiot.

Il se laissa tomber lourdement et le fauteuil relax geignit comme s'il allait se briser en deux.

— Je ne connais que son prénom : Terri. Elle est très aisée à décrire, puisque c'est une personne de petite taille, ainsi qu'on doit les nommer. Pas une naine ! Il y a pas mal d'émissions au sujet des personnes de petite taille. Je les regarde avec beaucoup d'intérêt puisque je vis juste en face de l'une d'entre elles. Son ami est également une personne de petite taille. Un blond, bel homme, bien charpenté, mais, bien sûr, très petit. Un jour que je rentrais du marché, il n'y a pas si longtemps, je l'ai vu descendre de son SUV. Je l'ai salué et il m'a dit bonjour en retour. Il tenait une rose jaune à longue tige. Je m'en souviens comme si c'était hier. Vous savez pourquoi ?

Le gros visage et les lunettes attendirent la suite.

— Le jaune suggère la sensibilité, reprit-elle. On sort des éternelles roses rouges. J'ai trouvé cela charmant. La rose avait presque la même couleur que ses cheveux. C'était un peu comme s'il voulait lui faire savoir qu'il était son ami, en plus d'être son petit ami, si vous voyez ce que je veux dire. Ça m'a beaucoup touchée. On ne m'a jamais offert de roses jaunes. Pas une seule. J'aurais largement préféré des roses jaunes au lieu des inévitables roses rouges de la Saint-Valentin. Pas de roses roses. Le rose est une couleur un peu anémiée. Mais le jaune est une couleur forte. Ça m'illumine le cœur lorsque je vois une rose jaune.

— C'était quand au juste ?

Elle réfléchit :

— J'avais acheté une demi-livre de blanc de dinde au miel, découpée en tranches. Vous voulez que je vous retrouve le reçu ? Les vieilles habitudes ont la peau dure. Mon mari était comptable.

— Non, à vue de nez.

— D'accord. Il vient lui rendre visite les samedis, ça, j'en suis sûre. Donc c'était sans doute samedi dernier, tard dans l'après-midi. Toutefois, je l'ai déjà repéré dans le voisinage à d'autres reprises.

— Vous voulez dire quoi ? Au volant de sa voiture, à pied, seul ?

— Tout seul. Je l'ai vu passer en voiture. Au moins deux fois le mois dernier. Je sors au minimum une fois par jour pour faire un peu d'exercice ou des petites courses. Il faut que je sorte, sauf si le temps est affreux. Vous êtes sûr que je ne peux rien vous offrir ?

Leurs deux regards convergèrent en direction du verre.

— Vous vous souvenez de la dernière fois que vous l'avez vu dans le coin ?

— Noël tombait le mardi. Je crois bien que je l'ai aperçu ce jour-là, et puis aussi quelques jours avant. En y repensant, je l'ai vu à trois ou quatre reprises le mois dernier, passant en voiture. En d'autres termes, il a pu venir plus souvent, enfin... quand je n'étais pas là pour l'apercevoir. Oh, je m'emmêle, ce n'est pas ce que je voulais dire. En réalité...

— Vous avez eu le sentiment qu'il examinait particulièrement son immeuble ? Il conduisait très lentement ? Il s'est garé à un moment ? Ah, oui, je vois ce que vous voulez dire. Si vous l'avez remarqué une fois, il peut être passé vingt fois sans que vous le sachiez.

Elle avala une gorgée et approuva :

— Il conduisait lentement. Et, en effet, vous avez bien résumé ma pensée.

Cet enquêteur était bien plus intelligent qu'il n'en avait l'air, et elle détesterait avoir des ennuis avec lui. C'était le genre à coincer les gens par surprise sans qu'ils s'en soient doutés une seconde. Du coup, son inquiétude refit surface : et s'il s'agissait d'un agent lâché sur la piste du financement des mouvements terroristes, ou un truc similaire ? Et s'il n'avait frappé chez elle que pour cela ?

— À quel moment de la journée ? demanda-t-il.

— À différentes heures.

— Vous êtes donc restée chez vous durant toute la période des fêtes. Et votre famille ?

À la tournure de sa phrase, elle soupçonna qu'il savait déjà qu'elle avait deux filles qui vivaient dans le

Midwest, toutes deux très occupées et fort peu sincères lorsqu'elles prétendaient être attentives.

— Mes deux filles préféreraient que j'aille leur rendre visite. Mais je n'aime pas voyager, encore moins à cette période de l'année. Ça ne les tente pas de dépenser de l'argent pour venir à New York. Surtout en ce moment. Si on m'avait dit qu'un jour le dollar canadien vaudrait davantage que le nôtre... On faisait des blagues au sujet des Canadiens. Aujourd'hui, ça ne m'étonnerait pas qu'ils en fassent à leur tour sur nous. Mon mari était comptable, je crois que je vous l'ai déjà dit. Au fond, je suis contente qu'il ne soit plus là. Ça lui briserait le cœur.

— Vous ne voyez jamais vos filles ?

Il n'avait pas encore saisi l'occasion de l'interroger sur son mari. Cependant elle était certaine que l'enquêteur Marino était également au courant pour lui. C'était de notoriété publique.

— Je dis que je ne voyage pas. Je les vois de temps en temps. Elles viennent parfois à New York pour quelques jours, une fois toutes les quelques années. En été. Elles séjournent au Shelburne.

— C'est pas très loin de l'Empire State Building.

— Tout juste. Ce délicieux hôtel sur la 37e Rue, si européen d'allure. Je n'y ai jamais séjourné.

— Et pourquoi vous ne voyagez pas ?

— C'est comme ça, c'est tout.

— Oh, c'est pas une grosse perte. De toute façon, c'est devenu affreusement cher, et en plus les avions sont en retard ou carrément supprimés. Sans même parler des fois où vous êtes coincé sur une piste et que les toilettes débordent. Ça vous est déjà arrivé ? À moi, oui.

Elle avait déchiqueté son mouchoir en papier et se sentait idiote de penser au Shelburne et à toutes les

111

occasions où elle aurait adoré y séjourner. Plus maintenant. D'autant qu'elle ne pouvait pas s'éloigner de son travail. Oh, et puis quelle importance ?

— Vraiment, c'est juste que je ne voyage pas, répéta-t-elle.

— Oui, j'ai bien compris.

— J'aime bien rester où je suis. Et, en plus, vous commencez à me mettre mal à l'aise. On dirait presque que vous m'accusez de quelque chose. Vous devenez amical pour affaiblir mes défenses. Vous pensez que je retiens des informations ? C'est faux. Je ne dispose d'aucun renseignement. D'ailleurs je ne devrais pas vous parler alors que je bois.

— Et si je vous accusais d'un truc, ce serait quoi ? lâcha-t-il avec cet accent dur typique du New Jersey, le regard braqué sur elle.

Elle désigna le fauteuil relax d'un geste du menton, comme si son mari était présent dans la pièce, et déclara :

— Posez donc la question à mon mari. Il vous regarderait droit dans les yeux et, avec tout le sérieux du monde, il vous demanderait si les petites réflexions continuelles sont un crime. Dans l'affirmative, il vous conseillerait de me boucler et de balancer la clé.

Le fauteuil protesta lorsqu'il se pencha un peu vers l'avant.

— Eh bien... vous ne me faites pas l'impression d'une raisonneuse qui fait des réflexions. Plutôt d'une gentille dame qui ne devrait pas être seule pendant les fêtes. Quelqu'un d'intelligent à qui on ne la fait pas.

Bizarrement, elle se sentit au bord des larmes, et le petit homme blond avec son unique rose jaune à longue tige lui revint en mémoire. Rien qu'à cette pensée son humeur dégringola encore.

— Je ne connais pas son nom, reprit-elle. À son

petit ami. Mais, il devait être très amoureux d'elle. C'est lui qui lui avait offert le chiot qu'elle m'a ensuite donné. À ce que j'ai compris, c'était une surprise. Cependant elle ne pouvait absolument pas le garder, et la boutique refusait de le reprendre. Quand j'y réfléchis aujourd'hui, je me dis que c'était quand même étrange. Une femme à qui on adresse deux trois mots sur le trottoir et qui frappe soudain à votre porte, cramponnée à un panier recouvert d'une serviette, comme si elle venait de faire une pâtisserie, ce qui n'aurait pas non plus eu beaucoup de sens puisque, ainsi que je vous l'ai dit, je ne la connaissais pas et qu'elle n'avait jamais été particulièrement amicale auparavant. Elle a dit qu'elle cherchait une bonne maison pour le chiot. Est-ce que je pourrais m'en occuper ? Elle savait que je vivais seule et que je travaillais chez moi. De plus, elle n'avait pas d'autre possibilité.

— Et c'était quand, ça ?

— Vers Thanksgiving. Je l'ai informée que le chiot était mort. C'était une semaine plus tard, environ. C'était un jour où je l'avais croisée dans la rue. Elle était bouleversée et s'est excusée. Elle a insisté pour m'en offrir un autre à la condition que j'aille le choisir moi-même. Elle a proposé de me donner l'argent, ce que j'ai trouvé assez impersonnel. Oh, je vois les rouages de votre esprit en pleine activité. Vous vous demandez si elle m'a invitée un jour chez elle. La réponse est non. Je n'ai jamais mis les pieds dans son immeuble et je n'ai pas la moindre idée de ce qu'elle pouvait posséder qui puisse tenter un voleur. Des bijoux, par exemple. Je ne me souviens pas d'avoir remarqué qu'elle portait des bijoux de prix. D'ailleurs je ne suis même pas certaine de l'avoir vue avec de la fantaisie. Je lui ai demandé pour quelle raison j'aurais envie d'un autre chiot provenant de la boutique où son ami avait acheté Ivy, garanti ou pas. Elle m'a expliqué que les animaux n'étaient pas garantis et que, d'ailleurs, elle n'avait aucune intention de leur racheter une bête, mais que je ne devais pas être si catégorique dans mes jugements. Elle a ajouté que toutes les boutiques n'étaient pas aussi lamentables que cet affreux Puppingham Palace et que, par exemple, la chaîne des Tell-Tail Hearts était magnifique. Son idée était de me donner une somme si je souhaitais acheter un chiot chez eux, que ce soit à New York ou dans le New Jersey. Il est vrai que j'ai lu de bonnes appréciations au sujet de Tell-Tail Hearts et que je me pose très sérieusement la question de reprendre un chien. Encore plus avec ce qui est arrivé. Une petite chose qui grogne et qui aboie. Les cambrioleurs n'insistent pas lorsqu'il y a un chien.

— L'ennui, c'est qu'il faut le sortir, remarqua l'enquêteur Marino. Même au beau milieu de la nuit. Ce qui fait de vous une proie idéale pour un agresseur ou pour quelqu'un qui en profitera pour pénétrer dans votre immeuble et s'introduire dans votre appartement.

— Je ne suis pas aussi naïve que ça en matière de sécurité, se défendit la Mégère. On n'a pas besoin de sortir un chien, du moins s'il est tout petit. Les litières marchent à merveille. J'ai eu un petit york, il y a pas mal de temps. Eh bien, il faisait dans son bac, comme un chat, je lui avais appris. Il tenait dans la paume de ma main, mais alors quel coffre ! Il fonçait droit vers les chevilles. Il fallait que je le prenne dans mes bras à chaque fois que nous empruntions un ascenseur ou même lorsque des gens me rendaient visite, du moins jusqu'à ce qu'il apprenne à les connaître. Il est évident que je ne sortais pas Ivy. Cette petite bête si jeune, si chétive, alors que les trottoirs sont dégoûtants. Je suis certaine qu'elle était déjà atteinte par le parvovirus lorsque l'ami de Terri l'a achetée dans cet affreux Puppingham Palace.

— Pourquoi êtes-vous si sûre que c'est son ami qui l'a achetée ?

— Mon Dieu ! souffla la Mégère.

Elle tenait son verre entre ses deux mains, réfléchissant à sa remarque. Le relax gémit.

— Vous avez parfaitement raison, enquêteur. Je saute aux conclusions.

— Voilà ce que vous allez faire. C'est ce que je conseille à tous les témoins à qui je parle.

— Témoins ?

— Vous la connaissez. Vous habitez en face de chez elle.

De quoi était-elle témoin ? La question tourna dans son esprit tandis qu'elle martyrisait des lambeaux du mouchoir en papier en fixant le plafond, espérant qu'il n'existe aucun accès au-dessus de sa tête.

— On va faire comme si vous créiez un scénario de film, proposa Marino. Vous avez du papier et un crayon ? Donc Terri vous donne la petite Ivy. Écrivez-moi la scène. Je vais rester assis ici pendant ce temps et quand vous aurez terminé, vous me lirez tout.

Chapitre 7

Après le 11 Septembre, la ville avait décidé de construire une tour en verre bleu de quinze étages pour héberger les bureaux du médecin expert.

La technologie, dont les STR, les SNP et les copies de faible nombre, était si performante que les scientifiques pouvaient faire parler des échantillons minuscules, aussi petits que dix-sept cellules humaines. De plus, quels que fussent les circonstances et le programme en cours, si Berger exigeait soudain une analyse d'ADN en urgence, elle pouvait théoriquement l'obtenir en quelques heures.

— Aucune preuve tangible, lâcha le procureur.

Elle tendit une copie du rapport à Benton pendant que la serveuse remplissait leurs tasses de café.

— En revanche on est en plein brouillard, poursuivit-elle. Les écouvillons vaginaux prélevés sur Terri Bridges sont parmi les plus déroutants que j'aie rencontrés au cours de ma carrière, même en cherchant bien. Pas de sperme mais de l'ADN provenant de donneurs multiples. J'ai hâte d'entendre ce qu'en pensera Kay.

— Tous les profils ont-ils été injectés dans la banque de données CODIS qui répertorie les empreintes ADN de gens ayant eu maille à partir avec la loi ? s'enquit Benton.

— Nous avons même fait mouche dans un cas, et c'est encore plus étrange : il s'agit d'une femme.

Benton parcourut le rapport.

— Pour quelle raison se trouvait-elle dans CODIS ?

Le rapport ne lui apprenait pas grand-chose, si ce n'est que le Dr Lester avait soumis des écouvillons pour examen, en plus des résultats que venait de lui communiquer Berger.

— Homicide involontaire en 2002, l'informa Berger. Elle s'est endormie au volant de sa voiture, a percuté un gamin à bicyclette. Elle a été déclarée coupable, mais la peine a été suspendue. Ça ne s'est pas passé dans le coin. Nous sommes beaucoup moins gentils, même avec une dame âgée, sobre comme un chameau au moment de l'accident. Ça s'est produit à Palm Beach, en Floride, et ce bien qu'elle possède un appartement ici, sur Park Avenue, qu'elle occupe en ce moment d'ailleurs. Cela étant, elle assistait à une fête de réveillon hier, au moment où Terri Bridges a été assassinée. Vérification superflue puisque je n'ai pas la moindre raison de soupçonner qu'elle a quoi que ce soit à voir dans cette affaire. Voulez-vous connaître l'autre fait qui explique la grande mansuétude du juge de Palm Beach à son égard ? Elle s'est brisé les vertèbres lors de l'accident. En d'autres termes, auriez-vous une idée brillantissime qui expliquerait comment l'ADN d'une femme paraplégique âgée de soixante-dix-huit ans s'est retrouvé dans le vagin de Terri Bridges en compagnie d'une flopée d'autres ADN ?

— À moins d'imaginer une erreur curieuse dans l'échantillon ou l'analyse ?

— On m'a affirmé que c'est totalement exclu. En fait, c'est surtout pour assurer nos arrières, puisque nous avons tous un immense respect pour la compétence du Dr Lester. Mon Dieu, pourquoi a-t-il fallu que ce soit elle qui réalise cette fichue autopsie ? Mais vous êtes au courant de cela.

— Morales m'a communiqué quelques petites choses. J'ai pris connaissance de son rapport préliminaire. Vous savez très bien ce que je pense d'elle.

— Et vous savez tout autant ce qu'elle pense de moi. Est-ce que c'est possible pour une femme d'être misogyne ? Parce que je crois vraiment qu'elle déteste les femmes.

— L'envie ou le sentiment d'être rabaissée par d'autres femmes. Oui, j'en suis sûr. Certaines femmes peuvent haïr les femmes. Et ce n'est pas la saison politique en cours qui me donnera tort, commenta Benton.

— Les labos cherchent. Ils ont commencé à passer en revue tous les ADN des individus autopsiés qui se trouvaient à la morgue ce matin, dans l'improbable éventualité que les écouvillons prélevés sur Terri aient été contaminés ou mal étiquetés, expliqua Berger. Ils ont même poussé jusqu'à rechercher des similitudes avec tout le personnel de l'institut médico-légal, notamment le médecin expert et, bien sûr, tous les flics qui se trouvaient sur la scène de crime la nuit dernière. De toute façon, les profils ADN de tous ceux-là sont déjà dans la banque de données pour des raisons d'exclusion de profils. Réponse négative pour les gens qui se trouvaient à la morgue, sauf pour le médecin expert qui a répondu à l'appel et qui n'était pas le Dr Lester. Pour Morales également, ainsi que pour les deux gars qui ont transporté le corps à l'institut médico-légal. Les analyses ADN sont si performantes de nos jours qu'il suffit que vous expiriez pour qu'on puisse retrouver votre matériel génétique. Si c'est une bonne chose, c'en est aussi une mauvaise.

— Quelqu'un a-t-il interrogé cette dame de Palm

Beach pour savoir si elle connaissait Oscar Bane ou si elle avait un lien quelconque avec lui ? s'enquit Benton.

— Je me suis chargée de la corvée et l'ai appelée moi-même. Elle n'avait jamais entendu parler de lui avant de lire le *Post*. Disons, en prenant des gants, qu'elle était indignée et très mécontente que l'on puisse croire qu'elle avait quoi que ce soit à voir avec lui. Elle m'a dit – et je paraphrase approximativement – que même lorsqu'elle se retrouve dans une salle d'attente en compagnie d'un nain, elle évite de lui adresser la parole ou de le regarder de crainte de l'embarrasser.

— Mais lui avez-vous expliqué pour quelle raison nous nous demandions si elle n'avait pas un lien avec Oscar ? Avez-vous mentionné l'ADN ?

— Certainement pas ! J'ai juste dit que son nom était apparu. Elle est convaincue que les parents du jeune scout âgé de seize ans qu'elle avait écrasé avec sa Bentley continuent à vouloir lui causer des problèmes. Selon ses termes, des actes révoltants, des poursuites judiciaires pour la contraindre à régler des dépenses médicales qui n'étaient pas couvertes par l'assurance du couple. En quoi est-ce sa faute ? Hein ? Et elle s'est répandue au sujet des histoires larmoyantes colportées dans les médias. Selon elle, à n'en point douter, les parents du garçon ont entendu parler du – et je cite – *meurtre du nabot* et ont décidé de l'impliquer dans cette histoire pour qu'elle y perde encore des plumes en termes de réputation.

— Quelle ignoble garce !

— J'envisage toujours une contamination, insista Berger. Je ne vois pas d'autre explication pour ce mélange d'ADN. Peut-être Kay aurait-elle une idée de génie qui m'échappe pour l'instant ? Demain, avec un peu de chance, nous recevrons l'ADN d'Oscar. Cela étant, nous sommes certains de le retrouver partout. Des touches positives ne nous aideront pas beaucoup.

— Et sa messagerie électronique ? Vous pouvez y accéder, qu'il donne son autorisation ou pas, n'est-ce pas ? Je suppose qu'il correspondait par *e-mail* avec Terri.

— On peut, en effet, y accéder et on ne s'en privera pas, confirma Berger. Toutefois, nous n'allons pas l'en informer. En résumé, et je pense que nous sommes d'accord sur ce point, il n'est pas aussi coopératif qu'il veut le faire croire. Et ça ne changera pas, sauf si nous dénichons des arguments solides pour l'arrêter. Je me trouve dans une position assez délicate. Je dois être particulièrement prudente et, pourtant, je veux apprendre ce que sait Kay. Il lui a raconté des choses dans l'infirmerie, des choses qu'il refuse de nous révéler et qu'elle n'est pas autorisée à divulguer dans les circonstances actuelles. Ma question suivante est sans nul doute superflue : elle n'a jamais eu de lien avec Oscar Bane, n'est-ce pas ?

— Si elle en a eu, elle l'ignore, ou alors elle ne s'en souvient pas, sans quoi elle en aurait fait mention à l'instant même où j'ai prononcé son nom lorsque je l'ai appelée un peu plus tôt. Cela étant, nous n'aurons aucune certitude tant qu'Oscar ne sera pas arrêté ou qu'il ne renoncera pas au secret médical. Je connais Kay. Jamais elle ne lâchera quelque chose de déplacé, vu la situation.

— Et une relation avec Terri Bridges ? C'est possible selon vous ?

— Ça me paraît inimaginable, répondit Benton. Si Oscar lui parle de Terri et qu'elle se rende compte qu'elle a un lien avec la morte, elle se récusera aussitôt ou alors elle nous le notifiera pour que nous prenions les mesures nécessaires.

— Ce n'est pas une partie de plaisir pour elle, commenta Berger. Ni pour vous d'ailleurs. Je suppose que vous n'êtes pas habitués à ce genre de choses. Des discussions professionnelles au moment du dîner, qui s'immiscent durant vos vacances, vos week-ends. C'est même peut-être une source de conflits. (Elle ne le quittait pas des yeux.) Plus de frontière, sauf si vous devenez des témoins experts pour les camps opposés lors d'un même procès, mais cela n'arrive presque jamais. Vous formez une sacrée équipe, tous les deux. Aucun secret. Vous avez toujours été inséparables professionnellement. Et maintenant conjugalement. J'espère que ça se passe bien pour vous.

— Non, ce n'est pas une partie de plaisir, confirma Benton. (Il n'aimait pas ses allusions personnelles.) Ce serait plus aisé si Oscar était accusé du meurtre de sa petite amie. Certes, c'est un souhait assez terrible.

— Oh, mais nous souhaitons tant de choses que nous n'admettrions jamais, Benton. Il n'en demeure pas moins que s'il a assassiné Terri Bridges, nous n'irons pas chercher midi à quatorze heures !

Elle se souvenait de la neige qui piquait aussi fort que des orties. Elle avait besoin d'une livre de son café, mais ne se sentait pas trop d'attaque pour sortir. D'une façon générale, elle n'avait rien à dire de très enthousiasmant sur cette journée-là.

Elle avait eu beaucoup de mal – plus qu'à l'accoutumée – avec un article qu'elle était censée afficher sur le site, un article particulièrement venimeux intitulé « Les ex ». La chronique recensait toutes les célébrités que leurs fans avaient conspuées et les raisons de ce désamour. Il était clair que la Mégère devait laisser cela dans l'ombre alors qu'elle rédigeait les événements de sa journée au profit de l'enquêteur Marino. Ainsi, elle ne pouvait pas lui expliquer la panique qu'elle avait ressentie lorsque Terri avait sonné à sa porte, qu'elle l'avait fait entrer chez elle, en oubliant que le site *Dans le collimateur de Gotham* était affiché sur son écran géant d'ordinateur.

Terri avait posé le panier sur la table basse, puis s'était dirigée vers le bureau situé en face d'elle.

La Mégère noircissait les pages de son calepin en laissant de côté certains de ses souvenirs.

Terri avait détaillé l'écran pendant que la Mégère cherchait un prétexte pour justifier ce qui s'affichait à l'écran : une chronique de *Dans le collimateur de Gotham* formatée et traduite en langage de programmation.

Terri était si petite que ses yeux arrivaient à hauteur de l'écran d'ordinateur.

— *C'est quoi ?* avait-elle demandé.

— *J'avoue : je lis* Dans le collimateur de Gotham.

— *Mais pourquoi ça a cet aspect-là ? Vous êtes programmatrice ? J'ignorais que vous travailliez.*

— *En fait, j'ai récupéré les codes d'affichage parce que je suis une vraie nunuche avec l'informatique. Mais asseyez-vous, je vous en prie.*

La Mégère l'avait presque bousculée pour pouvoir sortir du site.

— *Non, non, je ne travaille pas*, avait-elle insisté pour mettre les choses au clair au plus vite.

Terri s'était installée sur le canapé, ses pieds semblant sortir tout raides du bord du coussin parce que ses jambes étaient si courtes. Elle avait dit qu'elle se servait d'une messagerie électronique, mais, qu'à part ça elle était totalement incompétente en matière d'informatique. Bien sûr, elle avait entendu parler de *Dans le collimateur de Gotham*, ayant vu des publicités partout, ayant entendu plein de gens en parler, mais elle ne se connectait pas à ce site. Ses occupations à l'université lui laissaient peu de temps pour se consacrer à une lecture de loisir, et d'ailleurs, même si tel n'avait pas été le cas, elle ne se serait pas intéressée à un site de médisances. Ce n'était pas son truc. Du reste, elle avait entendu dire que c'était un torchon inintelligent. Elle avait voulu savoir si la Mégère partageait son jugement.

— Mais je ne sais pas écrire un scénario de film, lança la Mégère à l'enquêteur Marino. Je crois qu'il faut se servir d'un langage particulier et d'un format adapté et qu'en fait les scénaristes utilisent des logiciels spécialisés. Lorsque j'étais étudiante à Vassar, j'ai suivi un cours de théâtre et je suis formelle : les scénarios ne sont pas écrits pour être lus. Ils sont destinés à être joués, chantés, tout cela. J'espère que vous ne m'en voudrez pas si j'en reste à la prose bien terre à terre. En tout cas, laissez-moi vous lire ça.

Elle sentit sa gorge se serrer. Les souvenirs, ajoutés au bourbon, la rendaient très émotive. Elle était consciente que l'enquêteur Marino ne serait pas installé dans le fauteuil relax s'il n'avait pas une raison précise pour cela. Il avait des choses plus intéressantes à faire. Lui demander d'écrire une scène de film impliquait que ce qui s'était passé de l'autre côté de la rue était bien plus grave, bien plus menaçant qu'elle ne l'avait d'abord cru. La seule autre explication à sa présence chez elle serait la pire de toutes. Il s'agissait d'un agent infiltré, peut-être à la solde du gouvernement fédéral, convaincu qu'elle participait à des activités terroristes, sans doute en raison de mouvements bancaires suspects, tels les virements du Royaume-Uni qui parvenaient sur son compte, sans oublier le fait qu'elle ne payait pas les impôts qu'elle aurait dû puisque, sur le papier, elle n'avait aucun revenu autre que sa retraite de la sécurité sociale, à laquelle s'ajoutaient de petites sommes qu'elle recevait par-ci, par-là.

Elle lut ce qu'elle avait écrit :

Terri déposa le panier sur la table basse et grimpa sur le canapé sans hésitation et avec une grande agilité. Il était évident qu'elle avait appris à compenser ses bras et ses jambes très courts. Elle se débrouilla sans effort apparent. Je ne l'avais jamais vue s'asseoir auparavant, et je fus surprise de constater que ses pieds étaient tendus droit au bord du coussin, tels ceux d'un personnage de bande dessinée ou d'un enfant de cinq ans. Quoi qu'elle dît ou fît ensuite, il est important de souligner que je sentis qu'elle était terriblement triste dès l'instant où je lui ouvris la porte. En effet, elle me sembla paniquée, très calme toutefois, tenant le panier d'une façon qui m'indiqua que quelque chose d'inhabituel se trouvait dedans, une chose dont elle ne voulait pas et qui la mettait mal à l'aise.

Je dois préciser de quelle façon elle était habillée, puisque ces détails font partie d'une scène. Elle portait un blue-jean, une chemise en coton bleu marine, des chaussettes de la même couleur et des bottines. Elle n'avait pas de manteau, mais ses mains étaient recouvertes de gants de ménage bleus, parce qu'elle s'était précipitée hors de chez elle comme si son appartement était en feu. De toute évidence, elle était en pleine crise.

— Mon Dieu, que s'est-il passé ? lui demandai-je en lui proposant un rafraîchissement, offre qu'elle déclina.

— Je sais que vous aimez les animaux. Surtout les chiens, dit-elle en jetant un regard à tous mes sujets en porcelaine et en cristal, des cadeaux de mon mari.

— C'est exact. Mais comment le savez-vous puisque je n'avais déjà plus de chien lorsque vous avez emménagé de l'autre côté de la rue ?

— Vous les mentionnez lorsque nous discutons un peu sur le trottoir, et puis vous remarquez les maîtres qui promènent les leurs. Je suis désolée. C'est urgent. Aucune autre solution ne m'est venue.

Je soulevai la serviette qui recouvrait le panier et j'eus le sentiment que mon cœur se brisait. Ivy était minuscule, si sage que je crus d'abord qu'elle était morte. Terri m'expliqua qu'il s'agissait d'un cadeau, mais qu'elle ne pouvait pas la garder. Son ami l'avait ramenée à la boutique, qui avait refusé de la reprendre. La petite bête n'avait pas l'air en grande forme et à cet instant précis je me suis dit qu'elle ne s'en sortirait pas. Elle n'a pas bougé jusqu'au moment où je l'ai prise contre moi. Elle a enfoui sa petite tête sous mon menton. Elle s'est accrochée à moi...

La Mégère essuya ses larmes avec un mouchoir en papier et, après une pause, déclara à l'enquêteur Marino :

— Je ne peux pas. Je suis désolée. Je ne suis pas allée plus loin. C'est trop douloureux. Je suis toujours très en colère. Pourquoi me contrariez-vous comme ça ? Parce que si vous êtes en train de jouer avec mes nerfs, je porterai plainte et je monterai jusqu'à Jaime Berger. Et ça m'est égal que vous fassiez partie de la police. Je me plaindrai quand même. Et si vous êtes une sorte d'agent secret fédéral, abattez vos cartes et qu'on en finisse.

— Je ne joue pas avec vos nerfs et je ne suis certainement pas un agent secret, rectifia-t-il, et elle sentit une sorte de gentillesse transparaître dans sa voix ferme. Je vous promets que je n'irais pas creuser là-dedans si ce n'était pas important. C'est clair que le fait que Terri amène le chiot est important à mes yeux puisque ce n'est quand même pas un truc classique. En revanche, ça corrobore certaines choses que je sais.

Je suis passé à son appartement un peu plus tôt. Juste après avoir parlé à ses parents. Ils habitent l'Arizona. Peut-être que vous étiez au courant.

— Non. Ça devait être sens dessus dessous chez elle, je suppose.

— Vous m'avez dit que vous n'y étiez jamais allée.

— Jamais.

— Eh bien, disons que ce n'est pas le genre de personne qui aurait un animal de compagnie. Vous pourriez manger par terre. Une femme aussi obsédée par la propreté, aussi soigneuse, n'a ni chien ni chat. D'ailleurs elle n'en avait pas. Si je suis si affirmatif, c'est qu'après avoir vu tous ces produits bactéricides et autres chez elle, j'ai rappelé ses parents. Quand j'ai abordé le sujet des animaux, ils m'ont révélé que même enfant elle n'en avait jamais eu et qu'elle évitait ceux des autres. Elle avait peur des chiens et des chats, et n'en aurait pas touché un pour tout l'or du monde. Quant aux oiseaux, elle les détestait. Du coup, si vous repensez à la scène que vous venez de me décrire à la lumière de ce que je viens de vous apprendre, peut-être que vous interpréterez certains détails d'une façon différente. Elle ne portait pas de manteau, mais elle avait des gants de ménage. Vous en avez donc conclu qu'elle était en train de faire la vaisselle lorsque quelqu'un est arrivé avec un chiot malade et que, saisie de panique, elle s'est précipitée chez vous.

— En effet.

— Est-ce que vous lui avez demandé pour quelle raison elle portait des gants de ménage ?

— Oui. Elle m'a répondu ce que je vous ai dit au sujet de la vaisselle. Elle avait d'ailleurs l'air un peu embarrassée et elle les a ôtés. Et puis elle me les a tendus pour que je les jette.

— Elle a touché le chiot après les avoir enlevés ?

— Non, mais de toute façon elle ne l'a jamais approché. En fait, elle a retiré les gants juste avant de partir, j'aurais dû vous le préciser.

— Ben voilà. Elle portait des gants parce qu'elle avait peur des microbes. Quant au manteau, si elle n'en avait pas, c'est qu'elle ne voulait pas qu'il soit contaminé par le chiot ou même dans votre appartement. C'est plus facile de laver une chemise. Je parie qu'elle a laissé le panier et la serviette chez vous.

— Tout à fait.

— Elle savait bien que la petite chienne était très malade et qu'elle était en train de mourir lorsqu'elle vous l'a donnée.

— Je vous ai dit que j'étais en colère.

— Et vous avez vachement raison ! Elle sait que le chiot va claquer et elle vous le balance. C'est un truc assez nul, non ? Surtout vis-à-vis d'une femme qui aime les animaux. Elle vous a bernée parce que vous avez le cœur tendre, surtout avec les chiens. Mais la question, c'est : comment a-t-elle vraiment récupéré Ivy ? Vous voyez ce que je veux dire ?

— Parfaitement, approuva la Mégère dont la colère était encore montée d'un cran.

Ces quelques jours avec Ivy avaient été un cauchemar. Elle les avait passés à pleurer, à tenter de lui donner un peu à boire, de la faire manger. Il était déjà trop tard lorsqu'elle s'était rendue chez son vétérinaire.

— Quelqu'un connaissant un peu Terri ne lui aurait pas offert un chien pour lui faire plaisir, et surtout pas un animal malade, résuma l'enquêteur Marino. Je n'arrive pas à croire que son petit ami aurait fait un truc pareil, sauf si c'est un sale type qui voulait la blesser, la faire souffrir, s'amuser à ses dépens.

— En tout cas, elle avait vraiment l'air malheureuse. Pas dans un état normal.

— Ça me rappelle ces vilains tours que les gamins jouaient aux petites filles quand on était à l'école. Vous savez... les terroriser avec une araignée ou un serpent cachés dans une boîte à chaussures. Bref, tout ce qui pouvait les faire hurler de peur. Terri était paniquée. Elle avait une peur bleue des microbes, de la saleté, de la maladie, de la mort. Il fallait vraiment être tordu pour lui offrir un chiot malade.

— Si ce que vous dites est vrai, c'est même diabolique, une chose pareille.

Le fauteuil protesta lorsque Marino allongea les jambes et demanda :

— Ça fait combien de temps que Terri Bridges habite en face de chez vous ?

— Elle a emménagé il y a environ deux ans. En fait, je ne connaissais pas son nom de famille. Nous ne sommes pas amies, il faut que ce soit bien clair. Vous voyez, juste des voisines qui se rencontrent parfois dans la rue. En général sur le trottoir, quand nous sortons ou rentrons dans nos immeubles respectifs. Je tiens également à préciser que je n'ai pas l'impression qu'elle sort tant que ça. Je ne pense pas qu'elle possède une voiture. Elle se déplace comme moi, à pied. Mais il m'est arrivé de la rencontrer aussi ailleurs. Une fois chez Land's End : on aime toutes les deux leurs chaussures. Elle était en train de s'offrir une paire de Mary Jane Trekkers, je m'en souviens très bien. Une autre fois, je l'ai croisée non loin du Guggenheim. Je crois d'ailleurs que c'est la dernière fois que je suis allée dans ce musée, pour une exposition des œuvres de Jackson Pollock. On s'est aperçues sur le trottoir et on s'est arrêtées pour bavarder un peu.

— Elle se rendait au musée ?

— Je n'en ai pas eu l'impression. Je pense plutôt qu'elle se promenait. En revanche, je me souviens qu'elle avait le visage rouge, un peu bouffi, et qu'elle portait un chapeau et des lunettes de soleil alors que le temps était couvert. Sur le coup, je me suis demandé si elle n'avait pas fait une allergie à quelque chose, ou alors si elle venait de pleurer. Je n'ai pas posé de questions. Je ne suis pas une femme curieuse.

— Bridges, c'était son nom de famille, dit Marino. C'est dans le *Post* d'aujourd'hui. Donc personne n'y a fait allusion ?

— Je ne lis pas le *Post*. J'ai accès à toutes les nouvelles grâce à Internet.

Elle regretta aussitôt sa phrase. Elle n'avait vraiment pas besoin qu'il s'intéresse à ce qu'elle fabriquait sur Internet.

— Enfin, surtout grâce à la télé, se reprit-elle. Si ça n'est pas indiscret, c'était vraiment très grave, le cambriolage ? Une voiture de police est restée garée dans la rue toute la journée, et puis vous passez chez moi, et en plus je n'ai pas vu Terri. Elle est sans doute partie chez sa famille ou a été rejoindre son petit ami. Je ne pourrais plus fermer l'œil de la nuit si une telle chose m'arrivait. J'ai remarqué que vous avez utilisé l'imparfait à plusieurs reprises, comme si elle n'était plus là. Et vous avez bavardé avec sa famille. Du coup, je me dis que ça devait être sérieux. Sans cela, je ne comprends pas ce que ses parents dans l'Arizona auraient à voir avec cette histoire... Enfin, pourquoi deviez-vous leur parler ? C'est grave, n'est-ce pas ?

— Ça ne peut pas être pire, j'en ai bien peur, lâcha-t-il.

Quelque chose contracta l'estomac de la Mégère.

Le fauteuil, qui n'était pas prévu pour lui, geignit

lorsque l'enquêteur avança le torse vers elle, son visage se faisant encore plus massif.

— D'où vous est venue l'idée qu'il s'agissait d'un cambriolage ?

Elle articula avec peine :

— C'est-à-dire, je pensais que...

— Ben, je suis désolé de vous l'apprendre, mais ce n'est pas le cas. Votre voisine a été assassinée cette nuit. C'est d'ailleurs un peu dur de croire que vous ne vous en soyez pas doutée, avec toute l'agitation qu'il y a eu juste en bas de chez vous. Les voitures de police, le fourgon de l'institut médico-légal...

La Mégère pensa au Dr Scarpetta.

— ... Des gyrophares, des portières qui claquent, des gens qui discutent. Et vous n'avez rien vu ni entendu ? répéta-t-il.

— Le Dr Scarpetta était présente ? lâcha-t-elle sans réfléchir, en essuyant ses yeux, son cœur s'affolant.

Le gros visage se figea, comme si elle venait de lâcher une obscénité.

— Où voulez-vous en venir ? balança-t-il, plus du tout sympathique.

Soudain elle comprit, beaucoup trop tard. Jusque-là elle n'avait pas fait le lien, du moins pas consciemment. Comment était-ce possible ? P.R. Marino. Comme dans « Pete Marino », le nom qui apparaissait dans la chronique qu'elle-même avait retravaillée, formatée avant de l'afficher sur le site. Il ne pouvait s'agir de la même personne, quand même ! Ce Marino-là vivait en Caroline du Sud, non ? Il ne travaillait pas sous les ordres de Jaime Berger. Une femme de l'envergure de Mme Berger n'engagerait jamais un homme de cette sorte, n'est-ce pas ? La panique gagnait la Mégère. Son cœur cognait si fort dans sa poitrine qu'il lui faisait presque mal. Si ce

Marino était celui dont le Patron avait parlé dans ses derniers articles, il n'avait rien à faire dans le salon de la Mégère, installé dans le relax de son mari. Après tout, il pouvait tout à fait être le dingue qui avait tué cette pauvre petite dame sans défense de l'autre côté de la rue.

C'était exactement de cette façon-là que l'étrangleur de Boston recrutait ses victimes, en se présentant comme un homme charmant et raisonnable. Il dégustait une tasse de thé dans le salon de la femme, discutait agréablement juste avant de...

— Quoi, le Dr Scarpetta ? insista Marino d'un ton qui aurait pu laisser supposer qu'elle venait de l'offenser au-delà du réparable.

— Je m'inquiète à son sujet, répondit la Mégère avec autant de calme qu'elle le pouvait, ses mains tremblant si fort qu'elle entrelaça les doigts sur ses cuisses. Je m'inquiète de toute la publicité autour d'elle et à cause de la nature de ce qu'elle... enfin, je veux dire, de son domaine. Enfin... les gens très méchants dont elle parle sont en général satisfaits qu'on évoque leurs actes.

Elle inspira longuement. Elle s'était bien débrouillée. En revanche, il ne fallait à aucun prix qu'elle fasse allusion à ce qui traînait sur Internet au sujet du Dr Scarpetta, notamment l'article qu'elle y avait mis ce matin.

— J'ai le sentiment que vous pensez à quelque chose de précis, insista-t-il. Alors allez-y !

— Je me demande si elle n'est pas en danger. C'est juste une impression.

Le visage impassible, il demanda :

— Fondée sur quoi ?

— Les terroristes.

— Les terroristes, répéta-t-il tandis que ses traits perdaient un peu de leur dureté. Quels terroristes ?

Il paraissait moins ulcéré.

— C'est notre grand sujet de frayeur en ce moment, à tous, lança-t-elle en espérant que sa tactique fonctionnerait.

Pete Marino se leva, aussi impressionnant qu'une tour plantée devant elle.

— Voilà ce que je vais faire... Je vous laisse ma carte et je veux que vous réfléchissiez bien. Si un truc, aussi insignifiant soit-il, vous revenait à l'esprit, vous m'appelez aussitôt. Peu importe l'heure.

Elle se leva et le raccompagna à la porte.

— Qui pourrait faire une telle chose ?

— C'est toujours ceux auxquels on ne pense pas, rétorqua-t-il. Soit parce qu'ils connaissaient la victime, soit, au contraire, parce qu'ils ne la connaissaient pas.

Chapitre 8

Le cyberespace, l'endroit parfait pour se protéger du ridicule.

Gotham était une université *on line*. Les étudiants pouvaient y apprécier les talents et l'intelligence du Dr Oscar Bane sans jamais se douter de son nanisme.

— Il est impossible que ce soit un étudiant ou un groupe d'étudiants, expliqua Oscar à Scarpetta. Ils ne me connaissent pas. Mon adresse et mon numéro de téléphone sont sur liste rouge. Vous comprenez, il ne s'agit pas d'une vraie université, qui existe physiquement, je veux dire, où les gens se rendent. Le corps enseignant se rencontre à plusieurs reprises chaque année dans l'Arizona, mais nous ne nous voyons plus guère, pour la plupart d'entre nous.

— Et votre adresse de messagerie électronique ?

— Elle est mentionnée sur le site Web de l'université. C'était nécessaire. C'est d'ailleurs sans doute comme cela que tout a commencé. Internet. La façon la plus simple de voler l'identité d'une personne. Je l'ai dit lorsque j'ai appelé les bureaux du procureur. J'ai dit que c'était probablement de cette façon qu'ils étaient remontés jusqu'à moi. Mais mon avis ne les intéressait pas. Ils ne m'ont pas cru, et c'est là que je me suis rendu compte qu'ils faisaient peut-être partie des voleurs d'esprit. C'est ce qui se produit. Ils tentent de me voler mon esprit.

Scarpetta se leva et fourra calepin et stylo dans la poche de sa blouse en annonçant :

— Je vais contourner la table afin d'examiner votre dos. Cependant vous devez quand même sortir parfois de chez vous, non ?

— Je passe à l'épicerie, au distributeur d'argent, je m'arrête dans des stations-service, je vais chez mon médecin, mon dentiste, au théâtre, dans des restaurants. Quand cette histoire a commencé, j'ai décidé de changer mes habitudes. Différents endroits à différents moments de la journée, différents jours.

— Et votre club de gym ?

Elle défit la ceinture de sa chemise d'hôpital et la fit glisser jusqu'à ses hanches.

— Je fais des exercices chez moi. Toutefois je continue la marche dehors, six ou sept kilomètres, six fois par semaine.

L'apparence de ses blessures était assez évocatrice et ne rassura pas Scarpetta au sujet d'Oscar Bane.

— Je n'emprunte jamais le même parcours au même moment de la journée. Je varie les itinéraires, ajouta-t-il.

— Vous appartenez ou êtes impliqué dans des groupes, des associations ?

— Le Petit Peuple d'Amérique. Ce qui est en train de se passer n'a rien à voir avec eux, c'est certain. Je l'ai déjà dit, ce harcèlement a débuté il y a environ trois mois, à ce que j'en sais.

— Quelque chose vous est arrivé il y a trois mois ? Une chose inattendue qui aurait changé votre vie ?

— Terri. J'ai commencé à sortir avec Terri. Et ils ont décidé de me pister. J'en ai la preuve. Sur un CD que j'ai caché dans mon appartement. Même s'ils entraient par effraction, ils ne le trouveraient pas. Il faut absolument que vous le récupériez lorsque vous irez chez moi.

Elle mesura les égratignures qu'il portait au niveau des reins.

— Une fois que vous serez dans mon appartement, poursuivit-il. J'ai donné ma permission écrite à ce détective. Je ne l'aime pas. Mais il me l'a demandée, donc je la lui ai donnée, avec mon trousseau de clés et le code du système d'alarme, parce que je n'ai rien à cacher et que je veux que vous y alliez. Je lui ai dit que j'insistais pour que vous soyez présente avec lui. Il faut que vous vous dépêchiez, que vous alliez là-bas avant eux. Peut-être qu'ils y sont déjà passés.

— La police ?

— Non, les autres.

Son corps se détendit au contact des doigts gantés de Scarpetta.

— Selon moi, ils sont capables de tout et ils disposent de moyens considérables. Mais peu importe. Même s'ils ont fouillé, ils n'ont pas pu le trouver. Ils ne peuvent pas. C'est impossible. Le CD est dissimulé dans un livre. *Expériences d'un médecin d'asile d'aliénés* de Littleton Winslow. Publié en 1874 à Londres. Il est rangé sur la quatrième étagère de la deuxième bibliothèque dans la chambre d'amis, à gauche de la porte. Vous êtes la seule à être au courant.

— Avez-vous raconté à Terri que l'on vous suivait, vous espionnait ? Connaissait-elle l'existence de ce CD ?

— Je ne lui ai rien révélé pendant longtemps. Je ne voulais pas qu'elle s'inquiète. Elle a des problèmes d'anxiété. Et puis, ensuite, je n'ai plus eu le choix. Il y a quelques semaines il a fallu que je le lui avoue, lorsqu'elle a commencé à manifester le désir de venir chez moi et que je refusais à chaque fois. Elle m'a accusé de lui dissimuler des trucs. Du coup, j'ai dû tout lui expliquer. Il était nécessaire que je m'assure qu'elle comprenait bien à quel point il était dangereux pour moi de l'inviter dans mon appartement, puisque j'étais victime de harcèlement électronique.

— Et le CD ?

— Je lui ai dit ce qu'il contenait, mais pas où je l'avais caché.

— S'est-elle inquiétée du fait que vous fréquenter pouvait la mettre, elle aussi, en danger ? s'enquit Scarpetta.

— Ce qui est certain, c'est qu'ils ne m'ont jamais suivi jusque chez elle.

— Comment en êtes-vous sûr ?

— Ils m'informent des endroits dans lesquels ils me suivent. Vous verrez. J'ai expliqué à Terri que j'étais certain qu'ils ignoraient son existence et donc qu'elle était en sécurité.

— Elle vous a cru ?

— Elle était contrariée, mais pas effrayée.

— Ça n'est pas banal pour quelqu'un qui souffre de problèmes d'anxiété, releva Scarpetta. Je suis assez surprise qu'elle n'ait pas pris peur.

— Les communications avec eux ont cessé. Ça faisait des semaines, et ça s'est arrêté. Je me suis mis à espérer qu'ils ne s'intéressaient plus à moi. En réalité, ils préparaient le plan le plus cruel de tous.

— Il s'agit de quel type de communication ?

— Des *e-mails*.

— Avez-vous songé à la possibilité qu'ils émanent de Terri, puisqu'ils ont cessé après que vous lui en avez parlé ? Peut-être était-ce elle qui vous les envoyait, ces *mails* qui vous donnaient l'impression d'être harcelé, espionné ? Et puis, lorsque vous les avez évoqués, elle a arrêté.

— C'est impossible. Elle n'aurait jamais commis quelque chose d'aussi haineux. Surtout pas envers moi. C'est aberrant.

— Comment pouvez-vous en être certain ?

— En plus, elle n'aurait pas pu. Comment aurait-elle su que j'avais fait un détour et que j'étais arrivé à Columbus Circle, par exemple ? Comment aurait-elle appris que j'étais descendu à l'épicerie pour acheter de la crème pour mon café, à moins que je ne lui en parle ?

— Aurait-elle eu une raison d'engager quelqu'un afin de vous suivre ?

— Elle n'aurait jamais fait une chose pareille. En plus, après ce qui s'est produit, ça n'a vraiment aucun sens de penser qu'elle pouvait être impliquée dans cette histoire. Elle est morte ! Ils l'ont tuée !

La porte d'acier s'écarta doucement et les yeux du gardien apparurent dans l'entrebâillement.

— Tout se passe bien ?

— Tout va bien, le rassura Scarpetta.

Les yeux disparurent.

— Cependant les *e-mails* ont cessé, insista-t-elle.

— Il écoute aux portes.

— Vous avez élevé la voix, Oscar. Vous devez rester calme ou il reviendra.

— J'ai fait une copie de ceux que j'avais reçus et ensuite j'ai nettoyé les mémoires de mon ordinateur pour qu'ils ne puissent pas pénétrer dans ma messagerie, effacer des *e-mails* ou les modifier afin de me faire passer pour un menteur. La seule trace des *e-mails* originaux est sur le CD, dans le livre *Expériences d'un médecin d'asile d'aliénés*. Littleton Winslow. Je collectionne les livres et les documents anciens.

Scarpetta prit des photos des écorchures ainsi que des marques d'ongles, toutes dans la même zone : en bas de son dos, du côté droit.

— Dans le domaine de la psychiatrie, tout ce qui s'y rapporte, précisa-t-il. J'ai une belle collection, dont certains ouvrages sur l'hôpital Bellevue. J'en sais davantage sur cet endroit que les gens qui y travaillent. Je suis certain que vous et votre mari jugeriez captivant ce que j'ai amassé sur le Bellevue. Peut-être qu'un jour j'aurai l'occasion de vous le faire découvrir. Si vous avez envie d'emprunter un livre, ne vous gênez surtout pas. Terri a toujours été intéressée par l'histoire de la psychiatrie. Les gens la fascinaient. Elle faisait attention à eux et elle s'interrogeait sur les raisons de leurs actes. Elle affirmait qu'elle pourrait passer la journée assise dans un aéroport ou dans un parc juste pour les regarder. Pourquoi portez-vous des gants ? L'achondroplasie n'est pas contagieuse.

— Pour votre protection.

Ça n'était qu'un demi-mensonge. Elle tenait à cette barrière de latex entre sa peau et celle d'Oscar. Il avait déjà franchi la limite vis-à-vis d'elle. Avant même qu'elle ne le rencontre.

— Ils savent où je me rends, les endroits où je suis allé, où je vis. Mais pas son appartement, pas son immeuble, ni Murray Hill. Rien ne m'a jamais laissé penser qu'ils connaissaient quoi que ce soit à son sujet. C'est un lieu qu'ils ne m'ont jamais indiqué lorsqu'ils me faisaient savoir où j'avais été et quel jour. Pourquoi se seraient-ils gênés ? Je vais chez elle chaque samedi.

— Toujours à la même heure ?

— À cinq heures du soir.

— Où à Murray Hill ?

— Ce n'est pas très loin d'ici. On peut facilement

s'y rendre à pied. À côté du Loews Theater. On va parfois au cinéma et, quand on a décidé de faire une folie, on mange des hot-dogs au fromage avec des frites.

Son dos trembla lorsqu'elle l'effleura. La peine l'envahissait tout entier.

— Nous faisons tous les deux attention à notre poids, précisa-t-il. Jamais je n'ai eu la moindre raison de soupçonner qu'ils m'avaient suivi à Murray Hill, ni dans les endroits que nous fréquentions, Terri et moi. Jamais. Dans le cas contraire, j'aurais fait n'importe quoi pour la protéger. Je n'aurais pas toléré qu'elle vive seule. Peut-être que j'aurais pu la convaincre de quitter la ville. Ce n'est pas moi ! Je ne lui ferai jamais de mal. C'est l'amour de ma vie.

Le joli visage de Berger faisait face à Benton. Elle l'étudiait de son regard perspicace.

— Je voulais vous demander quelque chose... Si Kay est la tante de Lucy, est-ce que cela fait de vous son oncle ? Ou alors êtes-vous un oncle *de facto*, un presque oncle ? Vous appelle-t-elle « oncle Benton » ?

— Lucy n'écoute pas son presque oncle, ni même sa tante. En revanche, j'espère qu'à vous elle prêtera une oreille attentive.

Il savait précisément ce qu'elle tentait de faire. Elle le menait, l'aiguillonnait pour qu'il aborde cette fichue chronique de ragots, pour qu'il admette et s'en remette à son jugement. Toutefois, la décision de Benton était prise. Il ne lui offrirait aucune information pour l'excellente raison qu'il n'avait rien fait de mal. Le moment venu, il pourrait se défendre sans la moindre difficulté. Il pourrait expliquer son silence et le justifier en rappelant à Berger que, légalement, Marino n'avait été accusé de rien et que la vie privée de Scarpetta ne devait pas être violée par son mari.

— Lucy a-t-elle récupéré les ordinateurs portables ? s'enquit-il.

— Pas encore, mais ça ne devrait pas tarder. Dès qu'elle aura déterminé les détails des comptes de messagerie, nous remonterons jusqu'aux fournisseurs d'accès et nous obtiendrons les codes. Même celui d'Oscar.

— Lorsque vous l'avez rencontrée pour discuter de ce qu'elle allait...

— Je ne l'ai pas encore rencontrée, l'interrompit Berger. Nous avons juste eu une brève conversation téléphonique. Je suis surprise que vous ne m'ayez jamais appris qu'elle avait emménagé à New York. Cela étant, en y réfléchissant, je ne devrais pas l'être. (Elle prit sa tasse de café.) J'ai appris par différentes sources que son déménagement était récent et qu'elle avait monté une compagnie. Elle s'est taillé assez vite une réputation. C'est la raison pour laquelle j'ai décidé de lui demander son aide dans cette affaire.

Elle avala une gorgée de café et reposa sa tasse, semblant à la fois concentrée et pensive.

— Vous devez savoir que lui et moi n'avons que des contacts sporadiques, déclara-t-elle.

Elle faisait référence à Marino. Le contre-interrogatoire venait de commencer. Elle reprit :

— Sachant ce que je sais et partant du principe qu'il existe quelque chose de vrai dans ce torchon sur Internet, je ne parviens pas à croire que Lucy ait informé Marino de son arrivée à New York ou qu'elle ait eu des contacts avec lui. Je ne parviens même pas à croire qu'elle soit au courant de sa présence en ville. Je me demande pourquoi vous ne l'avez pas avertie.

Mais peut-être suis-je train de conclure de façon injuste... Peut-être en avez-vous discuté avec elle ?

— Non.

— C'est plutôt fort de café. Lucy débarque à New York et vous ne la prévenez pas que Marino s'y trouve, en vie et fringant, et qu'il fait partie de la brigade du procureur. Cela étant, peut-être son petit secret aurait-il encore été en sécurité un moment s'il n'avait pas eu la malchance de prendre l'appel d'Oscar Bane le mois dernier.

— Lucy est toujours dans le montage de sa compagnie et elle s'est peu investie, jusque-là, dans des affaires, rétorqua Benton. Juste une dans le Bronx et une autre dans le Queens. En d'autres termes, ce serait sa première enquête à Manhattan, la première qui implique votre équipe. Alors, certes, il est clair qu'à un moment donné Marino et elle vont se retrouver nez à nez. J'avais espéré que cette rencontre se passerait de façon naturelle, professionnelle.

— Vous n'avez rien espéré de la sorte, Benton. Vous êtes dans le déni complet. Vous avez pris des décisions à la fois fautives et désespérées sans aborder les conséquences avec logique. Aujourd'hui, vous n'avez plus toute latitude. Ça doit être une sensation assez indescriptible... le fait de pousser les gens tels des pions pour se réveiller un jour et s'apercevoir qu'à cause d'un banal article de cancans vos pions n'ont plus d'autre solution que de s'affronter et de se balancer à tour de rôle de l'échiquier. Permettez-moi de tenter de récapituler ce qui s'est passé.

D'un geste léger, elle refusa la cafetière qu'une serveuse approchait de sa tasse.

— À l'origine, vous ne pensiez pas résider à New York, n'est-ce pas ? demanda Berger.

— J'ignorais que le John Jay allait...

— Vous demander à tous deux d'être consultants, de faire des conférences ? Je suis certaine que vous avez essayé d'en dissuader Kay.

— Ce n'était pas sage à mes yeux.

— Bien sûr.

— Elle venait tout juste d'être engagée comme médecin expert. Elle avait dû déménager toute son existence. Je lui ai déconseillé de se mettre encore plus de travail et de stress sur le dos. Je lui ai dit que ce ne serait pas judicieux.

— Bien sûr.

— Toutefois, elle a insisté, au prétexte que c'était une bonne chose d'aider dans la mesure de nos possibilités. Et puis elle a souligné qu'elle refusait qu'on lui pose des limites.

— C'est tout Kay, résuma Berger. Toujours à souhaiter aider partout où elle le peut, et elle se démène pour y parvenir. Le monde est son terrain de prédilection. Vous ne pouviez pas la cloîtrer dans un coin du Massachusetts, ni trop freiner des quatre fers parce que, alors, il aurait fallu que vous lui expliquiez pourquoi vous ne souhaitiez pas sa présence à New York. Vous vous êtes donc retrouvé avec un gros problème sur les bras. Vous aviez déjà encouragé Marino à quitter la Caroline et – soyons honnêtes – m'aviez incitée à le recruter. Or, aujourd'hui, Kay va travailler épisodiquement à New York et, peut-être, être associée à certaines des enquêtes qui dépendent de moi. D'un autre côté, puisque vous avez tous deux des centres d'intérêt ici, pourquoi pas ? Dans le même temps, Lucy emménage, elle aussi, dans la grande ville de toutes les opportunités. De fait, pourrait-elle rêver d'un meilleur endroit que le Village ? Comment auriez-vous pu prévoir tout cela lorsque vous êtes venu me trouver avec votre plan de génie ? En d'autres termes, puisque vous n'avez rien anticipé, vous n'avez pas non plus senti que je comprendrais la vraie raison pour laquelle vous m'aviez fourgué Marino.

— Je ne prétendrai pas que je ne m'en suis pas inquiété, répliqua Benton. En revanche, j'ai espéré que ça surviendrait plus tard. De surcroît, il ne m'appartenait pas de discuter...

Elle l'interrompit :

— Vous n'avez jamais rien dit à Marino, n'est-ce pas ? De vos occupations au John Jay, de votre appartement à New York ?

— Je ne lui ai pas dit que Kay travaillait parfois à New York, ni que Lucy y avait monté une compagnie.

— La réponse est donc « non ».

— Je ne me souviens même plus quand je l'ai vu pour la dernière fois, et j'ignore ce qu'il a pu apprendre de son côté. Cela étant, vous avez raison. Je n'aurais jamais pensé qu'une chose pareille se produirait lorsque je vous ai recommandé de l'engager. Mais, encore une fois, il ne m'appartenait pas de divulguer...

Elle lui coupa à nouveau la parole :

— Divulguer ? Mais vous divulguez plein de choses, pas l'entière vérité cependant.

— Il s'agirait d'ouï-dire...

— Quelle triste histoire que la sienne ! Et le procureur futé que je suis est quand même tombée dans le panneau à pieds joints, sans l'ombre d'une réserve. Marino et son problème avec l'alcool, qui abandonne son boulot parce qu'il ne supporte pas votre union avec Kay. Marino déprimé et autodestructeur. Mais après un mois passé dans un centre spécialisé il ressortira tout beau, tout neuf, et ce serait vraiment bien que je l'engage. Après tout, Marino a commencé sa carrière de flic dans les forces de police de New York, et il n'a rien d'un étranger pour moi. Je crois que la phrase que vous avez dite était : *cette solution nous serait bénéfique, à tous deux.*

— C'est un remarquable enquêteur. Sur ce point, au moins, avouez que j'avais raison.

— Avez-vous réellement cru – même l'espace d'une seconde – qu'il ne découvrirait jamais rien ? Que Kay et Lucy non plus n'en sauraient jamais rien ? Mais vous rêvez ! Un jour ou l'autre Kay peut être appelée à expertiser un rapport d'autopsie concernant une affaire dans laquelle Marino est impliqué. Il y a même de fortes chances que cela se produise. Elle fait de fréquentes apparitions à l'institut médico-légal en tant que consultante. On la voit toutes les semaines sur CNN.

— Il peut parfaitement penser que ses émissions sont retransmises de Boston par satellite, argumenta Benton.

— Oh, je vous en prie ! Marino n'a pas subi de lobotomie depuis que vous l'avez vu. En revanche, je commence à me demander si tel n'est pas votre cas !

— Écoutez... Je me suis dit que si nous laissions du temps au temps, eh bien, nous pourrions... gérer tout cela. Et je ne me fais pas l'intermédiaire d'histoires sordides qui ne sont – en toute honnêteté – rien de plus que des rumeurs.

— Balivernes ! Vous cherchiez à éviter de vous colleter avec la réalité, et c'est à cause de cela que nous nous retrouvons dans cette situation pourrie.

— En effet, j'ai attendu avant de prendre le taureau par les cornes, admit-il.

— Et vous auriez attendu jusqu'à quand ? Une vie future ?

— Jusqu'à avoir trouvé le moyen de régler le problème. J'ai perdu le contrôle de la situation.

— Enfin, nous en venons aux faits. Vous savez parfaitement que cela n'a rien à voir avec les « ouï-dire », mais avec votre décision de jouer les autruches, lâcha Berger.

— Tout ce que j'ai voulu, Jaime, c'était réinsuffler un peu de civilité. Je ne sais pas... réparer ce qui avait été abîmé. Passer à autre chose, sans méchanceté, sans malveillance, éviter les dégâts irréparables.

— Et vous débrouiller pour que tout le monde redevienne ami par un coup de baguette magique ? Rafistoler le passé, les bons vieux jours ? Et tous seront heureux à jamais. C'est du délire, une illusion. Un conte de fées. Je suppose que Lucy déteste Marino, au contraire de Kay. Kay n'est pas du genre à haïr.

— Je n'ai pas la moindre idée de ce que Lucy tentera lorsqu'elle le rencontrera. Parce qu'elle le verra un jour ou l'autre. Et ensuite ? C'est un grand sujet d'inquiétude. Ce n'est pas drôle.

— Je ne ris pas.

— Vous la connaissez. C'est sérieux.

— J'espérais qu'elle avait passé l'âge de vouloir tuer des gens pour être à la hauteur de ce qu'elle considère comme son devoir.

— Elle croisera Marino tôt ou tard, ou du moins apprendra qu'il est ici, répéta Benton. D'autant plus que vous avez décidé d'avoir recours à ses prouesses informatiques en matière de sciences légales.

— Prouesses dont je ne suis au courant que grâce au procureur du comté de Queens et de quelques flics. Pas grâce à vous. Vous ne vouliez pas que j'aie vent de sa présence à New York, dans l'espoir que je n'utiliserais jamais ses compétences. Quel adorable oncle *de facto* vous faites ! En effet, si je faisais appel à elle, elle risquait de s'encadrer notre bon Marino en passant dans mes bureaux, un jour ou l'autre.

— C'est ce qui s'est passé lorsque vous avez discuté avec elle au téléphone ? s'alarma Benton. Vous avez mentionné Marino ?

— Elle n'est au courant de rien, pour ce que j'en sais. Je n'ai pas évoqué Marino. J'étais bien trop préoccupée par le meurtre de cette femme hier soir, par ce qui se trouvait sur ses ordinateurs portables et par ce que Lucy pourrait en tirer. J'avais en tête le souvenir de la dernière fois où j'avais vu votre nièce, chez moi, alors qu'elle rentrait de Pologne, et que vous et moi savions ce qu'elle avait fait là-bas. Brillante et insolente. Une sorte de justicière sans aucun respect des limites. Et voilà qu'elle vient de monter cette société axée sur les enquêtes policières. *Connextions*. Un nom intéressant. Comme dans « connecter » et « connexe », ce qui est en lien étroit, analogue. Quoi qu'il en soit et quoi qu'il advienne, Lucy sera la première sur le front. Quel soulagement ! Je n'ai pas retrouvé la Lucy que j'avais connue. J'ai eu le sentiment qu'elle avait perdu son besoin de dominer, d'impressionner, qu'elle était plus à l'écoute, plus réfléchie. Vous vous souvenez comme elle pataugeait avec délices dans tous ces acronymes ? Cette jeune fille surdouée qui faisait son stage à Quantico. CAIN. *Criminal Artificial Intelligence Network*. Ce programme d'intelligence artificielle chargé de pister les grands criminels partout. Elle avait déjà conçu un système similaire lorsqu'elle était encore dans le secondaire. Il n'y a vraiment pas de quoi s'étonner qu'elle ait été si odieuse. Une rebelle qui n'acceptait aucune contrainte et une rebelle sans amis. Peut-être a-t-elle changé. Lorsque j'ai parlé avec elle – ainsi que je vous l'ai dit, au téléphone, pas de vive voix –, elle m'a paru mature, moins égocentrique et pompeuse qu'avant, et je crois qu'elle m'a été reconnaissante d'avoir fait la démarche de l'appeler. Rien à voir avec l'ancienne Lucy...

Benton était sidéré que Berger se souvienne avec tant de précision de « l'ancienne Lucy », et qu'elle semble si fascinée par la nouvelle.

— ... Je vous fais part des pensées qui me trottaient dans la tête pendant qu'elle m'expliquait que les programmations qu'elle avait conçues à cette époque étaient aussi obsolètes que l'arche de Noé, et qu'au contraire je serais sidérée par tout ce qui était devenu possible aujourd'hui, poursuivit Berger. Non, je n'ai pas mentionné Marino. Selon moi, elle ignore qu'il a été affecté à l'unité que je dirige, chargée d'enquêter sur les crimes sexuels. Elle ne sait pas non plus que Marino travaille d'arrache-pied sur le dossier pour lequel je lui ai demandé son aide. C'est évident. Sans quoi elle aurait réagi, d'une façon ou d'une autre. Cela étant, elle va bientôt l'apprendre parce que je vais devoir le lui dire.

— Et vous trouvez que l'impliquer dans cette enquête est toujours une idée judicieuse ?

— Sans doute pas. Néanmoins, et au cas où je n'aurais pas été assez claire, disons que je suis un peu dans l'embarras. Je n'ai aucune intention de me passer de la collaboration de Lucy en ce moment parce que, en toute franchise, si ses capacités sont à la hauteur de sa réputation, j'ai besoin d'elle. La criminalité via Internet est un de nos plus gros problèmes, qui est en train de nous dépasser. Nous luttons contre un monde de criminels invisibles qui, dans la plupart des cas, ne laissent aucune trace derrière eux, et, dans le cas contraire, il s'agit d'indices volontairement fallacieux. Je ne tolérerai pas que Marino, une rubrique de cancans, votre sentiment d'insécurité, ni même vos histoires conjugales fassent capoter les enquêtes que j'ai en cours. Je ferai ce qui est préférable dans le cas qui nous occupe. Un point, c'est tout.

— Je connais les capacités de Lucy. Vous auriez grand tort de ne pas l'utiliser, admit Benton.

— C'est résumé à la perfection. Il va falloir que je l'« utilise », parce que le budget dont dispose la ville ne permet pas de se payer des gens comme elle.

— Oh, elle travaillerait sans doute gratuitement. Elle n'a pas besoin d'argent.

— Rien n'est gratuit, Benton.

— De plus, vous avez raison : elle a changé. Ce n'est plus la personne que vous avez vue la dernière fois, lorsque vous auriez pu...

— Ne parlons pas de ce que j'aurais pu faire. Quoi qu'elle m'ait confié cette nuit-là, il y a cinq ou six ans, je ne m'en souviens pas. Quant au reste, elle ne l'a jamais effleuré. En ce qui me concerne, elle n'a jamais mis les pieds en Pologne. Toutefois, j'espère que nous éviterons des répétitions de cette histoire. Il est clair que je me passerai d'un autre drame dans la lignée FBI ou ATF.

Au début de sa carrière, Lucy s'était fait virer, ou presque, des deux agences de lutte contre le crime.

— Quand lui apporterez-vous les ordinateurs portables ? s'enquit Benton.

— Bientôt. J'ai obtenu le mandat afin de fouiller leur contenu. Tout s'agence à la perfection.

— Je suis un peu surpris que vous n'ayez pas commencé par là la nuit dernière. Ce qui se trouve sur les portables de Terri peut nous révéler ce que nous cherchons.

— La raison est simple. Nous ne les avions pas retrouvés à ce moment-là. On ne les a pas découverts lors de la première fouille. C'est Marino qui est tombé dessus, tard dans la matinée d'aujourd'hui, alors qu'il passait à nouveau l'appartement au peigne fin.

— C'est une nouvelle. J'ignorais qu'il était à ce point associé à l'enquête, commenta Benton.

— Tout comme je ne me suis rendu compte qu'après que Morales a examiné la scène de crime hier dans la nuit qu'Oscar Bane était le correspondant que Marino avait eu en ligne le mois dernier. Une fois que j'ai fait le lien, j'ai contacté Marino. Je lui ai dit que je souhaitais sa collaboration sur ce coup parce que, au fond, il était déjà impliqué.

— Et parce que vous en avez besoin pour couvrir la peau de vos fesses, rectifia Benton. L'avis général sera qu'Oscar a contacté vos services il y a un mois afin de réclamer votre aide, et que vous n'avez rien fait. Marino n'a rien fait. On ne se démène jamais autant pour couvrir les arrières de quelqu'un que lorsqu'on cherche à se protéger dans la foulée. C'est, certes, une vision cynique. Mais vous avez de la chance. De surcroît, Marino passe à côté de fort peu de choses. Il est sans doute le meilleur élément de votre foutue équipe. Vous ne vous en êtes pas encore rendu compte parce qu'il est aisé de le sous-estimer, d'autant que, maintenant, vous êtes partiale. Laissez-moi deviner. Il est allé tout seul comme un grand examiner à nouveau la scène de crime et y a découvert ce qui pourrait s'avérer être l'indice le plus crucial. Les ordinateurs portables de la victime. Où donc étaient-ils cachés ? Sous le plancher ?

— Dans une valise qui se trouvait à l'intérieur d'une penderie. De toute évidence, elle comptait les emporter dans l'avion qui devait la conduire à Phoenix ce matin, en plus d'une deuxième valise bourrée à craquer, expliqua Berger.

— Qui a découvert qu'elle prenait un vol pour Phoenix ce matin ?

— Oscar ne vous en a rien dit la nuit dernière ?

— Il ne m'a rien dit sur rien. Ainsi que je vous l'ai rapporté, il a coopéré pour l'évaluation psychologique, et c'est tout. En d'autres termes, personne ne savait qu'elle comptait prendre l'avion ? En ce cas, qui s'en est rendu compte et comment ?

— Eh bien, encore Marino. C'est un bon enquêteur et il ne lâche jamais le morceau. Sur ce point, vous avez raison. C'est un franc-tireur parce qu'il traîne depuis si longtemps dans l'univers du crime qu'il sait qu'on garde les informations pour soi, qu'on ne les déballe ni à un autre flic, ni même à un juge ou à un procureur. Les gens qui gravitent dans la sphère de la justice criminelle sont les pires pipelettes qui soient, des gens dont il ne faut jamais espérer qu'ils la fermeront quand il le faut. Vous connaissez bien Marino, et il va se faire pas mal d'ennemis. Je le vois venir. C'est d'autant plus dommageable à un moment où des détails de son passé sont en train de faire surface. Il semble qu'il soit parvenu à localiser les parents de Terri à Scottsdale avant tout le monde, Morales inclus, et il leur a annoncé le décès de leur fille. Ils lui ont confié que Terri avait l'intention de les rejoindre pour passer quelques jours en famille. C'est ce qui a encouragé Marino à fouiller à nouveau son appartement.

— Laissez-moi deviner. Pas de ticket d'avion traînant alentour pour éveiller la curiosité des flics, dit Benton. Parce que aujourd'hui tout se fait par ordinateur.

— Tout juste.

— Ce qui explique pourquoi je n'ai pas aperçu de bagages sur les photos de scène de crime que m'a transmises Morales.

— Ces clichés ont été pris durant sa fouille, la première. Je comprends pourquoi on n'a pas vu le bagage la nuit dernière. Je ne dis pas que ce soit une bonne chose, mais je comprends.

— Vous pensez qu'on l'aurait délibérément caché ? interrogea Benton.

— Oscar, insinuez-vous ?

— Cela n'aurait pas grand sens, fit Benton en réfléchissant. Si le contenu des ordinateurs de Terri l'inquiétait, pourquoi ne pas les faire disparaître de la scène ? Pourquoi aller les planquer dans la penderie ?

— Les gens font plein de choses insensées, quel que soit le soin qu'ils ont apporté à la planification d'un meurtre.

— En ce cas, il manque vraiment d'organisation. Du moins, s'il s'agit bien du tueur, argumenta Benton. Toutefois, si je me fonde sur les photos de l'appartement de Terri que j'ai vues, elle avait plutôt le sens de l'organisation. Elle était très soigneuse. Une théorie ? Si ça se trouve, elle avait terminé de préparer ses bagages en vue de son voyage et les avait rangés parce qu'elle attendait quelqu'un. Je pense qu'il serait imprudent de supposer qu'Oscar est un criminel. En tout cas, je ne pars pas du principe qu'il a tué Terri.

— Vous connaissez le vieil adage, Benton. Lorsque vous entendez un bruit de sabots, ne cherchez pas un zèbre. Regardez d'abord s'il ne s'agit pas d'un cheval. Oscar est mon cheval de tête. Le plus évident. Gros problème : nous n'avons aucun indice sérieux. Rien pour l'instant.

— Il n'en demeure pas moins que vous avez coiffé Oscar au poteau en ce qui concerne les ordinateurs. Ils ne sont pas en sa possession et il n'a pas accès à Internet depuis le service de psychiatrie carcérale, rétorqua Benton.

— C'est lui qui a choisi. Il n'y avait aucune raison qu'il atterrisse au Bellevue. Je persiste à penser que sa démarche est très suspecte, et elle ne me rassure pas sur son état mental. Que nous ayons ou non retrouvé les ordinateurs portables de Terri, Oscar n'ignore pas que nous parviendrons à accéder à sa messagerie une fois que nous aurons déterminé son ou ses noms d'utilisatrice et son fournisseur. Cela nous mènera, à coup sûr, à sa messagerie à lui, parce que je suis certaine qu'ils correspondaient régulièrement. S'il n'était pas bouclé là-haut, en confinement, il aurait eu une chance de se précipiter chez lui et de trafiquer sa messagerie. Mais il ne l'a même pas tenté. Pourquoi ?

— Peut-être que ce n'était pas indispensable à ses yeux, simplement parce qu'il n'a rien fait de mal. Ou alors, peut-être qu'il n'est pas assez versé en informatique pour bidouiller sa messagerie sans que ça se voie. Ou encore, si c'est bien lui qui a prémédité le meurtre de Terri, il a arrangé ses *e-mails* avant de passer à l'acte.

— Oh, excellent ! Meurtre prémédité accompli par un individu qui pense qu'il est plus intelligent que nous. Donc il bidouille sa messagerie avant de tuer Terri, puis il exige son admission au Bellevue sous prétexte qu'il craint que le meurtrier de la jeune femme s'en prenne à lui. En d'autres termes, il manipule tout le monde. Et sans doute qu'il prend son pied à nous rouler.

— Je tente de présenter les différentes hypothèses de façon objective, contra Benton. En voici une autre : Oscar n'est pas le tueur. Cependant il sait que tout le monde va le soupçonner. En étant admis au Bellevue, il a la possibilité d'être examiné par moi et par Kay, et peut-être de convaincre quelqu'un qui compte qu'il est innocent et en danger.

— Ne me dites pas que c'est ce que vous croyez, Benton.

— Je crois qu'il s'est convaincu que Kay était son havre, son sanctuaire. Quoi qu'il ait fait ou pas.

— Oui, il a obtenu sa présence parce qu'il ne me fait aucune confiance. J'ai bien l'impression que mon nouveau surnom est « super-garce », sourit Berger. J'espère qu'il est récent... Du moins, le côté « super ».

— Selon lui, vous avez manqué de considération, de respect à son égard.

— Vous faites référence à son appel à mes bureaux, il y a un mois de cela... alors que la moitié des dingues de cette ville appelle chaque jour ? C'est exact. J'ai refusé de prendre la communication. Rien d'inhabituel à cela. Il y a plein d'appels que je ne prends pas, dont je n'entends pas parler. Il m'a appelée la « super-garce », ajoutant que si quelque chose d'affreux se produisait, ce serait ma faute.

— Et à qui a-t-il dit cela ? s'enquit Benton. À Marino ? Durant leur conversation téléphonique du mois dernier ?

— C'est sur la bande.

— Il ne reste plus qu'à espérer que la presse n'en ait jamais vent.

— Ça n'arrangerait pas nos affaires puisque quelque chose d'affreux s'est bien produit. Vraiment affreux. Il est clair que nous devons être prudents vis-à-vis d'Oscar Bane. En temps normal, je serais beaucoup plus ferme avec quelqu'un dans sa situation. Car, au risque de me répéter, je crois, en effet, qu'il a assassiné sa petite amie. C'est ce qui paraît le plus vraisemblable. Du coup, sa paranoïa serait bien récente et épisodique. Due à la peur d'être arrêté.

Elle récupéra sa serviette et se leva en repoussant

sa chaise. Sa jupe remonta et il aperçut le creux que dessinait l'intérieur de ses cuisses fines.

— Sans preuve, nous ne devrions pas rejeter en bloc ce que raconte Oscar, argumenta Benton. Après tout, il est possible qu'il soit suivi. Nous ne pouvons pas affirmer le contraire à ce stade.

— Oui, le monstre du loch Ness et le yéti. Tout est possible. Quoi qu'il en soit, ce qui me semble évident, c'est que j'ai sous le nez une bombe médiatique, plus une bombe juridique prêtes à exploser parce que je ne l'ai pas pris au sérieux lorsqu'il nous a contactés. Or, ce dont je n'ai vraiment pas besoin, c'est d'une manif du Petit Peuple d'Amérique en bas de mes bureaux. Je n'ai vraiment pas besoin d'un nouveau problème. J'ai déjà largement mon compte. D'ailleurs, ça me fait penser, et je vais donc l'évoquer...

Elle s'interrompit pour récupérer son manteau et ils traversèrent la cafétéria bondée.

— ... Si un scandale éclate, dois-je redouter que Kay en discute sur CNN ? poursuivit-elle. Est-ce la raison pour laquelle Oscar nous a forcé la main lorsqu'il a exigé sa présence ? Il recherche une couverture médiatique ?

Benton régla leurs consommations à la caisse.

Une fois qu'ils furent sortis, il déclara :

— Elle ne vous ferait jamais un truc pareil.

— Il fallait que je vous le demande.

— Même si c'était le genre de personne à faire de telles choses, elle ne le pourrait pas dans les circonstances présentes, poursuivit Benton comme ils se dirigeaient vers l'atrium. Soit elle est son médecin, soit elle devient votre témoin.

— Je ne suis pas certaine qu'Oscar ait pensé à tout cela lorsqu'il a exigé la venue de Kay, une visite à domicile en quelque sorte. Peut-être souhaitait-il juste lui offrir une grande pré-interview.

— Je n'ai pas la moindre idée de ce qu'il pensait. Néanmoins, je n'aurais jamais dû la convaincre d'accepter. Je n'aurais jamais dû tolérer que quiconque l'en persuade.

— Vous vous mettez à parler comme un mari. Je suppose que le « quiconque » me désigne.

Il ne répondit pas.

Ses talons hauts claquaient sur le granit poli.

— Si et quand Oscar Bane sera accusé, qui dit que ce qu'il a confié à Kay ne sera pas la seule information un peu fiable dont nous disposions ? lâcha Berger. C'est une bonne chose qu'elle l'ait examiné. Pour plusieurs raisons. Nous voulons qu'il soit content, qu'il soit traité comme un coq en pâte. Nous voulons qu'il soit en sécurité, ainsi que ceux qui l'entourent. (Elle enfila son manteau.) Lorsque Marino a discuté avec lui au téléphone, Oscar a commencé à balancer le terme « crime haineux » à tout va. Il a insisté, à plusieurs reprises, sur le fait qu'il était une petite personne. Marino, bien sûr, n'a pas compris ce que cela signifiait et a dû le lui demander. Oscar, de plus en plus agité à ce stade, a éructé : « Un putain de nain ! » Il a affirmé qu'il était suivi, la cible de quelqu'un. Qu'un crime haineux se préparait...

La sonnerie du téléphone mobile de Berger se déclencha.

— Il va falloir avertir Kay que Marino est ici, ajouta-t-elle en ajustant l'écouteur sans fil.

Elle se consacra quelques instants à son correspondant, la colère se peignant sur son visage.

— Nous verrons cela, lâcha-t-elle. C'est totalement inacceptable... Si je m'y attendais ? On dirait que ça devient une habitude, n'est-ce pas ? Mais j'avais espéré... Non, non, non. Je ne peux pas. Pas dans cette affaire... Eh bien... Je ne préférerais vraiment pas... En effet, elle est ici, mais les circonstances me font hésiter... En effet, je l'ai fait. Qui ne s'en est pas aperçu ? (Elle jeta un regard à Benton.) En ce cas, vous devriez comprendre pourquoi je ne tiens pas à faire cela... Hum. Je vous entends. Et j'ai parfaitement compris la première fois que vous me l'avez dit. Bien sûr, je pourrais lui demander si elle est d'accord et revenir vers vous. Toutefois, très franchement, je ne lui en voudrais pas si elle prenait ses jambes à son cou et qu'elle saute dans le premier avion en partance pour Boston...

Elle mit un terme à sa conversation.

Maintenant sortis de l'hôpital, ils se tenaient sur le trottoir. Il était presque seize heures et il faisait un froid glacial. Leurs souffles se matérialisaient en épaisse buée. Benton se sentit obligé de dire :

— Marino n'a aucune intention de faire du mal aux gens. Il n'a pas voulu ce qui s'est produit.

— Vous voulez dire qu'il a violé Kay contre sa propre volonté ? lâcha-t-elle d'un ton neutre en chaussant les lunettes à verres gris qui dissimulaient ses yeux. Ou alors ce qui traîne partout sur Internet serait-il infondé ? Je regrette vraiment que vous ne l'ayez pas expédié dans un autre département de maintien de l'ordre que le mien. Il est impliqué jusqu'au cou dans cette fichue affaire, et il n'y a aucun moyen d'empêcher qu'ils se croisent à un moment ou à un autre. Il faut que vous parliez à Kay.

— Cette chronique de ragots donne une impression erronée.

— Oh, un linguiste médico-légal sauterait de joie à vous entendre. Mais je vous crois sur parole. Ce qu'on peut lire sur Internet est un tissu de mensonges. Je suis contente de l'entendre.

Elle enfila ses gants de chevreau et remonta le col de son manteau de vison.

— Je n'ai jamais prétendu que c'était totalement faux, rectifia-t-il.

Il regarda au loin la silhouette de l'Empire State Building, illuminée en rouge et vert en cette période de fêtes, une balise allumée au sommet de sa flèche pour rappeler aux avions de conserver leurs distances. Berger posa la main sur son bras.

— Écoutez, commença-t-elle d'une voix radoucie, vous auriez dû m'avertir que la véritable raison du départ de Marino de Charleston, la véritable raison pour laquelle il a quitté Kay, c'était ce qu'il lui avait fait. Je vais m'efforcer d'être compréhensive. Je me doute de ce que cela a pu vous faire, à vous aussi. Je suis bien placée pour ça.

— Je vais tout arranger.

— Vous n'arrangerez rien, Benton. En revanche, ce que vous devez faire, c'est aller de l'avant, dépasser cela. Nous devons tous avancer et réfléchir à chaque pas que nous faisons.

Elle laissa retomber sa main, et il le ressentit comme un abandon.

— C'est sidérant que vous vous soyez démené afin de l'aider, remarqua Berger. J'admets que vous êtes vraiment un bon ami pour lui. Mais si on en venait à vos motivations ? Laissez-moi deviner. Vous espériez que si vous l'aidiez, si vous le couvriez, ce qu'il a fait perdrait toute réalité. Malheureusement, tout le monde est maintenant au courant. Vous voulez savoir combien d'appels j'ai reçus aujourd'hui au sujet de ce foutu article sur Internet ?

— Vous devriez lui demander. Il était saoul. Ne le virez pas.

— La même histoire se décline avec tous les violeurs que j'ai coffrés : ils étaient saouls, ou sous l'emprise de la drogue, ou les deux, ou alors c'était consensuel, ou encore c'est elle qui avait commencé, ou même il n'y a jamais eu viol. Je ne vais pas le virer, à moins qu'il ne s'attire d'autres ennuis. J'ai décidé qu'il s'agissait de la bataille de Kay. Pas de la vôtre, ni de celle de Lucy. Toutefois, j'ai bien peur que cette dernière ne voie pas les choses sous cet angle.

— Kay a réglé le problème.

Les mains enfouies dans les poches pour les protéger du froid, Berger rétorqua :

— Vraiment ? Alors pourquoi faire tout ce plat sur le fait qu'elle ignore que j'ai engagé Marino ? Pourquoi le lui cacher ? J'ai d'abord pensé que c'était parce qu'il avait quitté son travail avec Kay, qu'il avait pris ses distances à cause de votre mariage, bref parce qu'il était jaloux, ce qui a toujours été aussi visible que cet Empire State Building sur lequel vous semblez faire une fixation. J'ai pensé qu'il avait décidé qu'il était temps de lâcher Kay, de remettre de l'ordre dans sa vie. Crétin de ma part ! Je n'ai même pas appelé Kay pour vérifier votre histoire. Je n'ai pas exigé de références. Parce que je vous faisais confiance.

— Il a essayé. Il a fait des efforts dont peu de gens de ma connaissance seraient capables. Et vous devriez être la première à le savoir. Vous le côtoyez. Vous devez lui poser ces questions. Donnez-lui l'occasion de vous raconter ce qu'il a fait, déclara Benton.

— J'insiste sur ce point : vous m'avez menti.

Elle cherchait un taxi du regard.

— J'insiste à mon tour sur ce point : je ne vous ai pas menti. De surcroît, il ne l'a pas violée.

— Vous étiez présent ?

— Kay a affirmé que ça n'avait pas été aussi loin. Elle n'a jamais porté plainte. Il s'agit, à ses yeux, d'une affaire strictement privée. Il ne m'appartient donc pas d'en discuter, ni avec vous, ni avec quiconque, dit Benton. D'ailleurs elle a d'abord refusé de me mettre au courant. Oui, l'image que vous avez utilisée est assez juste. Une illusion, la tête dans le sable, un manque de jugement, sans doute. En revanche, ce qui se trouvait ce matin sur Internet est biaisé. Allez-y, demandez donc à Marino. Je pense qu'il en a déjà pris connaissance ou alors ça ne tardera pas.

— Et Lucy ? Juste dans le but de me préparer.

— Bien sûr qu'elle a lu cette chronique, fit Benton. C'est elle qui m'a appelé pour me prévenir.

— Je suis surprise qu'elle n'ait pas abattu Marino sur-le-champ. Elle adore sa tante Kay.

— Elle a failli.

— C'est bon à savoir. Il n'y a pas si longtemps que ça, elle serait passée à l'acte. Vous me devez un service.

Un taxi fit une périlleuse embardée et s'arrêta avec brutalité.

— Kay doit impérativement passer à la morgue tard ce soir, annonça-t-elle. Et vous êtes la personne idéale pour la convaincre.

Elle grimpa dans le taxi.

— Le coup de téléphone que j'ai reçu il y a quelques minutes ? poursuivit-elle en levant le regard vers lui. Si Kay est d'accord, j'ai besoin qu'elle examine le corps. Le Dr Lester est en train de refaire sa petite comédie. On la cherche partout. Elle va ramener ses fesses à la morgue, et plus vite que ça, et elle va coopérer, même si je dois appeler notre fichu maire pour la convaincre !

Elle claqua la portière. Benton demeura planté sur le trottoir, dans le froid, regardant le taxi jaune s'éloigner en faisant une queue de poisson à deux autres véhicules qui saluèrent son indélicatesse par une cacophonie de coups de klaxon.

Chapitre 9

Scarpetta passa en revue les longues écorchures peu profondes qui apparaissaient en haut du dos d'Oscar, du côté gauche. Il lui expliqua de quelle façon elles s'étaient produites.

— Il était déjà à l'intérieur et il m'a attaqué. Ensuite, il s'est sauvé et j'ai découvert Terri. La police ne m'a pas cru. Ça se lisait sur leurs visages. Ils pensent que je me suis fait ces égratignures en me bagarrant avec elle. Mais vous pouvez voir, non ? Vous pouvez en déduire que je ne me suis pas battu contre elle.

— Ça m'aiderait si vous me décriviez quel genre de vêtements vous portiez hier soir, répliqua Scarpetta.

— Vous pouvez déterminer que ces blessures n'ont rien à voir avec Terri. Ils ne retrouveront pas mon ADN sous ses ongles parce qu'elle ne m'a pas griffé. Elle ne s'est pas défendue contre moi. On ne s'est jamais battus. Peut-être que parfois, une ou deux fois, nous nous sommes un peu disputés. Elle était déjà morte.

Il sanglotait si fort que Scarpetta lui accorda quelques instants pour se reprendre.

Lorsqu'il se fut un peu calmé, elle reformula la question :

— Hier soir, qu'est-ce que vous portiez lorsque vous vous êtes battu avec...

— Je ne suis pas parvenu à le voir.

— Vous êtes certain qu'il s'agissait d'un homme ?

— Oui.

— Vous souvenez-vous de l'heure ?

— Dix-sept heures.

— Précisément ?

— Je ne suis jamais en retard. Toutes les lumières étaient éteintes. Même celle de l'entrée. Ça n'avait aucun sens puisqu'elle m'attendait. Sa voiture était dans la rue. Je me suis garé juste derrière. Il y avait plein de places libres, parce que c'était le réveillon du nouvel an et que la plupart des gens étaient absents. J'ai retiré mon manteau et l'ai abandonné sur le siège passager. J'étais donc vêtu d'un jean et d'un tee-shirt. Elle aime que je porte des tee-shirts sans manches, très ajustés. Elle aime mon corps. Je m'entraîne beaucoup parce qu'elle l'aime et que je ferais n'importe quoi pour lui faire plaisir. Elle aime le sexe. Je ne pourrais pas rester avec une femme qui n'aimerait pas le sexe.

— Le sexe classique, le sexe musclé ou le sexe créatif ? demanda Scarpetta.

— Je suis très attentionné et très tendre. Il le faut bien, à cause de ma taille.

— Et les fantasmes ? Le *bondage* ? Il est important que je vous pose la question.

— Jamais, jamais !

— Il ne s'agit pas d'un jugement de ma part, le rassura Scarpetta. Plein de gens font des tas de choses, et ça ne pose aucun problème si ça satisfait les partenaires.

Il demeura silencieux, indécis. Scarpetta sentait qu'il se censurait.

— Je vous donne ma parole qu'il ne s'agit pas d'un

jugement. J'essaie juste de vous aider. Peu importe ce que font des adultes à partir du moment où ils sont tous les deux consentants.

— Elle aimait que je la domine, finit-il par lâcher. Rien de douloureux. Juste la plaquer sur le lit. Faire semblant de nous bagarrer. Elle aimait que je sois fort.

— La plaquer sur le lit de quelle façon ? Je vous pose cette question parce que n'importe quelle information peut nous aider à comprendre ce qui s'est passé.

— Juste lui maintenir les bras contre le matelas. Mais je ne lui ai jamais fait mal. Pas même un bleu.

— Avez-vous parfois utilisé des entraves ? Des menottes ? Ce genre de choses. Il faut que je m'en assure, le poussa Scarpetta.

— Avec sa lingerie peut-être. Elle aime la lingerie, s'habiller de façon sexy. Même quand je lui lie les bras avec son soutien-gorge, je ne serre jamais, je ne lui fais jamais mal. C'est juste une mise en scène. Ce n'est pas la réalité. Je ne lui ai jamais donné de fessée, je ne l'ai jamais étranglée. On fait semblant, c'est tout.

— Et vous ? Est-ce qu'elle vous faisait des choses similaires ?

— Non, pas dans ce sens. Je suis fort et puissant et c'est ce qu'elle aime. Elle aime qu'on la contraigne un peu, mais seulement dans le fantasme, pas dans la réalité. Elle est très, très sexy et excitante, et elle m'indique exactement ce qu'elle veut. Je m'exécute et c'est toujours extraordinaire. Le sexe entre nous est extraordinaire.

— Vous avez eu une relation sexuelle la nuit dernière ?

— Comment cela aurait été possible ? Elle n'était plus là. C'était si affreux lorsque je suis entré et que je l'ai trouvée. Ah, mon Dieu !

— Je suis désolée d'avoir à vous poser ces questions. Comprenez-vous pourquoi elles sont importantes ? insista Scarpetta.

Il acquiesça d'un mouvement de tête, s'essuyant le nez et les yeux du revers des mains.

— Il faisait très froid hier. Pourquoi avoir laissé votre manteau dans la voiture ? D'autant plus que toutes les lumières étaient éteintes et que cela vous a préoccupé.

— J'ai ôté mon manteau pour lui faire une surprise.

— Une surprise ?

— Elle aimait me voir dans des tee-shirts ajustés. Je vous l'ai déjà raconté. J'ai même pensé le retirer au moment où elle ouvrirait la porte. C'était un maillot de corps sans manches, blanc. Je voulais qu'elle ouvre la porte et qu'elle me voie moulé dedans.

Trop d'explications. Il avait laissé son manteau dans la voiture pour une autre raison. Il mentait, assez maladroitement.

— J'ai une clé de son immeuble. Je suis entré et j'ai sonné à son appartement.

— Vous avez également une clé de son appartement ou juste de la porte principale de l'immeuble ? demanda Scarpetta.

— Les deux. Mais je sonne toujours. Je ne pénètre pas comme ça, sans prévenir. Donc c'est ce que j'ai fait et la porte s'est ouverte brutalement. Cette personne m'a sauté dessus, m'a attaqué, m'a tiré à l'intérieur avant de claquer la porte. C'est lui qui l'a tuée. C'est celui qui me suit, m'espionne, me tourmente. Ou c'est l'un d'eux.

Un intervalle de vingt-quatre heures était cohérent, compte tenu de l'état des blessures d'Oscar. Toutefois, cela ne signifiait pas pour autant qu'il disait la vérité.

— Où se trouve votre manteau maintenant, Oscar ?

Il fixait le mur.

— Oscar ?

Son regard ne dévia pas.

— Oscar ?

Il répondit, les yeux toujours rivés sur le mur :

— Où ils l'ont emmené. La police. Je leur ai dit qu'ils pouvaient remorquer ma voiture, la fouiller, faire ce que bon leur semblait. En revanche, je leur ai interdit de poser un doigt sur moi. Je leur ai dit qu'ils n'avaient qu'à vous demander de venir. Je ne ferais jamais de mal à Terri.

— Parlez-moi un peu plus de votre lutte contre la personne qui était chez elle.

— On se trouvait non loin de la porte palière et il faisait nuit noire. Il m'a frappé avec sa torche. Il a déchiré mon tee-shirt. Il est en lambeaux et couvert de sang.

— Vous venez de dire qu'il faisait nuit noire. Comment pouvez-vous affirmer qu'il s'agissait d'une lampe torche ?

— Quand il a ouvert la porte, il m'a balancé le faisceau lumineux en pleine figure pour m'aveugler. Et puis il m'a sauté dessus et on s'est battus.

— Il a dit quelque chose ?

— Je n'entendais que sa respiration, haletante. Ensuite, il s'est enfui. Il portait une grande redingote en cuir noir et des gants. Je ne pense pas l'avoir blessé. Je doute qu'il ait laissé son ADN, des fibres ou d'autres indices là-bas. Un type prudent.

Quant à Oscar, il était intelligent, donnant des réponses aux questions que n'avait pas encore formulées Scarpetta. Et mentant.

— J'ai fermé la porte, je l'ai verrouillée et puis j'ai allumé toutes les lumières. J'ai commencé à crier le prénom de Terri. J'ai l'impression qu'un chat m'a griffé la nuque sauvagement. J'espère que je ne vais pas avoir d'infection. Peut-être que vous devriez me prescrire un antibiotique. Je suis content que vous soyez là. Il fallait que vous veniez. Je le leur ai dit. Tout s'est passé tellement vite et il faisait si sombre...

Des larmes dévalèrent. Les sanglots le rattrapèrent.

— ... J'ai hurlé le prénom de Terri.

— La lampe torche était-elle allumée durant votre bagarre ? insista Scarpetta.

Il hésita, comme s'il n'avait jamais songé à ce détail, puis se lança :

— Il avait dû l'éteindre. Ou alors peut-être qu'elle s'est cassée pendant qu'il me tapait dessus avec. Je me demande s'il ne fait pas partie d'une sorte d'escadron de la mort. Je ne sais pas. Et je me fiche qu'ils soient très intelligents. Le crime parfait n'existe pas. Vous citez toujours Oscar Wilde : « Personne ne commet un crime sans faire quelque chose de stupide. » Sauf vous. Vous pourriez vous en tirer. Il n'y a qu'une personne telle que vous qui puisse perpétrer le crime parfait. Vous le dites toujours.

Elle ne se souvenait pas d'avoir jamais cité Oscar Wilde et elle n'avait certainement pas affirmé être capable de commettre un crime parfait. Quelle chose stupide et offensante ! Elle examina les plaies groupées laissées par des ongles qui marquaient son épaule gauche musclée.

— Il a commis une erreur. Il a dû au moins commettre une erreur. Je sais que vous allez la débusquer. Vous répétez toujours que vous pouvez tout comprendre.

Elle n'avait pas dit ça non plus.

— C'est peut-être votre voix ou votre façon de vous exprimer. Vous êtes dépourvue de prétention. Vous êtes magnifique.

166

Ses poings posés sur ses cuisses se crispèrent.

— Maintenant que je vous vois en chair et en os, je sais qu'il ne s'agit pas du résultat d'une bonne prise de vue ou des talents d'un maquilleur.

Ses yeux bleu et vert se rivèrent sur elle.

— Vous ressemblez un peu à Katharine Hepburn, sauf que vous êtes blonde et pas aussi grande.

Ses mains serrées l'une contre l'autre tremblaient. On aurait dit qu'il fournissait un effort désespéré pour les contraindre à l'immobilité.

— Ça vous va très bien, le pantalon, comme à elle. Surtout, n'y voyez aucune remarque déplacée. Je ne vous fais pas du plat. J'aimerais que vous me preniez dans vos bras. J'ai besoin que vous me serriez contre vous.

— Je ne peux pas, Oscar. Vous en comprenez la raison, n'est-ce pas ?

— Vous dites toujours que vous êtes très tendre avec les gens qui sont décédés. Que vous êtes très attentionnée et que vous les touchez comme s'ils étaient toujours vivants, que vous leur parlez comme s'ils pouvaient vous sentir et vous entendre. Vous affirmez que les êtres peuvent être attirants et désirables même dans la mort, et que c'est pour cela que la nécrophilie n'est pas si dure à comprendre, contrairement à ce que pense le grand public, surtout lorsque le corps est encore tiède. Si vous pouvez toucher les gens décédés, pourquoi pas moi ? Pourquoi ne pouvez-vous pas me serrer contre vous ?

Mais de quoi parlait-il ? Jamais elle n'avait sorti ce genre de choses : que les cadavres pouvaient être désirables, qu'elle les touchait et leur parlait, et encore moins que la nécrophilie était compréhensible.

— La personne qui vous a attaqué a-t-elle tenté de vous étrangler ?

Les marques en lune laissées par des ongles sur sa nuque étaient verticales. Parfaitement verticales.

— À un moment, il a posé ses mains sur mon cou, et il enfonçait ses ongles dans ma chair. Mais j'ai roulé au sol et je suis parvenu à me dégager, se souvint Oscar. Parce que je suis fort. Je ne sais pas ce qui se serait passé si je n'avais pas été si fort.

— Vous dites que l'on a commencé à vous espionner juste après le début de votre relation avec Terri. Racontez-moi comment vous vous êtes rencontrés.

— Via Internet. C'était une de mes étudiantes, depuis un moment déjà. Je sais. Vous ne pouvez pas en parler.

— Je vous demande pardon ?

— Ne vous inquiétez pas. Je respecte votre silence. Elle s'est inscrite à mon cours d'histoire de la psychiatrie. Elle voulait devenir psychologue médico-légale. C'est étrange parce que c'est le cas de pas mal de femmes. Cet étage du Bellevue est envahi par de ravissantes jeunes diplômées du John Jay. On s'attendrait plutôt à ce que les femmes – surtout si jolies – aient peur des patients qui se trouvent en ces lieux.

Scarpetta entreprit d'examiner sa large poitrine dépourvue de pilosité, mesurant d'autres écorchures peu profondes. Elle frôla ses blessures. Les poignets menottés d'Oscar reposaient sur son sexe et ses yeux bleu et vert semblaient être des mains désireuses de s'infiltrer sous sa blouse de labo.

— On pourrait penser que des femmes devraient être effrayées de travailler dans un tel endroit, reprit-il. Avez-vous peur ?

Lorsque la Mégère avait reçu cet appel énigmatique un an et demi plus tôt, elle ne se doutait pas à quel point il allait bouleverser sa vie.

L'homme à l'accent italien s'était présenté comme un agent représentant une société fiduciaire et lui avait expliqué qu'il avait indirectement obtenu son nom par l'intermédiaire de la boîte de consultants dans laquelle elle avait travaillé comme responsable marketing pour une banque de données. Il lui avait proposé – dans un mauvais anglais – de lui envoyer par *e-mail* une description du poste. La Mégère l'avait imprimée. La feuille était toujours scotchée sur son réfrigérateur afin de lui rappeler les synchronismes de la vie.

ADMINISTRATEUR SYSTÈME : doit être capable d'initiative, de travailler sans supervision, être de contact agréable et avoir du flair pour le sensationnel. Expérience technique requise : limitée. Autres exigences à discuter. Gains potentiels importants.

Elle avait répondu immédiatement en précisant qu'elle était très intéressée et souhaiterait obtenir davantage de précisions. En réponse à quelques-unes de ses questions, l'agent avait expliqué, usant d'un vocabulaire assez restreint, que « contact agréable » signifiait simplement que la Mégère devait s'intéresser aux gens. Un point, c'est tout. Elle n'avait pas l'autorisation de leur parler, mais devait savoir ce qui interpellait leurs « instincts ». Ainsi qu'elle devait s'en apercevoir assez vite, lesdits « instincts » se traduisaient par une appétence au voyeurisme et une satisfaction sans bornes au spectacle des humiliations et des embarras infligés aux autres.

L'accord de la Mégère, sous forme d'*e-mail* formaté de la même façon que la description du poste, était également scotché sur la porte de son réfrigérateur :

J'accepte toutes les conditions et suis honorée. Je peux commencer dès maintenant et le fait de travailler selon les besoins, même les week-ends ou durant les vacances, ne me pose aucun problème.

D'une certaine façon, la Mégère était devenue une version cyberespace anonyme de cette humoriste qu'elle adorait, Kathy Griffin, dont elle regardait les shows et les sketchs avec passion. Elle y découvrait à chaque fois une ou deux piques dont le but était d'assaisonner les riches et les célèbres pour les servir sur un plateau à un public qui croissait de façon exponentielle, aussi vite que le monde empirait. Une envie désespérée de rire avait saisi les gens. Ils étaient prêts à tout pour évacuer leurs frustrations, leurs ressentiments et leur fureur envers leurs boucs émissaires couverts d'or. C'était du moins ainsi que la Mégère songeait aux intouchables privilégiés qui, s'ils risquaient d'être ennuyés, voire offusqués par les piques, le ridicule et l'affront, n'en seraient jamais vraiment blessés.

Après tout, quel mal pouvait-on faire à une Paris Hilton ou à une Martha Stewart ? Les ragots, les insinuations vipérines, les révélations, même les incarcérations, tout cela servait leur carrière et incitait les gens à les envier et à les aimer encore plus.

La plus cruelle des punitions se résumait à être ignoré, écarté, à devenir invisible et non existant. Exactement ce qu'avait ressenti la Mégère lorsqu'une multitude d'emplois d'assistants techniques en informatique et de responsables marketing – dont le sien – avaient été externalisés en Inde. Elle avait été balancée sans préavis et sans parachute. Jamais elle n'oublierait le jour où elle avait entassé toutes ses affaires personnelles dans un carton pour les embarquer, comme on voit dans les films. Miraculeusement, au moment où elle avait redouté de ne plus pouvoir s'offrir un appartement à Murray Hill et où elle avait commencé à se renseigner autour d'elle sur d'autres logements plus abordables, mais pas un taudis, l'agent du Patron, cet italien basé en Angleterre, l'avait appelée.

Si la Mégère avait maintenant une doléance récurrente, c'était cette solitude qui, de façon étrange, lui avait donné un aperçu de ce que pouvait être la vie des tueurs en série ou des tueurs à gages, et l'avait incitée à les plaindre. Comme il était pesant de conserver un secret, alors que les enjeux étaient si importants ! Elle se demandait souvent ce que feraient les gens derrière elle dans la queue, à la pharmacie ou au supermarché diététique, s'ils apprenaient qu'elle n'était autre que la dame en partie à l'origine du site de ragots le plus célèbre de toute l'histoire d'Internet.

Pourtant elle ne pouvait parler à personne, pas même à cet enquêteur qui était passé chez elle un peu plus tôt. Elle ne pouvait pas s'en vanter. Elle ne pouvait même plus avoir d'amis de crainte de se laisser aller à des confidences. C'était aussi bien qu'elle voie fort peu ses filles et ne se confie pas à elles. La sagesse recommandait également qu'elle ne fréquente plus personne, ni ne cherche à se remarier. Même dans l'éventualité où elle démissionnerait de son boulot pour le site, elle ne pourrait jamais évoquer son ancienne et remarquable carrière anonyme. Elle avait accepté par contrat tant de clauses de confidentialité que bafouer le secret pouvait l'envoyer en prison pour le restant de ses jours, à l'hospice ou même – peut-être perdait-elle un peu les pédales – au cimetière de façon prématurée. D'un autre côté, qu'aurait-elle pu divulguer ?

Elle ignorait qui était derrière *Dans le collimateur de Gotham*. Le rédacteur des articles pouvait aussi bien être un homme qu'une femme, jeune, vieux, américain ou pas. Ou peut-être y avait-il à la tête du site un groupe de gens, une poignée de petits prétentieux du MIT, ou des espions chinois, ou des petits génies de l'informatique employés par une méga-compagnie de technologie. La Mégère était assez bien payée et n'était pas peu fière d'être devenue une sorte de célébrité par procuration. Mais l'arrangement commençait à lui peser plus qu'elle ne l'aurait jamais soupçonné. Elle finissait par douter de sa propre raison d'être, ce qui justifiait d'une certaine façon qu'elle se soit conduite comme une idiote en présence de l'enquêteur Marino.

La Mégère était désespérément en manque d'interactions avec les autres, de conversation, d'attention, de validation. Elle avait perdu l'habitude d'engager un dialogue un tant soit peu impliquant avec un humain, présent en chair et en os. Cela avait constitué un extraordinaire événement pour elle d'accueillir un être vivant dans son salon, un être qui avait remarqué les poils de chiot prisonniers du tapis, qui avait vu qu'elle portait une sorte de jogging de velours rouge, déteint par endroits en taches rosâtres à la suite d'une mésaventure avec de l'eau de Javel. Elle avait été désolée lorsqu'il avait pris congé, soulagée aussi, mais surtout désolée, et de plus en plus au fur et à mesure qu'elle y repensait. Elle n'avait pas pris conscience avant de la situation calamiteuse dans laquelle elle se trouvait. Mais elle était lucide maintenant et en connaissait les raisons. Oui, elle les connaissait. Qui serait passé à côté ?

Cet intraçable virement qui créditait son compte bancaire deux fois par mois, ces remarques reçues par *e-mail*, impersonnelles et sans l'ombre d'une gratitude, ces instructions qui tombaient de temps en temps, tout cela aurait aussi bien pu venir de Dieu, qu'elle n'avait jamais rencontré, lui non plus, dont elle n'avait jamais vu de photo et dont le véritable nom était l'objet de débats. Si la Mégère avait besoin d'encouragements, de compliments, d'un peu de reconnaissance, de vacances, d'un cadeau d'anniversaire ou même d'une augmentation, ni le Patron ni Dieu n'en avaient rien à faire. Tous deux demeuraient silencieux et invisibles.

Elle pouvait encore pardonner à Dieu – du moins le pensait-elle –, qui, lui, avait un univers d'employés et de disciples à gérer. Toutefois, elle se sentait moins charitable envers le Patron, qui n'avait qu'elle. La visite de l'enquêteur Marino, un peu plus tôt, avait insufflé une sorte de clairvoyance en elle. Alors que la Mégère était la première à reconnaître que le Patron l'avait créée, alors qu'elle lui était reconnaissante, elle se rendait compte qu'elle lui en voulait aussi. Au fond, elle avait signé un pacte qui lui volait sa vie. Elle n'avait ni chien, ni ami, n'osait pas voyager, ni même engager des conversations anodines. Personne ne lui rendait visite, sauf des gens qu'elle n'avait pas invités. La seule personne qu'elle aurait pu, à la limite, considérer comme une relation avait été assassinée la nuit précédente.

La Mégère avait accepté des clauses affreuses qui réglementaient maintenant sa vie. Or la vie était courte. Elle pouvait se terminer – et se terminer de façon horrible – en un instant. Le Patron était un exploiteur égoïste, sans cœur et très injuste. Sans la Mégère, il ne pourrait pas alimenter son site Web. C'était elle qui choisissait parmi les milliers d'*e-mails* cancaniers, de photos, de commentaires fielleux et grossiers envoyés par les fans. La Mégère se tapait tout le boulot et le Patron ramassait les lauriers, même si les fans en question ignoraient qui il était.

Elle était assise devant son ordinateur, face à la

fenêtre, et avait tiré les rideaux afin de s'épargner le spectacle de l'immeuble en face de chez elle et de penser aux horreurs qui s'y étaient déroulées. Elle ne voulait pas voir la voiture de police toujours garée en bas de chez Terri et risquer que le policier au volant prévienne l'enquêteur Marino que le témoin qu'il avait interrogé un peu plus tôt espionnait la rue depuis sa fenêtre. Certes, elle aurait apprécié une seconde visite, mais pouvait difficilement se la permettre. L'enquêteur Marino avait d'ores et déjà des soupçons à son sujet. À n'en point douter, il croyait qu'elle avait aperçu quelque chose la veille, et après quelques recherches sur Internet elle pouvait le comprendre.

La mort de Terri constituait un épais mystère, un mystère épouvantable. Personne ne faisait de révélations à ce sujet. Tout ce que l'on savait, c'était que l'homme blond à la rose jaune – celui auquel la Mégère avait dit bonjour peu de temps auparavant – était bouclé au Bellevue, comme l'avait été avant lui le fils de Sam après son arrestation. Le médecin légiste chargé de l'autopsie de Terri n'avait lâché aucun détail. Mais ils étaient probablement horribles. L'affaire devait être d'une extrême importance puisque, en effet, le Dr Scarpetta avait été appelée à l'aide. Du moins était-ce le bruit qui courait, légitimé par le fait qu'on l'avait aperçue cet après-midi à l'aéroport de Logan, puis à celui de La Guardia, puis enfin devant l'hôpital Bellevue, traînant une valise à roulettes récalcitrantes. Sans doute rejoignait-elle son psychologue médico-légal de mari à l'étage des malades psychiatriques où avait atterri le petit ami de Terri.

À tous les coups, le Patron allait encore rédiger un article en prenant le Dr Scarpetta comme cible, et c'était vraiment dommage. De nombreux *blogs* avaient déjà répondu aux deux chroniques affichées hier, et les réactions variaient du tout au tout. Certaines personnes jugeaient lamentable de rendre publique une agression sexuelle dont la victime était le médecin expert, qu'elle ait été commise par Marino ou sœur Polly. D'autres, au contraire, en voulaient davantage.

Des détails, des détails !

Des femmes comme elle le cherchent. C'est pour ça qu'elles sont attirées par le crime.

Cela me surprend de la part de l'enquêteur, pas de celle de la bonne sœur.

Depuis le départ de l'enquêteur Marino, la Mégère se sentait bien peu motivée. Elle ferait bien de s'y mettre et de commencer à trier parmi les retours récents envoyés par les fans, dans l'espoir d'y découvrir quelque chose d'important qu'elle pourrait éditer sur le site ou expédier afin que le Patron en prenne connaissance.

Elle pénétra sur le site et supprima une foule d'anecdotes banales, ennuyeuses, d'*e-mails* émanant de gens affirmant avoir rencontré une célébrité, de photos prises sur des téléphones mobiles, jusqu'à ce qu'elle tombe sur un message expédié plusieurs heures auparavant. Aussitôt, en dépit de sa méfiance, le titre l'alerta :

UNE PHOTO JAMAIS DÉVOILÉE :
MARILYN MONROE À LA MORGUE !

Aucun message, juste un fichier attaché. La Mégère le téléchargea et l'image haute résolution envahit son écran. Un frisson l'électrisa et elle comprit la signification de l'expression « avoir les cheveux qui se dressent sur la tête ».

— C'est pas vrai ! marmonna-t-elle. Oh, mon Dieu !

Le corps nu de Marilyn Monroe reposait sur l'acier

luisant d'une table d'autopsie, suturé telle une poupée de chiffon. Ses cheveux blonds s'étalaient en grosses mèches trempées autour de son visage un peu enflé mais tout à fait reconnaissable. La Mégère entreprit de zoomer sur chaque détail de la photo, consciente que tous les fans feraient de même, sa souris slalomant nerveusement. Bouche bée, elle élargit certaines zones, scrutant les plis et l'affaissement de ce qui avait été les seins magnifiques de cette déesse du grand écran, affaissement causé par les affreuses lignes de points de suture qui partaient de ses clavicules pour se rejoindre en V au niveau du sternum, puis filer tout le long de ce corps jadis sublime, croisant les cicatrices d'anciennes opérations chirurgicales, avant de disparaître dans la toison pubienne. Les célèbres lèvres et les yeux bleus étaient clos. La Mégère poussa l'agrandissement au maximum des possibilités de son appareil, et la vérité que le monde avait toujours voulu connaître, cette vérité qu'il méritait, s'imposa.

Tout d'un coup, elle savait et pouvait le prouver.

Cela crevait les yeux.

Les détails étaient sur cette photo. Les indices. Les cheveux blonds récemment teints, sans une ombre de brun aux racines. Les sourcils épilés avec soin. Les ongles des mains et des pieds manucurés, les jambes rasées, lisses et douces. Elle était mince, sans une once de graisse malvenue.

Marilyn avait pris un soin minutieux de son apparence, gardant un œil sévère sur l'aiguille de la balance, et ce jusqu'au moment de sa mort tragique. Une attitude très étonnante de la part d'un être en dépression sévère. La photo était la preuve de ce que la Mégère avait toujours supputé.

Une sidérante photo d'autopsie jamais publiée prouve, sans l'ombre d'un doute, que l'époustouflante Marilyn Monroe ne souffrait pas de dépression au moment de son décès et ne s'est pas suicidée.

Des détails, clairement visibles lors de l'autopsie réalisée à Los Angeles le 5 août 1962, révèlent, sans contestation possible, que ni un accident ni un suicide ne sont à l'origine de la mort de l'actrice, et qu'il faut y voir l'œuvre d'une main malfaisante.

La Mégère songea qu'elle devrait s'arrêter là. Soixante-dix mots, sans compter les chiffres, la ponctuation et le titre, presque six fois plus que la limite admise. Mais nul doute que le Patron ferait une exception dans ce cas et qu'il lui offrirait même une petite augmentation en plus d'un compliment, une fois n'était pas coutume. Elle rechercha et trouva très vite le fameux prétendu rapport d'autopsie du Dr Thomas Noguchi, ainsi que les résultats d'analyses. Elle les lut avec attention, sans trop savoir ce que signifiaient au juste certains mots ou phrases. Elle chercha la signification de « lividités cadavériques », puis de « discrète zone ecchymotique », ainsi que « pas de cristaux réfractaires dans l'estomac ou le duodénum ». Elle vérifia plein d'autres choses, son indignation croissant.

Comment une poignée de coureurs de jupons égoïstes, d'éminences grises, avaient-ils osé faire cela à Marilyn ? Eh bien, le monde pouvait cesser de s'interroger sur ce qui s'était vraiment passé. Les doigts de la Mégère volèrent au-dessus du clavier.

Une information *top secret* tirée du véritable rapport d'autopsie est en parfait accord avec ce que l'on voit sur cette remarquable photo. Marilyn Monroe, nue et impuissante, a été plaquée avec force sur son lit, ce qui explique les ecchymoses retrouvées sur sa hanche gauche et dans le bas du dos, pendant que ses tueurs lui administraient un lavement de barbituriques.

Elle n'est certainement pas morte à la suite d'un suicide ou d'une overdose de Nembutal, parce que, dans ce cas-là, on aurait trouvé trace des pilules, ainsi qu'un résidu jaunâtre dans son estomac et son duodénum. Ajoutons à cela que le côlon de l'actrice était décoloré et distendu, comme on peut s'y attendre après l'administration d'un lavement toxique.

D'ailleurs, à ce propos, si c'est elle qui s'est infligé ce traitement mortel, où sont donc passées les gélules vidées de leur médicament ainsi que la poire à lavement ?

Après que la substance s'est diffusée dans son système, il tombe sous le sens qu'elle n'a pas pu se précipiter hors de chez elle pour faire disparaître le matériel, puis rentrer, se déshabiller, se coucher et remonter avec soin les draps sous son menton. Après ce lavement, elle devait être dans l'incapacité de bouger, inconsciente, et a dû mourir vite. La preuve : elle n'a même pas pu aller aux toilettes. Le rapport d'autopsie précise que la vessie était pleine lorsque le corps est arrivé à la morgue.

Marilyn a été tuée parce qu'elle ne parvenait pas à se taire quand on le lui ordonnait, et d'où que soient venus ces ordres.

Chapitre 10

Depuis la fenêtre de son bureau situé au septième étage, Jaime Berger distinguait les lions dressés sur leurs pattes arrière, sculptés en bas-relief dans le granit de l'immeuble situé en face.

Lorsque le vol 11 d'American Airlines avait survolé la ville bien trop bas, dans un vrombissement de moteurs anormalement fort, avant de percuter la tour nord du World Trade Center, elle était en train de regarder les lions. Dix-huit minutes plus tard, le second avion s'écrasait sur la tour sud. Abasourdie, elle avait vu les symboles de pouvoir qu'elle avait connus presque toute sa vie s'effondrer et brûler. Une pluie de débris et de cendres s'était abattue sur la pointe de Manhattan. Elle avait été certaine à ce moment-là que le monde s'arrêtait.

Depuis ce jour, elle se demandait ce qui aurait été différent si elle n'avait pas été à New York, dans son bureau, ce mardi-là, discutant au téléphone avec Greg qui se trouvait à Buenos Aires, sans elle puisqu'elle avait encore un gros procès. Un procès dont elle se souvenait à peine aujourd'hui.

Ils étaient tous si importants, ces procès, pourtant ils laissaient peu de souvenirs. Elle était coincée à New York à cause d'eux pendant que Greg entraînait les deux enfants qu'il avait eus d'un précédent mariage dans des endroits magnifiques, tout autour du globe. Il avait décidé qu'il préférait Londres et y avait acheté un appartement. Il était vite devenu évident que ce qu'il préférait avant tout était sa maîtresse, une jeune avocate anglaise qu'il avait rencontrée plusieurs années auparavant, alors qu'elle effectuait un stage de quelques semaines avec Berger dans le cadre d'un procès très éprouvant.

Berger n'avait jamais rien trouvé à redire lorsque la jeune avocate et son mari allaient dîner ensemble parce qu'elle devait travailler jusqu'à pas d'heure, ainsi que Greg se plaisait à le répéter.

Elle était demeurée dans une sorte d'inconscience conjugale jusqu'à ce jour de l'hiver dernier où Greg avait déboulé dans son bureau, sans se faire annoncer, pour l'inviter à déjeuner. Ils s'étaient rendus à pied chez Forlini, un des restaurants préférés des grands noms de la justice pénale et des politiciens. Mari et femme s'étaient installés face à face à une table, environnés par les boiseries sombres et des huiles assez lourdes évoquant l'Italie. Il ne lui avait pas avoué qu'il avait une liaison, qu'elle durait depuis des années. Il avait juste expliqué qu'il voulait reprendre sa liberté. À ce moment précis, Berger n'avait pensé qu'à une chose : Kay Scarpetta. La raison en était assez logique.

Forlini avait pour habitude de baptiser ses box du nom de clients influents, et celui dans lequel s'étaient attablés, par hasard, Greg et Berger se nommait Nicholas Scoppetta, aujourd'hui haut-commissaire chargé de la lutte anti-incendie. Le fait de voir ce nom inscrit sur le mur avait conduit Berger à penser à Scarpetta. Elle était certaine que celle-ci se serait levée de ce fichu box en cuir vieux rose et aurait quitté le restaurant, au lieu de tolérer, et même d'encourager, des mensonges flagrants et une humiliation cuisante.

Mais Berger n'avait pas bougé. Elle n'avait pas même protesté. Calme, maîtrisée à son habitude, elle avait écouté Greg pendant qu'il déballait ses imbécillités. Il ne l'aimait plus. Il avait cessé de l'aimer après le 11 Septembre, sans doute parce qu'il souffrait d'un stress post-traumatique, et ce bien que très conscient qu'il ne se trouvait pas aux États-Unis lorsque l'attaque terroriste avait eu lieu. Toutefois, le passage en boucle des terribles images sur les chaînes de télévision lui avait rendu les choses aussi insupportables que s'il avait été présent.

Il avait expliqué que ce qu'avait subi l'Amérique – ce que le pays continuait à subir –, notamment les répercussions sur ses investissements immobiliers, la chute de la valeur du dollar, était un insupportable traumatisme justifiant son expatriation à Londres. Il souhaitait un divorce discret. Ils s'en sortiraient bien mieux si leur séparation se faisait à l'amiable et sans tapage. Berger avait alors demandé si une femme, elle aussi « discrète », n'avait pas quelque chose à voir dans sa décision, juste afin de vérifier s'il était capable d'honnêteté. Il avait rétorqué que la question était hors de propos dans le cas d'un couple qui avait cessé de s'aimer, puis il avait lancé une accusation assez peu subtile sur les intérêts extraconjugaux de Berger, et il ne faisait pas allusion à sa carrière. Elle n'avait pas objecté, n'avait pas essayé de le contrer, ni même de démontrer qu'elle n'avait jamais violé les termes de leur engagement, bien qu'y ayant pensé.

Berger était aujourd'hui discrètement divorcée, discrètement riche et discrètement isolée. L'étage où se regroupaient ses bureaux était désert en cette fin d'après-midi. Après tout, c'était un jour férié, ou alors un jour de maladie. Tout dépendait de l'enthousiasme avec lequel on célébrait la naissance de la nouvelle année. Cela étant, Berger n'avait guère de motivations pour rester chez elle. Quant au travail, elle n'en manquait pas. Elle n'avait pas d'enfants, ceux de son ex-mari étaient grands, et lui était de l'autre côté de l'Atlantique. Elle se trouvait donc seule dans cet immeuble de pierre de style Art déco, qui se dressait non loin de Ground Zero, sans même personne pour répondre au téléphone.

Il sonna à dix-sept heures, précisément vingt-quatre heures après qu'Oscar Bane était arrivé chez Terri, du moins si l'on se fiait à ses déclarations. Berger décrocha, certaine de l'identité de son correspondant.

— Non. Pas dans la salle de réunion, dit-elle à Lucy. Il n'y a que nous deux. Mon bureau fera l'affaire.

Oscar fixait la pendule murale protégée par du plastique. Il se couvrit le visage de ses mains menottées.

À cet instant précis, la veille, Terri aurait dû lui ouvrir. Peut-être l'avait-elle fait. Toutefois, s'il disait la vérité, à cet instant, la veille, elle était déjà morte. L'aiguille des minutes bascula, indiquant dix-sept heures une.

— Terri avait-elle des amis ? s'enquit Scarpetta.

— En ligne. Elle rencontrait les gens de cette façon. Elle apprenait à leur faire confiance grâce à Internet. Ou alors elle se rendait compte que c'était impossible. Vous savez cela. Pourquoi agissez-vous ainsi ? Pourquoi ne pas l'admettre ? Qui vous en empêche ?

— Que voulez-vous que j'admette ?

— Vous avez reçu des instructions.

— Qu'est-ce qui vous fait penser ça ? Et quel genre d'instructions ?

— Bon, d'accord, lança Oscar d'un ton que l'irritation gagnait. Ce petit jeu commence à me fatiguer, vraiment. Mais je vais quand même vous le dire. Il faut que je croie que vous me protégez. Il faut que je me persuade que c'est pour cette raison que vous restez évasive. Comme ça, je peux l'accepter et répondre à vos questions. Terri rencontrait les gens en ligne. Être une personne de petite taille, doublée d'une femme, vous rend beaucoup plus vulnérable.

— Quand avez-vous commencé à avoir une relation en dehors d'Internet ?

— Après un an d'échange d'*e-mails*. Nous nous sommes aperçus que nous nous rendions tous deux au même congrès, à Orlando. Une réunion de l'organisation le Petit Peuple d'Amérique. C'est du reste à cette occasion que nous nous sommes rendu compte que nous souffrions tous les deux d'achondroplasie. Après Orlando, nous avons continué à nous voir. Il y a trois mois de cela. Je vous l'ai déjà dit.

— Mais pourquoi toujours chez elle, et cela depuis le début de votre relation ?

— Elle aimait rester chez elle. Elle était très soigneuse, obsessionnellement soigneuse et propre.

— Craignait-elle que votre appartement soit sale ?

— Dans son cas, il s'agissait d'une crainte généralisable à tous les lieux.

— Elle avait un comportement obsessionnel compulsif ? Microphobe ?

— Lorsque nous sortions quelque part, dès notre retour chez elle, elle exigeait que nous prenions une douche. D'abord j'ai cru que c'était un jeu sexuel, ce qui m'allait bien. Me doucher avec elle. Et puis j'ai compris que son but était la propreté. Il fallait que je sois très propre. Avant, je portais les cheveux assez longs, mais elle m'a demandé de les couper parce que c'était plus facile pour les laver. Elle a dit que les cheveux ramassent plein de bactéries et de poussière.

J'ai été sympa, mais j'ai quand même refusé de me faire épiler à un certain endroit. J'ai dit que personne ne me tripoterait là.

— Où vous faites-vous épiler ?

— Une dermatologue de la 79ᵉ Rue Est. Épilation laser. Encore un truc pénible que je n'aurai plus à faire.

— Et Terri ? Se rendait-elle chez la même dermatologue ?

— C'est elle qui me l'a recommandée. Le Dr Elizabeth Stuart. Elle a un gros cabinet et est très réputée. Terri la consulte depuis des années.

Scarpetta nota le nom de la spécialiste et demanda à Oscar si Terri voyait d'autres praticiens. Il répondit qu'il l'ignorait, ou qu'il avait oublié, mais qu'il était certain qu'on pourrait aisément le savoir en fouillant son appartement. Elle était d'une organisation sans faille.

— Elle ne jetait rien qui pouvait se révéler important et tout avait sa place. Si j'abandonnais ma chemise sur le dos d'une chaise, elle allait la suspendre sur un cintre. J'avais à peine le temps de terminer mon repas que les assiettes étaient déjà dans le lave-vaisselle. Elle détestait le fouillis, les choses en désordre. Qu'il s'agisse de son sac à main, de son imperméable, de ses bottines, n'importe quoi, tout était aussitôt rangé, hors de vue, même si elle avait l'intention de ressortir cinq minutes plus tard. Je me rends bien compte qu'il ne s'agit pas d'une attitude normale.

— Ses cheveux étaient-ils coupés aussi court que les vôtres ?

— J'oublie toujours que vous ne l'avez jamais rencontrée.

— En effet.

— Non, elle n'avait pas les cheveux courts, mais

elle les entretenait sans cesse. Dès qu'elle rentrait d'une course ou autre, elle prenait une douche et se les lavait. Jamais de bain parce qu'on est allongé dans l'eau sale. C'est ce qu'elle répète. Elle se sert d'une serviette une seule fois et ça file dans la machine à laver. Je sais que ce n'est pas normal. Un jour, je lui ai dit qu'elle devrait peut-être parler de ses angoisses à quelqu'un, qu'elle était obsessionnelle compulsive, pas de façon sévère mais qu'elle présentait quand même certains symptômes. Elle ne se lavait pas les mains cent fois par jour, elle n'évitait pas scrupuleusement de marcher sur les fissures des trottoirs et elle ne refusait pas d'acheter à manger chez un traiteur. Rien de tout ça.

— Et concernant le sexe ? Preniez-vous des précautions particulières en raison de son extrême vigilance en matière de propreté ?

— Elle exige juste que je sois propre. On se douche ensuite, on lave les cheveux de l'autre et, en général, on fait encore l'amour. Elle aime faire l'amour sous la douche. Elle appelle ça le *sexe propre*. J'aurais voulu la voir plus souvent qu'une seule fois par semaine. Mais c'était comme ça. Une fois par semaine. Le même jour, à la même heure. Sans doute parce qu'elle est très organisée. Le samedi à dix-sept heures. On dînait et on faisait l'amour. Parfois la porte n'était pas refermée qu'on se jetait l'un sur l'autre. Je ne dormais pas là-bas. Elle aime se réveiller seule dans son lit et commencer sa journée de travail. Mon ADN est partout chez elle.

— Mais vous n'avez pas eu de relations sexuelles avec elle hier soir.

— Vous me l'avez déjà demandé !

Il serra les poings et ses veines saillirent sous la peau de ses bras musculeux.

— Comment aurais-je pu ! s'exclama-t-il.

— Je m'en assure. Vous devez comprendre que je pose cette question.

— J'utilise toujours des préservatifs. Ils sont dans le tiroir de sa table de nuit. En revanche, vous retrouverez ma salive sur elle.

— Et pour quelle raison ?...

— Parce que je l'ai tenue contre moi et que j'ai tenté un bouche-à-bouche. Lorsque j'ai réalisé qu'elle était partie, je l'ai embrassée. Je l'ai touchée. Elle était dans mes bras. Mon ADN est sur elle.

Scarpetta frôla des meurtrissures sur sa poitrine.

— Ici et là. Ce sont des coups qu'il vous a portés avec la lampe torche ?

— Certains. Je me suis peut-être blessé en tombant par terre. Je ne sais pas.

La couleur des ecchymoses varie en fonction du temps. Elles peuvent révéler les contours de l'objet qui les a causées. Les marques de contusion d'Oscar étaient d'un rouge violet. Deux apparaissaient sur la poitrine, une sur sa cuisse gauche. Toutes avaient environ cinq centimètres de largeur et un aspect légèrement incurvé. Elles cadraient avec la forme d'une lampe torche, leur âge concordait avec celui des autres blessures et Oscar avait été frappé sans brutalité extrême, c'était tout ce que Scarpetta pouvait en déduire.

Elle prit une autre série de clichés en s'approchant de lui, consciente qu'Oscar n'avait qu'à replier son bras pour l'étrangler sans difficulté. Elle serait dans l'incapacité de hurler et il suffirait de quelques minutes pour qu'elle décède.

Elle sentait la chaleur de son corps et son odeur. Elle se recula pour rejoindre la paillasse et l'air devint plus respirable. Elle gribouilla ses notes, passant en revue les blessures d'Oscar. Elle pouvait sentir le poids de son regard de couleurs différentes dans son dos. Un regard qui n'était plus chaleureux, qui évoquait plutôt des gouttes d'eau froide. La dévotion qu'il avait éprouvée pour elle en l'idéalisant commençait à s'effriter. Elle n'avait plus l'imposante stature que lui conférait CNN. Elle était une femme, une vraie personne qui le décevait, qui le trahissait. À peu d'exceptions près, c'est l'inévitable destin de toutes les adulations.

— Rien ne s'est amélioré aujourd'hui par rapport au passé, il y a des milliers d'années, constata-t-il dans son dos. La bagarre, la hideur, les mensonges et les choses horribles et détestables. Les gens n'évoluent pas.

— Si c'est ce que vous croyez, pourquoi vous être dirigé vers la psychologie ?

— Si vous souhaitez comprendre d'où vient le mal, il faut le suivre, dit-il. Est-ce que ça s'est terminé par un coup de couteau ? Par la tête décapitée d'un randonneur ? Est-ce que ça s'est terminé par une discrimination ? Quelle partie de notre cerveau demeure primitive dans un monde où l'agressivité et la haine sont en contradiction avec la survie ? Pourquoi ne pouvons-nous pas nous débarrasser de cette fraction de notre patrimoine génétique, de la même façon que l'on peut éliminer certains gènes chez la souris ? Je sais ce que fait votre mari.

Il parlait vite, d'une voix coupante. Elle récupéra un pistolet à silicone, ainsi qu'une recharge de polyvinylsiloxane de sa mallette de scène de crime.

— Les recherches qu'il conduit dans ce domaine, reprit Oscar. Dans cet hôpital qui dépend de Harvard, le McLean. Avec l'IRM. L'IRM fonctionnelle. Est-ce qu'on se rapproche d'une explication ? Ou alors est-ce qu'on va continuer à tourmenter, torturer, violer, tuer, créer des guerres, commettre des génocides et décider qui ne mérite pas d'être traité comme un être humain ?

Elle positionna la recharge et retira le capuchon rose du pistolet, puis actionna la détente, recueillant le mélange de base blanche et de catalyseur sur une serviette en papier jusqu'à ce que le débit soit régulier. Elle fixa l'embout et revint vers la table d'examen, expliquant qu'elle allait utiliser un composé siliconé pour recouvrir les extrémités de ses doigts et ses blessures.

— C'est très efficace pour prendre des impressions élastiques de surfaces rugueuses ou lisses, comme des ongles ou même le bout des doigts, expliqua Scarpetta. Il n'existe aucun effet indésirable, et votre peau ne devrait pas manifester de réaction. Des croûtes se sont formées sur les égratignures et les marques d'ongles, mais cette préparation ne devrait pas les arracher. Toutefois, si vous voulez que j'arrête, dites-le-moi, à n'importe quel moment. J'ai votre consentement pour continuer ?

— Oui.

Il se tint immobile durant tout le temps qu'elle passa ses mains en revue, prenant garde à son pouce blessé.

— Je vais nettoyer très doucement vos doigts et vos blessures avec de l'alcool isopropylique. Cela évitera que vos propres sécrétions interfèrent avec la cicatrisation. Ça ne devrait pas faire mal. Au pire, ça peut piquer un peu. Indiquez-moi si vous voulez que j'arrête.

Il resta silencieux, la regardant tandis qu'elle nettoyait ses mains, un doigt après l'autre.

— Je m'interrogeais : comment pouvez-vous connaître les recherches que mène le Dr Wesley au McLean, puisqu'il n'a encore rien publié ? Certes, je suis au courant que le recrutement des sujets expérimentaux dure depuis un bon moment et qu'il en a été question dans la presse, sans même parler de la publicité faite autour. C'est de cette façon-là ?

— Ça n'a pas d'importance, lâcha Oscar en fixant ses mains. Rien ne change. Les gens savent pourquoi ils sont haineux, mais ça ne change rien. Vous ne modifierez pas les sentiments. Toute la science du monde en est incapable.

— Je ne suis pas d'accord, remarqua-t-elle. Nous avons tendance à détester ce dont nous avons peur. Lorsqu'on a moins peur, on déteste moins.

Elle fit couler le mélange inodore sur les doigts d'Oscar, le pistolet produisant un petit claquement à chaque fois qu'elle pressait la détente.

— Avec un peu de chance, plus nous serons éclairés, moins nous aurons peur et moins nous haïrons. Je couvre chacun de vos doigts jusqu'à hauteur de la première phalange. Lorsque le mélange sera sec, nous pourrons rouler les moules pour les retirer, à la manière de ces anciens doigtiers en caoutchouc avec lesquels on comptait les billets. C'est un excellent support pour les analyses microscopiques.

Elle se servit d'une spatule en bois afin d'étaler le mélange en couche homogène. Elle venait de terminer de couvrir ses multiples égratignures et marques d'ongles lorsque les moules de ses doigts furent secs. Il était intéressant de noter qu'Oscar ne lui avait pas demandé pour quelle raison elle voulait une empreinte des extrémités de ses doigts, notamment de ses ongles, ni même des écorchures et autres blessures infligées par un prétendu agresseur qui s'était jeté sur lui. Oscar n'avait pas posé cette question parce qu'il connaissait probablement la réponse. Au fond, elle avait moins besoin de ces moules à fin d'analyses microscopiques que pour montrer à Oscar qu'elle les prenait.

— Voilà. Si vous pouviez lever les mains ?

Elle rencontra le regard vert et bleu.

— Il ne fait pas trop chaud dans cette pièce, commenta-t-elle. Je dirais vingt degrés. Le mélange devrait prendre en quatre minutes, à peu près. Je vais remonter votre chemise d'hôpital pour que vous soyez mieux.

Elle perçut l'odeur âcre de la sueur de peur et de confinement. Elle perçut son haleine qui indiquait qu'il ne s'était pas lavé les dents, ainsi que les effluves discrets de son eau de toilette. Elle se demanda si un homme ayant l'intention d'assassiner son amante se préoccuperait de se parfumer.

Chapitre 11

Lucy suspendit son blouson de cuir au portemanteau. Sans attendre d'encouragement, elle poussa une chaise à côté de Berger et ouvrit son MacBook Air.

— Pardon, mais j'ai l'habitude que les gens s'installent en face de moi, de l'autre côté du bureau, fit remarquer Berger.

— Il faut que je te montre un truc. Tu as l'air d'aller bien. Comme d'habitude.

Elle évalua Berger sans feindre la moindre discrétion.

— Non, j'ai tort, reprit Lucy. Tu as l'air encore mieux que la première fois que je t'ai rencontrée, il y a huit ans, à l'époque où deux autres tours s'élevaient pas loin d'ici. Lorsque je survole la ville en hélicoptère et que la ligne des toits surgit, j'ai toujours l'impression que deux des dents de Manhattan ont été arrachées. Et puis, le long de l'Hudson, à vingt-cinq mètres d'altitude, Ground Zero a toujours l'air d'un trou.

— Il n'y a pas matière à plaisanterie.

— Je ne plaisante pas. Je voudrais juste que ça change, tu vois. Pour que j'arrête de me dire que ce sont les méchants qui l'ont emporté.

Berger avait toujours vu Lucy en treillis. Le jean élimé très ajusté et le tee-shirt noir qu'elle portait aujourd'hui auraient difficilement pu lui permettre de dissimuler une arme. Au demeurant, son nouveau style vestimentaire ne cachait pas grand-chose, et surtout pas qu'elle était fortunée. Sa large ceinture de crocodile était ornée d'une boucle de métaux précieux, en forme de tigre-sabre, sertie de pierres, précieuses elles aussi, une création de chez Winston. Quant à la grosse chaîne qu'elle portait autour du cou et qui retenait un pendentif de turquoise en forme de crâne – une autre réalisation de chez Winston –, elle pouvait à juste titre être considérée comme une œuvre d'art et valait donc aussi cher. Lucy était dans une forme éblouissante, puissante. Elle avait coupé ses cheveux acajou aux reflets d'or rose très court. Sans la courbe de ses seins, elle aurait aisément pu passer pour un joli mannequin de sexe masculin.

Berger pointa du doigt une table poussée non loin de la porte, sur laquelle reposait un paquet enveloppé de papier marron, scellé avec le ruban rouge réservé aux pièces à conviction. Elle précisa :

— Les ordinateurs portables de Terri Bridges.

Lucy jeta un regard au paquet comme si sa présence était évidente.

— Je suppose que tu as obtenu un mandat, déclara-t-elle. Quelqu'un a déjà regardé ce qui se trouvait sur les disques durs ?

— Non, ils n'attendent que toi.

— Lorsque j'aurai découvert ses différents comptes messagerie, il faudra aussi obtenir l'autorisation légale d'y accéder. Et vite. Sans doute, d'autres aussi. Tout dépend de ce qu'elle fabriquait et avec qui – si on exclut le petit ami au Bellevue.

— Bien sûr.

— Une fois que j'aurai localisé son fournisseur

d'accès, vérifié son histoire, j'aurai besoin des mots de passe.

— Au risque de te surprendre, je connais la routine.

— Sauf si tu préfères que je pirate, proposa Lucy en enfonçant quelques touches.

— Évitons de prononcer ce mot, s'il te plaît. D'ailleurs, je ne l'ai pas entendu.

Un léger sourire se dessina sur les lèvres de Lucy. Ses doigts agiles volèrent au-dessus du clavier. Elle lança une présentation PowerPoint :

CONNEXIONS – LA SOLUTION RÉSEAU NEURONAL.

— Mon Dieu, tu ne vas tout de même pas faire ça ! s'exclama Berger. Tu as une idée du nombre de trucs de ce genre que je vois ?

— Tu n'as jamais vu ça, contra Lucy en enfonçant une touche. Tu connais la neuro-informatique ? La technologie fondée sur le réseau neuronal. Des connexions qui gèrent les informations de façon très similaire à ce qui se passe dans le cerveau.

L'index de Lucy, orné d'une volumineuse bague d'argent, enfonça une autre touche. Elle portait une montre que Berger ne reconnut pas, à l'allure militaire avec son cadran noir, son affichage lumineux et son bracelet en plastique.

Lucy intercepta le regard de Berger et demanda :

— Tu es peut-être au courant de la technologie d'illumination ? Le tritium gazeux, un isotope radioactif qui se dégrade, avec pour conséquence d'illuminer les chiffres et autres indications portés sur le cadran. C'est plus pratique dans l'obscurité. Je l'ai achetée. Tu as acheté ta Blancpain ou on te l'a offerte ?

— C'est un cadeau de moi à moi-même. Un pense-bête afin de ne jamais oublier que le temps est précieux.

— Et pour moi c'est un moyen de me souvenir que nous devrions utiliser ce qui fait peur aux autres, parce qu'on n'a peur que des choses puissantes.

— Je ne me sens pas obligée de prouver quelque chose en portant une montre radioactive, objecta Berger.

— Au pire, ça représente vingt-cinq millicuries, soit une exposition d'environ un dixième de microsievert sur un an. Ça équivaut à une exposition naturelle aux radiations. Sans danger, en d'autres termes. Un bon exemple que les gens fuient certaines choses parce qu'ils sont ignorants.

— On m'a déjà baptisée de pas mal de qualificatifs mais jamais de celui d'ignorante, rétorqua Berger. Il faut s'occuper de ces ordinateurs.

— Le système artificiel que j'ai développé – que je développe toujours – est doté de possibilités infinies. Lorsque l'on se penche sur l'infinité, on doit se demander si, de par sa nature intrinsèque, ça ne transforme pas l'artificiel en réalité. En effet, selon moi, l'artificiel est limité. Du coup, il en découle qu'« infini » se dégagera de sa notion d'artificialité.

— Nous devons pénétrer dans les ordinateurs de cette morte, insista Berger.

— Tu dois comprendre ce que nous sommes en train de faire.

Lucy posa son regard vert sur le procureur.

— Parce que c'est toi qui devras tout expliquer à la cour, pas moi, compléta-t-elle.

Elle entreprit de s'orienter dans PowerPoint. Cette fois, Berger ne l'interrompit pas.

— La *wet mind*. Encore un mot de jargon que tu ne connais pas, poursuivit la jeune femme. C'est la façon dont notre cerveau reconnaît les voix, les visages, les objets pour les réorienter dans un contexte qui signifie quelque chose pour lui, qui est révélateur, instructif, qui permet de prédire... Bien, et il est évident que tu ne regardes pas et que tu n'écoutes rien.

Ses mains lâchèrent le clavier et elle étudia Berger comme si celle-ci lui posait un épineux problème.

— Ce que j'attends de toi est simple, rectifia Berger. Je veux que tu parcoures les messages électroniques, tous les fichiers, que tu restitues les données effacées, que tu dégages n'importe quel schéma qui pourrait nous apprendre quelque chose, la moindre chose, sur qui, quoi, où, quand. Si elle a été assassinée par un individu qu'elle connaissait, il y a de bonnes chances qu'on en découvre une trace dans les mémoires. (Elle désigna à nouveau le paquet posé sur la table.) Et même si le tueur est un étranger, on peut peut-être trouver un truc là-dedans qui nous indique où cette personne l'aurait croisée. Tu sais comment ça marche. Tu as été enquêtrice durant tant d'années.

— Pas vraiment.

Berger se leva.

— Je dois te faire signer un reçu. Comment es-tu venue ?

— Puisque ton immeuble n'est pas équipé d'héli-pad, j'ai pris un taxi.

En entrant plus tôt, Lucy avait refermé derrière elle la porte du bureau de Berger. Elles se tenaient debout devant.

— J'ai pensé qu'un de tes hommes me raccompa-gnerait jusqu'au Village et qu'il porterait le paquet jusque dans mon bureau, précisa Lucy. Et je vais signer toute la paperasserie requise. Dans le respect des règles, pour ne pas rompre la chaîne des indices.

J'ai appris tout cela durant mes années dans les forces de l'ordre.

— Je vais m'en occuper.

Berger passa un coup de téléphone.

Elle raccrocha en lançant à Lucy :

— Il y a une dernière chose dont nous devons discuter.

Les mains enfoncées dans les poches de son jean, Lucy se laissa aller contre le panneau de la porte.

— Laisse-moi deviner... Cette chronique de ragots. Programmée avec les pieds, j'ajouterais. Est-ce que tu adhères à la règle d'or ? Traite les autres comme tu souhaites qu'ils te traitent.

— Je ne parlais pas spécifiquement de *Dans le collimateur de Gotham*, rectifia Berger. Toutefois, ça soulève un important problème que je dois évoquer. Marino travaille pour moi. Je pars du principe que tu peux gérer cette situation et que tu le feras.

Lucy enfila son blouson.

— Je veux que tu me le garantisses, insista Berger.

— Et c'est maintenant que tu m'annonces ça ?

— Je n'ai jamais pensé que nous aurions cette conversation, du moins jusqu'au début de l'après-midi. À ce moment-là, nous étions déjà d'accord pour nous rencontrer. Voilà pour la chronologie. C'est pour cela que je mets les choses sur le tapis maintenant.

— Eh bien, j'espère que tu sélectionnes tes autres collaborateurs un peu mieux que lui, ironisa Lucy.

— C'est un sujet dont tu pourras discuter avec Benton puisque c'est lui qui m'a recommandé, l'été dernier, d'engager Marino. Ce que j'ai lu aujourd'hui est la première allusion qui me vient aux oreilles au sujet des véritables raisons qui ont contraint Marino à quitter Charleston. Je réitère ce que j'ai dit sur ce qui compte le plus en ce moment : tu dois faire avec.

— Ce sera facile. Parce que, justement, je n'ai aucune intention d'avoir des contacts avec lui.

— Ce choix ne t'appartient pas, rétorqua Berger. Si tu veux travailler pour moi, tu dois accepter la situation. Il a priorité sur toi parce que...

— Ravie de connaître ta définition de la justice ! Ce n'est pas moi le criminel qui a agressé une femme, puis récupéré un boulot grâce à des faux-semblants, l'interrompit Lucy.

— Ce n'est vrai ni légalement, ni même au sens littéral, et je refuse d'épiloguer là-dessus. La vérité, c'est qu'il est impliqué jusqu'au cou dans cette enquête, et que je ne peux pas la lui enlever sans risquer des répercussions. La vérité, c'est que je ne veux pas la lui retirer pour plusieurs raisons, dont l'une est majeure : Marino était déjà concerné par cette investigation avant même qu'elle ne débute puisqu'il a reçu, il y a un mois, les doléances téléphoniques du petit ami de la victime. Je ne me débarrasserai pas de Marino pour toi. Il y a d'autres experts dans ton domaine. Je voulais juste que ce soit clair.

— Personne ne peut faire ce que je sais faire. Pour que ce soit bien clair, ça aussi. Cela étant, je préfère mettre un point final à ma participation avant même de commencer, si c'est ce que tu veux.

— Non, ce n'est pas ce que je veux.

— Ma tante est-elle au courant de sa présence en ville ?

— Pour utiliser ton jargon de pilote, je me fais l'effet d'un contrôleur aérien en ce moment, avoua Berger. Je fais de mon mieux pour que les choses avancent en évitant que les gens se rentrent dedans. Mon but est stratégique. J'aime les atterrissages en douceur.

— Ce que tu veux dire, c'est qu'il sait qu'elle est à New York.

— Je n'ai rien dit de tel. Je ne lui en ai pas parlé, ce qui ne signifie pas que d'autres ne s'en soient pas chargés. Surtout depuis qu'il fait la une, du moins sur Internet. Si ça se trouve, il sait depuis longtemps que Kay fait des allers et retours à New York. Cela étant, avec ce passé souillé entre eux, cela ne me surprend pas qu'il n'ait jamais mentionné ta tante devant moi.

— Et toi, tu ne l'as jamais évoquée devant lui ? attaqua Lucy, une ombre de colère dans le regard. Du genre : « Comment va Kay ? », « Est-ce qu'elle aime travailler pour CNN ? », « La vie de femme mariée lui convient-elle ? », « Vraiment, il faudrait que nous allions boire un café toutes les deux un jour qu'elle est à New York » ?

— Marino et moi ne papotons pas. Il n'a jamais été dans mes intentions de devenir sa nouvelle Scarpetta. Je ne suis pas Batman et je n'ai nul besoin d'un Robin. Sans vouloir aucunement insulter Kay.

— Un coup de bol, vu que tu sais ce que Robin a fait à Batman.

— Je ne suis pas sûre de savoir ce qui s'est passé, dit Berger au moment où son téléphone se mettait à sonner. Je crois que ta voiture est annoncée.

Scarpetta tira sur la silicone durcie et plaça les empreintes moulées dans des sachets à indices. Elle ouvrit un petit placard et récupéra des lingettes antiseptiques ainsi qu'une pommade désinfectante, puis dénoua la chemise d'Oscar dans le dos et la fit à nouveau glisser vers sa taille.

— Vous êtes sûr qu'il s'agissait d'un Flexi Cuff et pas de menottes classiques ? lui demanda-t-elle.

— On les voit partout à la télé. La police et l'armée

utilisent ces liens en plastique pour attacher les gens comme des sacs-poubelles.

— Ça ne devrait pas faire mal.

Oscar ne tressaillit pas lorsqu'elle nettoya à nouveau ses égratignures et qu'elle entreprit de passer avec douceur un peu de pommade dessus.

— Ils n'avaient pas le droit de la toucher, déclara-t-il. Elle était déjà dans mes bras, alors qu'est-ce que ça pouvait faire si je la soulevais pour la coucher sur la civière ? Au lieu de ça, tous ces connards ont foutu leurs mains partout sur elle. Ils ont retiré la serviette qui l'enveloppait. Je les ai vus. Ils m'ont fait sortir de la salle de bains et ils ont soulevé la serviette. Vous savez pourquoi ? Parce qu'ils voulaient la voir !

— Ils cherchaient des indices, des blessures.

Elle tira sans précipitation la chemise d'Oscar sur ses épaules et la noua dans le dos.

— Ils n'avaient pas besoin de retirer cette serviette, s'obstina Oscar. Je leur ai dit qu'il n'y avait pas de sang, sauf les égratignures sur ses jambes. C'est comme s'il l'avait frappée avec quelque chose. Peut-être une planche. Je ne sais pas où il aurait pu se procurer une planche. Lui ou eux. Je n'ai rien vu sur place qui aurait pu provoquer ces écorchures. Elle avait la peau du visage rouge vif et il y avait une ligne autour de son cou. Comme s'il l'avait étranglée avec une cordelette ou autre chose. De toute façon, il n'y avait plus rien. La police n'avait pas à lui ôter la serviette pour s'en rendre compte, ni pour prendre son pouls, ni même pour examiner ses poignets. Il suffisait d'un simple regard pour savoir qu'elle était morte. J'ai froid. Il n'y aurait pas une couverture quelque part ?

Scarpetta n'en trouva pas. Elle retira sa blouse et la drapa autour des épaules d'Oscar. Il frissonnait. Ses dents claquaient.

— Je me suis assis par terre, à côté d'elle. Je lui ai caressé le visage, je lui ai parlé. Et puis j'ai appelé le numéro d'urgence. Je revois des pieds. Des boots noires et un pantalon sombre qui apparaissaient dans l'embrasure de la porte. J'avais déplié la serviette sur elle et je le serrais contre moi.

Il fixa un point du mur.

— J'ai entendu des voix qui m'ordonnaient de m'écarter d'elle. Ils m'ont empoigné. Je me suis mis à hurler. Je ne voulais pas la laisser. Mais ils m'y ont forcé. Ils ne m'ont même pas permis de la revoir une dernière fois. Je ne l'ai plus jamais revue. Sa famille vit dans l'Arizona. C'est là qu'elle ira, et je ne la reverrai plus jamais.

— Vous m'avez dit que votre université en ligne était basée dans l'Arizona, non ?

— Son père en est le doyen, expliqua-t-il au mur. C'est pour cela qu'elle a fini par s'y inscrire. Ils l'ont baptisée l'université de Gotham, comme si ça se trouvait ici, à New York, mais en fait ça n'est nulle part, sauf qu'il y a un immeuble à Scottsdale, sans doute parce que c'est un joli endroit où il fait bon vivre, beaucoup moins cher qu'ici. Les parents de Terri possèdent une grande maison pas loin de Camelback Mountain. Nous ne sommes jamais allés à Scottsdale ensemble parce que notre prochaine réunion n'est programmée qu'en mars prochain. Elle ne fait pas partie du corps enseignant, mais elle m'aurait accompagné... Elle devait prendre l'avion tôt ce matin et séjourner quelques jours chez ses parents.

— Lorsque vous avez pénétré hier chez elle, avez-vous aperçu ses bagages ? Les avait-elle faits ?

— Terri ne laisse jamais rien traîner, sauf si elle compte l'utiliser dans l'instant. Et elle sait très bien que cela m'aurait contrarié de voir ses valises puisque je ne la suivais pas. Ça aurait gâché notre nuit.

— Vous étiez également invité à Scottsdale ? demanda Scarpetta.

— Elle voulait d'abord parler de nous à ses parents.

— Après trois mois de relation, ils n'étaient toujours pas au courant ?

Le visage toujours tourné vers le mur comme s'il discutait avec lui, il expliqua :

— Ils étaient très protecteurs. Assez rigides et autoritaires. Elle ne souhaitait pas leur en parler tant qu'elle n'était pas sûre. Je lui ai dit qu'il n'était pas étonnant qu'elle soit une obsessionnelle compulsive. C'est de leur faute.

— De quoi devait-elle être sûre ?

— De moi. Que notre histoire est sérieuse. J'étais plus amoureux d'elle que l'inverse.

Il mélangeait les temps depuis le début, comme le font souvent les gens qui viennent de perdre l'être aimé.

— J'ai tout de suite su ce que je voulais. Mais ses parents... Disons que si ça n'avait pas marché entre nous, elle préférait qu'ils soient tenus dans l'ignorance pour ne pas avoir à s'expliquer. Elle a toujours eu peur d'eux, toujours craint leur désapprobation. Le fait qu'elle ait trouvé le courage de quitter la maison familiale en dit long sur elle. Ils ont eu deux autres enfants qui ne sont pas des personnes de petite taille. Eux sont allés à l'université, et ils font ce qu'ils veulent aujourd'hui. Mais pas Terri. C'est la plus intelligente de la famille. C'est une des personnes les plus brillantes que j'aie jamais rencontrées. Terri, ils l'ont gardée à la maison jusqu'à l'âge de vingt-cinq ans, jusqu'au jour où elle n'en a plus pu parce qu'elle voulait devenir

201

quelqu'un. Elle s'est disputée avec eux et elle est partie.

— Comment a-t-elle eu les moyens de s'installer à New York ?

— C'était avant que je la connaisse. Elle m'a dit qu'elle avait de l'argent de côté et ses parents ont continué à l'aider financièrement. Pas beaucoup, juste un peu. Et puis elle a fait amende honorable et je crois bien qu'ils sont venus lui rendre visite une fois, mais ils n'ont pas aimé l'endroit où elle vivait. Du coup, ils ont augmenté la pension qu'ils lui versaient et elle a pu déménager où elle vit maintenant. C'est ce qu'elle m'a raconté. À leur décharge, ils l'ont soutenue, du moins pécuniairement.

Son visage s'empourpra de colère et, par contraste, ses cheveux courts et dorés brillaient comme du métal.

— Toutefois, avec des gens comme eux rien n'est jamais gratuit, lâcha-t-il. J'ai le sentiment qu'ils en ont profité pour la contrôler malgré la distance. J'ai constaté que ses compulsions s'aggravaient. Et le ton de ses *e-mails* devenait de plus en plus anxieux. Même avant que nous nous soyons véritablement rencontrés. Tout a empiré au cours des derniers mois. Je ne sais pas pourquoi. Elle ne peut pas s'en empêcher. Je dois la voir. Je vous en supplie, laissez-moi la revoir. Il faut que je lui dise au revoir. Je déteste les flics. Qu'ils aillent se faire foutre !

Il s'essuya les yeux de ses mains menottées.

— Ils n'avaient pas besoin d'être si froids ! Criant et bousculant tout. Et leurs radios. Je n'arrivais pas à comprendre ce qui se passait. Je hais ce détective...

— Celui-là même que vous avez autorisé à fouiller votre appartement ? souligna Scarpetta.

— Je n'avais pas la possibilité de choisir quelqu'un d'autre ! Il beuglait, m'ordonnant de le regarder quand je lui adressais la parole. Et moi, j'essayais de lui expliquer que si je le fixais, je n'arriverais pas à l'écouter. Il m'a posé plein de questions dans le salon en exigeant des réponses. Regardez-moi, regardez-moi ! Au début, je voulais juste aider. J'ai expliqué que quelqu'un avait dû se présenter à la porte de l'immeuble, sonner chez elle et qu'elle avait pensé qu'il s'agissait de moi. Elle a peut-être cru que j'étais en avance et que j'avais oublié mes clés. Il doit bien y avoir une raison qui explique qu'elle ait ouvert à cette personne sans se méfier.

— Vous ne cessez de répéter que Terri était très angoissée. Était-elle particulièrement prudente ?

— On est à New York et les gens n'ouvrent pas leur porte comme ça. En plus, Terri est très méfiante. Les gens de notre taille ont intérêt à l'être. Ça explique en partie pourquoi ses parents étaient si protecteurs, la bouclaient pratiquement dans la maison familiale lorsqu'elle était enfant. Elle n'aurait jamais ouvert la porte avant d'être rassurée sur l'identité de son visiteur.

— Et donc, qu'en concluez-vous ? Comment l'intrus a-t-il pu pénétrer ? Selon vous, quelqu'un voulait-il du mal à Terri ?

— Ils ont leurs mobiles, se contenta-t-il de répondre.

— Une fois chez elle, avez-vous remarqué quelque chose qui puisse suggérer un cambriolage ? Ce pourrait être un mobile, justement.

— *A priori*, je dirais que rien ne manquait. Toutefois, je n'y ai pas vraiment prêté attention.

— Des bijoux ? Portait-elle une bague, un collier, autre chose qui aurait disparu ?

— Je ne voulais pas la quitter. Ils n'avaient pas le droit de m'y contraindre, de me forcer à m'installer dans cette voiture de police comme si j'étais un meurtrier. Parce que le détective en question a bien plus l'air d'un criminel que moi avec ses fringues de gang et ses cheveux nattés. J'ai refusé de lui parler.

— Pourtant vous avez déclaré le contraire. Lorsque vous étiez chez Terri.

— De toute façon, leur conclusion était toute faite. Je hais la police. J'ai toujours détesté les flics. Ils se trimballent dans leurs bagnoles de service, en discutant, en rigolant et en dévisageant tout le monde. Un jour, j'avais seize ans, quelqu'un a rayé la peinture de ma voiture et a explosé toutes les vitres. Et ce flic a dit : « Ben, on a un *petit* problème, non ? » Il s'est installé derrière le volant et il a posé ses pieds sur les pédales allongées. Ses genoux arrivaient à hauteur du volant et son collègue se marrait. Qu'ils aillent se faire foutre !

— Et les autres gens, vous ont-ils maltraité, se sont-ils moqués de vous ?

— J'ai grandi dans une petite ville. Tout le monde me connaissait. J'avais des amis. Je faisais partie de l'équipe de lutte et j'avais de bonnes notes. J'étais chef de classe en terminale. Je suis réaliste. Je ne vais pas me coller dans des trucs stupides. J'aime bien les gens. La plupart d'entre eux sont plutôt bien.

— Et pourtant, vous avez choisi une carrière qui vous permet de les éviter, contra Scarpetta.

— On prévoit qu'un jour ou l'autre la majorité des étudiants suivront leurs cours d'université en ligne. Aux yeux de la police, tout le monde est toujours coupable de quelque chose, surtout si vous avez l'air différent ou que vous souffrez d'une invalidité. Juste en face de chez moi, il y avait ce garçon qui présentait un syndrome de Down. Les flics étaient toujours sur son dos, le soupçonnant de vouloir violer toutes les filles du coin.

Scarpetta entreprit de ranger sa mallette de scène de crime. Elle en avait terminé avec lui. La comparaison entre les impressions en silicone de ses ongles, les égratignures et les marques de griffures qu'il portait, tout en gardant à l'esprit les mesures et les clichés qu'elle venait de prendre, ne ferait que corroborer ce qu'elle savait déjà. Sans doute le pressentait-il, il le fallait, Scarpetta voulait qu'il en soit conscient.

— Vous avez bien compris tout ce que nous pourrons tirer des analyses que je viens de réaliser, Oscar ? Les moulages en silicone des extrémités de vos doigts et de vos plaies. Les photographies et les mesures précises.

Il fixa le mur.

Elle poursuivit son semi-bluff :

— Nous pouvons étudier les impressions en microscopie.

— Je sais tout ce que vous pouvez faire avec ces moules en silicone. Et je sais aussi que maintenant vous allez vous servir d'un microscope.

— Je vais laisser ce travail aux labos de la police. Je crois que je détiens déjà toutes les informations dont j'ai besoin. Est-ce vous qui vous êtes infligé cela, Oscar ? Les ecchymoses, les égratignures ? Toutes sont localisées dans des zones que vous pouviez atteindre. Quant à leurs angles, ils sont en adéquation avec l'hypothèse d'un sujet qui se frappe lui-même.

Il demeura silencieux.

— Si vous croyez à ce mythe, que je suis capable de résoudre un crime parfait, vous auriez dû vous douter que je découvrirais que vous étiez à l'origine de vos blessures.

Le silence, toujours. Il ne lâchait pas le mur du regard.

— Pourquoi ? insista-t-elle. Votre intention était-elle de me faire venir au Bellevue afin que je constate que vous vous étiez infligé ces coups ?

— Vous ne pouvez le dire à personne. Vous ne pouvez le raconter ni à votre mari, ni à l'enquêteur Morales, ni même à Berger ou à ce connard qui travaille pour elle et qui a refusé de me croire il y a un mois.

— Dans les circonstances actuelles, tout ce qui s'est passé entre nous est, en effet, couvert par le secret médical. Toutefois, cela pourrait changer, lui rappela-t-elle.

— C'était mon seul moyen de vous faire venir. Il fallait que je sois blessé.

— Et l'agresseur qui vous a sauté dessus ?

— Il n'y avait personne. Quand je suis arrivé, toutes les lumières étaient éteintes et la porte de son appartement était déverrouillée. Je me suis précipité à l'intérieur en l'appelant. Je l'ai découverte dans la salle de bains. Il avait laissé la lumière allumée dans cette pièce-là. On aurait dit qu'il voulait que j'en prenne plein la tête. On ne peut pas distinguer cette lumière-là de l'endroit où je m'étais garé parce que la salle de bains est située à l'arrière de l'appartement. J'ai coupé le Flexi Cuff en plastique avec les ciseaux de la cuisine. C'est comme ça que je me suis blessé le pouce. Juste une petite coupure, je ne me souviens pas trop comment ça s'est produit. J'ai attrapé les ciseaux et le bloc de couteaux est tombé. L'un d'entre eux a dû m'érafler. Je me suis enveloppé le doigt dans une serviette en papier et j'ai couru jusqu'à ma voiture pour me débarrasser de mon manteau. Ensuite, je me suis assis à côté d'elle dans la salle de bains. J'ai déchiré mon tee-shirt et je me suis frappé. Il y a du sang sur mon maillot de corps. Et puis j'ai appelé la police.

— Et la lampe torche ? Vous vous êtes frappé avec ?

— Je l'ai trouvée dans l'un des tiroirs de la cuisine. Je l'ai essuyée et je l'ai abandonnée par terre, dans le salon. Pas loin de la porte.

— Mais pourquoi prendre la peine de l'essuyer si vos empreintes digitales et votre ADN sont partout chez Terri, et même sur son corps ?

— Pour convaincre la police que l'agresseur portait des gants. Ça corroborait mon histoire. Les gants avaient effacé toutes les empreintes qui se trouvaient sur la lampe. Je leur ai dit qu'ils étaient en cuir.

— Et les ciseaux de la cuisine ? Qu'en avez-vous fait après avoir tranché la menotte en plastique ?

Son visage se crispa et elle sentit que la scène était en train de défiler dans son esprit. Sa respiration se fit laborieuse et son corps oscilla rythmiquement d'avant en arrière.

Sa voix tremblait lorsqu'il expliqua :

— Ses mains avaient pris une affreuse couleur bleu-rouge. Ses ongles étaient bleus. Je lui ai massé les poignets et les mains pour faire repartir la circulation. J'ai tenté de faire disparaître les sillons laissés par le lien en plastique. Ils étaient si profonds.

— Vous souvenez-vous de ce que vous avez fait des ciseaux ?

— La menotte était si serrée. Ça devait faire mal. J'ai laissé les ciseaux par terre, dans la salle de bains.

— Quand avez-vous décidé de vous infliger ces blessures pour, comme vous l'avez dit, réussir à me faire venir ?

— J'étais assis sur le sol, à côté d'elle. Je savais qu'on allait me soupçonner. Je savais aussi que si votre mari examinait mon cas, je parviendrais à vous joindre. C'était impératif. J'ai confiance en vous et vous êtes la seule qui s'intéressait vraiment à Terri.

— Je ne la connaissais pas.

— Ne me mentez pas ! hurla-t-il.

Chapitre 12

La Mégère s'était à nouveau servi un verre entier de Maker's Mark, l'alcool que buvait le Patron. Elle avait ajouté des glaçons pour parfaire la ressemblance.

Elle ramassa la télécommande de la télévision Samsung grand écran plat, la même que celle que possédait le Patron, du moins si l'on se fiait à ses articles. Si ce qu'avait lu la Mégère était exact, il venait d'en changer et avait opté pour une Panasonic à écran plasma géant. À moins que cette déclaration ne soit qu'une publicité déguisée, mais rémunérée. Difficile de savoir ce qui était vrai et ce qui était monté de toutes pièces pour ramasser de l'argent, puisque la partie strictement commerciale de *Dans le collimateur de Gotham* lui était aussi mystérieuse qu'à tous leurs internautes.

Des terroristes, pensa-t-elle.

Et si l'argent récolté allait à un tel groupe ? Et si, en réalité, les terroristes s'étaient trompés d'immeuble, avaient abattu sa voisine alors qu'ils en avaient après elle parce qu'ils sentaient qu'elle se rapprochait d'eux ? Et si des agents du gouvernement lancés sur leurs traces étaient parvenus à remonter jusqu'au site, mais avaient interverti les appartements ? Cela pouvait se comprendre. Les logements de la Mégère et de Terri étaient situés l'un en face de l'autre, séparés par une rue, sauf que celui de la Mégère était un étage plus haut. Les gouvernements faisaient éliminer des gens tout le temps, et Marilyn Monroe en était sans doute un exemple, parce qu'elle en savait trop.

Peut-être la Mégère en savait-elle trop, elle aussi, ou du moins les mauvaises personnes le pensaient-elles. Elle était en train de se monter la tête et la panique la gagnait. Elle ramassa la carte professionnelle que lui avait tendue l'enquêteur Marino. Elle avala son bourbon, faisant tourner la carte entre ses doigts. Elle était sur le point de l'appeler. Mais que pourrait-elle dire ? De plus, elle ne parvenait pas à se forger un jugement à son sujet. Si ce que le Patron avait écrit était vrai, Marino était un maniaque sexuel et il s'en était tiré. La dernière chose dont elle avait besoin en ce moment était de faire pénétrer un pervers chez elle.

La Mégère tira une des chaises de la salle à manger devant la porte palière, coinçant son dossier sous la poignée, ainsi qu'elle l'avait vu faire dans des films. Elle s'assura ensuite que toutes les fenêtres de l'appartement étaient closes et que personne ne se trouvait sur l'échelle d'incendie. Elle éplucha le programme télé à la recherche d'une bonne comédie et, n'en trouvant pas, elle se repassa son DVD préféré de Kathy Griffin.

Elle s'installa devant son ordinateur et sirota son bourbon. Elle tapa son mot de passe afin de pénétrer sur la programmation du site, « sous le capot », selon son expression.

Elle fut sidérée par ce qu'elle découvrit et se demanda si elle ne rêvait pas.

La photo de Marilyn Monroe et le texte à sensation qu'elle avait rédigé avaient reçu plus de six cent mille visites. En moins d'une heure. Elle repensa à la vidéo sur laquelle Saddam Hussein était raillé avant d'être pendu, mais non. Elle n'avait même pas reçu deux cent mille visites dans le même laps de temps. Son étonnement se métamorphosa en fierté, en dépit de la petite crainte qu'elle ressentait. Comment allait réagir le Patron ?

La Mégère justifierait sa désobéissance littéraire en soulignant que si elle n'avait pas écrit cet article sur le meurtre de Marilyn, le monde serait toujours dans l'ignorance de ce qui s'était passé. C'était l'option morale qu'elle avait choisie, la bonne. De plus, le Patron ne publiait jamais de nouvelles fracassantes, alors pourquoi en voudrait-il à la Mégère de l'avoir fait ? La seule chose qui semblait l'intéresser était de briser le cœur de ses victimes et de casser ceux qui avaient la malchance d'être pris dans son radar.

La Mégère quitta le site et entreprit de surfer sur les chaînes de télévision, certaine qu'une célébrité avait découvert ses époustouflantes révélations. Ça ne l'aurait pas du tout étonnée que le Dr Scarpetta en discute sur CNN en compagnie d'Anderson Cooper ou de Wolf Blitzer, ou même de Kitty Pilgrim. Mais pas l'ombre du fameux médecin légiste à la télé et aucune mention de Marilyn Monroe. Toutefois, il était encore tôt. Elle avala un autre bourbon, et quinze minutes plus tard elle pénétra à nouveau sur le logiciel de programmation du site pour vérifier le nombre de visites. Elle resta bouche bée lorsqu'elle constata que près d'un million d'internautes avaient cliqué sur la photo de morgue de l'actrice. La Mégère n'avait jamais vu une chose pareille. Elle sortit du logiciel de programmation et se connecta directement au site comme un visiteur lambda.

Il lui sembla que son cœur s'arrêtait et elle lâcha un sonore :

— Oh, mon Dieu !

La page d'accueil semblait devenue folle. Les lettres du nom du site se réarrangeaient sans cesse, donnant des intitulés aberrants. En arrière-plan la ligne des immeubles de New York avait été estompée, et plus loin le ciel avait viré au rouge sang. Et puis, soudain, le sapin de Noël du Rockefeller Center se retrouvait la tête en bas dans Central Park. Les patineurs tournoyaient à l'intérieur de la salle de restaurant du Boathouse, alors que les gens qui dînaient étaient attablés sur la glace de Wollman Rink. Une neige épaisse commençait à tomber, le tonnerre éclatait et des éclairs zébraient une effroyable tempête qui se terminait à l'intérieur de FAO Schwarz, le célèbre magasin de jouets, avant de se transformer en vol d'hélicoptère au-dessus de l'Hudson par un radieux matin d'été, tandis que la statue de la Liberté emplissait l'écran et se désagrégeait comme si l'appareil venait de piquer dessus.

Et ça continuait, sans répit. La bannière Web était prise dans une boucle infernale que la Mégère était incapable d'arrêter. Elle avait devant les yeux ce que des millions de fans voyaient et elle ne parvenait pas à s'en sortir avec quelques clics de souris. Aucune des icônes ne réagissait. Toutes semblaient pétrifiées. Lorsqu'elle tenta d'accéder à la chronique du matin, ou à l'article bonus récemment affiché, ou même à d'autres ragots archivés, tout ce qu'elle obtint fut l'effroyable spirale de couleur. Elle ne pouvait même plus envoyer un *e-mail* au site ou pénétrer dans la rubrique « Les cancans de Gotham », rubrique dans laquelle les fans pouvaient échanger, voire se prendre de bec et dire des choses affreuses sur des gens qu'ils ne connaissaient pas.

Elle ne pouvait plus visiter « Le bulletin bâclé », ou « Le petit bout de la lorgnette », ou « Images en troc », ni même « La chambre noire », onglet grâce auquel les internautes pouvaient consulter d'autres sous-rubriques telles que « Pixels en folie », ou « Célébrités surexposées », ou même la très célèbre « Gotham *in memoriam* » dans laquelle la Mégère affichait les photos de gens prises après leur décès, notamment la plus récente, celle de Marilyn.

Comment des centaines de milliers de fans pouvaient-ils ouvrir cette photo ainsi que le commentaire d'accompagnement rédigé par la Mégère alors que le site était bouclé et complètement chamboulé ? *Une conspiration*, pensa-t-elle. Une idée horrible lui traversa l'esprit lorsqu'elle songea à ce mystérieux agent italien qui l'avait recrutée par téléphone : la Mafia. Le gouvernement ! La Mégère avait craché le morceau au sujet de Marilyn et la CIA, le FBI ou la Sécurité intérieure avait saboté le site pour que personne n'apprenne la vérité. Ou alors, peut-être s'agissait-il vraiment d'une histoire de terroristes.

La Mégère cliqua frénétiquement sur toutes les icônes. Rien ne se produisait. La bannière Web continuait sa boucle infernale pour produire sans cesse d'invraisemblables anagrammes :

DANS LE COLLIMATEUR DE GOTHAM !
DANS LE COL-MONTEUR DE GITHAL !
LE CÔLON DE GOTHAMTEUR !

Benton patientait à l'extérieur de l'infirmerie. Dans l'entrebâillement de la porte qui se refermait, les yeux de couleurs différentes d'Oscar fixèrent Scarpetta avant de disparaître derrière le lourd panneau d'acier beige. Elle entendit le cliquettement des entraves qu'on lui ôtait.

Benton frôla son bras en proposant :

— Suis-moi. Nous discuterons dans mon bureau.

Grand et mince, il semblait dominer les espaces dans lesquels il évoluait. Pourtant il avait l'air fatigué ; on aurait pu croire qu'il couvait quelque chose. Son élégant visage était tendu et ses cheveux gris en bataille. Il était vêtu comme un fonctionnaire : un costume gris interchangeable, une chemise blanche et une cravate pour le moins quelconque. Il portait au poignet une montre de sport banale à bracelet en plastique, et au doigt sa sobre alliance de platine. Tout signe extérieur de richesse était inapproprié en milieu carcéral, d'autant que les séjours des patients en ce lieu n'excédaient guère trois semaines. Il n'était pas inhabituel que Benton procède à l'évaluation psychologique d'un sujet pour le retrouver un mois plus tard dans la rue, plongé dans une poubelle afin de ramasser quelque chose à manger.

Il la débarrassa de sa mallette de scène de crime. Elle conserva les sachets à indices en précisant qu'elle devait les remettre à la police contre un reçu.

— Je vais demander à quelqu'un de passer à mon bureau avant que nous partions, proposa Benton.

— Il faudrait que ça file au plus vite vers les labos. Ils doivent analyser l'ADN d'Oscar et le comparer le plus rapidement possible aux empreintes stockées dans la banque de données.

— Je vais appeler Berger.

Ils s'éloignèrent de l'infirmerie. Deux chariots chargés de linge les dépassèrent, résonnant comme un train, et une grille claqua dans leur dos alors qu'ils dépassaient des cellules qui auraient pu paraître spacieuses comparées à celles d'une prison si on n'avait pas entassé jusqu'à six lits dans chacune. La plupart des hommes étaient assis, vêtus de pyjamas informes et concentrés sur leurs bruyantes conversations. Cer-

214

tains avaient le regard fixé vers les fenêtres grillagées, en direction du néant sombre où s'écoulait l'East River. D'autres scrutaient l'étage au travers des barreaux. Un patient décida que le moment était opportun pour utiliser les toilettes en acier et pissa en souriant à Scarpetta, tout en lui expliquant qu'il ferait un cas parfait pour son émission. Ses voisins de cellule commencèrent à se chamailler pour déterminer qui passerait le mieux à la télé.

Benton et Scarpetta s'immobilisèrent devant une porte de métal, dont l'ouverture tardait toujours parce que le gardien de la salle de contrôle située de l'autre côté avait du mal à garder le rythme. Benton lança d'une voix forte qu'ils attendaient de pénétrer, rien ne se passa. Il réitéra sa demande pendant qu'un homme passait la serpillière dans un couloir qui menait vers une salle de détente meublée de tables et de chaises, offrant quelques jeux de plateau et un vieil appareil de musculation sans aucune pièce détachable.

Plus loin s'alignaient les salles d'interrogatoire, les espaces réservés aux thérapies de groupe, la bibliothèque de droit et ses deux machines à écrire, qui, à l'instar des postes de télévision et des pendules murales, étaient recouvertes de plastique afin d'éviter que des patients en arrachent des morceaux dans le but de façonner des armes. Scarpetta avait eu droit à une visite complète la première fois qu'on l'avait appelée au Bellevue et elle doutait que quoi que ce fût ait changé.

La porte d'acier peinte en blanc glissa enfin, pour se refermer brutalement derrière eux. Un autre panneau s'ouvrit pour leur livrer passage. Le garde dans sa salle de contrôle tendit à Scarpetta son permis de conduire contre son passe visiteur. L'échange se fit sans un mot, au travers d'épais barreaux, pendant que des officiers de police escortaient le nouveau patient du Bellevue, revêtu du survêtement orange vif de Rikers Island. Les prisonniers dans son genre étaient en transfert temporaire. On ne les amenait là que lorsqu'ils avaient besoin de soins. Les sévices que de faux malades étaient capables de s'infliger afin d'obtenir un court séjour au Bellevue consternaient Scarpetta.

— C'est un de nos réguliers, commenta Benton comme le panneau d'acier claquait derrière eux. Un avaleur. La dernière fois, c'était des piles. AAA ou AA. Je ne me souviens plus bien. Il en avait englouti huit. Avant, il avait jeté son dévolu sur du gravier et des vis. Un jour il a même avalé le dentifrice... toujours dans son tube.

Scarpetta avait l'impression que son esprit avait été séparé de son enveloppe charnelle. Elle ne pouvait être vraiment elle-même. Il lui était interdit de faire étalage de ses émotions, de partager ses pensées au sujet d'Oscar, ni même de révéler un seul élément de ce qu'il lui avait confié sur lui-même ou sur Terri. À personne. La distance professionnelle de Benton, la plus implacable à l'étage de psychiatrie, la glaçait. C'était ici qu'il nourrissait les craintes qui le hantaient et qu'il refusait de confesser. Cela étant, il n'avait nul besoin de s'en ouvrir parce qu'elle le connaissait. Depuis le jour où Marino s'était saoulé au point de perdre tout contrôle, Benton se trouvait immergé dans une panique constante, une panique rentrée qu'il n'aurait admise pour rien au monde. À ses yeux, tous les hommes s'étaient transformés en odieux animaux qui voulaient traîner Scarpetta vers leur tanière. Rien de ce qu'elle disait ou faisait ne parvenait à le rassurer.

— Je vais quitter CNN, annonça-t-elle alors qu'ils se dirigeaient vers son bureau.

— Je comprends dans quelle position Oscar vient de te mettre. Rien de tout cela n'est de ta faute.

— Tu veux dire la position dans laquelle tu viens de me mettre ?

— C'est Berger qui a souhaité ta présence ici.

— Cependant c'est toi qui m'as demandé de venir.

— Si j'avais pu faire autrement, tu serais toujours dans le Massachusetts, rectifia Benton. Oscar refusait de parler tant que tu ne serais pas présente.

— J'espère juste que ce n'est pas à cause de moi qu'il est ici.

— Quelle qu'en soit la raison, tu ne peux pas t'en tenir rigueur.

— Je n'aime pas ce que ça sous-entend, lâcha-t-elle.

Ils dépassèrent des bureaux fermés, vidés de leurs occupants. Ils étaient seuls et ne prenaient pas la peine de maquiller la tension qui couvait dans leurs voix.

— J'espère que tu n'es pas en train de sous-entendre qu'un fan obsédé a monté un horrible coup tordu dans le seul but de pouvoir discuter avec moi ? ajouta-t-elle. Ce n'est pas ce que tu veux dire, n'est-ce pas ?

— Une femme est morte et ça, ce n'est pas un coup tordu.

Elle ne pouvait pas lui révéler qu'Oscar Bane était convaincu d'être espionné et que ceux ou celui qui le traquaient avaient assassiné Terri Bridges. Peut-être Benton était-il au courant, mais elle n'avait même pas le droit de le vérifier. Elle ne pouvait expliquer qu'Oscar s'était infligé les blessures qu'elle avait examinées et qu'il avait menti à la police et à tous sur leur origine. Tout ce qu'elle était autorisée à dire se résumait à des généralités.

— Je ne possède aucune information qui puisse justifier que je discute de son cas avec toi, déclara-t-elle, impliquant qu'Oscar n'avait rien avoué et que rien n'indiquait qu'il pouvait devenir une menace pour lui ou pour les autres.

Benton ouvrit la porte de son bureau.

— Tu as passé pas mal de temps en sa compagnie, remarqua-t-il. Souviens-toi toujours de ce que je te répète, Kay : le meilleur signal, ce sont tes tripes, ton instinct. Écoute ce que te dit ton instinct au sujet de ce type. Et je suis désolé si j'ai l'air à cran, mais je n'ai pas dormi. En réalité, les choses sont en train de se transformer en véritable foutoir.

L'espace de travail que l'hôpital avait attribué à Benton était de taille très modeste. Des livres, des périodiques étaient entassés en piles aussi nettes que possible. Ils s'assirent. Le bureau qui les séparait semblait une manifestation tangible de la barrière émotionnelle qui s'élevait entre eux et qu'elle ne pouvait franchir. Il n'avait pas envie de faire l'amour, du moins pas avec elle, et ce bien qu'elle doutât qu'il eût une aventure extraconjugale. Les bénéfices du mariage semblaient se résumer à des conversations plus brèves, plus impersonnelles et beaucoup moins de temps passé au lit. Elle pensait que Benton était plus heureux avant leur mariage. Une triste constatation qu'elle ne pouvait pas coller sur le dos de Marino.

— Que t'a soufflé ton instinct ? reprit Benton.

— Que je ne devrais pas lui parler, répliqua-t-elle. Qu'on ne devrait pas m'empêcher de te parler, à toi. Mais ma tête me dit l'inverse.

— Tu es consultante ici. Nous pouvons avoir une discussion professionnelle au sujet du patient Oscar.

— Je ne sais rien de lui en tant que ton patient. Et je ne peux rien te révéler sur lui en tant que mon patient.

— Tu n'avais jamais entendu parler de lui ou de Terri Bridges auparavant ?

— Ça, je peux y répondre. Absolument pas. Et je vais te demander de ne pas tenter de me pousser aux révélations avec habileté. Tu connais mes limites. Tu les connaissais déjà ce matin lorsque tu m'as téléphoné.

Benton ouvrit un tiroir et en extirpa deux enveloppes, qu'il lui tendit.

— Quelque chose aurait pu se passer avant que tu n'arrives à New York, expliqua-t-il. Les flics auraient pu découvrir un indice, l'arrêter, et nous n'aurions sans doute pas cette conversation. Cela étant, tu as raison. En ce moment, ta priorité doit être la santé et le bien-être d'Oscar. Tu es son médecin. Ce qui ne signifie aucunement que tu doives le revoir.

Des empreintes ADN se trouvaient dans l'une des enveloppes, l'autre renfermait un jeu de clichés de scène de crime.

— Berger tenait à ce que l'on te donne une copie de l'analyse ADN. Les photos et le rapport de police émanent de Mike Morales, précisa Benton.

— Je le connais ?

— Il est nouveau dans la division des enquêteurs. Non, tu ne le connais pas et tu n'auras peut-être pas à le rencontrer. Très franchement, je crois que c'est un sale type. Là, les photos qu'il a prises et son rapport préliminaire. L'ADN provient d'écouvillons réalisés par le Dr Lester sur le corps de Terri Bridges. Une seconde série de photos a été faite, mais je ne l'ai pas encore. Ces dernières ont été prises lors d'une deuxième fouille de l'appartement, cet après-midi, lorsque les valises de Terri ont été découvertes dans une penderie, ainsi que les ordinateurs portables qu'elle avait rangés dedans. De toute évidence, elle devait s'envoler ce matin pour l'Arizona et séjourner quelques jours dans sa famille. Pourquoi ses bagages étaient-ils fin prêts et rangés dans une penderie ? Nul ne le sait.

Scarpetta repensa à ce que lui avait confié Oscar Bane. Terri était soigneuse jusqu'à l'obsession. Elle n'aurait jamais laissé traîner des valises dans l'appartement. De plus, Oscar n'aimait pas les au revoir.

Benton reprit :

— Une explication possible, c'est qu'elle était très ordonnée. Peut-être même obsessionnelle. Tu vas voir où je veux en venir en regardant les photos.

— C'est en effet une explication très plausible, commenta Scarpetta.

Il la fixa. Il tentait de déterminer si elle venait juste de lui offrir une information. Elle soutint son regard et conserva le silence. Il afficha un numéro sur son répertoire de mobile et le composa sur le poste filaire. Il demanda à son interlocutrice, Jaime Berger, si elle pouvait envoyer l'un de ses hommes pour récupérer les indices que Scarpetta venait de prélever sur Oscar Bane.

Il écouta un moment, puis leva le regard vers Scarpetta en disant à Berger :

— Je suis tout à fait d'accord. D'autant qu'il peut partir quand il en a envie, et vous savez ce que j'en pense. Non, je n'ai pas eu l'occasion... Eh bien, elle se trouve justement dans mon bureau. Pourquoi ne pas le lui demander ?

Benton fit glisser l'appareil au milieu du bureau et tendit le combiné à Scarpetta.

— Merci pour ce que vous avez fait, lança Berger.

Scarpetta tenta de se souvenir de la dernière fois où elles avaient discuté ensemble.

Cinq ans plus tôt.

— Comment était Oscar Bane ? s'informa Berger.

— Très coopératif.

— Est-ce que vous pensez qu'il va rester tranquille au Bellevue ?

— Je me trouve dans une position assez embarrassante, biaisa Scarpetta pour faire sentir à Berger qu'elle ne pouvait pas discuter de son patient.

— Je comprends.

— Tout ce que je peux vous dire sans arrière-pensée, c'est que ce serait une excellente chose de faire analyser son ADN au plus vite. Il n'y a aucun inconvénient à cela.

— Heureusement qu'il y a maintenant plein de gens friands d'heures supplémentaires, plaisanta Berger. Cependant l'une de ces personnes n'est autre que le Dr Lester. Puisque je vous tiens, je vais vous le demander directement et lâcher un peu ce pauvre Benton, à moins qu'il ne vous ait déjà dit quelque chose à ce propos. Cela vous ennuierait-il d'examiner le corps de Terri Bridges cette nuit ? Benton vous mettra au courant. Le Dr Lester devrait arriver sous peu du New Jersey. Désolée de vous infliger ce genre de désagréments, et je ne parle pas de la morgue.

— Entendu, si cela peut aider, répondit Scarpetta.

— J'espère que nous aurons l'occasion de discuter plus tard. Et on devrait se faire une petite sortie, toutes les deux. Peut-être un dîner chez Elaine.

L'invitation classique des femmes de carrière comme elles. Au demeurant, Berger lui avait fait une proposition similaire des années auparavant, lorsqu'elle avait été parachutée en Virginie en tant que procureur exceptionnel dans le cadre d'une des enquêtes les plus éprouvantes de toute l'existence de Scarpetta. Elles s'étaient encore promis une petite sortie la dernière fois qu'elles s'étaient vues, en 2003. À cette époque, toutes deux étaient très inquiètes à propos de Lucy, qui venait de rentrer d'une opération clandestine en Pologne, opération dont Scarpetta savait fort peu de chose, si ce n'était que ce qu'avait fait sa nièce était illégal. De surcroît, ça n'était certainement pas moral. Lucy et Berger avaient eu une explication dans l'appartement-penthouse du procureur, et ce qui s'était passé entre elles n'avait jamais transpiré.

D'étrange façon, Berger en savait plus sur Scarpetta que nombre d'autres personnes qui entouraient la légiste. Pourtant elles n'étaient pas amies. Il était peu probable qu'elles se retrouvent un jour pour autre chose que le travail, en dépit de multiples invitations sincères à déjeuner ou à prendre un verre. Cette absence de liens était, au fond, due aux vicissitudes de vies trépidantes qui se croisaient parfois pour reprendre ensuite leurs cheminements individuels. Les femmes de pouvoir avaient tendance à rester solitaires, parce que leur instinct leur conseillait de ne pas faire confiance à l'autre.

Scarpetta rendit le combiné à Benton en déclarant :

— Si Terri était une obsessionnelle compulsive, son corps devrait nous offrir quelques pistes. Il semble que j'aie une chance de l'examiner moi-même. Fortuitement.

— J'allais t'en parler. Berger m'a demandé un peu plus tôt si tu accepterais.

— Puisque le Dr Lester est en train de rentrer à New York, j'ai presque l'impression d'avoir accepté sans même le savoir.

— Tu peux repartir ensuite, lâcher cette affaire. Sauf si Oscar est accusé. Dans ce cas-là, j'ignore jusqu'à quel point ça t'impliquerait. Ça dépendra de Berger.

— Je t'en prie, ne me dis pas que cet homme a tué une femme pour attirer mon attention.

— Je ne sais pas quoi te dire. Sur rien d'ailleurs. En ce moment, je ne sais plus que penser. L'ADN recueilli sur les écouvillons vaginaux de Terri, par exemple. Jette un œil.

Scarpetta tira le rapport du labo de son enveloppe et entreprit de le lire pendant que Benton lui racontait ce que Berger lui avait appris sur une femme de Palm Beach.

— Eh bien, tu vois une explication ? demanda-t-il.

— Ce qui manque ici, c'est une mention du Dr Lester indiquant où elle a prélevé les échantillons. Tu as dit « vaginaux ».

— C'est ce que m'a affirmé Berger.

— Qu'était-ce au juste ? Et prélevé dans quelle zone ? Ce n'est pas dans le rapport. En d'autres termes, non. Je ne vais pas risquer une hypothèse concernant ces résultats bizarres et ce qu'ils pourraient suggérer.

— Eh bien, je me lance. Une contamination. Quand bien même je n'arrive pas à comprendre ce que vient faire l'ADN d'une vieille femme clouée dans un fauteuil roulant dans nos échantillons.

— Aurait-elle eu un lien avec Oscar Bane ? s'enquit Scarpetta.

— Berger lui a passé un coup de fil, et elle affirme le contraire.

La sonnerie de son téléphone retentit. Il décrocha, écouta longuement son interlocuteur, son visage ne trahissant rien.

— Je ne pense pas qu'il s'agisse d'une excellente idée, lâcha-t-il enfin. Je suis désolé que ça se soit produit... Bien sûr que je le déplore, surtout en regard... Non, je ne voulais pas t'en parler, précisément pour cette raison. Parce que, non... Attends... Écoute-moi une seconde. La réponse est oui... Lucy, s'il te plaît. Laisse-moi terminer. Je n'espère pas que tu comprennes et nous ne pouvons pas discuter de ça maintenant. Parce que... Tu n'es pas sérieuse... Parce que... Quand quelqu'un n'a plus aucune autre option... Nous allons régler ça. Plus tard, d'accord ? Calme-toi et nous en parlerons plus tard.

Il raccrocha.

— De quoi s'agissait-il à la fin ? s'impatienta Scarpetta. Que voulait Lucy ? De quoi es-tu désolé et qui n'a plus d'autre option ?

Le visage impassible de Benton avait pâli.

— Parfois Lucy manque d'à-propos, et je n'ai vraiment pas besoin qu'elle pique une crise de rage en ce moment.

— Une crise de rage ? Et pourquoi ?

— Tu sais comment elle est.

— En général, elle a de bonnes raisons de se mettre en rogne.

— Nous ne pouvons pas discuter de cela maintenant, lâcha Benton, répétant ce qu'il venait de dire à Lucy.

— Et comment suis-je censée me concentrer après avoir entendu une telle conversation téléphonique ? Pas discuter de quoi ?

Il garda le silence. Scarpetta détestait ces situations où l'une de ses questions engendrait un moment de réflexion chez lui.

— *Dans le collimateur de Gotham*, se décida-t-il, et cette réponse surprit et énerva Scarpetta.

— Attends, tu ne vas pas faire tout un plat de cette histoire.

— Tu as lu l'article ?

— J'avais commencé dans le taxi. Bryce insistait pour que je le parcoure.

— Donc tu n'as pas tout lu ?

— J'ai été interrompue lorsque je me suis presque fait jeter de la voiture.

— Viens voir.

Il enfonça quelques touches et elle se rapprocha de l'écran.

— C'est bizarre, commenta Benton en fronçant les sourcils.

Le site de médisances était victime d'une gigantesque erreur de programmation, ou bien il avait planté. Les immeubles étaient sombres, le ciel rouge vif, et l'énorme sapin de Noël du Rockefeller Center avait été déplacé dans Central Park et replanté cime vers le bas.

Benton fit glisser la souris sur le tapis, cliquant nerveusement.

— Le site est inaccessible, complètement inerte. Malheureusement, je peux trouver cette foutue chronique ailleurs.

Il entra sa recherche, frappant les touches presque brutalement.

— C'est partout ! lâcha-t-il.

Des intitulés emplirent l'écran, tous faisant référence à *Dans le collimateur de Gotham* et au Dr Kay Scarpetta. Il cliqua sur l'un d'eux et deux articles s'ouvrirent, articles qu'un internaute avait exportés sur un site d'amateurs des sciences médico-légales. La photo fort peu flatteuse de Scarpetta s'afficha. Benton et elle la détaillèrent un moment.

— Tu crois qu'elle a été prise à Charleston ? s'enquit-il. Ou plutôt dans tes nouveaux bureaux ? Cette blouse, ces protections t'évoquent quelque chose ? Leur couleur ? Tu portes des vêtements de morgue rouge-violet à Watertown, non ?

— Tout dépend de ce que nous livre la lingerie médicale. Ils embarquent le linge souillé et le remplacent par du propre. Une semaine nous sommes en gris-bleu, la suivante en violet, et puis toutes les nuances de bleu jusqu'au rouge airelle. C'est le cas de presque toutes les morgues de nos jours. Le mieux que je puisse exiger, c'est que l'on nous évite les petits personnages marrants comme Bob l'Éponge, Tom et Jerry ou les Simpson. Et je n'exagère pas. Je connais des anatomopathologistes qui passent des blouses ornées de personnages de BD, comme les pédiatres.

— Tu ne te souviens pas si quelqu'un a pris une photo de toi quand tu procédais à une autopsie ? Peut-être à l'aide de son téléphone mobile ?

Elle réfléchit, se concentrant, et répondit :

— Non. Parce que si j'avais surpris le geste de cette personne, je l'aurais contrainte à supprimer le cliché. Jamais je ne tolérerais ce genre de choses.

— Selon moi, il est vraisemblable que ça se soit produit après ton arrivée dans le Massachusetts et le début de ta collaboration avec CNN. Donc ta célébrité. Un flic, un employé des pompes funèbres ou des services municipaux.

— Ce serait très ennuyeux, murmura-t-elle en pensant à Bryce. Du coup, il faudrait que je m'inquiète de chaque membre de mon personnel. Qu'est-ce que c'est que cette histoire au sujet de sœur Polly ? D'ailleurs qui est-ce ?

— Je ne sais pas. Lis ça d'abord. On y viendra ensuite.

Il déplaça le curseur jusqu'au premier article publié le matin même, les chapitres dont il voulait qu'elle prenne connaissance :

... pourtant sous cette façade impénétrable se terre un vilain secret qu'elle dissimule très bien. Scarpetta vit peut-être dans un univers d'acier inoxydable, mais elle n'est certainement pas une femme en acier. Elle est faible, c'est une honte !

Devinez ! Elle peut être violée.

Tout juste. Comme n'importe quelle autre femme, sauf que dans ce cas c'est la victime qui est coupable. C'est de sa faute si une telle chose lui est arrivée. À la faveur d'une nuit beaucoup trop alcoolisée à Charleston et à force d'être repoussé, maltraité, rabaissé, son enquêteur, partenaire dans le crime, n'a plus pu encaisser. En d'autres termes, il faut que vous éprouviez un peu de compassion pour ce pauvre Pete Marino...

Scarpetta se réinstalla sur la chaise qu'elle venait de quitter. Les cancans étaient une chose. Ceci en était une autre.

— Je ne me demande pas pourquoi les gens sont si haineux, commença-t-elle. Cela fait bien longtemps que j'ai compris que cette question est inutile. Au fond, savoir « pourquoi » pourrait être révélateur, mais c'est sans importance. Ce qui compte, c'est le résultat. C'est cela qui est vraiment important. Si j'apprends qui est à l'origine de ça, je traîne cette personne en justice.

— Je ne te dis pas de le prendre avec flegme.

— J'en déduis que tu me recommandes le contraire. Ce qui s'est passé à Charleston n'a jamais paru dans les médias. Je n'ai jamais porté plainte. De surcroît, les faits relatés sont inexacts. C'est de la calomnie, de la diffamation. J'attaquerai.

— Qui ? Un tissu de merde anonyme publié sur Internet ?

— Lucy pourrait trouver qui est à l'origine.

— En parlant de ça, je ne suis pas certain que le blocage du site soit purement fortuit. C'est sans doute le meilleur remède. Peut-être qu'il sera impossible de le restaurer.

— Tu lui as demandé de planter le site ?

— Bien sûr que non. Tu as entendu ma conversation téléphonique avec elle. Toutefois, tu la connais, et moi aussi. Ce qui est certain, c'est qu'elle est parfaitement capable de faire un truc pareil, et c'est bien plus efficace qu'une action en justice. Il n'y a pas de diffamation. Tu ne peux pas prouver que ce que cette personne a écrit est un mensonge. Tu ne peux rien prouver sur ce qui s'est produit.

— Tu dis cela comme si tu ne croyais pas ce que je t'ai raconté.

Leurs regards se rencontrèrent.

— Kay, évitons que cette histoire tourne à la bagarre entre nous. Il faut juste que tu te prépares à ce que ta vie privée soit exposée à la vue de tous. Le grand public ne savait pas, il est maintenant au courant et on va te poser des questions. Et ce sera la même chose avec ce... (Il parcourut quelques lignes à l'écran et termina :) Cette autre connerie. L'école paroissiale. La sœur Polly. Je ne connaissais pas cette histoire.

Le regard de Scarpetta effleura à peine l'article. Elle n'avait nul besoin de le lire. Elle contra :

— Il n'y a pas de sœur Polly et ce qui est décrit là-dedans n'a jamais existé, du moins pas de cette façon. Il ne s'agissait pas de la même sœur et, en tout cas, il n'y a jamais eu de séance salace de fouet dans la salle de bains.

— Mais il y a quand même une once de vérité là-dedans ?

— Oui. Miami. La bourse pour entrer à l'école paroissiale. L'interminable agonie de mon père.

— Et l'épicerie. Est-ce que les autres filles t'appelaient le « petit génie » de Floride ?

— Je n'ai pas envie d'évoquer ça, Benton.

— J'essaie seulement de savoir ce qui est vrai et

qui pourrait être au courant. Je veux séparer ce qui est d'ores et déjà de notoriété publique du reste. Quelles sont les informations déjà connues dans ce torchon ?

— Tu le sais. Et rien de ce que contient cet article, vrai ou faux, n'est de notoriété publique. J'ignore d'où cela peut provenir.

— Ce qui relève du mensonge ne m'inquiète pas tant que cela, reprit Benton. En revanche, je dois savoir ce qui est vrai et s'il existe une source connue ou identifiable à l'origine de ces informations. Parce que si tel n'est pas le cas, c'est qu'une personne de ton entourage fournit des renseignements à ce rédacteur pirate, ainsi que tu as l'air de le suggérer.

— Marino, lâcha-t-elle à contrecœur. Il connaît des détails de ma vie que les autres ignorent.

— En tout cas, il détient toutes les informations concernant cette nuit à Charleston. Cela étant, je ne le vois pas utiliser ce mot.

— Quel mot, Benton ?

Il ne répondit d'abord pas.

— Tu n'arrives pas à le prononcer, n'est-ce pas ? Le mot *viol*. Alors même que ça ne s'est jamais produit.

— Je ne sais pas ce qui s'est produit, déclara-t-il d'un ton doux. C'est bien le problème. Je ne sais que ce que tu as bien voulu me raconter.

— Pourquoi ? Tu te sentirais mieux si tu avais assisté à la scène ?

— Mon Dieu !

— Tu voudrais visionner chaque détail dans l'espoir que cela te permette de tourner la page, martela Scarpetta. Et pourtant, qui dit toujours qu'on ne peut jamais tourner ladite page ? Nous deux, sans doute. Du coup, ce chroniqueur anonyme et son informateur gagnent la partie. Pourquoi ? Parce que nous sommes assis ce soir, bouleversés, nous méfiant l'un de l'autre, chacun de son côté. À la vérité, tu en sais sans doute davantage sur ce qui s'est passé que Marino. Selon moi, il ne doit pas conserver grand souvenir de ce qu'il a fait ou dit cette nuit-là. J'espère, pour son bien, que tel est le cas.

— Je ne veux pas de cette distance entre nous, Kay. Je n'arrive pas à comprendre pourquoi cette histoire me perturbe plus qu'elle ne semble te déranger.

— Mais si, tu sais pour quelle raison. Tu te sens encore plus impuissant que moi au moment des faits parce que tu n'as rien pu faire. Au moins, moi, j'ai pu empêcher que certaines choses se produisent. Empêcher le pire.

Il prétendit s'absorber à nouveau dans la lecture des deux articles, alors qu'il ne cherchait qu'à gagner un peu de temps afin de recouvrer ses esprits. Il reprit :

— Marino pourrait-il être au courant des faits survenus en Floride ? Que lui as-tu raconté de ton enfance ? Attends, laisse-moi reformuler ma question. La partie qui est vraie... (Il désigna l'écran.) S'agit-il de détails que tu lui avais confiés ?

— Benton, Marino me connaît depuis presque vingt ans. Il a rencontré ma sœur et ma mère. Bien sûr qu'il a appris des détails sur ma vie. Je ne me souviens pas exactement de tout ce que j'ai pu lui raconter, mais le fait que j'ai grandi dans un quartier défavorisé de Miami, que nous n'avions pas d'argent et que mon père est décédé d'un cancer à la suite d'une longue agonie n'est pas un secret d'État pour ceux qui me sont proches. Le fait que j'étais bonne élève non plus.

— Et cette fille qui a brisé tes crayons ?

— C'est grotesque.

— Je prends cela pour une affirmation.

— Il y a bien une fille qui a fait cela. Un petit tyran. Je ne me souviens même pas de son nom.

— Est-ce qu'une sœur t'a giflée à cette occasion ?

— Parce que j'ai affronté la fille en question et que c'est elle qui a rapporté, pas l'inverse. Du coup, une des sœurs m'a punie. Voilà toute l'histoire. Pas de scène lubrique dans une salle de bains. De surcroît, cette conversation est absurde.

— Je pensais que je connaissais tout de ta vie. Ça me fait un effet déplaisant de m'apercevoir que ce n'est pas le cas, et d'apprendre des choses de toi sur Internet. Absurde ou pas, des détails de cet ordre vont se propager partout. C'est sans doute déjà le cas. Tu ne pourras pas l'éviter, pas même sur CNN où tu as pourtant des amis. Une fois que tu seras installée sur le plateau, quelqu'un devra te poser la question. Il va falloir que tu t'y fasses. Il va falloir que nous nous y fassions.

Elle ne se préoccupait pas d'être livrée en pâture à la curiosité du public, ni de la nécessité de s'y habituer. Elle pensait à Marino.

— C'est de cela que Lucy te parlait lorsqu'elle t'a appelé un peu plus tôt, commença-t-elle. Elle te disait quelque chose au sujet de Marino.

Il garda le silence, ce fut sa réponse. En effet, Lucy avait évoqué Marino.

— Que voulais-tu dire lorsque tu as balancé qu'il n'avait plus d'autre option ? C'était bien de lui que tu parlais ? Ne me dissimule rien. Pas maintenant.

— Aux yeux de Lucy, ce qu'a fait Marino l'apparente à ces chauffards qui percutent quelqu'un et qui se tirent, répliqua Benton – et Scarpetta percevait mieux maintenant quand il devenait évasif. Parce qu'il s'est volatilisé. J'ai expliqué jusqu'à plus soif que lorsque quelqu'un est convaincu que toutes les portes lui sont fermées, il cherche une échappatoire, n'importe laquelle. Ce n'est pas nouveau. Tu connais l'histoire et tu connais Lucy.

— Quelle histoire ? Je n'ai jamais rien su de cette histoire. Il a disparu et je n'ai pas cru un instant qu'il allait se suicider. Ça ne lui ressemble pas. Il n'en aurait ni le cran, ni la bêtise, et, surtout, il a la trouille de finir en enfer. Il croit dur comme fer qu'il existe un véritable enfer, situé au centre du magma terrestre, et que s'il y est expédié, il y rôtira pour l'éternité. Il me l'a avoué un jour où il avait encore trop bu. Il a envoyé au diable la moitié de la planète parce que cette perspective le terrorise lui-même.

Une indescriptible tristesse se lisait dans le regard de Benton.

— Je ne sais pas de quoi tu parles et je ne te crois pas, reprit Scarpetta. Quelque chose d'autre s'est produit.

Ils se considérèrent un instant. Enfin, Benton avoua :

— Il est ici. Il est arrivé à New York en juillet dernier. Le premier week-end de juillet, pour être précis.

Il poursuivit en lui racontant que Marino travaillait pour Berger, qui venait d'apprendre par *Dans le collimateur de Gotham* la véritable raison de son départ de Charleston, des faits sordides dont elle n'avait aucune idée lorsqu'elle l'avait recruté. Et Lucy venait tout juste d'être informée de la présence de Marino en ville : elle avait rencontré Berger, qui le lui avait révélé.

— Voilà le motif de l'appel de ta nièce, conclut-il. Te connaissant comme je te connais, je suis certain que tu aurais voulu que j'aide Marino, en dépit de tout. Et tu aurais voulu que je respecte son vœu de ne pas te dire qu'il entreprenait un traitement afin de recommencer sa vie à zéro.

— Tu aurais pu m'informer bien avant.

— Je ne pouvais rien divulguer. Pas plus que tu ne peux me raconter ce que t'a confié Oscar. Secret médical. Marino m'a appelé au McLean peu de temps après avoir disparu de Charleston. Il m'a demandé de le faire admettre dans un centre de traitement. Il voulait que je m'entretienne avec son thérapeute, que je supervise, que j'intervienne.

— Ensuite, tu lui obtiens un travail dans l'équipe de Jaime Berger. Et c'est également un secret ? En quoi cette information est-elle couverte par le secret médical ?

— Il m'a demandé de ne pas t'en parler, ajouta-t-il d'une voix ferme, indiquant qu'il était certain d'avoir fait une chose juste alors que son regard trahissait son incertitude.

— Ça n'a rien à voir avec la confidentialité entre médecin et patient, ni même avec une attitude honorable, contre-attaqua-t-elle. Tu sais très bien de quoi il retourne. Ton raisonnement est complètement irrationnel parce qu'il était évident que s'il travaillait pour Jaime Berger, je l'apprendrais un jour ou l'autre. Et c'est exactement ce qui se passe !

Elle entreprit de feuilleter le rapport de police afin d'éviter le regard de Benton. Elle sentit une présence dans son dos avant même que la personne n'ouvre la bouche. Elle se tourna, surprise par l'homme qui se tenait dans l'encadrement de la porte du bureau.

Vêtu de vêtements trop larges comme les affectionnent les membres de gang, portant de grosses chaînes en or et les cheveux nattés, il avait tout d'un patient échappé de l'étage de psychiatrie carcérale.

— Kay, je ne crois pas que vous vous soyez jamais

croisés... Je te présente le détective Mike Morales, lança Benton d'un ton pas vraiment chaleureux.

— Je suis sûr que vous vous en souvenez pas, mais on a failli se rencontrer, une fois, lâcha Morales en entrant, l'air insolent et en la détaillant de la tête aux pieds.

— Je suis désolée, rétorqua-t-elle pour bien lui indiquer qu'elle n'en avait aucun souvenir.

Elle omit de lui tendre la main.

— C'était à la dernière fête du Travail, à la morgue, insista-t-il.

Il possédait une énergie déroutante, qui la crispait et la mettait mal à l'aise. Elle eut le sentiment que tout ce qu'entreprenait Morales était vite décidé, vite expédié, et qu'il était dans sa nature de dominer tout ce qui l'approchait.

— Je me trouvais à deux tables de vous. Vous étiez en train de vous occuper de ce type retrouvé dans l'East River, qui devait flotter depuis Ward's Island, persista-t-il. Je vois bien que vous me remettez pas. La question, c'était : est-ce que ce gars était fatigué de la vie et avait sauté du pont, ou est-ce que quelqu'un lui avait donné un coup de pouce pour rejoindre un monde meilleur ? Ou peut-être qu'il avait eu une crise cardiaque et qu'il était tombé du quai. C'était une des affaires de Lester. Au bout du compte, elle a pas réussi à remplir les pointillés. Elle a pas reconnu le motif, pourtant évocateur, en forme de fougère qui s'étalait sur le torse du gars. Devinez ? L'arborisation des gens qui ont été frappés par la foudre. Elle avait écarté l'hypothèse parce qu'elle avait pas trouvé de brûlures sur ses chaussettes, la semelle de ses chaussures, des merdes dans ce genre. Vous vous êtes servie d'une boussole pour montrer que la boucle de sa ceinture était magnétisée, un truc typique quand la foudre tombe sur quelqu'un. C'est bien ça, hein ? De toute façon, y a pas grande chance que vous puissiez vous souvenir de moi. Je suis entré et ressorti. Je voulais juste récupérer deux balles pour les expédier au labo.

Il extirpa un formulaire pour indices d'une des poches arrière de son jean trop large, le déplia et entreprit de le remplir. Il était penché au-dessus du bureau, si proche de Scarpetta que son coude frôlait son épaule quand il écrivait, la contraignant à reculer sa chaise. Il lui tendit le formulaire et le stylo, et elle compléta la partie qui lui était réservée avant de signer. Il récupéra ensuite les sachets concernant Oscar Bane et sortit.

— Inutile de te dire que Berger ne s'amuse pas tous les jours avec lui, commenta Benton.

— Il fait partie de sa brigade ?

— Non. Ce serait plus facile pour elle si c'était le cas. Elle parviendrait peut-être à le contrôler un peu. Il a tendance à être omniprésent. Quand une affaire risque de s'avérer médiatique, il s'impose. Comme dans cette histoire de type frappé par la foudre. À ce sujet, il ne te pardonnera sans doute jamais de ne pas t'être souvenue de lui. C'est pour cela qu'il a insisté à trois reprises.

Chapitre 13

Benton se laissa aller contre le dossier de son fauteuil en similicuir et demeura silencieux pendant que Scarpetta étudiait les documents de l'autre côté du petit bureau éraflé.

Il aimait l'arête droite de son nez, les lignes bien dessinées de ses mâchoires et de ses pommettes, et l'élégance efficace dont était empreint le moindre de ses gestes, comme tourner une page. À ses yeux, elle n'avait pas changé d'un pouce depuis le jour où ils s'étaient rencontrés, lorsqu'elle avait franchi la porte de sa salle de conférences, sans maquillage, ses cheveux blonds en désordre, les poches de sa longue blouse de laboratoire bourrées de stylos, de mouchoirs en papier, de petits papillons roses lui rappelant les messages téléphoniques auxquels elle n'avait pas le temps de répondre, temps qu'elle trouverait pourtant.

Il reconnaissait bien volontiers qu'en dépit de sa force et de son sérieux elle était attentionnée et bienveillante. Il l'avait lu dans ses yeux au cours de cette première rencontre. Il le voyait aujourd'hui, alors même qu'elle était préoccupée, qu'il l'avait à nouveau blessée. Il ne parvenait pas à imaginer sa vie sans elle, et une bouffée de haine l'étouffa. Haine envers Marino. Ce dans quoi Benton s'était immergé durant toute sa vie d'adulte venait de pénétrer chez lui.

Marino avait ouvert la porte à l'ennemi, et Benton ne savait plus comment le pousser dehors.

Sans lever le regard vers lui, Scarpetta s'informa :

— Quand la police est-elle arrivée sur la scène de crime ? Et pourquoi me dévisages-tu de la sorte ?

— À dix-huit heures quinze environ. J'ai foutu le bordel. Ne sois pas en colère contre moi, je t'en prie.

Elle tourna une page.

— Comment ont-ils été prévenus ?

— Un appel au numéro d'urgence. Oscar affirme avoir découvert le corps de Terri vers dix-sept heures. Pourtant il n'a appelé les flics qu'après dix-huit heures. Dix-huit heures neuf, pour être précis. Les policiers sont arrivés en quelques minutes. Guère plus de cinq.

Elle ne commenta pas et il ramassa un trombone qu'il entreprit de tortiller, un geste qui ne lui était pas coutumier.

— Ils ont trouvé la porte de l'immeuble bouclée, continua-t-il. Il y a trois autres appartements dans l'immeuble. Personne n'était là, et il n'y a pas de portier. Les flics ne pouvaient pas pénétrer. Toutefois, l'appartement de Terri se trouve au rez-de-chaussée. Ils ont contourné le bâtiment et, par le rideau entrouvert d'une fenêtre, ils ont aperçu Oscar assis à même le sol, berçant une femme entre ses bras. Elle était couverte d'une serviette bleue. Il sanglotait, l'étreignait, la caressait. Les policiers ont cogné au carreau jusqu'à ce qu'Oscar les entende et les fasse entrer.

Benton parlait de façon légèrement hachée. Son esprit un peu désorganisé fonctionnait au ralenti, sans doute parce qu'il était terriblement stressé. Il continuait de martyriser le trombone en la regardant.

Après un long silence, elle leva le visage vers lui et demanda :

— Et ensuite ? Il leur a parlé ?

Elle est en train de comparer les versions, songea-t-il. *Elle confronte ce que je sais avec ce que lui a raconté Oscar. Elle est froide, impersonnelle, parce qu'elle ne va pas me pardonner.*

— Je suis désolé. Je t'en prie, ne sois pas en colère contre moi, répéta-t-il.

Elle soutint son regard et déclara :

— Je me demande pourquoi elle ne portait rien d'autre qu'un soutien-gorge et un peignoir. Si un étranger avait sonné à sa porte, lui aurait-elle ouvert dans cette tenue ?

— On ne peut pas tout mettre à plat en ce moment. On peut laisser cela de côté, sur un coin d'étagère.

Benton ne faisait pas allusion à l'enquête, mais à leur relation.

C'était leur façon de formuler les choses lorsque des problèmes personnels surgissaient au mauvais moment, au mauvais endroit. Son regard qui s'attardait sur lui, qui devenait d'un bleu plus profond, lui indiqua qu'elle acceptait. Elle rangerait le problème sur un coin d'étagère parce qu'elle l'aimait même s'il ne le méritait pas.

— C'est une bonne question. La façon dont elle était habillée quand elle a ouvert la porte, reprit-il. J'aurai quelques remarques à formuler lorsque nous en arriverons là.

— Que faisait au juste Oscar quand la police se trouvait avec lui dans l'appartement ?

— Il sanglotait, criait, tenait à peine debout. Il insistait tant pour retourner dans la salle de bains que deux officiers devaient le maintenir pendant qu'ils essayaient de le faire parler. Il a déclaré qu'il avait coupé le Flexi Cuff. Le lien gisait sur le sol de la salle de bains, à côté d'une paire de ciseaux dont il affirmait qu'il l'avait trouvée dans la cuisine, à côté des couteaux.

— Il a appelé ça un Flexi Cuff devant la police ? Ou est-ce les policiers qui ont lâché ce mot en premier ? Je veux savoir qui a prononcé le terme exact en premier.

— Pas la moindre idée.

— Quelqu'un doit bien le savoir.

Benton tordit le trombone pour former un huit, alors que ce qu'ils avaient abandonné sur un « coin d'étagère » ne cessait de dégringoler. Ils en parleraient à un moment quelconque. Toutefois, parler ne restaure pas la confiance trahie. Des mensonges, encore des mensonges. Le fondement de sa vie reposait sur des mensonges, tous bien intentionnés, ou nécessaires, que ce soit dans le domaine professionnel ou légal. C'était du reste pour cette raison que Marino était une menace, parce que, justement, le fondement de sa relation avec Kay n'avait jamais été le mensonge. Lorsqu'il avait tenté de la contraindre sexuellement, il ne s'agissait pas de mépris, de haine ou de l'envie de l'humilier. Il prenait de force ce qu'il voulait, qu'elle refusait de lui donner, parce que c'était le seul moyen qu'il avait trouvé d'étouffer cet amour non partagé qu'il ne pouvait plus supporter. La trahison de Marino envers Scarpetta était une des choses les plus honnêtes que le grand flic ait jamais faites.

— On ignore où est passé le lien avec lequel elle a été étranglée, reprit Benton. Il semblerait que le tueur lui ait enlevé et l'ait embarqué. La police pense qu'il pourrait s'agir d'un long Flexi Cuff.

— Sur quoi se fondent-ils ?

— Il serait assez étonnant qu'il ait apporté deux types de ligatures.

Il tordit le trombone maintenant rectiligne d'avant en arrière jusqu'à ce que le métal cède.

— Et, bien sûr, on pense que le tueur a apporté les différents bracelets de plastique. Ce n'est pas le genre de trucs que la majorité des gens ont dans leur cuisine, poursuivit Benton.

— Pourquoi enlever le Flexi Cuff avec lequel il l'a étranglée, le faire disparaître et laisser celui des poignets, si toutefois c'est bien ce qui s'est produit ?

— On ne sait rien de ce qui se passe dans la tête de cette personne. Nous n'avons pas grand-chose à quoi nous raccrocher, à l'exception des circonstances. Du coup, il n'est pas étonnant que les flics croient Oscar coupable.

— Encore une fois, sur quoi se fondent-ils ? le poussa Scarpetta.

— Soit le tueur possédait une clé de l'appartement de Terri, soit c'est elle qui lui a ouvert. Or, ainsi que tu l'as souligné, elle portait un peignoir et pas grand-chose en dessous. Attardons-nous donc un peu là-dessus. Pourquoi se sentait-elle si à l'aise, en sécurité ? Comment pouvait-elle savoir qui sonnait à la porte de l'immeuble ? Il n'y a ni caméra, ni interphone. Selon moi, cela signifie qu'elle attendait quelqu'un. Elle a donc ouvert la porte extérieure, alors qu'il faisait nuit et que l'immeuble était vide. Ensuite, elle a déverrouillé la porte de son appartement. Ou bien quelqu'un d'autre l'a fait. Les délinquants violents aiment les vacances, surtout les fêtes. C'est chargé de symboles, et tout le monde, ou presque, part. Si Oscar l'a assassinée, il ne pouvait pas choisir de meilleur moment qu'hier soir pour ensuite faire une mise en scène afin qu'on le croie innocent.

— C'est ce que la police pense, c'est ça que tu veux dire ?

Elle établit encore des comparaisons. Que sait-elle au juste ?

— C'est ce qui leur paraît le plus logique, approuva-t-il.

— Lorsqu'ils sont arrivés sur place, la porte de l'appartement de Terri était-elle fermée à clé ou pas ?

— Fermée à clé. Oscar aurait poussé le verrou à un moment quelconque. Ce qui est étrange, c'est qu'après avoir appelé le numéro d'urgence il n'ait pas songé à déclencher l'ouverture de la porte de l'immeuble. Et il n'a pas non plus déverrouillé celle de l'appartement. Comment pensait-il que la police pénétrerait à l'intérieur ?

— Je ne trouve pas du tout cela étrange, rétorqua-t-elle. Quoi qu'il ait fait ou pas fait, il était sans doute terrorisé.

— Par quoi ?

— S'il n'a pas tué Terri, il craignait sans doute que le meurtrier revienne.

— Et comment y serait-il parvenu ? S'il n'avait pas de clé ?

— Les gens ne soupèsent pas chaque détail lorsqu'ils sont effrayés. La première réaction dans ce cas, c'est de boucler toutes les portes.

Elle est en train de vérifier l'histoire que lui a racontée Oscar. Il a dû lui dire qu'il avait fermé à clé la porte de l'appartement de Terri parce qu'il avait peur.

— Qu'a-t-il dit lorsqu'il a joint l'opérateur du numéro d'urgence ? demanda Scarpetta.

— Le mieux est que tu l'écoutes.

Le CD se trouvait déjà dans son ordinateur. Il sélectionna un fichier audio et monta le volume.

OPÉRATEUR : Quelle est l'urgence ?

OSCAR (en pleine crise de nerfs) : Oui ! Police !... Mon amie !...

OPÉRATEUR : Quel est le problème, monsieur ?

OSCAR (presque inaudible) : Ma petite amie... quand je suis entré...

OPÉRATEUR : Monsieur, quel est le problème ?

OSCAR (hurlant) : Elle est morte ! Elle est morte ! Quelqu'un l'a tuée ! Quelqu'un l'a étranglée !

OPÉRATEUR : Vous avez dit qu'elle avait été étranglée ?

OSCAR : Oui !

OPÉRATEUR : Selon vous, la personne qui l'a étranglée se trouve-t-elle toujours sur les lieux ?

OSCAR (pleurant, presque incompréhensible) : Je ne sais pas... Elle est morte !

OPÉRATEUR : Des unités sont en route. Restez où vous êtes, d'accord ?

OSCAR (pleurant, presque inintelligible) : Ils... Eux...

OPÉRATEUR : Ils ? Quelqu'un est avec vous ?

OSCAR : Non... (Inaudible.)

OPÉRATEUR : Restez en ligne. La police est presque là. Que s'est-il passé ?

OSCAR : Je suis arrivé et elle gisait sur le sol... (Inintelligible.)

Benton referma le fichier et dit :

— Ensuite il a raccroché et n'a pas voulu répondre quand l'opérateur a tenté de le rappeler. S'il était resté en ligne, il aurait été bien plus facile et rapide pour les policiers de pénétrer dans l'appartement. Au lieu d'avoir à contourner l'immeuble pour cogner aux carreaux de la fenêtre.

— Il avait l'air véritablement terrifié et en pleine crise de nerfs, commenta Scarpetta.

— Oui, c'était également le cas de Lyle Menendez lorsqu'il a appelé le numéro d'urgence pour signaler le décès de ses parents qu'il venait d'assassiner. Et nous savons tous deux comment s'est terminée cette histoire.

— Ce n'est pas parce que les frères Menendez..., lança-t-elle avant qu'il ne l'interrompe et termine.

— ... Je sais. Ça ne signifie pas pour autant qu'Oscar Bane a tué Terri Bridges. Le contraire non plus.

— Et, selon toi, pourquoi a-t-il parlé d'« ils », « eux » ? Cela impliquait-il qu'il y avait plusieurs tueurs ? demanda Scarpetta.

— À l'évidence, sa paranoïa. Je suis convaincu qu'elle n'est pas feinte. Cependant ce n'est pas forcément un élément en sa faveur, du moins aux yeux de la police. Des délires paranoïaques peuvent pousser certains sujets au meurtre.

— Et c'est ton sentiment ? Que le meurtre de Terri n'est qu'une sorte d'homicide domestique ?

Elle n'y croit pas, traduisit Benton. *Elle penche pour une autre hypothèse. Que lui a confié Oscar ?*

— Je comprends qu'il s'agisse du raisonnement de la police, biaisa Benton. Cela étant, je préférerais disposer de preuves tangibles.

— Que savons-nous d'autre ? poursuivit Scarpetta.

— Ce qu'il a dit.

— Sur la scène de crime ou lorsqu'il était assis dans la voiture du détective Morales ?

— Oscar s'est montré réticent à son égard dès qu'ils ont quitté l'appartement, fit Benton.

Il jeta les petits morceaux de trombone dans la corbeille en métal, où ils atterrirent dans un léger cliquettement. Il reprit :

— À ce moment-là, tout ce que voulait Oscar, c'était être conduit au Bellevue. Il a déclaré qu'il ne dirait plus un mot, sauf à moi. Ensuite, il a exigé ta présence. Et nous voici ici, tous les deux.

Il attaqua un nouveau trombone et elle suivit ses gestes du regard.

— Et qu'a-t-il raconté à la police alors qu'il se trouvait toujours dans l'appartement de Terri ? insista-t-elle.

— Que lorsqu'il était arrivé au bas de l'immeuble, toutes les lumières étaient éteintes. Il a ouvert la porte extérieure. Puis il a sonné chez Terri, la porte s'est ouverte brutalement et il a été attaqué. L'inconnu a vite pris la fuite. Oscar a poussé le verrou, allumé, regardé un peu partout et découvert le corps de son amie dans la salle de bains. Il a affirmé qu'elle n'avait pas de lien autour du cou, mais qu'on voyait une marque rougeâtre.

— Donc il a compris qu'elle était morte. Pourtant il a tardé à appeler la police. Pour quelle raison, à ton avis ?

— Il avait perdu la notion du temps. Il était dans un état second. Qui sait ce qui est vrai dans son histoire ? Toutefois, nous restions sans motif recevable pour l'arrêter. Cela ne veut pas dire que les flics n'étaient pas ravis d'accéder à sa requête et de le boucler au Bellevue. Ça n'aide pas du tout Oscar d'être un nain hyper-baraqué qui vit et travaille surtout dans le cyber-espace.

— Tu connais sa profession. Quoi d'autre ? demanda Scarpetta.

— Nous savons tout de lui, à l'exception de ce qu'il refuse de nous révéler. Et toi ? (Il continuait à maltraiter le trombone.) Des idées ?

— Je ne peux parler qu'en théorie.

Il garda le silence, attendant la suite.

— J'ai connu beaucoup d'affaires où les policiers n'étaient pas appelés sur-le-champ, se souvint-elle. Lorsque, par exemple, le meurtrier prenait le temps de maquiller la scène de crime pour qu'elle évoque autre chose. Ou alors, lorsque la personne qui découvrait le cadavre tentait de dissimuler ce qui s'était vraiment passé, pour éviter la honte ou récupérer une assurance. Des cas d'asphyxiophilie par exemple : des pseudo-pendaisons érotiques qui tournent mal et le sujet décède par asphyxie. C'est le plus souvent accidentel. La mère pénètre dans la chambre de son fils et le voit habillé en cuir noir, un masque sur le visage, avec des pinces de téton, parfois même travesti en femme. Il est pendu à un chevron et des magazines pornographiques sont étalés un peu partout. Elle refuse que ce soit le dernier souvenir que laissera son fils et n'appelle la police que lorsqu'elle a tout fait disparaître.

— Une autre théorie ?

— La personne est perdue, incapable de laisser partir l'être aimé, et elle passe un moment avec le corps, le caressant, le serrant contre elle, le couvrant s'il est nu, se débarrassant des entraves s'il en porte. En fait, cette personne tente de redonner à la victime l'aspect qu'elle avait de son vivant, comme si ça pouvait annuler sa mort, la lui ramener.

— Ça ressemble assez à ce qu'Oscar a fait, non ? résuma Benton.

— Je me souviens d'une affaire où le mari avait trouvé sa femme morte d'une overdose, dans le lit. Il s'est allongé à son côté, l'a tenue contre lui et n'a pas appelé la police avant que le cadavre soit froid et la *rigor mortis* complètement installée.

Benton la fixa un long moment et déclara :

— Le remords dans les affaires domestiques. Le mari tue la femme. L'enfant tue la mère. Surviennent un remords poignant, le chagrin et la panique. Le meurtrier n'appelle pas la police tout de suite. Il serre le corps dans ses bras, le caresse en effet, lui parle, pleure. Quelque chose de précieux vient d'être brisé et ne pourra jamais être réparé. Parti pour toujours.

— Un comportement typique des crimes impulsifs, lui rappela Scarpetta. Pas des meurtres prémédités. Ce meurtre-là ne me semble pas impulsif. Lorsqu'un agresseur apporte ses armes, son attirail, comme du ruban adhésif ou des menottes, on est dans la préméditation.

Benton se piqua involontairement le bout du doigt avec l'extrémité du trombone tordu et regarda une goutte de sang se former. Il l'aspira.

— Je n'ai pas de trousse de premiers soins dans ma mallette de scène de crime, ce qui n'est sans doute pas très intelligent maintenant que j'y pense, regretta-t-elle. On devrait nettoyer ça, trouver un pansement...

— Kay, je n'ai pas envie que tu te retrouves au milieu de cette histoire.

Les yeux fixés sur le doigt de Benton, elle rétorqua :

— C'est toi qui m'y as mise, ou, du moins, qui as toléré qu'on m'y pousse. Il serait préférable que tu laisses saigner autant que possible. Je n'aime pas les blessures par piqûres. Elles sont pires que les coupures.

— Je ne voulais pas t'entraîner là-dedans. Ça n'a pas été mon choix.

Il s'apprêtait à poursuivre en affirmant qu'il ne faisait jamais de choix à sa place, mais ravala ce nouveau mensonge. Elle lui tendit quelques mouchoirs en papier.

— Je déteste ça, lâcha-t-il. Je déteste lorsque tu te trouves propulsée dans mon monde, plus dans le tien. Un cadavre n'a pas de sentiments pour toi, il ne s'attache pas à toi. On n'a pas de relation avec un mort. Nous ne sommes pas des robots. Un type torture quelqu'un à mort et je m'installe en face de lui, de l'autre côté de la table. C'est une personne, un être humain. C'est mon patient. Il pense que je suis son meilleur ami jusqu'à ce qu'il m'entende témoigner devant le tribunal qu'il était capable de faire la différence entre le bien et le mal. Il finit bouclé derrière les barreaux pour le restant de ses jours, ou, en fonction des États, dans le couloir de la mort. Peu importe ce que je pense ou en quoi je crois. Je fais mon boulot. J'ai fait ce que je devais faire en regard de la loi. Ce n'est pas pour autant que les souvenirs me hantent moins.

— Nous ignorons ce que signifie «ne pas être hanté», rectifia-t-elle.

Il serra son doigt blessé et le mouchoir en papier se colora de rouge vif. Il la détailla, assise de l'autre côté de son bureau, suivit la ligne carrée de ses épaules, remarqua à nouveau les mains fermes et habiles, les jolies courbes de son corps dissimulées sous son tailleur, et il eut envie d'elle. Il se sentit excité alors que quelques portes seulement les séparaient de la prison. Pourtant, lorsqu'ils se retrouvaient seuls à la maison, il n'avait guère envie de la toucher. Que lui était-il arrivé? On aurait dit qu'il avait eu un accident et qu'on l'avait raccommodé en dépit du bon sens.

— Tu devrais rentrer dans le Massachusetts, Kay. Si Oscar est inculpé et qu'on t'assigne à comparaître, tu reviendras et nous nous débrouillerons.

— Je ne vais pas fuir devant Marino, et je ne vais même pas tenter de l'éviter.

— Ça n'est pas ce que je suis en train de dire, mentit Benton. C'est Oscar Bane qui m'inquiète. Il peut sortir dès qu'il le souhaite du Bellevue. Je préférerais que tu sois aussi loin de lui que faire se peut.

— Non, ce que tu veux, c'est que je sois aussi loin que possible de Marino.

La voix de Benton se durcit et ses émotions moururent :

— Je ne vois vraiment pas pour quelle raison tu voudrais le fréquenter.

— Je n'ai jamais dit que je le voulais. J'ai affirmé que je n'allais pas le fuir. Ce n'est pas moi qui me suis sauvée comme une lâche. C'est lui.

— Avec un peu de chance, mon rôle dans cette histoire sera terminé dans quelques jours. Ça deviendra la responsabilité du département de police de New York. Je suis affreusement en retard dans mes recherches au McLean. À peu près à la moitié de mon programme, et ce bien que je ne sois plus certain qu'on puisse rédiger une publication. Tu n'as pas à te rendre dans cette foutue morgue, Kay. Pourquoi faudrait-il à nouveau que tu tires le Dr Lester d'embarras ?

— Ce n'est pas ce que tu veux, Benton. Que je n'y aille pas. Tu souhaites vraiment que je me retire maintenant, alors que Berger vient de solliciter mon aide ? De toute façon, le dernier vol est à vingt et une heures, et je n'arriverai jamais à temps à l'aéroport. Tu le sais très bien. Pourquoi parles-tu ainsi ?

— Lucy pourrait te raccompagner en hélicoptère.

— Il neige sur Boston. La visibilité ne doit pas excéder cinquante centimètres.

Elle détailla son visage. Benton éprouvait d'énormes difficultés à conserver un regard neutre, parce qu'il avait envie d'elle. Il la voulait maintenant, dans son bureau, et si elle avait su ce qu'il ressentait, elle aurait été révulsée. Elle en aurait déduit qu'il avait passé trop d'années à frayer avec toutes les perversions imaginables et qu'il avait été contaminé.

— En effet, j'oublie que la météo est différente là-bas, admit-il.

— Je n'irai nulle part.

— Qu'il en soit ainsi. N'empêche, on ne dirait pas que tu ne vas nulle part.

Les bagages de Scarpetta patientaient à côté de la porte.

— De la nourriture. Je ne doute pas que tu rêves de m'emmener dîner dans un endroit romantique, mais on mange à la maison. Si nous parvenons à rentrer.

Leurs regards se rejoignirent. D'une certaine façon, elle venait juste de lui poser la question qui lui tenait à cœur mais qu'elle n'avait pas formulée. Il répondit :

— Mes sentiments à ton égard n'ont pas changé. Si tu savais ce que je ressens parfois. Mais je me tais.

— Peut-être serait-il préférable que tu m'en parles.

— C'est ce que je fais en ce moment.

Il la voulait maintenant et elle le sentait. Pourtant elle ne reculait pas. Peut-être se trouvait-elle dans le même état d'esprit. Il était facile pour Benton d'oublier qu'elle avait une excellente raison d'être si policée et précise : la science était pour elle une sorte de licol passé au cou d'un animal sauvage, de sorte qu'elle puisse marcher à ses côtés, le comprendre, le maîtriser. En effet, rien ne pouvait être plus cru, puissant, primitif que ce qu'elle avait accepté d'affronter durant son existence, et rien ne la choquait.

— Pourquoi Terri Bridges a-t-elle été tuée dans la salle de bains ? réfléchit Scarpetta. C'est, selon moi, un élément crucial dans cette enquête. D'ailleurs est-on certain que c'est bien là que se sont déroulés les faits ?

— La police n'a découvert aucun indice permettant de croire le contraire. Rien ne suggère que le corps ait été déplacé après le décès. Quelle nourriture ?

— Ce que nous étions censés manger hier soir. Lorsque tu dis qu'aucun élément ne permet d'avancer que le corps de Terri a été déplacé, qu'est-ce que cela signifie au juste ? Quels indices auraient pu le montrer ?

— Tout ce que je sais, c'est que Morales a affirmé que rien ne permettait de croire qu'elle avait été étranglée ailleurs, précisa Benton.

— *A priori* rien ne l'aurait pu, contra Scarpetta. Si elle était morte depuis moins de deux heures, les signes corporels n'étaient pas révélateurs. Les lividités, la *rigor mortis*, tout cela met bien plus longtemps avant de se fixer ou de s'installer complètement. Le corps était-il tiède ?

— Il a précisé que lorsqu'il était arrivé, il avait cherché si le cœur battait encore. Elle était tiède.

— En d'autres termes, si ce n'est pas Oscar qui l'a assassinée, le tueur doit avoir quitté l'appartement avant qu'il n'arrive et la découvre morte. Étrange coïncidence. Un gros coup de chance pour le meurtrier de n'avoir pas été interrompu. À quelques minutes près, Oscar lui tombait dessus. Si tant est qu'Oscar et ce fameux tueur ne soient pas une seule et même personne, bien sûr.

— Et si tel est le cas, une question se pose : pourquoi un tueur extérieur a-t-il pensé qu'elle serait seule chez elle pour le réveillon ? continua Benton. À moins d'un crime de hasard. Les lumières de son appartement étaient allumées. Ça se remarque dans un immeuble désert et obscur. À cette époque de l'année, les gens qui sont chez eux éclairent toute la journée, ou du moins à partir de seize heures, lorsque le jour décline. La question est donc : avons-nous affaire à un meurtre de circonstance ?

— Et un alibi ? Oscar t'en a-t-il fourni un ? demanda Scarpetta.

— Et à toi ?

Elle le regarda presser son doigt blessé afin de le faire saigner.

— J'étais en train de me demander à quand remontait ton dernier rappel antitétanique, dit-elle, mi-figue, mi-raisin.

Chapitre 14

Fouiller dans les mémoires du Real Time Crime Center du département de police de New York et retrouver les deux affaires que Morales avait mentionnées n'avait pas été très difficile. En revanche, obtenir une réponse des deux enquêteurs chargés des affaires en question avait été un peu plus long.

Juste rentré chez lui, Marino était en train de déboutonner son manteau lorsque son mobile sonna, à dix-huit heures vingt. Son interlocutrice se présenta sous le nom de Bacardi, comme la marque de rhum qu'il buvait mélangé à du Dr Pepper. Il la rappela de son téléphone filaire et lui résuma le meurtre de Terri Bridges, lui demandant ensuite si elle avait déjà entendu mentionner le nom d'Oscar Bane ou si quelqu'un correspondant à son signalement avait été aperçu dans les parages de l'homicide commis à Baltimore durant l'été 2003.

— Avant que nous nous lancions ventre à terre dans une grande chasse à l'homme, qu'est-ce qui vous fait croire que les deux meurtres sont liés ? demanda Bacardi.

— Tout d'abord, faut que je vous précise qu'il s'agit pas de mon idée. C'est celle d'un autre détective, Mike Morales, qui a eu deux touches sur notre système informatique. Vous le connaissez ?

— *A priori* ça ne me dit rien. Si vous n'essayez pas

de tirer la couverture à vous, c'est que vos pistes doivent être de la merde !

— Peut-être, peut-être pas, rétorqua Marino. Y a des similitudes de *modus operandi* entre votre enquête et la mienne. Pareil pour le meurtre de Greenwich. J'imagine que vous en avez entendu parler.

— Je l'ai épluché à en avoir la migraine. Ça a foutu mon mariage en l'air. Il est mort d'un cancer l'année dernière. Pas mon ex-mari, mais l'enquêteur de Greenwich. Vous êtes d'où ? Vous avez l'accent d'un p'tit gars du New Jersey.

— Ouais, et pas du bon côté. Désolé pour ce flic. Quel genre de cancer ?

— Le foie.

— S'il m'en restait encore un peu, je suis sûr que c'est de là que je partirais aussi.

— Un jour ici, un jour parti, commenta Bacardi. Comme mon ex-mari et mes deux derniers petits amis.

Marino se demanda quel âge elle pouvait avoir et si elle ne mettait pas un point d'honneur à lui faire savoir qu'elle était célibataire. Il reprit :

— Mon enquête, là, cette Terri Bridges, elle portait une chaînette à la cheville gauche. Très fine et en or. Je l'ai vue en examinant les photos. En fait, j'ai pas vu le cadavre pour de vrai. J'étais pas présent sur la scène de crime, ni à la morgue.

— De l'or véritable ?

— Comme je vous l'ai dit, j'ai seulement eu les photos en main. Mais sur le rapport c'est mentionné que le bijou est en or dix carats. Doit y avoir un poinçon sur le fermoir. Sans ça, je vois pas comment ils auraient pu le préciser.

— Oh, mon chou, un seul regard et je peux vous le dire ! Je peux vous dire tout ce que vous voulez savoir au sujet d'un bijou. Si c'est du vrai, du toc, si c'est une belle pièce ou si elle est médiocre, et si c'est cher ou pas. Je travaillais sur les vols et les cambriolages. En plus de ça, j'aime le genre de machins que je n'ai pas les moyens de m'offrir, mais je préfère me passer de bijoux plutôt que porter de la camelote. Vous voyez ce que je veux dire ?

Cette remarque rappela à Marino qu'il portait un costume italien bas de gamme, *made in China*. Si jamais il se faisait tremper par la pluie, il était sûr de laisser derrière lui un jus de teinture noire, comme une pieuvre. Il se contorsionna pour retirer sa veste et la jeta sur le dossier d'une chaise. Il tira d'un coup sec sur sa cravate. Il n'avait qu'une envie : passer un jean, un sweater et ce vieux blouson de cuir Harley doublé de laine qu'il portait depuis une éternité et qu'il avait refusé de vendre au bazar.

— Pouvez-vous m'expédier une photo du bracelet de cheville de Terri par *e-mail* ? poursuivit Bacardi.

Sa voix était joyeuse et mélodieuse. Elle avait l'air de s'intéresser à ce qu'elle faisait, et à Marino aussi. Discuter avec elle touchait Marino comme il ne l'avait pas été depuis longtemps. Peut-être parce qu'il avait oublié combien il était agréable d'être traité comme un égal et, encore plus important, avec le respect qu'il méritait. Qu'est-ce qui avait bien pu changer au cours des dernières années, au point qu'il se sente si nul ?

Charleston avait été l'accident qui devait arriver, rien d'autre. Ça n'avait rien à voir avec cette prétendue maladie qui coulait du goulot d'une bouteille. Lorsqu'il était enfin parvenu à cette conviction, sa thérapeute Nancy et lui s'étaient affrontés lors d'une violente dispute. La scène s'était déroulée juste avant qu'il termine son programme de soins. C'était elle qui avait commencé en affirmant que tout ce qui déraillait dans sa vie avait pour origine son alcoolisme et que, lorsque les poivrots et les camés prenaient de l'âge, ils devenaient des sortes de versions exagérées d'eux-mêmes.

Elle avait même dessiné un graphique pour sa gouverne, lors de cet après-midi ensoleillé de juin, alors qu'ils s'étaient installés dans la chapelle déserte dont les fenêtres étaient ouvertes. Marino humait l'air marin et écoutait les cris des mouettes qui descendaient en piqué au-dessus des falaises rocheuses du North Shore. Il aurait dû être en train de pêcher ou de se balader à moto, ou, encore mieux, s'être installé confortablement pour vider une bouteille au lieu de la rendre responsable du ratage de son existence. Nancy lui avait démontré, noir sur blanc, que sa vie avait commencé à se détériorer lentement dès l'âge de douze ans, lorsque la bière était devenue sa meilleure amie. Une détérioration semée de traumatismes qu'elle avait lourdement soulignés en noir en les cataloguant :

Agressivité.
Résultats scol. très médioc.
Isolement.
Promiscui. sexuelle.
Incapaci. relationnelle.
Risques/boxe/armes/police/motos.

Durant presque une heure, Nancy avait répertorié sur un graphique tous ses ratages, utilisant des abréviations qu'elle avait dû traduire pour lui. Ce qu'elle lui avait démontré, c'était que, depuis le jour où il avait descendu sa première bière, il s'était laissé entraîner sur la pente d'un comportement agressif, colérique et dangereux. Sa vie personnelle se résumait à des rencontres sexuelles, des amitiés brisées, le divorce et la violence. Plus il vieillissait, plus les traumatismes se rapprochaient, parce que telle était la nature de la

Maladie. La Maladie finissait par vous dominer et, l'âge aidant, on ne pouvait plus lui résister physiquement. Elle vous menait comme elle l'entendait, ou un truc de ce genre.

Ensuite elle avait paraphé et daté son diagramme, et elle avait même été jusqu'à dessiner un petit *smiley* sous son nom. Elle lui avait tendu les fichues feuilles, cinq en tout. Il avait demandé :

— *Et qu'est-ce que vous voulez que j'en fasse ? Que je les scotche sur la porte de mon foutu réfrigérateur ?*

Il s'était levé de son prie-Dieu et s'était avancé vers la fenêtre. Il avait regardé l'océan qui se fracassait sur le granit noir en gerbes d'eau et les mouettes qui hurlaient. On aurait dit que les baleines et les oiseaux marins se rassemblaient pour manifester avec violence juste devant ses yeux, afin de l'aider à s'évader de cette taule.

— *Êtes-vous conscient de ce que vous venez de faire ?*

La voix de Nancy, toujours installée sur son prie-Dieu, lui était parvenue alors qu'il admirait ce qui se révélait être le plus beau jour qu'il ait jamais vu, se demandant pourquoi il ne sortait pas pour en profiter pleinement.

— *Vous venez de me repousser, Pete. Ça, c'est l'alcool qui parle.*

— *Mon cul, oui ! J'ai pas bu une foutue goutte depuis un mois. Ça, c'était moi qui parlais !*

Et à cet instant précis, alors qu'il discutait au téléphone avec une femme qu'il n'avait jamais rencontrée mais qui avait un nom qui le mettait de bonne humeur, il se rendit compte qu'il ne s'en était pas si mal sorti, vraiment, jusqu'au moment où il avait cessé d'être un véritable flic. Lorsqu'il avait quitté le département de

256

police de Richmond, il avait d'abord travaillé comme détective privé pour Lucy, puis comme enquêteur pour Scarpetta. Dès ce moment-là, il avait perdu tous les pouvoirs que lui avait conférés son statut de flic, sans oublier le respect de soi. Il ne pouvait plus arrêter personne. Il ne pouvait plus faire coller un PV ou faire embarquer la bagnole d'un connard. Tout ce qu'il pouvait encore faire, c'était rouler des mécaniques pour s'imposer et proférer de vaines menaces. Il aurait aussi bien pu se faire couper la bite. Qu'avait-il donc fait en mai dernier ? Il devait montrer à Scarpetta qu'il en avait encore une, parce que c'était la seule façon de s'en convaincre lui-même et de récupérer sa vie. Il ne prétendait certes pas qu'il avait eu raison ou qu'il méritait quelques excuses. Jamais il n'avait dit ça, et il le pensait encore moins.

— Je vous enverrai tout ce dont vous avez besoin, promit-il à Bacardi.

— C'est génial.

Il éprouvait une sorte de plaisir pervers en imaginant la réaction de Morales. Marino discutait avec l'enquêtrice de Baltimore et n'en faisait qu'à sa tête.

Va te faire foutre, Morales.

Marino était un flic assermenté du département de police de New York. Pour couronner le tout, il appartenait à l'élite des flics, la brigade placée sous les ordres du procureur. Pas Morales. Et pourquoi ce Puff Daddy du pauvre aurait-il été responsable de l'enquête ? Juste parce qu'il était de garde hier soir, qu'il avait répondu à l'appel et s'était rendu sur les lieux ?

— Vous êtes devant votre ordinateur ? demanda Marino à Bacardi.

— Seule à la maison. Joyeuse année ! Allez-y. Et vous, le gars de la Grosse Pomme, vous avez regardé la boule tomber ? Moi, j'ai mangé du pop-corn en regardant *Les Petites Canailles*. Rigolez pas. J'ai la série originale complète.

— Quand j'étais gosse, on pouvait baptiser n'importe quoi Sarrasin, comme la famille de la série, sans risquer d'être accusé de racisme ! J'ai eu une chatte qui s'appelait comme ça. Vous savez quoi ? Elle était blanche.

Il décacheta une grande enveloppe et en extirpa les copies des rapports de police et d'autopsie qu'il avait reçues. Ensuite il ouvrit l'enveloppe contenant les photographies, qu'il étala sur le plan de travail en formica, recouvrant ainsi quelques cicatrices laissées par des brûlures de cigarette ou des ronds abandonnés par des casseroles. Il trouva enfin ce qu'il cherchait. Le téléphone sans fil coincé sous le menton, il inséra une photo dans le scanneur relié à son ordinateur portable.

— Faut que je vous dise qu'on est quand même un peu dans une merde politique avec cette enquête, prévint-il.

— Oh, juste un peu ?

— Ce que je veux dire, c'est que pour l'instant y a que vous et moi qui discutons de ce truc. Personne d'autre n'a besoin de mettre son nez dedans. Et si quelqu'un d'autre que moi tente de vous contacter – et je me fous qu'il s'agisse du préfet de police de New York –, je vous serais reconnaissant de ne pas mentionner mon nom, mais de me prévenir. Ensuite, j'en fais mon affaire. Y a pas beaucoup de gens dans cette histoire qui...

— Oh, vous êtes en train de me dire que l'herbe est verte et le ciel bleu ! Pas de panique, Pete.

Cela fit du bien à Marino de s'entendre appeler par son prénom. Il pénétra dans sa messagerie électronique et attacha la photo en fichier joint.

— Si je reçois des appels, la première chose que je

fais, c'est de vous prévenir, promit-elle. Et j'apprécie-rais la réciproque. Il y a pas mal de gens dans le coin qui adoreraient triompher sans peine et prétendre que c'est eux qui ont résolu l'affaire de ma dame de Balti-more et de ce gosse à Greenwich. Je vous ai déjà dit comme les gens deviennent dingues quand il s'agit de tirer la couverture à eux ? Ils sont prêts à n'importe quoi.

— Surtout si c'est Morales qui appelle, martela Marino. Je suis surpris qu'il ne l'ait pas déjà fait. D'un autre côté, c'est pas le genre de gars à s'acharner dans le suivi.

— Ouais. C'est ce que j'appelle « baise la nana et casse-toi ». Ça parade dans les grands moments et ça disparaît sans ça. Le genre à se tirer pour que les autres nettoient son bordel et finissent ce qu'il a commencé. Ça me rappelle ces pères bons à rien.

— Vous avez des enfants ?

— Ils ne sont plus à la maison, je suis ravie de vous l'annoncer. Ils se sont pas mal débrouillés, étant donné les circonstances. Je regarde la photo en ce moment même. Donc personne ne semble savoir pourquoi la victime, cette Terri Bridges, portait cette chaîne de cheville ?

— C'est ça. Son petit ami, Oscar Bane, dit qu'il ne l'avait jamais vue avec ce bijou auparavant.

— Un bracelet de cheville, c'est certainement pas de la grande science, mais je ne suis pas le genre à ignorer des indices indirects, déclara Bacardi. Je pense que vous aurez compris que j'ai plus de quarante ans et que dépendre entièrement d'un microscope et d'une blouse blanche, c'est pas mon truc. Les jeunes ? Bor-del ! C'est : « sciences légales, mes amies ». Derrière la porte numéro 1, vous trouverez la vidéo d'un viol, suivi du meurtre d'une femme kidnappée. Derrière la porte numéro 2, vous aurez l'empreinte ADN d'un mégot de cigarette retrouvé dans l'allée du garage. Qu'est-ce qu'ils choisissent, à votre avis ?

— Me lancez pas sur le sujet.

— Oui, vous et moi, on est pareils. Je leur dis : est-ce que vous savez à quoi ça me fait penser, *CSI*[1], les experts médico-légaux ? Ça me fait penser que j'en ai ma claque ! Parce que, lorsque j'entends ce terme ou cet acronyme ou je ne sais pas trop quoi, je me dis que j'en ai vraiment ma claque. Mais vraiment. Dites-moi, Pete, quand vous avez commencé chez les flics, est-ce que vous aviez un truc comme des experts médico-légaux ?

— C'est la télé qui les a inventés. Dans la réalité, on avait des techniciens de scène de crime. Ou alors, la plupart du temps, des gens comme vous et moi sortions le kit à empreintes digitales, l'appareil photo, le mètre et tout le reste, et on se débrouillait avec les moyens du bord. J'avais pas besoin d'un bordel de laser pour quadriller une scène de crime et relever toutes les distances. Quant au luminol, ça marche aussi bien que tous ces nouveaux réactifs et toutes ces lampes sophistiquées. J'ai passé ma vie à mélanger du luminol dans un vaporisateur. J'ai pas besoin d'un futur prix Nobel pour examiner une scène de crime.

— Je n'irais pas si loin. Les trucs nouveaux ? Il y a vraiment du grand mieux, haut la main. Je peux examiner une scène de crime sans coller un bordel noir, c'est déjà quelque chose. Vous voyez, par exemple, une vieille dame se fait cambrioler et je n'ai plus à bousiller tout le reste de ses possessions en répandant de la poudre à empreintes partout. Au fond, la techno-

---

1. La série *Les Experts*, en France.

logie, ça me permet d'avoir des égards. Il n'empêche que je n'ai pas de boîte magique. Et vous ?

— J'oublie toujours de lui mettre des piles neuves, plaisanta-t-il.

— Ça vous arrive de passer à Baltimore, Pete ?

— J'avais pas entendu un truc pareil depuis un moment, remarqua Marino. Sur le fait que vous dépendez pas d'une blouse blanche. Devinez ! J'ai plus de quarante ans, moi aussi. Vous devriez avoir des dossiers qui arrivent sur votre ordinateur. Vous pourriez vérifier votre messagerie pendant qu'on se plaint. Ça vous arrive de venir à New York ?

Il scannait les pages du rapport de police, ainsi que les découvertes préliminaires faites durant l'autopsie réalisée par le Dr Lester.

— C'est sans doute parce ce que ce n'est pas de cette façon-là que j'ai commencé, poursuivit Bacardi. Je crois toujours que c'est important de parler avec les gens, de chercher les mobiles – bref, la vieille méthode. Bien sûr que je viens à New York. Du moins, je peux. C'est pas compliqué. On devrait échanger nos albums photo d'abord. Mais je vous promets que je suis beaucoup plus jolie depuis que j'ai subi cette greffe de visage !

Marino récupéra une bouteille de Sharp's dans le réfrigérateur. Il fallait qu'il rencontre cette femme. Elle avait vraiment l'air de quelqu'un.

— Je suis en train d'étudier la photo de la chaînette de cheville, annonça Bacardi. Mon Dieu ! C'est la même que celles que portaient les autres. Une maille à chevrons, très fine. Si je me fie à la photo que vous venez de m'envoyer, votre bijou, comme ceux retrouvés dans les deux autres cas, doit avoir vingt-cinq centimètres de long. Le genre de truc qu'on peut acheter dans une petite boutique ou sur Internet pour quarante ou cinquante dollars. La différence intéressante qui me frappe, c'est que dans mon cas de Baltimore ou dans celui de Greenwich, les cadavres n'ont pas été retrouvés à l'intérieur. Dans les deux affaires, il semble que les victimes traînaient dehors, échangeant des passes contre de l'argent pour se payer leur came. Elles ont été levées par quelqu'un qui cherchait juste une opportunité. Votre victime à vous, Terri Bridges, est-ce qu'elle avait un passé de camée ou une vie secrète qui aurait pu l'inciter à tenter ce genre d'expérience ?

— Rien ne m'indique qu'elle donnait dans les oxys ou un truc équivalent. Tout ce que je peux vous dire, vous l'avez sous les yeux. Son alcoolémie était nulle. Il est encore trop tôt pour avoir les résultats toxico concernant les drogues, mais on a rien trouvé dans son appartement qui nous pousse à croire qu'elle était consommatrice. Dans son cas, on sait pas non plus si elle a pas été victime d'un de ces tueurs qui chassent au hasard pour trouver une victime, si tant est que le petit ami ait pas fait le coup. Et même en supposant l'inverse, c'était le réveillon du premier de l'an. Y avait personne d'autre dans son immeuble. Personne non plus dans l'immeuble situé de l'autre côté de la rue, sauf une dame qui regardait pas à sa fenêtre au moment supposé du meurtre de Terri. C'est ce qu'elle affirme. Mais cette dame m'a raconté des histoires qui ont fait se dresser mes antennes. Comme ce truc bizarre au sujet d'un chiot. Qui offrirait un chiot malade à quelqu'un, sachant qu'il va mourir ?

— Un tordu. Ted Bundy ?

— C'est aussi ce que je pense.

— Et donc peut-être que le gars sillonnait les rues et il a vu une opportunité, commenta Bacardi.

— Je sais pas. Il faut que je sente davantage le voisinage. J'ai l'intention d'y retourner tout à l'heure, rôder un peu partout. Mais ce que je peux vous dire, c'est qu'il y avait pas un chat dehors hier soir. C'est New York. Tout le monde se casse d'ici pour les week-ends et les vacances. Et toutes les années que j'ai passées à faire ce boulot m'ont appris une chose : y a pas de recette. Peut-être que notre gars se tenait tranquille et qu'il a rechuté. Peut-être que c'est Oscar Bane le tueur. Ou quelqu'un d'autre. Il y a un petit problème de *timing*. Ça fait cinq ans que vos deux fichus meurtres ont été commis.

— C'est impossible de comprendre pourquoi les gens font ce qu'ils font. Ou quand ils le font. Mais *rechute*, c'est un bon terme. Je pense que les tueurs en série ont des compulsions, comme les alcoolos ou les drogués.

La porte du réfrigérateur s'ouvrit dans un bruit de succion. Marino récupéra une autre bouteille de Sharp's. La voix amicale de Bacardi résonna à nouveau :

— Peut-être qu'il existe une raison expliquant que cette compulsion soit sous contrôle durant une période. Et puis un coup de stress, un échec, une rupture, vous êtes viré de votre boulot, des problèmes d'argent, et vous perdez la maîtrise.

— Ouais, n'importe quoi en d'autres termes.

— Oui. Tout peut servir de catalyseur. Je suis en train d'examiner ce que vous venez de m'expédier, et comme ça, à chaud, je me demande pourquoi les bureaux du médecin expert ont laissé leur conclusion en suspens. Ce Dr Lester n'est pas sûre qu'il s'agisse d'un homicide ?

— Elle s'entend mal avec le procureur.

— Vous risquez d'avoir un gros problème avec le

petit ami si ce n'est pas un homicide, remarqua Bacardi.

— Sans blague ! C'est pas facile d'accuser quelqu'un quand les conclusions du légiste ne sont pas définitives. Mais Berger a demandé l'opinion d'un autre médecin expert. Le Dr Scarpetta.

— Je ne peux pas le croire ! s'extasia Bacardi, qui semblait être une des fans de Scarpetta.

D'abord, Marino regretta d'avoir prononcé son nom. Ensuite, il songea que retenir des informations par-devers lui n'était pas une bonne chose. L'implication de Scarpetta dans l'affaire était importante. Dès qu'elle apparaissait, tout changeait. De plus, si Bacardi devait s'en prendre à lui, il valait mieux que ce soit tout de suite et qu'on en termine. Il précisa :

— On ne parle que d'elle sur Internet en ce moment, et pas gentiment. Je préfère vous le dire parce que, de toute façon, vous allez l'apprendre.

Il y eut un long silence, puis Bacardi reprit :

— Ah, vous êtes le gars qui travaillait avec elle à Charleston. J'ai entendu ça aux nouvelles du matin, à la radio.

Marino n'avait pas songé un seul instant que les ragots d'Internet pourraient être relayés par les médias, et cette nouvelle l'assomma.

— Ils n'ont pas mentionné de noms, poursuivit Bacardi d'un ton qui sembla moins cordial à Marino. Ils ont juste dit qu'elle avait été agressée par un collègue alors qu'elle travaillait là-bas. Un enquêteur avec qui elle bossait depuis des années. Ces charognards discutaient de ça, racontant les conneries habituelles. Surtout, ils se fichaient de Scarpetta en délirant sur ce qu'on avait pu lui faire. J'étais pas mal dégoûtée.

À sa grande surprise, Marino s'entendit dire :

— Peut-être que si on était tous les deux assis à une table, je vous raconterais ce qui s'est vraiment passé.

Il ne l'avait jamais raconté, sauf à Nancy. Il lui avait dit tout ce dont il parvenait à se souvenir et elle l'avait écouté avec cet air sincère et ouvert qui avait fini par exaspérer Marino.

— Vous n'avez pas à vous expliquer, rétorqua Bacardi. Je ne vous connais pas, Pete. En revanche, ce que je sais, c'est que les gens sortent des tas de choses et vous ne savez jamais où se cache la vérité jusqu'au moment où vous décidez de la trouver, où ça devient votre mission. Or ma mission n'est pas de découvrir ce qui est vrai dans votre cas, d'accord ? Ma mission consiste à découvrir la vérité au sujet de ma dame de Baltimore, de ce gamin de Greenwich et maintenant de votre dame de New York. Je vais vous expédier tous les dossiers par *e-mail*. Du moins tout ce que j'ai. Si vous voulez tout éplucher, prévoyez de vous enfermer durant une semaine avec une pleine caisse d'aspirine.

— On m'a dit que les labos n'avaient pas retrouvé d'ADN dans votre enquête, ni dans celle concernant le jeune garçon. Pas de signe d'agression sexuelle.

— C'est ce que j'appelle le cauchemar des choix multiples.

— Peut-être qu'un jour on dégustera des beignets de crabe ensemble à Baltimore et je vous raconterai tout. Ne tirez pas de conclusion hâtive de médisances. Ou alors quand vous viendrez à New York... Vous aimez les *steak houses* ?

Elle ne répondit pas.

Il avait l'impression que quelqu'un venait de piétiner ses émotions. Une vague de dépression l'envahit. Il était foutu. Cette saloperie de *Dans le collimateur de*

Gotham avait bousillé sa vie. Il rencontrait une dame charmante qui portait le même nom que son rhum favori, et soudain elle le traitait comme s'il avait la variole et qu'il postillonnait à chaque mot.

— Ces formulaires du VICAP, ce genre de merde ? reprit Bacardi. Cochez les cases. Comme à l'école quand il y avait plusieurs bonnes réponses. Pas d'agression sexuelle au sens strict du terme, mais dans les deux cas on a retrouvé des traces de lubrifiant. Un genre de truc comme de la vaseline qui s'est révélé négatif lorsqu'on l'a testé pour trouver du sperme. Dans le vagin dans le cas de ma dame. Au niveau de l'anus pour le garçon de Greenwich. Un mélange d'ADN, archi-contaminé. Aucune touche dans le CODIS. On s'est dit que puisque les deux corps avaient été retrouvés nus, balancés dehors, il était normal que plein de contaminants aient adhéré à l'espèce de pommade ou je ne sais quoi. Vous vous rendez compte du nombre d'ADN de gens qu'on peut trouver dans un conteneur à ordures ? Sans même parler des poils de chiens ou de chats.

— C'est intéressant, ça, releva Marino. Parce que dans notre cas aussi l'ADN est flingué par des contaminants. On a eu une touche sur une vieille dame, clouée sur un fauteuil roulant, qui a écrasé un gosse à Palm Beach.

— Elle lui a roulé dessus en fauteuil roulant ? Elle faisait un dépassement de vitesse, a grillé un feu, tout ça dans son fauteuil ? Attendez, là. Est-ce que j'ai raté un épisode ?

Marino se dirigea vers la salle de bains, son téléphone sans fil sous le menton.

— Ça aussi, c'est intéressant. Les ADN retrouvés dans vos deux affaires ont été enregistrés sur le

266

CODIS. Celui de notre enquête vient tout juste de les suivre. Alors, devinez ce que ça signifie ?

Il couvrit le combiné de sa main pendant qu'il urinait.

— Attendez, moi, j'en suis toujours au fauteuil roulant, insista Bacardi.

— Ce que ça veut dire, reprit Marino quand nul bruit ne pouvait plus le trahir, c'est que le mélange des profils ADN est différent. En d'autres termes, si vous n'avez pas eu de touche dans la banque de données, c'est que l'ADN de la vieille dame de Palm Beach ne se trouvait pas dans les échantillons collectés sur vos deux victimes. Je sais pas trop pourquoi. Je crois que vous devriez venir, vous asseoir et discuter avec tout le monde. Aussi vite que possible. Demain matin, par exemple. Vous avez une voiture ?

— Si ça vous rend service à tous, je suis partante. Je peux être à New York dans quelques heures.

— Ma conviction, c'est que lorsque les choses sont aussi différentes, elles ont nécessairement un point commun, conclut Marino.

Chapitre 15

— Personne n'accuse personne de quoi que ce soit, rectifia Benton en conversation téléphonique avec Bryce, l'assistant administratif de Scarpetta. Je me demandais juste ce qui vous a traversé l'esprit lorsque vous en avez pris connaissance... Vraiment... C'est un point important... Bien, c'est intéressant. Je le lui dirai.

Il raccrocha.

Scarpetta avait suivi l'échange d'une oreille distraite. Plusieurs des photos prises de la salle de bains de Terri Bridges l'intéressaient bien davantage. Elle avait débarrassé un coin du bureau de Benton afin de pouvoir les étaler devant elle, les unes derrière les autres. On y voyait le carrelage de céramique blanche, immaculé, et un comptoir de marbre, blanc lui aussi. Une tablette de toilette sur laquelle étaient alignés des flacons de parfum, une brosse à cheveux et un peigne flanquait un lavabo à la robinetterie dorée un peu chargée. Un miroir ovale au cadre doré était suspendu au mur peint en rose. Il penchait un peu, si peu qu'on le remarquait à peine. Scarpetta se fit la réflexion qu'il s'agissait sans doute de la seule chose qui ne soit pas parfaitement d'aplomb dans cette salle de bains.

— Tes cheveux, lança Benton comme son imprimante démarrait.

— Quoi, mes cheveux ?

— Je vais te montrer.

Elle étudia un nouveau gros plan pris après que la police avait retiré la serviette qui couvrait le cadavre de la jeune femme. L'achondroplasie de Terri était plus prononcée que celle d'Oscar. Son nez était un peu épaté et la courbure de son front très prononcée. Ses bras et ses jambes étaient très forts, environ deux fois plus courts que chez un sujet normal. Ses doigts étaient épais.

Benton pivota et récupéra une sortie d'imprimante qu'il lui tendit.

— Il faut vraiment que je regarde cela à nouveau ? demanda Scarpetta.

Il s'agissait de la photo publiée le matin même en illustration de l'article de *Dans le collimateur de Gotham*.

— Bryce te conseille de bien regarder tes cheveux, précisa Benton.

— Je porte une charlotte de protection. Je ne distingue que le bout de quelques mèches.

— C'est là que Bryce voulait en venir. Tu avais les cheveux plus courts. Il a montré la photo à Fielding, qui partage son avis.

Elle se passa la main dans les cheveux, comprenant soudain ce que voulaient dire ses deux collaborateurs. Au cours des dernières années, elle s'était laissé pousser les cheveux de deux ou trois centimètres supplémentaires.

— Tu as raison, admit-elle. Bryce – M. Hygiène – me fait toujours des réflexions à ce sujet. Mes cheveux ont maintenant une longueur qui m'empêche de les couvrir complètement et ils ne sont pas assez longs pour que je parvienne à les rentrer sous la charlotte. Du coup, l'extrémité des mèches dépasse.

— Bryce et Fielding sont parvenus à la même

conclusion, expliqua Benton. Cette photographie est récente. Elle a été prise au cours des six derniers mois, parce que, selon eux, ils travaillaient déjà tous les deux pour toi. Ils se fondent sur la longueur de tes cheveux, ta montre et le genre de heaume que tu portes toujours.

— Il s'agit juste d'un heaume de protection. Rien à voir avec ces modèles sophistiqués en verre de sécurité dont la monture est colorée pour faire plus gai.

— Quoi qu'il en soit, j'ai tendance à penser comme eux.

— Ce n'est pas neutre, réfléchit Scarpetta. Parce que si cette photo a bien été prise à Watertown, ils font tous les deux partie de la liste des suspects. Et ni l'un ni l'autre ne se souviennent d'avoir vu quelqu'un en train de me photographier ?

— C'est bien le problème. Ainsi que je l'ai dit, n'importe qui ou sa sœur aurait pu la prendre, tous ceux qui passent par la morgue. Il est clair à ton attitude sur le cliché, à l'expression sur ton visage, que tu n'as pas la moindre idée qu'on prend une photo de toi. Je parierais pour une petite photo furtive réalisée à l'aide d'un téléphone mobile.

— En ce cas, ça ne peut pas être Marino, remarqua-t-elle. Ça fait bien longtemps qu'il ne s'est pas approché de moi.

— Kay, Marino doit encore plus détester ces ragots sur Internet que toi. Il est invraisemblable qu'il soit derrière tout cela.

Elle examina d'autres photos représentant le corps de Terri Bridges allongé sur le carrelage de la salle de bains. La mince chaîne d'or autour de la cheville de la jeune femme l'intriguait. Elle tendit un des gros plans à Benton.

— Oscar a affirmé à la police qu'il n'avait jamais vu ce bijou auparavant, la renseigna Benton. Et puisque, de toute évidence, tu ne sembles pas non plus savoir d'où il sort, j'en conclus que soit Oscar t'a raconté la même chose, soit il ne l'a pas mentionné durant votre conversation.

— Disons simplement que je ne sais rien de cette chaînette. Toutefois, cela m'étonne que Terri ait porté ce genre de chose. D'abord, ça ne lui va pas, c'est bien trop serré. De deux choses l'une : elle a ce bracelet de cheville depuis très longtemps et elle a grossi, ou alors la personne qui le lui a offert n'a pas pris la peine de se renseigner sur la longueur nécessaire. Ce que je veux dire, c'est que je doute que Terri l'ait acheté elle-même.

— Bon, je vais y aller de mon commentaire sexiste, prévint Benton. C'est le genre d'erreur qu'un homme commet bien plus souvent qu'une femme. Si une femme l'avait acheté pour le lui offrir, elle aurait gardé à l'esprit que Terri avait les chevilles épaisses.

— D'un autre côté, Oscar n'ignore rien des particularités du nanisme. Il est très axé sur le physique. Il serait étonnant qu'il se soit trompé de taille, parce qu'il la connaissait intimement.

— Tout cela se tient, en plus du fait qu'il a nié avoir déjà vu ce bijou.

— Si la personne dont tu étais amoureux n'acceptait de te voir qu'une fois par semaine, à une heure bien précise et à l'endroit où elle le souhaite, est-ce qu'un doute ne finirait pas par t'envahir ? demanda Scarpetta.

— Je finirais par me demander si elle ne fréquente pas quelqu'un d'autre.

— Un autre point maintenant. Si je pose toutes ces questions au sujet de la chaînette, qu'est-ce que cela implique ? poursuivit Scarpetta.

— Qu'Oscar ne l'a pas mentionnée.

— Je pense qu'Oscar meurt de peur que Terri ait fréquenté un autre homme. Accepter cette peur en toute conscience reviendrait à s'infliger une souffrance qu'il ne peut pas supporter. Peu importe dans quel état de choc il était lorsqu'il a découvert le cadavre de Terri, si toutefois il n'a pas menti. Il a quand même dû remarquer la chaîne de cheville. Le fait qu'il n'en dise rien est, selon moi, beaucoup plus révélateur que s'il avait abordé le sujet.

— Il redoute qu'il s'agisse d'un présent fait par un rival, résuma Benton. Ce qui est évidemment de la plus grande importance pour nous puisque si elle fréquentait quelqu'un d'autre, cette personne pourrait être son assassin.

— C'est possible.

— On pourrait également émettre cette hypothèse : Oscar l'a étranglée parce qu'il a découvert qu'elle avait un autre amant, poursuivit Benton.

— Tu as des raisons de penser que tel était le cas ?

— Je vais partir du principe que tu n'en sais pas plus que moi. Admettons qu'elle ait eu cet autre amant, celui qui lui a offert la chaîne. Pourquoi l'aurait-elle portée alors qu'elle attendait la visite d'Oscar ?

— Elle aurait pu affirmer qu'elle se l'était achetée. Cela étant, je ne comprends toujours pas pourquoi elle la portait. Ce n'est pas la bonne taille.

Elle examina une autre photo sur laquelle apparaissaient des vêtements jetés dans la baignoire : des chaussons roses, un peignoir, rose aussi, fendu depuis le col jusqu'aux poignets, un soutien-gorge en dentelle rouge dégrafé sur le devant, les bretelles coupées.

Scarpetta se pencha au-dessus du bureau et lui tendit la photo.

— De toute évidence, lorsque le tueur lui a enlevé son peignoir et son soutien-gorge, elle avait déjà les mains liées dans le dos. C'est pour cela qu'il a coupé les bretelles et fendu les manches.

— Ce qui suggère que son assaillant l'a maîtrisée très vite, commenta Benton. Une attaque surprise. Elle n'a rien vu venir. Que les faits se soient déroulés juste après qu'elle a ouvert la porte, ou qu'il ait déjà été dans l'appartement, il l'a ligotée afin de pouvoir la contrôler. Ensuite, il s'est débrouillé pour la dévêtir.

— Il n'avait pas besoin de taillader ses vêtements si son but était de la violer. Il lui suffisait d'ouvrir le devant de son peignoir, observa Scarpetta.

— Pour provoquer la terreur. La domination intégrale. Tout cela va dans le sens d'un meurtre sexuel de sadique. Ça ne signifie pas pour autant que le meurtrier n'était pas Oscar. L'inverse non plus.

— Comment se fait-il qu'on n'ait pas retrouvé son slip ? À moins qu'on n'ait omis ce détail du rapport. Ça n'est pas banal de porter un soutien-gorge sous son peignoir mais pas de culotte. Je suppose qu'ils vont analyser les fibres retrouvées sur les lames de la paire de ciseaux afin de vérifier s'ils ont été utilisés pour découper les vêtements de Terri. Tout comme les fibres qui ont pu atterrir sur ce que portait Oscar. Des fibres provenant de Terri, de la serviette qui la recouvrait, ont dû se retrouver sur lui, alors qu'il la tenait entre ses bras, assis à côté d'elle.

Scarpetta passa en revue les photos montrant la paire de ciseaux abandonnée à côté du siège des toilettes. Elle remarqua non loin le lien Flexi Cuff dont on s'était servi pour lier les poignets. Le plastique avait été tranché au niveau de la boucle. Quelque chose tracassait Scarpetta. Elle comprit quoi et tendit le cliché à Benton.

— Tu remarques quelque chose d'inhabituel ? lui demanda-t-elle.

— À l'époque où je travaillais pour le FBI, nous utilisions des menottes en métal, pas ces bracelets en plastique. Inutile de te dire qu'on ne s'en serait jamais servi avec des patients.

C'était sa façon d'admettre qu'il n'était pas expert.

— Ce collier-là est transparent, commenta-t-elle. Tous ceux que j'ai vus jusque-là étaient noirs, jaunes ou blancs.

— Ce n'est pas parce que tu n'en as pas vu que...

— Certes, ça ne signifie rien de particulier.

— Il est probable que de nouvelles versions sortent, que d'autres sociétés les fabriquent, d'autant plus que nous sommes en guerre. Les flics et les militaires les portent accrochés à leur ceinture et en ont des dizaines dans leur véhicule. C'est génial lorsqu'il faut immobiliser au plus vite plusieurs prisonniers. En plus, comme la plupart des choses aujourd'hui, ça se trouve facilement sur Internet.

— C'est très difficile à ôter, compléta Scarpetta. C'est là que je voulais en venir. Il est impossible de trancher un Flexi Cuff ou même un collier Rilzan de bricolage utilisé comme menotte avec une paire de ciseaux de cuisine. Il faut un outil spécial, capable de soulever un peu le lien, puis de le couper, comme un Scarab.

— Pourquoi Morales n'a-t-il rien dit ?

— Peut-être n'a-t-il jamais tenté de couper une de ces menottes avec des ciseaux normaux, suggéra Scarpetta. Je parie que c'est le cas de pas mal de policiers. La première fois que j'ai reçu à l'institut médico-légal un corps ligoté avec ce type de choses, il a fallu que j'aie recours à une pince à côtes pour en venir à bout. Maintenant j'ai toujours un Scarab à portée de main. Les homicides, les décès en détention provisoire, les suicides avec des colliers Rilzan autour des chevilles, des poignets ou même de la gorge. Une fois que tu as tiré l'extrémité dans la boucle de fermeture, il est impossible de faire machine arrière. En d'autres termes, ou les ciseaux ont été placés là pour faire croire qu'ils avaient été utilisés alors qu'autre chose a permis de trancher les ligatures, ou alors ce bracelet translucide sur le sol n'est pas un collier Rilzan. Est-ce que la police en a trouvé d'autres dans l'appartement ?

Les yeux noisette de Benton ne la quittaient pas.

— Tu en sais autant ou aussi peu que moi, commenta-t-il. Tout se trouve dans le rapport et dans l'inventaire de pièces à conviction. Ce qui est certain, c'est que s'ils avaient trouvé d'autres ligatures du même genre, elles auraient été embarquées et seraient répertoriées. Dans le cas contraire, Morales serait le plus mauvais flic de la planète. J'en déduis que la réponse est négative. Ce qui nous ramène à l'idée de préméditation. Le tueur a apporté les liens. Peut-être s'est-il servi de la même chose pour l'étrangler. Peut-être pas.

— Nous pouvons dire « il » tant que nous voulons. Cela étant, Terri Bridges était très petite. Il n'est pas exclu qu'une femme ait pu la maîtriser. D'ailleurs un jeune, fille ou garçon, en aurait également été capable.

— Un crime très inhabituel de la part d'une femme. Toutefois, cela pourrait expliquer pour quelle raison Terri a ouvert sa porte si volontiers. Sauf si, encore une fois, Oscar a mis en scène le meurtre pour faire croire à un homicide sexuel, alors qu'il s'agissait de quelque chose de très différent.

— Le lien manquant, celui utilisé pour l'étrangler, réfléchit Scarpetta. Ça n'a pas l'air mis en scène. J'ai la sensation que le tueur l'a embarqué pour une bonne raison.

— Un souvenir peut-être. La ligature, une pièce de

lingerie comme son slip. Un mécanisme qui permet la réactualisation des fantasmes violents après les faits. Il rembobine sa vidéo mentale, se rejoue la scène et parvient à la gratification sexuelle. Un type de comportement rarement associé avec les meurtres domestiques. Les souvenirs de cet ordre impliquent en général un prédateur sexuel qui transforme sa victime en objet, un étranger ou une relation très lointaine. Pas un petit ami. Pas un amant. Sauf si nous sommes en pleine mise en scène, insista-t-il à nouveau. Oscar est très intelligent. Il est calculateur et rapide.

Assez rapide et calculateur pour retourner à sa voiture afin de balancer son manteau à l'intérieur, un moyen de s'assurer que l'histoire qu'il allait servir, celle d'un agresseur qui lui serait tombé dessus au moment où il pénétrait chez Terri – sans oublier son tee-shirt déchiré et ses blessures –, paraîtrait plausible à la police. En admettant qu'il ait dit la vérité à ce sujet, quand avait-il fait cela ? Scarpetta aurait parié que c'était après qu'il s'était griffé et frappé à l'aide de la lampe torche. Il s'était soudain rendu compte qu'il lui était impossible de justifier ses plaies s'il avait porté son manteau lorsque le prétendu tueur l'avait agressé.

— Des souvenirs, répéta Scarpetta. Un tueur qui embarquerait un souvenir en en laissant un autre. On doit considérer la possibilité que la chaînette ait été placée autour de la cheville de Terri par le meurtrier, peut-être même après sa mort. Comme ces bagues en argent. Tu te souviens de cette enquête à laquelle tu as participé il y a des années en Californie ? Quatre étudiantes. Dans chaque cas, le tueur a passé une bague en argent à l'annulaire des victimes. Cela étant, il me semble que le symbolisme est très différent de celui de la chaînette de cheville.

— L'un est une marque de possession : avec cette bague je te fais mienne, traduisit Benton. L'autre implique le contrôle : avec cette entrave autour de la cheville, tu es en mon pouvoir.

D'autres photos : une table dressée pour deux, des bougies, des verres à vin, des serviettes en lin prisonnières de leurs ronds bleus, des assiettes, des soucoupes à pain et des saladiers. Un arrangement floral au centre de la table. Une extrême attention portée aux détails, l'ensemble parfaitement coordonné, centré, aligné, sans une once d'imagination ou de chaleur cependant.

— C'était une obsessionnelle, remarqua Scarpetta. Une perfectionniste. Cela étant, elle s'était vraiment donné du mal. Je crois qu'Oscar comptait pour elle. Est-ce qu'il y avait de la musique lorsque la police est arrivée sur les lieux ?

— Rien n'est signalé dans le rapport.

— La télévision était allumée ? Il y a un poste dans le salon. Sur les photos il est éteint. On a une idée quelconque de ce qu'elle pouvait faire lorsqu'on a sonné à sa porte ? À part un peu de cuisine plus tôt dans l'après-midi ?

— Ce que tu vois sur ces photos, ce qui est indiqué sur les rapports, c'est à peu près tout ce que nous savons. (Il marqua une pause.) N'oublie pas que tu es la seule personne à qui Oscar a accepté de se confier.

Elle parcourut le rapport à haute voix :

— Le four à 3, avec un poulet dedans. Il était sans doute déjà cuit. Elle le tenait au chaud. Une casserole remplie d'épinards encore crus. La cuisinière éteinte.

La lampe en plastique noire, abandonnée non loin de la porte palière, apparaissait sur une autre photo.

Sur une autre encore : une pile de vêtements pliés avec soin. Un pull décolleté de couleur rouge. Vraisemblablement du cachemire. Un pantalon rouge, sans doute en soie. Les chaussures ? Elles étaient absentes de la photo, tout comme son slip.

Encore une photo : le visage gonflé de Terri, sans l'ombre d'un maquillage.

Scarpetta reconstitua la scène. Terri avait l'intention de se pomponner, elle avait opté pour une tenue provocante, rouge vif et douce au toucher. Elle portait un soutien-gorge sexy, un peignoir qui l'était beaucoup moins et des chaussons, attendant peut-être le dernier moment, juste avant l'arrivée d'Oscar, pour se maquiller et passer les vêtements rouges séduisants. Où étaient ses chaussures ? Peut-être n'en portait-elle pas toujours à l'intérieur ? Où était son slip ? Certaines femmes n'en mettent pas. En faisait-elle partie ? Scarpetta trouvait que cette hypothèse ne concordait pas avec ce que lui avait révélé Oscar de l'obsession de Terri sur la propreté, de sa crainte des microbes.

— Sait-on si elle avait pour habitude de ne pas porter de culotte ?

— Pas la moindre idée, soupira Benton.

— Et les chaussures ? Où sont-elles ? Elle s'était donné tant de mal pour choisir ce qu'elle allait enfiler et elle n'aurait pas porté de chaussures ? Il reste trois possibilités : elle ne savait pas encore celles qu'elle allait mettre, ou bien le tueur les a embarquées, ou enfin elle restait pieds nus chez elle. C'est étrange, et je trouve cela un peu dur à avaler. Quelqu'un qui est tellement obsédé par la propreté et l'ordre ne se balade pas pieds nus. D'autant qu'elle portait des chaussons au moment où elle avait son peignoir sur le dos. De plus, toujours en gardant son tempérament obsessionnel compulsif à l'esprit, je la vois mal sans culotte.

— J'ignorais qu'elle présentait ce type de dysfonctionnement, commenta Benton.

Scarpetta se rendit compte qu'elle venait de révéler des informations qu'elle aurait dû taire.

— Tu le sais, Oscar ne m'a pas parlé de Terri lors de son évaluation psychologique, rappela Benton qui n'avait pas l'intention de laisser passer cette indiscrétion. Je n'ai rien détecté de particulier qui puisse indiquer que Terri était une obsessionnelle compulsive, ni même vigilante à l'excès en ce qui concernait la poussière ou l'ordre. À part ce que tu peux voir sur les photos. Cela a été suggéré, mais pas jusqu'à parler de compulsion. En d'autres termes, si elle n'avait pas le profil de quelqu'un qui se balade pieds nus et sans slip, nous en revenons à l'hypothèse d'un tueur qui a emmené des souvenirs avec lui. Ce qui semble écarter Oscar de la liste. Ça me paraît tiré par les cheveux d'imaginer qu'il a pris des vêtements, qu'il les a cachés quelque part, pour revenir à toute vitesse dans l'appartement avant l'arrivée des flics.

— Je suis assez d'accord, approuva Scarpetta.

— Tu ne penses pas qu'Oscar est coupable, n'est-ce pas ?

— Je pense que la police ne devrait pas présumer que le tueur est une – et je cite – personne de petite taille mentalement dérangée, en ce moment bouclée dans un hôpital carcéral. Voilà ce que je pense, lâcha Scarpetta.

— Oscar n'est pas fou. Un vilain mot, mais je l'utilise quand même. Il ne souffre d'aucun désordre de la personnalité. Ce n'est ni un sociopathe, ni un narcissique, ni un *borderline*. Son SCID – son interview clinique structurée – a révélé une tendance à la colère, à l'évitement. Il semble qu'un événement ait déclenché sa paranoïa et renforcé sa conviction qu'il devait rompre les liens avec les autres. En résumé, il a peur

279

de quelque chose. Il ne sait pas en qui il peut avoir confiance.

Scarpetta repensa au CD dont Oscar Bane lui avait parlé, affirmant l'avoir dissimulé dans sa bibliothèque.

Marino longea une rue sombre bordée d'arbres dans Murray Hill, épiant avec les yeux d'un prédateur.

L'immeuble de grès marron où vivait Terri Bridges était coincé entre un terrain de jeux et le cabinet d'un médecin, tous deux fermés la veille au soir. De l'autre côté de la rue, l'immeuble d'un étage de l'étrange voisine était flanqué d'un bistro français et d'une boulangerie, eux aussi fermés la veille au soir. Il avait vérifié, avait fait des recherches scrupuleuses et en était arrivé à la même conclusion que Morales : quand Terri avait ouvert sa porte au tueur, personne n'avait rien vu.

Et même si quelqu'un était passé par là à ce moment précis, cette personne ne se serait pas étonnée qu'une silhouette solitaire gravisse les marches de l'immeuble et sonne à la porte principale ou peut-être l'ouvre avec sa clé. Marino soupçonnait que l'individu en question était resté en retrait jusqu'au moment où il avait été assuré que nul ne risquait de le repérer. Ses pensées revinrent ensuite à Oscar Bane.

Si son intention avait été de tuer Terri hier soir, pourquoi aurait-il craint qu'on le remarque ? Il était son petit ami. Il était supposé dîner avec elle, ou du moins était-ce ce que les gens penseraient. Garer sa Jeep Cherokee juste devant l'immeuble était une bonne idée puisque n'importe qui aurait fait de même, pour peu qu'il soit animé de bonnes intentions. Sa discussion avec Bacardi avait permis à Marino de parvenir à une certitude quant à la nature du crime auquel il était confronté : un acte prémédité à caractère sexuel commis par un agresseur dont la petite boîte à outils criminels incluait des ligatures, du lubrifiant et une chaînette de cheville en or dix carats.

Soit Oscar était innocent, soit les flics auraient toutes les peines du monde à le coincer parce qu'il avait d'excellentes raisons pour débarquer chez Terri hier en fin d'après-midi. De toute évidence, Terri l'attendait. De toute évidence, elle avait prévu de passer une soirée romantique en sa compagnie. Jusque-là, la scène de crime se révélait presque inutile parce qu'on allait y trouver des traces d'Oscar partout, même sur le cadavre de Terri. Le crime parfait ? Peut-être, du moins s'il n'y avait pas eu cette incohérence : l'insistance d'Oscar lorsqu'il avait affirmé – un mois avant la mort de Terri – qu'on l'espionnait, qu'on cherchait à lui laver le cerveau et qu'on avait volé son identité.

Marino repensa à Oscar délirant, fulminant au téléphone. Sauf à le croire psychotique, pourquoi aurait-il attiré l'attention sur lui s'il était un *serial killer* avec déjà au moins deux meurtres à son actif ?

Marino oscillait entre l'inquiétude et la culpabilité. Que se serait-il passé s'il avait écouté Oscar avec un peu plus d'intérêt, s'il l'avait encouragé à passer dans les bureaux du procureur où il aurait pu s'entretenir avec elle ? Que se serait-il passé si Marino lui avait juste accordé le bénéfice du doute ? Serait-il là à arpenter ce trottoir sombre par cette nuit glaciale et venteuse ?

Ses oreilles s'engourdissaient, ses yeux se remplissaient de larmes, et il s'en voulait terriblement d'avoir bu tant de Sharp's. Lorsqu'il parvint en vue de l'immeuble de Terri, il remarqua que les lumières de son appartement étaient allumées, les doubles rideaux tirés et qu'une voiture stationnait en bas de chez elle. Il imagina un flic assis dans l'appartement, sécurisant la scène de crime jusqu'à ce que Berger juge cette précaution superflue. Il imagina le pauvre gars s'ennuyant à mourir. Marino aurait beaucoup donné pour faire un petit tour dans la salle de bains, mais on n'utilise pas les toilettes d'une scène de crime.

En ce moment, les seules toilettes à sa disposition étaient l'extérieur. Poursuivant son chemin en direction de l'immeuble de Terri, Marino scruta les environs à la recherche de l'endroit idéal. Les lanternes qui éclairaient chaque côté du hall d'entrée étaient allumées. Morales avait signalé dans son rapport qu'elles étaient éteintes la veille au soir à l'arrivée de la police, peu après dix-huit heures.

Les pensées de Marino revinrent à Oscar Bane. En réalité, cela n'aurait fait aucune différence pour lui si un témoin avait affirmé l'avoir vu. Il était le petit ami de Terri, possédait un double des clés de l'immeuble et elle l'attendait. Pourquoi les lumières extérieures n'étaient-elles pas allumées lorsqu'il était arrivé, si cette précision était exacte ? À dix-sept heures, il faisait déjà complètement nuit.

D'un autre côté, il était possible que les lumières soient allumées à son arrivée et que, pour une raison ou pour une autre, il les ait éteintes après avoir pénétré dans l'immeuble.

Marino s'arrêta à quelques mètres du bâtiment de grès brun, le regard braqué sur l'entrée de la 29e Rue Est. Il s'imagina dans la peau du tueur, tenta de recréer ce qu'il avait ressenti lorsqu'il s'était approché de l'immeuble de Terri. Qu'aurait-il vu ? Qu'aurait-il senti ? La journée d'hier avait été froide et humide, venteuse, avec des bourrasques à plus de trente-cinq kilomètres-heure. Une journée qui n'incitait personne à la promenade, presque aussi déplaisante qu'aujourd'hui.

Dès quinze heures trente le soleil avait décliné, disparaissant derrière les arbres et la ligne des toits. La pénombre avait commencé d'envahir l'entrée de l'immeuble. Il était peu probable que les lanternes aient été allumées dès cette heure-là, même en admettant qu'elles soient réglées par une minuterie. Au milieu de l'après-midi, les occupants des appartements devaient avoir allumé chez eux, permettant à un prédateur de déduire aussitôt qui était à son domicile.

Marino avança d'un pas vif vers le terrain de jeux. Il était en train de se soulager contre un portail lorsqu'il détecta une forme sombre et volumineuse en haut du toit plat de l'immeuble de Terri. La forme se trouvait à proximité de la silhouette pâle de l'antenne satellite. Et la forme bougea. Marino remonta la fermeture Éclair de son pantalon, il plongea la main dans la poche de son blouson à la recherche de son arme et contourna furtivement le flanc ouest de l'immeuble de Terri. L'issue d'incendie, une échelle étroite et raide, était bien trop fragile pour les mains et les pieds de Marino.

À tous les coups elle se décrocherait du mur s'il tentait de l'escalader et l'enverrait valdinguer au sol. Son cœur cogna et une forte suée dévala le long de son torse protégé par le blouson Harley. Son pistolet Glock calibre 40 dans une main, il grimpa néanmoins, un barreau à la fois, les genoux tremblant.

Il n'avait jamais eu le vertige avant de quitter Charleston. Benton avait diagnostiqué qu'il s'agissait d'une des conséquences de la dépression et de l'état d'angoisse qui l'accompagnait. Il avait recommandé la prise d'un nouveau traitement qui incluait un antibiotique, la D-cyclosérine, simplement parce que ça avait marché sur des rats lors d'expériences de neurosciences. Nancy, la thérapeute de Marino, quant à elle, avait affirmé que son problème venait d'un « conflit inconscient » dont il ne parviendrait à déterminer la nature exacte que s'il restait sobre.

Marino n'avait aucun doute sur l'origine de son conflit. À cet instant précis, il se résumait à une fichue échelle bien trop étroite, scellée au mur d'un immeuble de grès brun. Il se hissa sur le toit. Son cœur fit une embardée et il grogna de surprise lorsque le canon d'un flingue pointa vers son visage, l'arme que tenait la forme sombre couchée sur le ventre comme un tireur d'élite en position. L'espace d'un instant, les deux hommes demeurèrent figés.

Puis Mike Morales rengaina son pistolet. Il s'assit en murmurant d'un ton mauvais :

— Espèce de stupide enfoiré ! Qu'est-ce que tu fous ?

— Qu'est-ce que tu fous, toi ? répondit Marino en baissant à son tour la voix. J'ai cru que t'étais un putain de tueur en série.

Il se traîna rapidement sur le derrière jusqu'à mettre une distance rassurante entre lui et le bord du toit.

— T'as du bol que je ne t'aie pas explosé ton foutu crâne, ajouta Marino.

Il fourra le Glock dans la poche de son blouson.

— On a déjà eu cette conversation : t'as pas à traî- ner tes guêtres un peu partout sans m'avertir de ce que tu fais, attaqua Morales. Je vais faire virer ton cul ! D'ailleurs Berger est sans doute en train d'y penser sérieusement.

Les traits de son visage étaient presque indiscernables dans l'obscurité. Les vêtements noirs, très amples, qu'il portait lui donnaient l'air d'un clochard ou d'un dealer de came.

— Je sais pas comment je vais réussir à redescendre, lâcha Marino. Tu sais l'âge qu'elle a, cette échelle ? Sans doute cent ans, au moins. À cette époque-là, les gens étaient deux fois moins corpulents que nous.

— Mais qu'est-ce qui te prend ? T'essaies de prouver quelque chose ou quoi ? Parce que, pour l'instant, la seule chose que t'es en train de démontrer, c'est que t'es mûr pour aller bosser dans un service de sécurité de centre commercial ou un truc de ce genre !

Une unité de climatisation et de chauffage ainsi qu'une antenne satellite trônaient sur le toit de ciment. De l'autre côté de la rue, dans l'immeuble où Marino était passé un peu plus tôt, les seules fenêtres allumées étaient celles de l'appartement du premier étage qu'occupait la voisine. Les doubles rideaux avaient été tirés. Quant à l'immeuble situé à l'arrière de celui de Terri, ses occupants semblaient progressivement rentrer, inconscients du fait qu'on était en train de les surveiller. Un homme âgé était assis devant son ordinateur. À l'étage en dessous, une femme en pyjama vert était installée sur le canapé de son salon et accompagnait sa conversation téléphonique de mouvements de mains.

Morales cherchait des poux dans la tête de Marino, l'accusant de tout faire capoter.

— La seule chose que je suis en train de faire foirer, c'est que tu joues les voyeurs en planque, rétorqua Marino.

— J'ai pas besoin de jouer les voyeurs en planque pour voir ce que je veux quand je veux, répliqua Morales. Ce qui veut pas dire que je materais pas s'il y avait quelque chose à voir.

Il désigna l'antenne parabolique du doigt, orientée au sud, vers un satellite qui sillonnait le ciel si haut que Marino n'avait aucune chance de l'apercevoir.

— Je viens juste d'installer une caméra sur le pied de l'antenne, poursuivit Morales. Au cas où Oscar se montrerait. Peut-être qu'il va essayer de s'introduire dans l'appartement de la fille. Tu vois, le coup classique de merde du tueur qui revient sur les lieux de son crime. Ou même si n'importe qui décidait de passer. Je garde l'esprit ouvert. Peut-être que c'est pas Oscar le coupable. Mais je parie mon fric sur lui. Pour les deux autres meurtres aussi.

Marino ne se sentait pas d'humeur à lui relater la conversation qu'il venait d'avoir avec Bacardi. Même s'il ne s'était pas trouvé sur un toit, une situation qui lui était tout sauf agréable, il n'aurait pas été d'humeur.

— Le collègue chargé de la sécurité de son appartement sait qu'on est ici ? demanda-t-il.

— Bordel, non ! Et si jamais tu lui dis, t'auras le temps de voir venir avant d'arriver en bas parce que je balance ton cul du toit. La meilleure façon de foutre en l'air une surveillance, c'est de mettre les autres flics au courant, toi inclus.

— Ça t'a pas frappé que sa voiture de service soit garée juste en face de l'immeuble, une vraie pub pour le département de police de New York ? Faudrait peut-être que tu lui demandes de la bouger si t'espères que le tueur revienne sur les lieux.

— Il va la bouger. Fallait être super-crétin pour garer sa bagnole juste ici, approuva Morales.

— En général, le plus gros ennui, c'est M. Tout-le-Monde et les médias qui sont persuadés qu'ils ont le droit de jeter un œil partout. Pas de voiture de service ? D'accord. Mais, du coup, plus de dissuasion. Tu fais comme tu le sens. T'as une idée de la raison pour laquelle les lumières de l'entrée étaient éteintes hier soir ? demanda Marino.

— Je sais juste qu'elles l'étaient. C'est tout et c'est dans mon rapport.

— Ben, ce soir, elles sont allumées.

Les bourrasques de vent les giflaient comme les vagues invisibles d'un ressac de nuit d'orage et Marino songea qu'il risquait d'être balayé du toit. Ses mains s'engourdissaient, il tira ses manches afin de les couvrir.

— Ben alors, je dirais que c'est le tueur qui les a éteintes hier, proposa Morales.

— Un truc plutôt bizarre à faire une fois qu'il était à l'intérieur.

— Peut-être qu'il a éteint au moment où il partait, pour que personne l'aperçoive, au cas où il aurait rencontré un passant ou si une bagnole était passée devant lui.

— Dans ce cas, c'est qu'Oscar n'a pas fait le coup, puisqu'il n'a pas quitté l'appartement, remarqua Marino.

— On sait pas ce qu'il a fait. Peut-être qu'il est entré et sorti pour se débarrasser de trucs. Comme le genre de machin avec quoi on l'a étranglée. Où t'es garé ? demanda Morales.

— À deux rues d'ici. Personne m'a vu.

— Ouais, t'es un grand subtil, mon frère. J'ai eu l'impression qu'un chat de cent cinquante kilos grimpait le long du mur. C'est bête que tu sois pas arrivé un peu plus tôt. Tu vois cette femme qui téléphone ?

Il désigna l'appartement dans lequel la femme en pyjama vert était toujours en grande conversation téléphonique, assise sur le canapé, appuyant ses propos de gestes larges.

— C'est marrant comme y a plein de gens qui ferment pas leurs rideaux, commenta Morales.

— Et c'est sans doute la vraie raison pour laquelle tu es perché là ce soir.

— La fenêtre de gauche ? Les lumières sont éteintes maintenant, mais y a pas une demi-heure ça brillait comme un soir de première. Et la femme était devant.

Marino scruta la fenêtre en question comme si elle allait à nouveau s'illuminer pour lui révéler ce qu'il avait manqué.

— Juste sortie de la douche et la serviette de toilette par terre. Des jolis seins, je veux dire vraiment jolis, expliqua Morales. J'ai cru que j'allais tomber à la renverse du toit. Bordel, j'aime mon boulot !

Marino aurait volontiers renoncé au spectacle de cinquante femmes nues si cela avait pu lui éviter de redescendre en empruntant cette échelle. Morales se redressa, aussi à l'aise qu'un pigeon, alors que Marino entreprenait de se traîner à nouveau vers le bord du toit, son cœur lui remontant dans la gorge. Tandis qu'il progressait centimètre par centimètre, il se demanda ce qui avait pu lui arriver. Durant des années, il avait pris place à bord des hélicoptères et des avions de Lucy. Il avait adoré s'élever dans les cabines de verre d'ascenseurs ou traverser des ponts suspendus. Aujourd'hui, il détestait gravir les échelons d'un escabeau pour changer une ampoule.

Il regarda Morales s'éloigner en direction de l'antenne satellite et un curieux sentiment lui vint à son sujet. Morales avait étudié dans des écoles huppées. Il était docteur, ou du moins il aurait pu s'il avait voulu. Il était beau mec, même s'il prodiguait des efforts acharnés pour que les gens le prennent pour un membre de gang ou un voyou latino. Il était à lui seul une grosse contradiction. Cela n'avait aucun sens qu'un type comme lui grimpe sur un toit pour y installer une caméra, alors qu'un flic poireautait un étage plus bas pour sécuriser une scène de crime, le tout sans rien dire à personne. Et si le flic chargé de la surveillance de l'appartement de Terri l'avait entendu monter ?

Marino se rappela soudain ce que lui avait confié la voisine au sujet d'un accès vers les toits, et des gens de la maintenance qu'elle avait vus s'occuper de l'antenne satellite. Peut-être que Morales n'avait pas eu à grimper le long de l'échelle. Peut-être qu'il était parvenu jusqu'ici d'une autre façon, bien plus facile. Peut-être qu'il était une bien trop grosse ordure pour mettre Marino dans le secret.

L'acier glacial lui mordit les mains lorsqu'il s'agrippa aux barreaux et entreprit de descendre avec lenteur. Il ne se rendit compte qu'il avait atteint le sol que lorsqu'il le sentit sous ses semelles. Il se laissa aller contre le mur de l'immeuble pour attendre que son souffle s'apaise. Il se dirigea vers l'entrée et s'arrêta en bas des marches, levant la tête pour voir si Morales le surveillait. Il ne parvint pas à distinguer sa silhouette.

Une petite lampe torche militaire pendait à l'anneau de ses clés et il en dirigea le puissant faisceau vers les lanternes qui éclairaient chaque côté du hall d'entrée, dont les murs bruns étaient recouverts de lierre. Il balaya les marches de brique, le palier, puis dirigea le faisceau vers les arbustes et les poubelles. Il appela le dispatcheur afin qu'il prévienne l'officier chargé de la garde de l'appartement de Terri Bridges et lui demande de lui ouvrir. Marino patienta une minute et la porte de l'immeuble s'entrouvrit pour le laisser passer. Il ne s'agissait pas du même flic en uniforme que celui qui lui avait ouvert un peu plus tôt.

— On se marre ? lui lança Marino en refermant la porte.

Il le dépassa et pénétra dans le hall de l'immeuble.

— Ça commence à puer là-bas, lâcha le flic qui

semblait avoir tout juste seize ans. Rappelez-moi que je ne veux plus jamais manger de poulet.

Marino remarqua deux interrupteurs scellés à gauche de la porte. L'un commandait les lumières extérieures, l'autre celles du hall.

— Vous savez si elles sont programmées par minuterie ? s'enquit-il.

— Non, elles le sont pas.

— Alors, comment ça se fait que les lanternes extérieures se soient allumées ce soir ?

— C'est moi qui les ai allumées quand je suis arrivé, y a à peu près deux heures de ça. Pourquoi ? Vous voulez qu'on les éteigne ?

Marino jeta un regard aux marches de bois sombre qui menaient au premier étage. Il dit :

— Non, laissez-les comme ça. Vous êtes monté ? On dirait que les autres occupants sont pas rentrés.

— J'ai été nulle part. J'ai le cul scotché de l'autre côté de la porte, expliqua-t-il en désignant l'appartement de Terri d'un mouvement de menton. (Il avait laissé la porte entrouverte.) Y a personne dans l'immeuble. Je peux vous dire que si c'était moi, je prendrais tout mon temps pour rentrer, surtout si j'étais une femme seule.

— Y a aucune autre femme qui vit seule ici, le renseigna Marino. Juste celle dont vous baby-sittez l'appartement. (Il désigna la porte située de l'autre côté du hall en précisant :) Celui-là, c'est deux gars qui l'occupent, tous les deux barmans. Ils sont probablement jamais chez eux la nuit. Juste au-dessus de Terri Bridges, c'est un type qui étudie au Hunter College et qui vivote en promenant des chiens. Et en face de chez lui, le locataire, c'est un consultant italien qui bosse pour une compagnie financière anglaise. Une de ces locations d'entreprises, en d'autres termes. Le gars est sans doute jamais là.

— On les a interrogés ?

— Pas moi, mais j'ai vérifié leurs antécédents. Rien en ressort. Après ma conversation avec les parents de Terri, j'ai eu l'impression qu'elle était pas du genre amical. Elle leur avait jamais parlé des autres résidents de l'immeuble, elle semblait pas les connaître ni en avoir grand-chose à faire. Mais bon, on est pas dans le Sud ici. Les gens préparent pas de gâteaux pour leurs voisins juste pour avoir un prétexte afin de fourrer le nez dans leurs affaires. Faites pas attention à moi. Je vais fouiner dans le coin un petit moment.

— Faites juste gaffe parce que l'enquêteur Morales est sur le toit.

Marino s'immobilisa devant la première marche et demanda :

— Quoi ?

— Ouais, il est monté y a à peu près une heure.

— Il vous a dit pourquoi ?

— J'ai pas demandé.

— Il vous a dit de garer votre voiture ailleurs ?

— Pour quoi faire ?

— Demandez-lui. C'est lui le super-enquêteur bourré d'excellentes idées.

Marino grimpa les marches jusqu'au premier étage. Rivetée dans le plafond entre les deux appartements se trouvait une trappe de visite en acier inoxydable, équipée d'une poignée. En dessous était poussé un grand escabeau en aluminium avec des échelons recouverts d'un matériau antidérapant, une barre de sécurité repliable et un plateau de travail sur lequel étaient alignés plusieurs tournevis. Juste à côté, la porte d'un placard réservé à la maintenance était grande ouverte.

— Enfoiré ! marmonna Marino.

Il imagina Morales rigolant en l'entendant descendre avec peine l'échelle d'incendie, alors qu'il aurait pu lui indiquer la trappe de visite. Marino aurait pu retrouver le plancher des vaches grâce aux cinq marches robustes qui rejoignaient le hall éclairé, au lieu de trente barreaux peu fiables engloutis par une obscurité glaciale.

Marino replia le grand escabeau et le rangea dans le placard de maintenance.

Il était en train de rejoindre son véhicule quand la sonnerie de son mobile se déclencha. L'écran indiquait « numéro inconnu », et il fut certain que son correspondant n'était autre que Morales, en rogne contre lui.

— Ouais, répondit Marino d'un ton jovial sans ralentir l'allure.

— Marino ? Jaime Berger à l'appareil. Je n'arrive pas à joindre Morales.

En arrière-plan lui parvenait un brouhaha, celui de la circulation sans doute. Au ton de Berger, Marino sut qu'elle était irritée.

— Je viens juste de le voir. Il est du genre injoignable en ce moment.

— Si vous aviez l'occasion de lui parler, signalez-lui que je viens de lui laisser trois messages. Je n'ai pas l'intention d'en laisser un quatrième. Peut-être que vous pouvez m'aider, Marino. Nous avons déjà dix-huit mots de passe.

— Juste pour elle ? s'étonna Marino en faisant référence à Terri Bridges.

— Le même fournisseur d'accès, mais des identifiants différents. Je ne sais pas trop pour quelle raison. Son petit ami n'en a qu'un seul. Je descends d'un taxi, là.

Marino entendit le chauffeur dire quelque chose,

puis Berger lui répondre. Une portière claqua et la communication devint plus nette.

— Une seconde. Attendez que je rejoigne ma voiture, dit Marino.

Son Impala banalisée bleu sombre était juste devant lui.

— Où êtes-vous ? Qu'est-ce que vous faites ? demanda-t-elle.

— C'est une longue histoire. Est-ce que Morales vous a tenue au courant d'un cas qui s'est produit à Baltimore et d'un autre à Greenwich, dans le Connecticut ?

— Je viens de vous dire que je n'avais pas pu le joindre.

Marino déverrouilla la portière conducteur et s'installa. Il tourna la clé de contact et ouvrit la boîte à gants pour récupérer un stylo et un bout de papier.

— Je vais vous expédier des trucs par *e-mail*. Je pense pouvoir y arriver depuis mon BlackBerry. Il faudrait que Benton en prenne connaissance aussi, ajouta Marino.

Un silence lui répondit.

— Si ça vous pose pas de problèmes, je vais lui envoyer ce que j'ai, à lui aussi, insista Marino.

— Bien sûr.

— Si je peux me permettre de vous dire ça, personne ne communique avec les autres. Vous voulez un exemple ? Est-ce que vous savez si les flics ont jeté un œil au-dessus de chez Terri hier soir ? Peut-être qu'ils ont vérifié la trappe de service qui mène sur le toit et l'escabeau du placard de maintenance ?

— Je n'en ai pas la moindre idée, admit Berger.

— C'est exactement là que je voulais en venir. Rien dans le rapport. Pas de photos non plus.

— C'est intéressant.

293

— Le toit, c'était idéal pour entrer et sortir sans être vu. Il y a une échelle d'incendie scellée contre le flanc gauche de l'immeuble. Et comme je viens de vous le dire, personne ne peut vous voir, répéta Marino.

— Morales devrait avoir une explication.

— Vous inquiétez pas. Je suis sûr que ça viendra sur le tapis. Ah, autre chose : il faut balancer l'empreinte ADN d'Oscar Bane dans la banque de données CODIS le plus vite possible. À cause des meurtres de Baltimore et de Greenwich. Ça y est ? Vous avez reçu mes *mails* ?

— L'ADN devrait déjà être dans les tuyaux. J'ai exigé des réponses rapides, dès ce soir. Oui, je viens de recevoir vos *e-mails*, le renseigna Berger. C'est sympa de la part de Morales de ne pas avoir pris la peine de m'avertir au sujet des deux autres cas éventuels.

— Ça veut donc dire qu'Oscar est enregistré dans CODIS ou qu'il y sera bientôt, résuma Marino. Oh, je suis sûr que Morales allait vous prévenir sous peu.

— Je n'en doute pas.

— Je vais prévenir l'enquêtrice de Baltimore avec laquelle je me suis branché au sujet de l'ADN d'Oscar. Remarquez, c'est pas que je sois sur des charbons ardents. Je pense pas qu'on aura une touche reliant Oscar Bane et les deux autres meurtres. Je sais pas, mais y a un truc qui coince dans cette histoire. Je le vois vraiment pas buter ces deux personnes, en plus de la petite amie.

Marino sentait toujours lorsque Berger accordait toute son attention à un interlocuteur. Dans ces cas-là, elle n'interrompait jamais la conversation, ni ne changeait de sujet. Il continua à parler parce qu'elle l'écoutait toujours, chacun des deux faisant très attention à ses formulations puisque l'échange passait par l'intermédiaire de téléphones mobiles.

— Ces deux autres affaires, celles concernées par les infos que je viens de vous envoyer, y a des trucs que j'ai pas mentionnés, notamment ce qu'on vient tout juste de me raconter par téléphone, poursuivit Marino. Ils se sont retrouvés avec une contamination d'ADN. Un mélange provenant d'autres personnes.

— Comme dans notre enquête ? s'enquit Berger.

— Écoutez, j'ai pas trop envie d'entrer dans les détails maintenant pour des raisons de sécurité. Mais ça serait pas mal que vous puissiez faire passer un message à Benton. Je sais qu'il est ici, à New York. C'est Morales qui me l'a dit, et il a même ajouté que lui et la Doc se rendaient ensuite à la morgue. Bon, on peut continuer à espérer qu'on se rencontrera pas. Je vous le dis comme je le pense. Inutile de tourner autour du pot.

— Ils n'y sont toujours pas arrivés. Quant au Dr Lester, elle a été retardée.

— Je parie que c'est pas par un amant, en tout cas je le souhaite pour le gars, ironisa Marino.

Le rire de Berger lui parvint.

— Selon moi, tout le monde sera présent dans environ une heure, précisa Berger dont le ton avait changé du tout au tout.

Comme si elle le trouvait intéressant, distrayant et peut-être comme si elle ne le détestait pas.

— Benton et Kay, souligna-t-elle.

Elle informait Marino, et c'était sa façon de lui faire savoir qu'elle n'était pas son ennemie. Non, mieux que cela. Elle lui laissait entendre qu'elle pouvait lui faire confiance, éprouver du respect pour lui.

— Ça serait quand même utile si on pouvait tous se rencontrer, suggéra Marino. Discuter de l'enquête.

J'ai demandé à cette flic de Baltimore de venir à New York. Elle devrait arriver demain matin. Elle peut passer quand on a besoin d'elle.

— C'est une bonne chose. Ce que je veux maintenant, c'est que vous me trouviez les mots de passe et les historiques des comptes associés aux identifiants que je vais vous expédier. J'ai déjà envoyé par fax une lettre au fournisseur d'accès en lui ordonnant de geler les comptes afin qu'ils restent en activité. Ah, autre chose, Marino : si quiconque vous demande de lui transmettre ces informations, la réponse est non. Soyez intransigeant sur ce point, quelle que soit la personne qui vous les réclame. Je me fiche de savoir s'il s'agit de la Maison-Blanche. Les mots de passe ne doivent être transmis à personne. Je vous parle depuis mon mobile.

Elle faisait sans doute référence à Oscar Bane. Marino ne voyait pas qui d'autre aurait pu connaître les identifiants et le nom du fournisseur d'accès de Terri ou d'Oscar. Or, sans ces renseignements, personne ne pouvait remonter jusqu'aux mots de passe. La lumière de l'habitacle était éteinte et il resta dans l'obscurité. Une vieille habitude. Il s'éclaira du faisceau de sa lampe pour inscrire les identifiants et les autres informations que Berger lui communiquait.

— Oscar est toujours dans le service de psychiatrie ? demanda Marino.

— C'est, bien sûr, une de mes inquiétudes, avoua-t-elle d'une voix qui avait un peu perdu son tranchant professionnel coutumier.

Elle semblait presque amicale, peut-être même intriguée, comme si elle n'avait jamais vraiment prêté attention à Marino avant ce coup de téléphone.

— Je doute qu'il y reste encore très longtemps, poursuivit-elle. De surcroît, il y a eu d'autres développements. Je me rends dans une compagnie informatique spécialisée en sciences médico-légales. J'ai le sentiment que vous la connaissez. Je vous donne le numéro de téléphone.

Elle l'énonça et précisa :

— J'essaierai de décrocher le téléphone avant Lucy.

Chapitre 16

Jet Ranger était presque complètement sourd, boitillait et souffrait d'un gros dysfonctionnement intestinal. Le vieux bouledogue de Lucy n'était pas natif de la Grosse Pomme.

Son aversion pour le ciment et l'asphalte posait un sérieux problème dans une ville où des gens sans cœur saupoudraient de poivre rouge le moindre carré de terre ou de verdure entourant le pied des rares arbres. La première fois que Jet Ranger en avait pris plein le museau en reniflant afin de trouver l'endroit idéal pour faire ses besoins, Lucy avait vite compris que la boutique située non loin de l'érable chétif était à l'origine du saupoudrage. Elle avait réglé le problème rapidement, sans s'expliquer, ni même protester.

Le lendemain matin des faits, elle avait pénétré dans la boutique, balancé une bonne livre de poivre rouge moulu dans tous les coins et, pour faire bonne mesure, au cas où le crétin de propriétaire n'aurait pas compris l'allusion, elle avait tartiné d'une bonne dose la réserve qui empestait l'urine avant de sortir par la porte de derrière. Elle avait ensuite dénoncé anonymement la cordonnerie Save My Sole auprès de l'organisation PETA.

Elle promena son vieux bouledogue arthritique et poussif durant une bonne demi-heure avant qu'il ne se décide enfin, et était donc en retard. Lorsqu'elle arriva devant son immeuble, un sac à crottes de toutou à la main, la silhouette de Berger se dressait devant les murs de brique et les rambardes de fer forgé, auréolée par la lueur tremblante des lanternes à gaz. Elle attendait en bas des trois marches qui menaient à la lourde porte en chêne.

Le visage en partie voilé par l'obscurité, Berger lâcha en considérant le petit sac :

— On peut en trouver en version colorée dans des distributeurs. Et ils ne sont pas transparents.

Lucy balança le « bon boulot » de Jet Ranger dans la poubelle et s'excusa :

— J'espère que tu n'as pas attendu trop longtemps. Ce n'est pas un petit gars des villes. Il a dû profiter d'un jardin entouré d'une jolie barrière blanche dans une vie antérieure. Il s'appelle Jet Ranger, comme le premier hélicoptère que je me suis offert. Jet Ranger, je te présente Jaime Berger. Il ne connaît aucun tour, ne sait pas serrer la main ou toper là, et il ne maîtrise pas le vol stationnaire. Il est très basique. Hein, mon gars ?

Berger s'accroupit pour gratter le cou du chien, semblant peu préoccupée que le bas de son long manteau de vison ras traîne sur le trottoir malpropre et qu'elle bouche le passage aux piétons. Des gens la contournèrent dans la nuit glaciale comme elle embrassait le crâne du bouledogue et qu'il lui léchait le menton.

— C'est impressionnant, commenta Lucy. En général, il n'aime pas les gens. C'est le truc bizarre quand on vit avec un connard. Je ne parlais pas de moi. La personne à qui il appartenait avant. Oh, je suis désolée, dit-elle au chien en le caressant et en frôlant l'épaule de Berger. Je ne devrais pas discuter de ta vie privée

ou de ton passé pénible et encore moins utiliser le mot
« appartenait ». C'était grossier de ma part. En fait, il
ne m'appartient pas vraiment, précisa-t-elle au profit de Berger. Pour être tout à fait franche, je suis
contrainte de lui offrir des sommes considérables pour
qu'il m'autorise à le nourrir, le caresser, le sortir, et
pour qu'il condescende à dormir avec moi.

— Quel âge a-t-il ? s'enquit Berger.

— Je n'en sais trop rien. (Lucy massa les oreilles
tachetées.) Je l'ai récupéré peu de temps après avoir
emménagé à New York. J'étais rentrée de Boston en
hélico et je quittais l'héliport de West Thirtieth. Il
galopait le long de l'autoroute du West Side. Je ne sais
pas si tu as déjà vu le regard de panique d'un chien
perdu. Il boitait.

Lucy plaqua ses mains sur les oreilles de Jet Ranger
afin qu'il ne puisse pas entendre la suite. Elle poursuivit :

— Pas de collier. Il a sans doute été balancé d'une
voiture parce qu'il était vieux, que ses hanches
commençaient à être pourries d'arthrose et qu'il est à
moitié aveugle. Bref, un clébard plus amusant du tout,
tu vois ? En général, ils ne dépassent pas dix ans.
À mon avis, il n'en est pas loin.

— Les gens sont nuls, commenta Berger en se
redressant.

— Allez, viens, commanda Lucy en s'adressant au
bouledogue. Surtout, que le manteau de Jaime ne te
contrarie pas. Je suis certaine que tous ces pauvres
petits visons sont décédés de cause naturelle.

— Nous devrions obtenir les mots de passe sous
peu, annonça Berger. Ça nous aidera peut-être à
comprendre le reste.

— Je ne sais pas trop ce que signifie « le reste »
puisque j'ignore à peu près tout du début. On

commence tout juste. Toutefois, il y a déjà assez de choses pour que je m'inquiète pour ma tante. Et je m'inquiète.

— J'ai compris lorsque tu m'as appelée.

Lucy introduisit une clé interactive dans la serrure encastrée à cylindre. Le système d'alarme émit des bips comme elle ouvrait la porte principale. Elle tapa son code et les bips s'interrompirent.

— Quand tu comprendras de quoi je parle, ta première réaction sera de me virer, la mit en garde Lucy. Pourtant tu ne le feras pas.

La Mégère se considérait comme une administratrice Web haut de gamme. Pourtant elle n'était pas programmatrice. Elle était encore moins experte en technologie de l'information.

Elle était assise devant son ordinateur, regardant la page d'accueil de *Dans le collimateur de Gotham* poursuivre sa danse hystérique, pendant qu'un technicien de la compagnie qui hébergeait leur site lui expliquait que leur problème provenait d'une saturation des flux. Il tentait de lui faire comprendre que le nombre d'utilisateurs du site cherchant certaines informations avait largement dépassé les énormes capacités du serveur. En ce moment même, la situation était totalement incontrôlable. Des millions de gens cliquaient chaque minute sur une photo stockée dans la rubrique « La chambre noire », et, si on l'en croyait, cela ne pouvait avoir qu'une cause :

— Un ver, diagnostiqua-t-il. Bon, en fait c'est comme un virus. Mais je n'ai jamais rien vu de semblable. On dirait un ver mutant.

— Mais enfin, comment un ver, mutant ou pas, a-t-il pu pénétrer dans la programmation ? argumenta la Mégère.

— À mon avis, il est vraisemblable qu'un utilisateur lointain, sans autorisation particulière, a exécuté un code arbitraire et exploité les vulnérabilités de flux du serveur Web intermédiaire. La personne qui a réussi ce coup est très forte.

Il continua en lui expliquant que, de toute évidence, le coupable avait envoyé un fichier attaché contenant un ver qu'aucun des actuels programmes anti-virus de l'industrie n'avait pu reconnaître. Ce ver, c'était comme si plein de personnes ouvraient la même image occupant beaucoup de mémoire, autant qu'une photographie. Il ajouta que « ce ver qui s'autorépliquait » faisait croire au serveur que des millions de gens ouvraient simultanément le même dossier. Ça prenait une place folle et au bout du compte le serveur n'avait plus assez de mémoire libre. En plus, il semblait que ce ver soit capable d'une action encore plus pernicieuse : détruire les données. En d'autres termes, il s'agissait d'une étrange mutation de virus, une sorte de macro-virus. Peut-être même un cheval de Troie si, par exemple, il était capable de propager son virus à d'autres programmes. C'était ce que redoutait le technicien.

Il souligna lourdement que le saboteur à l'origine de ce carnage était quelqu'un qui savait vraiment ce qu'il faisait, au point que la Mégère se demanda s'il enviait secrètement cette personne assez intelligente pour générer tant de destruction.

Naïvement, la Mégère voulut savoir quelle photo avait été la cause de cette saturation, et le technicien lui répondit sans équivoque que le ver avait été initié à partir de celle de Marilyn. Alors qu'il continuait, ne lui faisant grâce d'aucun des dégâts que pouvait causer le ver mutant, la Mégère imagina la conspiration qui se trouvait derrière. Un demi-siècle plus tard, les gens qui étaient impliqués dans le meurtre de Marilyn Monroe, quels qu'ils soient, avaient toujours intérêt à ce que le public n'apprenne jamais la vérité.

Évidemment, tout cela désignait le gouvernement, c'est-à-dire les politiques et le crime organisé. Cela étant, peut-être y avait-il déjà des terroristes à cette époque. Peut-être que tous ces gens-là avaient des liens et qu'ils surveillaient la Mégère, parce qu'elle avait été assez sotte pour accepter un boulot dont elle ne savait rien et qu'elle était maintenant aux ordres d'anonymes qui pouvaient n'être que des criminels.

D'ailleurs ce technicien qu'elle avait en ligne pouvait, lui aussi, être un terroriste ou un agent du gouvernement. Toute cette histoire au sujet de la photo de Marilyn qui aurait été à l'origine de l'invasion par un ver mutant n'était qu'une tentative pour noyer le poisson et empêcher la Mégère de voir clair dans leur jeu : le site Web s'était autodétruit, comme ces cassettes dans *Mission impossible*, parce que, sans même le vouloir, la Mégère s'était impliquée dans un gigantesque complot contre une puissance mondiale ou un empire du Mal.

Son esprit s'embrouillait et l'angoisse la submergeait.

S'adressant au prétendu technicien, elle expliqua :

— J'espère que vous vous rendez compte que je ne sais pas du tout ce qu'il se passe. Ça ne me regarde pas et je n'ai jamais eu l'intention d'être mêlée à ça. Ne croyez pas que je sois au courant de quelque chose, ce n'est pas le cas.

— C'est compliqué, rétorqua-t-il. Même pour nous. Je suis en train de vous dire que quelqu'un a pondu un programme très sophistiqué. Il ne peut pas en être autrement. Par *programme très sophistiqué*, je veux dire un programme qui est ancré dans un truc qui paraît inoffensif, comme un fichier de données ou un fichier joint quelconque.

Elle n'en avait rien à faire de ce qu'il voulait dire. Elle n'en avait rien à faire si personne ne pouvait arrêter le ver mutant et si toutes les tentatives pour bloquer le système et le remettre en marche échouaient. Son regard se perdit dans le vague lorsque le technicien suggéra qu'ils pouvaient essayer de charger une version antérieure de *Dans le collimateur de Gotham*, version qu'ils avaient archivée. Toutefois, les seuls serveurs à sa disposition ne possédaient pas énormément d'espace disque et étaient beaucoup plus lents, ce qui pouvait aussi occasionner une saturation. Ils pouvaient également acheter un autre serveur, mais les choses ne se régleraient pas sur l'instant et il devrait obtenir l'aval de ses supérieurs. Or il était cinq heures de plus en Angleterre et il y avait peu de chances que le technicien puisse joindre quelqu'un.

Il lui fit prendre conscience que charger une version antérieure du site impliquait que la Mégère réactualise les rubriques, qu'elle publie à nouveau les informations les plus récentes et qu'elle avertisse les fans qu'ils devaient réexpédier leurs derniers envois, qu'il s'agisse d'*e-mails* ou de photos. Bref, toutes les modifications que la Mégère devrait apporter allaient lui prendre des jours, pour ne pas dire des semaines. Leurs visiteurs ne seraient pas contents. Quant à ceux qui avaient rejoint le site récemment, ils ne seraient pas enregistrés dans la banque de données de l'ancienne version et risquaient d'être terriblement vexés. Le site pouvait ne plus être fonctionnel durant des jours. Des semaines même.

Lorsque le Patron aurait compris que le ver avait été initialisé grâce à la photo de morgue de Marilyn Monroe, la Mégère se retrouverait sans emploi. Au

moins. Elle n'avait aucun plan de secours. Sa vie rede-
viendrait ce qu'elle était un an et demi auparavant, à
ceci près qu'aujourd'hui il n'y aurait plus d'offre de
travail faite par des étrangers anonymes, plus de rentrée d'argent inattendue. Aujourd'hui, elle devrait
déménager de son appartement, ce qui revenait à être
contrainte de restituer le peu qu'il lui restait de ce
qu'elle avait été. En pire. La vie était devenue plus
dure pour presque tous les gens bien. Elle n'avait pas
la moindre idée de ce qu'elle pourrait faire.

Elle remercia le technicien et raccrocha.

Elle s'assura que tous les doubles rideaux étaient
fermés, se servit un autre bourbon et l'avala en arpen-
tant la pièce. Au bord des larmes, à moitié suffoquant
de peur, elle songea à ce qui risquait de se produire.

Le Patron ne la virerait pas lui-même. Il demanderait à son agent qui vivait en Angleterre et parlait à
peine l'anglais de s'en charger. Si le patron était vraiment mouillé dans un groupe terroriste, la vie de la
Mégère était en danger. Un assassin pouvait s'introduire chez elle alors qu'elle était assoupie. Elle ne
l'entendrait jamais.

Il lui fallait un chien.

Au fil des bourbons, la déprime, la peur et la solitude de la Mégère s'amplifièrent. Elle regarda la chronique qu'elle avait publiée sur le site plusieurs
semaines avant Noël, où était mentionné le nom de
cette chaîne d'animaleries que Terri avait recommandée après la mort d'Ivy, lorsqu'elle avait proposé de
payer pour un nouveau chiot.

La Mégère passa sur Internet afin de vérifier.

Le magasin mère de l'animalerie Tell-Tail Hearts se
trouvait non loin de chez elle et ne fermait qu'à vingt
et une heures.

Le loft était un immense espace ouvert, admirablement restauré et modernisé, tout de poutres apparentes et de briques, avec un plancher ciré couleur tabac. Il n'y avait aucun meuble, à l'exclusion des postes de travail informatiques, des chaises pivotantes noires et d'une table de réunion au plateau de verre. Aucun papier, pas une seule feuille.

Lucy avait prié Berger de se mettre à son aise. Elle avait insisté sur le fait que le procureur était en sécurité, protégée. Tous les téléphones sans fil étaient équipés de systèmes de brouillage, quant à l'alarme, même le Pentagone ne pouvait se vanter d'en posséder une aussi performante. Quelque part dans ce lieu, Lucy avait sans doute dissimulé des pistolets et d'autres armes fatales qui auraient pu lui valoir d'être pendue comme un pirate des temps jadis. Berger n'avait pas posé de questions. De surcroît, elle ne se sentait pas en sécurité. Cela étant, elle n'avait rien tenté pour y remédier. Elle se contentait de se tracasser, de réfléchir, de peser le pour et le contre.

Annie Lennox chantait en sourdine. Lucy avait rejoint son cockpit de verre, entourée par trois écrans vidéo aussi larges que ceux des télévisions dans la plupart des salons américains. La douce lumière jouait sur son profil bien net, son front lisse, son nez aquilin. Son visage était concentré, comme si rien ne pouvait davantage l'intéresser que de naviguer au travers de ce qui avait déjà collé une migraine à Jaime Berger. Une grosse migraine. Le genre de crise douloureuse qui ne lui laissait qu'une solution : se coucher dans une pièce obscure en appliquant des compresses sur ses paupières.

Elle se tenait debout, non loin de la chaise de Lucy, et fourrageait dans sa sacoche, dans l'espoir qu'un comprimé de Zomig se cachait quelque part, le seul médicament qui la soulageait. La plaquette en plastique et aluminium qu'elle dénicha serrée entre les pages d'un calepin était vide.

Lucy lui expliquait plein de choses sur ce que le réseau neuronal était en train de récupérer d'un des ordinateurs portables retrouvés dans l'appartement de Terri Bridges, de la technologie qu'impliquait une telle prouesse, des choses que Berger n'avait pas véritablement envie de savoir. En fait, le refus de Lucy d'attaquer le deuxième ordinateur de la femme étranglée, celui qu'elle réservait de toute évidence à ses connexions à Internet, agaçait Berger. Elle attendait avec impatience que Marino appelle afin de lui communiquer les mots de passe. Restait à savoir si elle serait toujours là lorsqu'il se déciderait. Mais, au fond, la question principale était la suivante : pourquoi se trouvait-elle là ? Sans doute une part d'elle-même connaissait la réponse, mais Berger était perturbée par tout et par rien, et ne savait que faire. Lucy et elle avaient avec un sacré problème sur les bras. Plus d'un, à bien y réfléchir.

— En général, lorsque tu supprimes un fichier d'un système, tu as une bonne chance de pouvoir récupérer les données si tu interviens assez rapidement, disait Lucy.

Berger s'installa à son côté. Des fragments de texte d'un blanc brillant, des phrases et des mots tronqués, réassemblés dans l'obscurité de l'espace électronique, flottaient devant ses yeux. Elle se demanda si elle ne devrait pas chausser ses lunettes à verres teintés, mais songea que ça ne l'aiderait sans doute pas. Les choses suivraient leur cours, et elle ne s'y opposerait pas.

Si elle avait, en toute honnêteté, eu l'intention d'y mettre un terme, elle n'aurait pas pris un taxi ce soir pour se rendre dans le Village, quelles qu'aient été l'importance de la crise, l'urgence ou la logique derrière les propos de Lucy au téléphone, lorsqu'elle l'avait appelée pour lui suggérer de venir assister aux développements. Certes, elle s'était déjà trouvée seule en compagnie de Lucy. Mais c'était des années auparavant, lorsque l'étonnante et très complexe nièce casse-cou de Scarpetta était encore trop jeune et Berger trop mariée. Il y avait une chose que Berger s'interdisait : violer un contrat ou perdre un procès en raison d'un vice de procédure ou d'un point technique.

Aujourd'hui, elle était libre de tout engagement et Lucy était plus âgée. Le seul éventuel détail technique invalidant serait celui que Berger déciderait de créer de toutes pièces.

— Bon, de toute évidence Terri n'avait pas de raison de récupérer ce qu'elle avait supprimé, expliqua Lucy. C'est pour ça que tu vois un mélange de bouts de textes assez longs et intacts avec des fragments de toutes tailles, dont certains ne sont que des bribes. Plus tu attends pour retrouver des données supprimées ou corrompues, plus la possibilité augmente que des données nouvellement créées occupent les zones fraîchement libérées sur le disque dur par les suppressions. Au bout du compte, ça devient beaucoup plus compliqué pour le logiciel de localiser ce qui se trouvait là à l'origine.

Ce qu'elles voyaient n'était autre que des extraits d'un mémoire de maîtrise dont l'objet était, en partie, d'offrir une perspective historique sur la médecine et les sciences médico-légales et sur la psychiatrie, ce qui, en soi, n'était pas surprenant. Les recherches menées au sujet de Terri Bridges, ainsi que les confidences de ses parents, indiquaient que la jeune femme était étudiante à l'université de Gotham, dont son père était le doyen, et qu'elle se passionnait pour la psychologie médico-légale. Berger parcourut les phrases et les mots scientifiques, alors qu'une douleur familière lui serrait les tempes et rampait derrière ses globes oculaires.

Elle remarqua les références à la Ferme des corps, au Bellevue et au Kirby, deux hôpitaux spécialisés en psychiatrie, ainsi que l'abondance de noms d'experts reconnus dans leur domaine, dont celui du Dr Kay Scarpetta. Dans son cas, les citations se multipliaient. La réflexion de Lucy un peu plus tôt, lorsqu'elle avait affirmé à Berger que celle-ci aurait envie de la virer, s'expliquait. Au demeurant, Berger était plus que tentée. Ce serait la chose la plus sensée à faire, pour tout un tas de raisons.

D'abord, il semblait que Terri – ou du moins la personne qui avait utilisé cet ordinateur portable – avait accumulé des centaines d'articles, de clips vidéo, de photographies et autres documents concernant Scarpetta. Tout cela engendrait un conflit d'intérêts, un sérieux conflit, encore aggravé par un autre aspect qui avait sans doute toujours été latent.

Berger se souvint de sa surprise, huit ans plus tôt, lorsqu'elle avait rencontré Lucy pour la première fois à Richmond. Une surprise assez excitante, mais fort mal venue à l'époque. Insensée. Elle approchait les quarante ans et avait presque fini par se convaincre qu'elle s'était détournée d'un certain nombre de tentations, comme le démontrait la vie qu'elle s'était imposée. Elle pouvait décider de répondre *non*. Toutefois, force lui était d'admettre aujourd'hui, à quarante-six ans, qu'elle n'aurait rien eu à décider si la question ne s'était pas posée.

— Les ordinateurs portables sont équipés de ce que j'appelle des logiciels de sécurité tout-venant, le genre préprogrammé et préchargé, poursuivit Lucy, tout à son discours. Ce n'est pas du tout ce que j'utilise parce qu'ils ne reconnaissent que les virus, les *spywares* et autres qui sont identifiés. Et ceux qu'on connaît ne sont pas ceux qui me préoccupent le plus. Elle a un anti-virus, un anti-*spyware*, un anti-*spam*, un anti-*phishing*, un *firewall* et une protection PC sans fil.

— C'est inhabituel ? s'enquit Berger en se massant les tempes.

— Pour un utilisateur classique, oui. Elle devait être très portée sur l'aspect sécurité, ou alors quelqu'un s'en est occupé pour elle. Ce qui est installé sur ses bécanes, c'est ce que j'associe à des gens qui s'inquiètent du piratage, de l'usurpation de leur identité, mais qui ne sont pas de vrais programmeurs et doivent donc se contenter des logiciels du commerce, dont certains sont chers et pas à la hauteur des attentes.

— Peut-être qu'Oscar et elle étaient tous les deux paranoïaques, suggéra Berger. Ils redoutaient que quelqu'un soit lancé à leurs trousses. En tout cas, on sait que tel est le cas d'Oscar. Le moins qu'on puisse dire, c'est qu'il a insisté sur ce point lorsqu'il a téléphoné à mes bureaux le mois dernier et qu'il a eu cette fâcheuse conversation avec Marino. Ce n'était pas vraiment de la faute de Marino. Si les choses devaient se reproduire, je n'accepterais toujours pas de discuter avec Oscar Bane.

— Je me demande si dans le cas contraire ça aurait changé le cours des choses.

— À première vue, le coup de fil d'Oscar n'était guère différent de tous les appels de cinglés qu'on reçoit chaque jour, expliqua Berger.

— C'est quand même dommage. Peut-être que discuter avec lui aurait fait la différence ?

Les mains de Lucy volaient au-dessus du clavier, puissantes mais élégantes. La fenêtre de programmation qu'elle avait ouverte disparut de l'écran. L'espace lointain se réinstalla et des fragments de textes affluèrent, se réarrangeant, récupérant leurs morceaux amputés. Berger s'efforça de ne pas fixer l'écran.

— Si je te faisais écouter l'enregistrement de l'appel, tu comprendrais parfaitement, poursuivit-elle sur sa lancée. Il avait tout du fondu. Il était au bord de l'hystérie et il n'arrêtait pas avec cette personne ou ce groupe qui avait piraté son esprit électroniquement, et le fait que jusque-là il était parvenu à les empêcher de prendre le contrôle de son cerveau mais qu'ils étaient au courant de ses moindres faits et gestes. D'ailleurs, en ce moment, j'ai l'impression qu'on tente la même chose sur moi. Je m'excuse à l'avance. J'ai parfois ces migraines, rarement. J'essaie d'empêcher celle qui menace de s'installer.

— Tu as le mal du cyberespace ? s'enquit Lucy.

— Je ne suis pas certaine de savoir ce que c'est au juste.

— Et le mal des transports ?

— Ça je connais, et je l'ai en effet. Je ne peux pas regarder à l'extérieur lorsque je suis en voiture. Lorsque j'étais petite, je vomissais dans les parcs d'attractions. Et je n'ai pas du tout envie d'y repenser en ce moment.

— Dans ce cas, tu ne monteras jamais en hélicoptère avec moi.

— Je peux voler dans les hélicoptères de la police. Tant qu'ils ne gardent pas les portes ouvertes.

— Désorientation, nausées, vertiges et même crises nerveuses et migraines, énonça Lucy. En général, c'est associé aux plongées dans la réalité virtuelle. Cela étant, n'importe quel écran affichant des images mouvantes peut provoquer ces symptômes. Comme regarder cette merde, par exemple. J'ai la chance de faire partie des privilégiés. Ça ne m'affecte pas. Tu peux me soumettre à des simulations de crash toute la journée, ça ne me perturbe absolument pas. Je pourrais servir de mannequin de tests à Langley. Si ça se trouve, j'ai raté ma vocation, plaisanta Lucy.

Elle se laissa aller contre le dossier de sa chaise et fourra l'extrémité de ses doigts dans les poches avant de son jean. D'une certaine façon, son aisance physique devenait une invitation, et le regard de Berger était attiré vers elle comme si elle avait été une peinture ou une sculpture provocatrice.

— Voici ce que tu vas essayer de faire : tu ne regarderas les écrans que lorsque j'estimerai important que tu voies certaines choses, proposa Lucy. Si tu continues quand même à te sentir mal, je transférerai les données dans un compartiment mémoire, de sorte que tu puisses en prendre connaissance lorsqu'elles auront été traduites dans un format statique, du genre traitement de texte. Allez, je ferai même une exception et j'en imprimerai certaines. Quoi qu'il en soit, ne fixe plus l'écran. Revenons-en à ce que je te disais au sujet des logiciels de protection chargés sur les ordinateurs portables de Terri Bridges. J'étais en train de suggérer que nous devrions vérifier si l'ordinateur d'Oscar possède les mêmes. En d'autres termes, est-ce lui qui les a achetés ? On peut pénétrer dans son appartement ?

Lucy utilisait les pronoms *on*, *nous*, et Berger ne voyait pas comment il pouvait y avoir un *nous*.

Nous était bien trop imprudent, trop téméraire, se serinait Berger en tentant de se convaincre d'abandonner ce terrain glissant, pour se convaincre aussitôt d'y retourner.

Elle ferma les paupières et se massa à nouveau les tempes en déclarant :

— Il serait assez logique de penser que Terri faisait

des recherches sur Kay. Toutefois, pouvons-nous être certains qu'Oscar n'y participait pas ? Au fond, qui dit que ces deux ordinateurs ne sont pas les siens et qu'il les gardait dans l'appartement de Terri pour une raison ou une autre ? Et, pour répondre à ta question, non, en ce moment nous ne pouvons pas fouiner dans son ou ses ordinateurs, à lui. Quel que soit le matériel informatique qui se trouve chez lui, nous n'avons pas son consentement et aucune raison légitime de passer outre.

— Les empreintes digitales d'Oscar sur les claviers de Terri ?

Les ordinateurs étaient posés sur un bureau voisin, tous deux connectés à un serveur.

— Je ne sais pas encore, répliqua Berger. Mais, de toute façon, ça ne prouverait rien, puisque, étant son petit ami, il pouvait y avoir accès. En réalité, nous ne savons pas qui est l'auteur de ce mémoire de maîtrise. Cependant, grâce à toi, il ne fait aucun doute que Kay en est un des centres d'intérêt.

— C'est bien plus qu'un centre d'intérêt. Ne regarde pas l'écran. Qu'est-ce qui se passe là ? C'est en train de trier en fonction des notes de bas de page. *Ibidem*, ceci ou cela, et puis des dates. Des notes de bas de page qui renvoient à des citations empruntées à ma tante.

— Tu veux dire que Terri l'aurait interviewée ? s'étonna Berger.

— Il semble que quelqu'un l'ait fait. Ferme les yeux : l'ordinateur n'a besoin ni de ton aide, ni de ton approbation. Il est en train de tout classer par références, des milliers de références entre parenthèses provenant des brouillons multiples du même mémoire de maîtrise. Parmi ces références, des centaines auraient trait à des interviews réalisées à différentes périodes. De prétendues interviews de ma tante.

Berger ouvrit les yeux et vit des fragments de mots et de phrases flotter sur l'écran, puis se réarranger.

— Peut-être s'agit-il de transcriptions de ses émissions sur CNN, ou d'interviews données aux médias ? suggéra-t-elle. Et tu as raison. La prochaine fois, je demanderai si je peux ouvrir les yeux. Ce truc me donne le vertige. Je ne sais pas ce qui ne va pas chez moi. Je devrais rentrer.

— Non, il ne peut pas s'agir de transcriptions, marmonna Lucy. C'est impossible d'un point de vue chronologique. *Scarpetta, 10 novembre*, *Scarpetta, 11 novembre*, et puis le 12 et le 13 du même mois. Impossible ! Ma tante ne lui a jamais parlé. Personne ne lui a parlé. Ce sont des conneries.

Berger se fit la réflexion que la scène était d'une indescriptible étrangeté. Elle regardait Lucy qui fixait ses écrans et se chamaillait avec l'ordinateur qu'elle avait créé, comme s'il s'agissait de son meilleur ami.

Elle se rendit soudain compte que Jet Ranger s'était couché sous le bureau et ronflait.

— Plein de références à des interviews qui auraient eu lieu quatre jours consécutifs, annonça Lucy. Ici encore. Trois jours de suite. Tu vois, c'est exactement ce que je voulais dire. Ma tante ne vient pas à New York et ne collabore pas avec CNN chaque jour de la semaine. De surcroît, elle donne très rarement des interviews aux journaux. Et celui-ci... Bordel, c'est n'importe quoi !

Berger était sur le point de se lever et de prendre congé. Mais la simple pensée de rentrer chez elle en taxi lui était insupportable. Elle allait être malade.

— Le jour de Thanksgiving ? C'est impossible, lâcha Lucy qui semblait s'adresser aux données affichées sur l'écran. Nous avons passé la journée dans le Massachusetts. Elle n'est pas passée sur CNN. Et ce qui est certain, c'est qu'elle n'a pas donné d'interview ce jour-là, ni à un journal, ni à une étudiante en maîtrise.

Chapitre 17

Le vent glacial et mordant soufflait. La lune à moi-tié pleine était perchée si haut qu'elle paraissait petite, dispensant une clarté si faible qu'elle n'éclairait rien. Scarpetta et Benton avançaient en direction de la morgue.

Les trottoirs étaient presque déserts. Les rares pas-sants qu'ils croisaient semblaient errer sans but, avec si peu pour remplir leur vie. Un jeune homme se rou-lait un joint. Un autre s'était adossé à un mur dans l'espoir de se tenir un peu chaud. Scarpetta sentit des regards frôler leurs dos, et une sorte de vague malaise l'envahit. Elle avait le sentiment d'être exposée, inquiète pour un tas de raisons si enchevêtrées qu'elle ne parvenait pas à les déchiffrer. Des taxis jaunes les dépassaient, leurs toits illuminés couverts de publicités vantant des banques, des propositions de crédit, publi-cités typiques en cette période d'après-fêtes, lorsque les gens prenaient la mesure des conséquences de leur excès d'enthousiasme. Le flanc d'un bus était couvert d'une bannière encensant *Dans le collimateur de Gotham*, et la colère aiguillonna Scarpetta.

Et puis vint la peur. Benton parut le sentir et lui prit la main comme ils marchaient.

— Et voilà ce que je récolte, déclara-t-elle en repensant aux chroniques médisantes. Pendant plus de vingt ans, je me suis assez bien débrouillée pour éviter les feux de la rampe. Ensuite, je collabore avec CNN et cette histoire me tombe dessus.

— Ce n'est pas ce que tu récoltes, répondit Benton. C'est la façon dont vont les choses, rien d'autre. Et c'est injuste. Mais rien n'est juste. C'est d'ailleurs pour cela que nous nous rendons à la morgue. Nous sommes des experts en matière d'*injustice*.

— J'ai décidé que je ne me plaindrais plus. Tu as parfaitement raison. C'est une chose de se rendre à la morgue. C'en est une autre d'y être transporté.

— Tu peux tout à fait te plaindre.

Elle s'appuya contre son bras et répéta :

— Non, merci. J'en ai fini.

La lumière des phares des voitures qui filaient effleurait les fenêtres aveugles de l'ancien hôpital psychiatrique Bellevue. De l'autre côté de la rue latérale qui longeait sa haute grille en fer forgé se trouvait l'immeuble de brique bleue de l'institut médico-légal. Deux fourgonnettes blanches aux vitres occultées de noir patientaient en bordure de trottoir, attendant leur prochaine mission attristante. Ils gravirent les marches menant à la porte et Benton enfonça le bouton de la sonnette. Ils attendirent dans le froid. Il sonna et sonna encore, sa patience s'effilochant.

— Si ça se trouve, elle est repartie, commenta-t-il. Ou alors elle a décidé qu'elle ne viendrait pas.

— Non, ça ne serait pas assez drôle, ironisa Scarpetta. Elle aime faire poireauter les gens.

Des caméras de surveillance quadrillaient la rue, et Scarpetta imagina le Dr Lenora Lester en train de les regarder sur les écrans de contrôle et de s'amuser. Quelques minutes s'écoulèrent encore. Au moment où Benton décida qu'il en avait soupé et qu'ils repartaient, le Dr Lester apparut derrière la porte vitrée. Elle la déverrouilla et les fit pénétrer. Elle portait une longue blouse de chirurgie verdâtre, des lunettes rondes à monture d'acier, et ses cheveux gris étaient remontés vers le haut de son crâne. Son visage était quelconque mais peu ridé, à l'exception d'un profond sillon qui partait du nez pour remonter au milieu du front. Ses petits yeux sombres, toujours en mouvement, semblaient incapables de se poser sur un objet particulier.

Un poster représentant Ground Zero couvrait la presque totalité d'un mur du hall de réception en manque d'un rafraîchissement. Le Dr Lester les encouragea à la suivre, comme s'il s'agissait de leur première visite à la morgue.

À son habitude, elle ne s'adressa qu'à Benton :

— Votre nom a surgi la semaine dernière, commença-t-elle en les devançant de quelques pas. Le FBI est passé au sujet d'une enquête. Deux agents, ainsi qu'un des profileurs de Quantico. Je ne sais plus trop comment, mais toujours est-il que nous en sommes arrivés au *Silence des agneaux*, et je me suis souvenue qu'à l'époque du tournage du film vous dirigiez le département des sciences du comportement là-bas. Ce n'est pas vous qui avez été sollicité pour devenir leur consultant pour le film ? Combien de jours sont-ils restés à l'Académie du FBI ? Comment étaient Anthony Hopkins et Jodie Foster ?

— J'étais en mission ailleurs.

— Oh, quel dommage ! À cette époque, l'intérêt que nous portait Hollywood était très rafraîchissant, dit-elle. C'était une excellente chose pour bien des raisons, et notamment parce que le public avait des stéréotypes ridicules en tête au sujet de ce que nous faisons, de qui nous sommes.

Scarpetta se retint de rétorquer que le film n'avait

pas vraiment aidé à dissiper certains mythes morbides puisque la fameuse scène du papillon de nuit se déroulait dans un funérarium et pas dans une salle de morgue équipée de tout l'appareillage moderne. Elle ne souligna pas non plus que si quelqu'un avait pu servir de modèle à l'infortuné anatomopathologiste légal du film, c'était sans conteste le Dr Lester.

— Maintenant, il ne se passe plus un jour sans que l'on m'appelle pour me consulter au sujet d'un film ou d'un show. Les auteurs, les scénaristes, les producteurs, les réalisateurs. Tout le monde veut assister à une autopsie et piétiner partout sur une scène de crime. J'en ai vraiment assez, je peux vous le dire.

Sa longue blouse battait contre ses genoux, accompagnant ses pas vifs et heurtés. Elle reprit :

— Cette affaire ? J'ai bien dû recevoir une douzaine de coups de téléphone depuis le début. Peut-être parce qu'il s'agit d'une naine. C'est ma première d'ailleurs. Très intéressant. Lordose légère, jambes arquées, courbure du front. Et une méga-encéphalie, c'est-à-dire un élargissement du cerveau, expliquat-elle comme si Scarpetta ignorait la signification du terme. Fréquente chez des gens atteints d'achondroplasie. Ça n'affecte pas l'intelligence. En ce qui concerne le QI, ils ne sont pas différents de nous. En d'autres termes, ce n'est pas comme si cette dame avait été idiote. Ce qui s'est passé n'a rien à voir avec ça.

— Je ne vois pas très bien où vous voulez en venir, intervint Benton.

— Cette enquête pourrait dissimuler bien plus de choses que nous ne le croyons. Ça pourrait ne pas du tout être ce que vous pensez. J'espère que vous avez jeté un œil aux photos de scène de crime, et je vais vous donner un jeu de celles qui ont été prises au cours de l'autopsie. Une asphyxie typique, survenue lors d'une strangulation par ligature. Si tant est qu'il s'agisse d'un homicide.

— Si tant est ? répéta Benton.

— Dans un cas inhabituel comme celui qui nous occupe, on ne doit exclure aucune option. En raison de sa petite taille, elle était plus vulnérable que d'autres à certains dérapages. Un mètre vingt-trois pour trente-huit kilos. S'il s'agit d'un accident – un rapport sexuel musclé, par exemple –, le risque que les choses aillent trop loin était plus élevé dans son cas.

Scarpetta intervint :

— J'ai remarqué la présence de sang et de contusions aux jambes sur plusieurs des photos de scène de crime. Comment expliquez-vous cela si nous nous en tenons à votre hypothèse de sexe brutal ?

— Peut-être une fessée qui a dérapé. J'ai déjà vu ça. Des coups de fouet, des coups de pied, différentes formes de punition qui peuvent devenir incontrôlées.

Ils étaient parvenus à l'étage de l'administration. Des portes rouge vif donnaient sur le couloir dallé de carreaux en linoléum gris.

— Je n'ai remarqué aucune blessure de défense, continua le Dr Lester. Si l'on part du principe qu'elle a été assassinée, il faut alors que son agresseur l'ait maîtrisée très vite. Peut-être en la menaçant d'un couteau ou d'une arme à feu. Du coup, elle a fait ce qu'on lui ordonnait. Cela étant, je ne peux exclure la possibilité qu'elle et son petit ami – ou la personne qui se trouvait avec elle hier soir – aient initié un jeu sexuel qui n'a pas tourné comme prévu.

— Sur quel indice en particulier vous fondez-vous pour penser qu'il pourrait s'agir d'un jeu sexuel ? la poussa Benton.

Le Dr Lester répondit sans ralentir l'allure :

— Tout d'abord, sur ce qui a été retrouvé sur la

scène de crime. J'ai cru comprendre qu'elle aimait jouer un rôle, dirons-nous. Plus important encore, en général, lors d'un viol, l'agresseur oblige sa victime à se déshabiller. Cela fait partie de son plaisir, la contraindre à se dévêtir et imaginer ce qu'il va lui faire. Et puis il est possible qu'il l'attache. Mais la ligoter d'abord et se donner tout ce mal pour découper son peignoir et son soutien-gorge, cela m'évoque davantage un jeu sexuel. Surtout si la victime appréciait les mises en scène sexuelles et, si j'en juge par ce que l'on m'a raconté, elle aimait le sexe.

— En réalité, couper ses vêtements après l'avoir attachée a dû être beaucoup plus terrifiant que la forcer à se déshabiller au préalable, remarqua Benton.

— C'est un peu l'objection que j'ai concernant le profilage, la psychologie médico-légale ou tout autre terme que vous lui attribuez. C'est fondé sur une appréciation personnelle. Ce que vous jugez terrifiant peut n'être qu'excitant pour une autre personne.

— Je vous préviendrai si l'une de mes hypothèses est fondée sur mon appréciation personnelle, lui balança Benton.

Berger sentait le bras de Lucy la frôler pendant qu'elle jetait des notes sur un carnet. Des données fragmentées d'un blanc brillant filaient sur l'écran et lorsqu'elle les fixait, ses yeux la blessaient. Puis la véritable souffrance suivait.

— Tu crois qu'on arrivera à presque tout récupérer ? demanda-t-elle.

— Oui.

— Et nous sommes sûres que ces brouillons remontent à un an environ ?

— Au moins. Je pourrai te donner la réponse exacte lorsque nous en aurons terminé. Il faut que nous mettions la main sur le premier fichier qu'elle a sauve-gardé. Je n'arrête pas de dire « elle », même si je suis bien consciente que nous ne savons pas vraiment qui est l'auteur de ce travail.

Les yeux de Lucy étaient d'un vert profond et lors-que son regard croisait celui de Berger, le contact, intense, se prolongeait.

— Je n'ai pas l'impression qu'elle sauvegardait ses fichiers de la même façon que moi, remarqua Berger. Ce que je veux dire, c'est qu'elle ne semble pas très précautionneuse pour quelqu'un qui avait équipé ses appareils de tous ces logiciels de sécurité, achetés ou pas. Par exemple, à chaque fois que je travaille sur un dossier, j'en fais une copie à laquelle j'attribue un autre titre.

— C'est la bonne façon de procéder, approuva Lucy. Mais elle ne s'en donnait pas la peine. Elle apportait des corrections et sauvegardait toujours le même fichier, en substituant un contenu à un autre. Crétin. Toutefois, la moitié des gens font la même chose. Heureusement, à chaque fois qu'elle apportait une modification et sauvegardait le même fichier, celui-ci récupérait une autre date d'intervention. Alors, bien sûr, tu ne peux pas le voir si tu te contentes de faire défiler la liste de ses documents. Mais c'est là, dispersé un peu partout. L'ordinateur va repérer ces dates d'intervention, les trier et lancer une analyse. Par exemple, combien de fois par jour Terri, ou quelqu'un d'autre, modifiait-elle et sauvegardait-elle le même fichier ? En l'occurrence, son mémoire de maîtrise. Quels jours de la semaine cette personne travaillait-elle dessus ? À quelle heure du jour ou de la nuit ?

Berger prit des notes et demanda :

— Ça pourrait nous donner une idée d'où elle se trouvait et quand. Ses habitudes. Ce qui pourrait nous indiquer avec qui elle était. Si, par exemple, elle passait la plupart de son temps chez elle à travailler, sauf les samedis soir, lorsque Oscar lui rendait visite. Ou alors si elle travaillait ailleurs. Chez quelqu'un d'autre, éventuellement. Avait-elle une autre relation que nous ignorons ?

— Je vais pouvoir te donner le calendrier précis de toutes ses interventions sur l'ordinateur, jusqu'à la dernière touche du clavier qu'elle a frappée, mais pas l'endroit où elle travaillait, rectifia Lucy. On peut remonter jusqu'à une adresse IP grâce aux *e-mails*, si, par exemple, elle envoyait des messages d'une bécane différente, comme celle d'un café Internet. Mais c'est impossible à tracer lorsqu'il s'agit de fichiers de traitement de texte. En d'autres termes, on ne pourra jamais affirmer qu'elle rédigeait son mémoire chez elle. Elle peut parfaitement avoir travaillé dessus dans une bibliothèque. Oscar doit savoir si elle ne travaillait que dans son appartement. Si tant est qu'il lui arrive de dire la vérité. Pour ce que nous en savons, c'est peut-être lui qui rédigeait ce mémoire. J'insiste à nouveau sur ce point.

— Les flics n'ont retrouvé aucun ouvrage de référence, aucun document de recherches chez Terri, lui rappela Berger.

— Désormais, beaucoup de gens ont tout cela stocké dans leur ordinateur. Ils n'ont plus de versions papier. Il y en a qui n'impriment jamais rien, sauf si c'est absolument nécessaire. J'en fais partie. Je ne suis pas fan des traces papier.

— Kay saura ce qui est exact dans ce que Terri – ou une autre personne – a analysé et rédigé. Peut-on restituer intégralement chaque brouillon ?

— Ce n'est pas comme cela que je le formulerais. Disons que je peux récupérer ce qui se trouve dans les mémoires. Bon, maintenant l'ordinateur est en train de tout classer en se servant de la bibliographie. Chaque fois que Terri a ajouté ou modifié quelque chose, une nouvelle version du fichier a été créée. C'est pour cela qu'on se retrouve avec tant de copies de ce qui semble bien être le même document. Tu ne peux pas le voir. Je suppose que tu ne regardes pas l'écran ? Comment te sens-tu ?

Lucy tourna le visage vers elle et la fixa.

— Je ne sais pas trop, avoua Berger. Je devrais sans doute rentrer. Il faut que nous décidions ce que nous allons faire.

— Au lieu de te démener en permanence pour décider de tout, pourquoi n'attends-tu pas tranquillement de savoir à quoi nous avons affaire ? Il est encore trop tôt pour conclure. Mais tu n'as pas à partir. Ne pars pas.

Leurs chaises se trouvaient côte à côte. Les doigts de Lucy volaient au-dessus du clavier et Berger prenait des notes. La grosse tête de Jet Ranger apparut entre leurs chaises et Berger le caressa.

— Encore des classements, annonça Lucy. Cette fois, l'ordinateur trie en fonction des différentes disciplines de sciences légales. Les empreintes digitales, l'ADN, l'analyse de traces. Copié et expédié dans un dossier baptisé « Sciences médico-légales ».

— Des fichiers qui ont été remplacés. Un fichier copié sur le précédent. On m'a toujours dit que lorsqu'on sauvegardait une nouvelle version sur l'ancienne, les données initiales étaient perdues pour de bon.

Le téléphone du bureau de Lucy sonna.

— C'est pour moi, lança Berger.

Elle posa la main sur le poignet de Lucy pour l'empêcher de décrocher.

Chapitre 18

Le moindre espace libre sur les murs du bureau du Dr Lester était tapissé de diplômes encadrés, d'éloges divers et variés, et de photos la représentant coiffée d'un casque, emmitouflée dans une combinaison blanche de protection. Cette série de clichés avait été prise alors qu'elle faisait partie des équipes de fouilles qui avaient retourné le Trou, surnom donné aux ruines du World Trade Center par ceux qui y travaillaient.

Elle n'était pas peu fière d'avoir pris part aux suites du 11 Septembre, et ne semblait pas vraiment secouée par ce qui était arrivé ce jour-là. Scarpetta, quant à elle, s'en était moins bien tirée, après avoir passé pas loin de six mois au centre de récupération de Water Street, à passer au crible des milliers de seaux de poussière et de terre telle une archéologue, à la recherche d'effets personnels, de morceaux de corps, de dents, d'éclats d'os. Mais elle n'en avait conservé aucune photographie encadrée. Elle n'avait pas non plus de présentation PowerPoint relatant son travail. Elle n'aimait pas aborder ce sujet, s'étant sentie physiquement intoxiquée comme jamais dans toute sa carrière. On aurait dit que la terreur ressentie par les victimes à l'instant de leur mort était restée en suspension, puis s'était répandue, telle une vapeur délétère, sur tous les endroits où ils s'étaient trouvés et, plus tard, les lieux où étaient conservés leurs restes étiquetés et protégés par des housses. Scarpetta aurait eu du mal à le formuler, mais il n'y avait là rien dont on puisse faire étalage ou se vanter.

Le Dr Lester saisit une épaisse enveloppe sur son bureau et la tendit à Benton.

— Photos d'autopsie, mon rapport préliminaire, empreintes ADN, énuméra-t-elle. Je ne sais pas ce que Mike vous a donné au juste. Il est parfois un peu distrait.

Elle évoquait Mike Morales comme s'ils étaient de bons amis.

— La police considère cette affaire comme un homicide, dit Benton.

Il n'ouvrit pas l'enveloppe et la passa à Scarpetta, histoire de marquer le coup.

— Ce ne sont pas eux qui ont procédé à toutes les analyses, rétorqua le Dr Lester. En tout cas, je suis sûre que Mike n'a pas de certitude. Et même s'il parle d'homicide, il connaît ma position.

— Et qu'en dit Berger ? insista Benton.

— Elle non plus n'a pas fait les analyses. Les gens ont beaucoup de mal à attendre leur tour. Je répète toujours que les pauvres malheureux qui atterrissent ici ne sont pas pressés. Alors pourquoi faudrait-il que nous le soyons ? Je laisse donc la cause de la mort en suspens pour le moment, principalement au vu des résultats de l'ADN. J'ai eu, dès le début, des incertitudes sur ce cas. Mais aujourd'hui je suis complètement dans les limbes !

— En d'autres termes, vous n'envisagez pas de vous prononcer sous peu quant à la cause de la mort ? la poussa Benton.

— Je ne peux rien faire de plus. Il faut que je m'occupe de tout le monde.

C'était précisément ce que Scarpetta n'avait pas envie d'entendre. Non seulement aucun indice ne permettait de justifier l'inculpation d'Oscar, mais, pour couronner le tout, d'un strict point de vue légal, il n'y avait toujours pas crime. Elle risquait d'être piégée par le secret professionnel très longtemps.

Ils quittèrent le bureau et le Dr Lester poursuivit sur sa lancée :

— Ainsi j'ai trouvé une sorte de lubrifiant dans son vagin. C'est inhabituel dans les homicides.

— C'est la première fois que quelqu'un mentionne un lubrifiant, intervint Scarpetta. Ça ne figure dans aucun des rapports préliminaires que j'ai consultés.

— Vous vous rendez compte, je n'en doute pas, que les profils ADN qui sont stockés dans CODIS ne sont que des nombres. Je le serine toujours : il suffit d'une simple erreur de chiffre pour que l'on se retrouve avec une position chromosomique radicalement différente. Et là, on a un gros problème ! Selon moi, il n'est pas impossible que nous soyons confrontés à l'un des très rares faux positifs dus à une erreur de l'ordinateur.

— Il n'existe aucun faux positif, pas même dans des cas exceptionnels, contra Scarpetta. Même lorsqu'il s'agit d'un mélange d'ADN, si par exemple plusieurs personnes ont agressé sexuellement une victime, ou si différents sujets ont été en contact avec un objet ou une substance, tel un lubrifiant. Un mélange d'empreintes ADN provenant de différentes personnes ne va pas se transformer en empreinte d'une femme de Palm Beach par l'opération du Saint-Esprit !

— Oui, le lubrifiant. Ce qui amène une autre explication possible, poursuivit le Dr Lester. Une contamination croisée, ainsi que vous-même l'avez suggéré. Un – ou une – prostitué n'ayant pas laissé de sperme, c'est d'ailleurs pour cela que les deux sexes peuvent être concernés. Après tout, que sait-on de la vie privée des gens jusqu'au moment où ils termineront à la morgue ? C'est pour cette raison que je ne me précipite jamais dans mes conclusions d'homicide, de suicide ou d'accident. Pas tant que je n'ai pas tous les faits en main. Une fois que je me suis investie dans une affaire, je déteste les surprises. Le rapport du laboratoire est formel : il n'y avait pas de sperme. Je suis certaine que vous l'avez remarqué.

— Ça n'a rien d'exceptionnel, remarqua Scarpetta. Ce n'est pas même inhabituel. Et d'ailleurs l'utilisation de lubrifiant lors d'agressions sexuelles a déjà été rapportée. De la vaseline, des écrans solaires et même du beurre. Je pourrais établir une longue liste de tout ce que j'ai vu.

Ils suivirent le Dr Lester le long d'un autre couloir qui n'avait pas été repeint depuis des décennies, époque où l'on gratifiait les anatomopathologistes du sobriquet grossier de « découpeurs de barbaque ». Au fond, il n'y avait pas si longtemps que la science avait apporté aux morts autre chose que le typage sanguin ABO, les empreintes digitales et les radios.

— Pas trace de sperme dans ou sur le cadavre, ni sur les vêtements retrouvés dans la baignoire, insista le Dr Lester. Ni sur la scène de crime. Bien sûr, ils ont utilisé une lumière UV, comme moi. Rien n'a provoqué cette fluorescence d'un blanc brillant que nous connaissons bien.

— Certains agresseurs sexuels portent des capotes, lui rappela Scarpetta. Surtout de nos jours. Tout le monde a entendu parler de l'ADN.

Des données amputées glissaient sur les écrans sombres, se réarrangeant à la vitesse de l'éclair. On aurait dit qu'elles tentaient de fuir, pour se faire toujours rattraper.

Peut-être Jaime Berger était-elle en train de s'accoutumer au cyberespace. Sa migraine s'était mystérieusement envolée. Ou peut-être l'adrénaline était-elle le remède. Elle se sentait devenir agressive parce qu'elle n'aimait pas être prise à la légère. Par Morales et encore moins par Lucy.

— On devrait s'attaquer à la messagerie électronique, lâcha-t-elle à nouveau.

Elle l'avait suggéré à plusieurs reprises depuis l'appel de Marino.

Lucy n'avait pas le moins du monde l'air intéressé par le grand flic, ni par ce qu'il faisait. Elle ne prêtait pas non plus attention à l'insistance de Berger au sujet des *mails* de Terri Bridges. Elles avaient obtenu les mots de passe, mais Lucy refusait d'abandonner ce qu'elle était en train de reconstituer, jusqu'à se faire une idée plus précise de la raison pour laquelle le nom de sa tante apparaissait à une fréquence alarmante dans les différentes versions tronquées du mémoire que Terri Bridges – ou Oscar – avait rédigé.

— Je crains que ton intérêt ne soit trop personnel, remarqua Berger. C'est vraiment ce qui m'inquiète. Nous devons examiner ces *e-mails*, mais tu préfères retrouver ce que l'on a écrit sur ta tante. Comprends-moi bien : je ne prétends pas que ce ne soit pas important.

— C'est le moment où tu dois me faire confiance, accepter le fait que je procède de la bonne façon, rétorqua Lucy, intransigeante.

Le grand carnet sur lequel étaient notés les mots de passe resta où il était, sur le bureau à côté du clavier de la jeune femme, qui ajouta :

— Patience. Une chose à la fois. Je ne te donne pas de conseils sur la façon de conduire tes enquêtes.

— Ah oui ? J'ai pourtant l'impression du contraire. Je veux prendre connaissance de ces messages électroniques et toi, tu veux continuer à lire ce fichu mémoire, si c'en est un. Tu ne m'aides pas.

— Si, c'est exactement ce que je suis en train de faire... en ne te cédant pas et en n'acceptant pas que tu me dises comment je dois faire mon boulot. Ce que je veux que tu comprennes, c'est que je ne peux pas te permettre de m'influencer ou de me diriger. Je sais très bien ce que je fais et il y a encore plein de choses que tu ne saisis pas. Il faut que tu saches exactement ce que nous faisons, comment et pourquoi, parce que si ça devient l'histoire à sensations que je redoute, on va te poser plein de questions, t'attaquer. Ce n'est pas moi qui affronterai le juge et le jury, qui devrai expliquer les aspects d'informatique légale de cette enquête. De surcroît, tu ne pourras sans doute pas m'appeler en renfort comme témoin expert, au moins pour une raison évidente.

— Il faut que nous discutions de cela, lâcha brutalement Berger.

— Le problème relationnel.

Berger saisit l'opportunité de formuler à haute voix son appréhension et, peut-être, de mettre un terme à la situation :

— Tu serais discréditée.

D'un autre côté, peut-être était-ce ce que Lucy allait suggérer. Peut-être Lucy voulait-elle se sortir de cette histoire.

— Franchement, je ne sais plus trop que faire, avoua Berger. Si tu étais capable d'objectivité en la matière, je serais preneuse de toutes tes suggestions. Tu t'es lancée dans quelque chose sans savoir que ça t'impliquait à titre personnel. Qu'est-ce qu'on fait maintenant ? Sans doute n'as-tu pas très envie de continuer. J'ai le sentiment que tu viens de te rendre compte que c'était une très mauvaise idée. On devrait se serrer la main et en rester là. Je trouverai une autre entreprise d'informatique.

— Alors que nous venons d'apprendre que ma tante était concernée ? Tu plaisantes, là ? La pire idée serait d'arrêter maintenant, se défendit Lucy. Je ne lâche pas le morceau. Tu veux peut-être me virer. Je t'avais prévenue que tel serait le cas. Je t'ai également expliqué qu'il n'existait pas d'autre société similaire à la mienne. Nous avons déjà discuté de tout cela.

— Quelqu'un d'autre que toi pourrait terminer ce que tu es en train de faire, suggéra Berger.

— Le logiciel dont je suis propriétaire ? Est-ce que tu as la moindre idée de ce que ça vaut ? Ça équivaudrait à permettre à un étranger de piloter mon hélicoptère, avec moi comme passagère à l'arrière, ou autoriser quelqu'un à coucher avec mon amante.

Berger avait remarqué l'escalier qui montait vers un étage supérieur.

— Elle vit avec toi ? Vous habitez le loft ? C'est toujours risqué de travailler là où l'on vit. Je suppose que cette personne n'a pas accès à des informations confidentielles...

— Ne t'inquiète pas. Je n'ai pas communiqué mes mots de passe à Jet Ranger. Ce que je voulais dire, c'est que personne ne touche à mon logiciel, un point c'est tout. C'est à moi. J'en suis l'auteur. Personne n'arrivera à percer le code et c'était délibéré de ma part.

— Bien. Nous nous retrouvons avec un conflit de taille sur les bras, que ni l'une ni l'autre n'avaient prévu.

— Si tu veux que les choses en soient ainsi. Je n'ai pas envie de me retirer de cette affaire et je ne le ferai pas.

Berger balaya l'écran sur lequel les données se succédaient à une vitesse vertigineuse. Son regard se posa ensuite sur Lucy. Elle non plus n'avait pas envie que la jeune femme lâche l'enquête.

— Si tu me vires, poursuivit celle-ci, tu vas te porter préjudice inutilement.

— Je n'ai aucune intention de me porter préjudice, ni à toi non plus d'ailleurs. Et certainement pas à l'enquête. Dis-moi ce que tu veux que je fasse, dit Berger.

— Je veux t'apprendre quelques petites choses sur la récupération des fichiers écrits les uns sur les autres. Tu l'as souligné : beaucoup de gens pensent que c'est impossible. Attends-toi à ce que la partie adverse te tombe dessus à ce sujet. Comme tu as pu le remarquer, je trouve les analogies efficaces. En voici une : supposons que tu aies séjourné dans ton lieu de vacances favori. Sedona, dans l'Arizona, par exemple. Tu étais en compagnie de quelqu'un dans un certain hôtel. Pour simplifier, disons qu'il s'agissait de Greg. Des images, des sons, des odeurs, des émotions, des sensations tactiles se sont enregistrés dans ta mémoire, la plupart inconsciemment.

— Où veux-tu en venir ?

— Un an plus tard, poursuivit Lucy, Greg et toi repartez pour Sedona, le même week-end. Vous louez la même voiture, vous séjournez dans la même chambre du même hôtel, mais l'expérience ne sera pas identique. Elle va être modifiée par ce qui s'est passé dans ta vie depuis un an, modifiée par tes émotions, ta relation avec Greg, ta santé et la sienne, par ce qui vous préoccupe tous les deux, par le temps qu'il fait, l'économie, les problèmes rencontrés sur la route, les rénovations, par le moindre détail, jusqu'à l'arrangement floral dans la chambre ou les chocolats qui vous attendent sur l'oreiller. Sans même t'en rendre compte, tu superposes de nouveaux fichiers sur les anciens, qui ne sont pas identiques même si tu n'as pas conscience de la différence.

— Je vais te le dire clairement : je n'aime pas qu'on fouine dans ma vie privée et qu'on viole mon intimité.

Lucy soutint son regard et lâcha :

— Lis donc ce qui court sur ton compte. Certains trucs sont gentils, d'autres beaucoup moins. Lis la page de Wikipédia. Je n'ai rien dit qui ne soit de notoriété publique. Greg et toi avez passé votre lune de miel à Sedona, dans l'Arizona. C'est un des endroits que tu préfères. Au fait, comment se porte-t-il ?

— Tu n'as aucun droit de faire des recherches sur moi, protesta Berger.

— J'ai tous les droits. Je voulais savoir exactement à quoi j'avais affaire. Et je crois que je sais maintenant. Même si on ne peut pas dire que tu as fait preuve d'une absolue honnêteté.

— Qu'ai-je dit qui te semblait malhonnête ?

— Tu n'as rien dit. Tu n'as rien dit du tout, répliqua Lucy.

— Tu n'as aucune raison de te méfier de moi et tu ne devrais pas.

— Je ne vais pas abandonner ce que je suis en train de faire sous prétexte de limites ou de conflit d'intérêts. Même si tu me l'ordonnais. J'ai tout chargé sur mon serveur. Si donc tu veux récupérer les ordinateurs portables de Terri et partir, libre à toi. Toutefois, tu ne m'arrêteras pas.

— Je ne veux pas me bagarrer avec toi.

— Ce ne serait, en effet, pas malin.

— Ne me menace pas, Lucy. Je t'en prie.

— Je ne te menace pas. Je comprends fort bien que tu te sentes en danger. Je comprends également qu'il puisse te sembler raisonnable de m'exclure de cette affaire – et du reste. Mais tu n'as pas la capacité de m'empêcher de faire ce que je veux. Vraiment pas. Des informations concernant ma tante ont été retrouvées dans l'appartement d'une femme qui vient de se faire assassiner. Un mémoire que cette Terri Bridges – ou autre – était sans cesse en train de réviser. J'allais dire de façon *obsessionnelle*. C'est de cela que nous devrions toutes deux nous préoccuper. Pas de ce que pensent les autres, ni des accusations qu'ils risquent de porter contre nous.

— Quelles accusations ?

— Conflit d'intérêts. À cause de ma tante. À cause du reste.

— Je m'inquiète beaucoup moins que tu le crois de ce que peuvent penser les gens, rectifia Berger. Parce que j'ai appris qu'il est bien plus utile de les amener à croire ce que je souhaite que de m'en préoccuper. Je suis devenue assez bonne à ce jeu. Il le fallait. Je dois m'assurer que Kay n'a pas la moindre idée de ce qui se passe. Il faut que je lui parle.

— Elle l'aurait confié à Benton, argumenta Lucy. Elle t'en aurait parlé. Elle n'aurait jamais accepté d'examiner Oscar Bane s'il y avait eu une relation quelconque entre elle et lui ou Terri Bridges.

— Lorsque je lui ai demandé de venir au Bellevue, elle n'avait pratiquement aucune information sur ce qui l'attendait. Elle ignorait le nom de la victime. En d'autres termes, peut-être qu'elle connaissait Terri d'une façon ou d'une autre, mais qu'elle ne s'en est rendu compte que lorsqu'elle a vu Oscar à l'infirmerie.

— Je te le répète : elle l'aurait ensuite fait savoir.

— J'ignore ce que tu en penses, mais je trouve bizarre qu'une étudiante qui rédige un mémoire de maîtrise ou une thèse ne fasse aucun effort pour contacter des sources reconnues dans son domaine. Terri Bridges avait pris Kay comme pivot et elle n'aurait jamais cherché à la rencontrer, à discuter avec elle ? Peut-on en être certain ? Peut-être Terri a-t-elle essayé et Kay ne s'en est pas souvenue parce que ça ne l'intéressait pas ?

— Elle s'en souviendrait et, au pire, elle aurait décliné l'invitation, s'obstina Lucy. Tante Kay ne connaissait pas cette femme !

— Tu crois vraiment être capable d'objectivité ? Que tu peux t'occuper de ça ? Que tu le souhaites ?

— Je le peux et je le souhaite, déclara Lucy dont l'attention fut soudain attirée par ce qui s'affichait sur un écran vidéo.

« SCARPETTA par Terri Bridges » flotta, les mêmes mots répétés dans différentes polices de caractères, de différentes tailles.

— L'ordinateur est en train de trier par pages de titre. Bordel, elle était dingue ou quoi ?

Chapitre 19

La salle de morgue était située au niveau inférieur par commodité. Les fourgons et les véhicules de secours pouvaient ainsi se garer dans la baie de déchargement, déposer les corps, puis les remmener.

Une lourde odeur de désodorisant industriel flottait dans le passage ménagé entre les chariots abandonnés. Ils dépassèrent des portes fermées derrière lesquelles étaient stockés des fragments de squelettes, des encéphales, puis parvinrent devant le sinistre et terne monte-charge utilisé pour remonter les cadavres, afin que les visiteurs puissent les voir derrière une vitre. Scarpetta avait toujours éprouvé de la compassion pour les proches qui garderaient cette image, la dernière de l'être aimé. Dans toutes les morgues qu'elle avait dirigées, la vitre de protection était en verre incassable. Les salles réservées à cette ultime visite étaient accueillantes, avec une touche de décoration comme des peintures de paysages, des plantes, et ceux qui restaient seuls et perdus n'étaient jamais abandonnés à eux-mêmes.

Le Dr Lester les mena jusqu'à la chambre de décomposition, en général réservée aux restes radioactifs, infectieux ou dans un état de putréfaction très avancée. Une puanteur légère mais persistante saisit Scarpetta, comme si l'infortune la conviait à entrer. La plupart des médecins n'aimaient guère travailler en ce lieu.

— Une raison particulière justifie-t-elle l'isolement de ce cadavre ? s'enquit Scarpetta. Si tel est le cas, mieux vaudrait nous le dire.

Le Dr Lester abaissa un interrupteur. Les plafonniers papillonnèrent avant d'illuminer une table d'autopsie en inox, plusieurs chariots réservés au matériel chirurgical et une civière sur laquelle reposait un corps recouvert d'un drap bleu jetable. Posé sur une paillasse, un large écran plat de surveillance permettait de contrôler six angles de vue du bâtiment et de la baie de déchargement.

Scarpetta demanda à Benton de rester dans le couloir. Elle pénétra dans le vestiaire mitoyen et se munit de masques de chirurgie, de protections de chaussures, d'une charlotte et d'une blouse. Elle tira quelques paires de gants mauves en nitrile d'une boîte, pendant que le Dr Lester lui expliquait qu'elle avait poussé le cadavre dans la pièce de décomposition parce que sa chambre froide attenante était vide pour le moment. Scarpetta l'écoutait à peine. Sa consœur n'avait aucune excuse. Elle aurait pu se donner la peine de pousser la civière sur quelques mètres, dans la salle d'autopsie, où aucune puanteur ne régnait et où les dangers biologiques étaient bien moindres.

Le drap bruissa lorsque Scarpetta le tira, révélant un long torse, une tête de large circonférence et des membres trop courts, des caractéristiques de l'achondroplasie. Elle remarqua immédiatement l'absence de poils sur le corps, même sur le pubis. Elle songea à une épilation laser qui avait dû nécessiter plusieurs séances pénibles, une déduction allant dans le sens de ce que lui avait confié Oscar Bane au sujet des phobies de Terri. Du coup, la dermatologue dont il lui avait parlé lui revint à l'esprit.

Scarpetta positionna une des jambes afin d'avoir un meilleur angle de vue et lança :

— Je suppose qu'elle est arrivée dans cet état. Je veux dire que vous ne l'avez pas rasée.

En dépit de son intense frustration, elle ne pouvait rien révéler des informations que lui avait communiquées Oscar.

— Absolument pas, répondit le Dr Lester. Je n'avais aucune raison.

— La police a-t-elle donné des précisions à ce sujet ? Ont-ils trouvé quelque chose sur la scène de crime en rapport avec cette épilation ou d'autres traitements du même ordre qu'elle aurait pu subir ? Ou peut-être qu'Oscar Bane leur a expliqué, ou d'autres témoins ?

— Ils ont juste précisé qu'ils l'avaient remarqué.

Scarpetta insista :

— En d'autres termes, nous n'avons pas la moindre idée de qui aurait pu pratiquer cette épilation. Un cabinet dans lequel elle se serait rendue ? Un dermatologue par exemple ?

— Mike m'a parlé de ça. J'ai son nom noté quelque part. Une femme à New York. Il a dit qu'il allait la contacter, la renseigna le Dr Lester.

— Comment a-t-il découvert le nom de la spécialiste en question ?

— Grâce à des factures retrouvées dans l'appartement de la victime. À ce que j'ai cru comprendre, il a embarqué plein de reçus, de courrier, des choses de ce genre, et a commencé à les éplucher. La routine habituelle. Il va sans dire que tout cela nous mène vers une autre hypothèse. Que le petit ami est un pédophile. La plupart des hommes qui encouragent les femmes à s'épiler intégralement le sexe sont des pédophiles, qu'ils passent à l'acte avec des enfants ou pas.

— Est-on absolument sûr que c'est Oscar Bane qui a suggéré qu'elle se fasse épiler ? intervint Benton. Comment pouvez-vous affirmer qu'il ne s'agissait pas de ses préférences à elle, de son choix ?

— Ça lui donne l'air prépubère, commenta le Dr Lester.

— C'est bien la seule chose chez elle, remarqua Benton. Au demeurant, on peut également se faire épiler pour faciliter les pratiques sexuelles orales.

Scarpetta approcha une lampe de chirurgie de la civière. Les deux branches de l'incision en Y partaient des deux clavicules pour se rejoindre au niveau du sternum et finir à hauteur du pelvis. Terri avait été suturée à l'aide d'un épais fil, à grands points qui évoquaient toujours à Scarpetta les coutures d'une balle de base-ball. Elle repositionna la tête pour examiner de plus près le visage et sentit la calotte crânienne découpée à la scie bouger sous le scalp. Sa peau avait pris une teinte rouge sombre, les pétéchies étaient lie-de-vin, et lorsque Scarpetta souleva les paupières, elle constata l'état hémorragique de la sclérotique.

La mort de Terri n'avait été ni douce, ni rapide.

La strangulation à l'aide d'une ligature affecte les artères et les veines qui apportent un sang riche en oxygène au cerveau et le débarrassent de celui qui s'est appauvri. Lorsque la ligature avait commencé à se resserrer autour du cou de la jeune femme, en appuyant sur les veines, le sang artériel avait continué de parvenir au cerveau, sans plus pouvoir en sortir grâce aux veines. L'augmentation de la pression sanguine avait lésé des vaisseaux, avec pour conséquence une congestion et pléthore de petites hémorragies. Le cerveau avait été privé d'oxygène et elle était morte d'hypoxie.

Mais pas tout de suite.

Scarpetta récupéra une loupe et une règle sur un chariot voisin et examina les abrasions du cou de Terri. Localisées juste sous la mâchoire, elles avaient une forme en U et partaient en angle aigu vers le haut, en filant vers l'arrière de la tête, des deux côtés. Elle remarqua le discret dessin de marques rectilignes qui se superposaient. Le lien qu'on avait utilisé pour l'étrangler était lisse et souple, sans bord marqué, et sa largeur devait être comprise entre un centimètre et un centimètre et demi. Scarpetta avait déjà vu cela lorsqu'un vêtement ou un matériau élastique servait de ligature, bref un matériau qui s'amenuisait lorsqu'on l'étirait avec force, pour reprendre sa largeur initiale lorsque la traction se relâchait.

Elle fit un signe à Benton, l'encourageant à se rapprocher.

— Ça m'évoque plutôt un garrottage, remarqua-t-elle.

Elle suivit du doigt la ligne horizontale formée par les abrasions tout autour du cou, jusqu'au point où elles cessaient, derrière les maxillaires.

— L'angle permet de préciser que son agresseur se tenait derrière et au-dessus d'elle. Il n'a pas eu recours à un nœud coulant, ni à un système de démultiplication pour resserrer le lien. Il en tenait les deux extrémités qu'il a tirées vers l'arrière et vers le haut avec brutalité et à plusieurs reprises. Un peu comme une voiture qui patine dans la neige, qui avance, puis qui recule dans ses propres empreintes de pneus. Mais la superposition n'est jamais parfaite. On peut donc déduire, du moins approximativement, combien d'allers et retours a faits le véhicule. Regarde la très importante congestion et le nombre de pétéchies très rouges. Des signes qui accréditent un garrottage.

Il lui emprunta la loupe, ses doigts gantés frôlant les marques du cou de Terri, dont il inclina la tête à droite et à gauche afin de mieux voir. Il s'était rapproché de Scarpetta. Elle le sentait si proche qu'un mélange d'odeurs et de sensations la dérouta. L'air environnant, trop frais et désagréable, contrastait avec la chaleur qui émanait de lui. La présence de Benton l'envahissait alors qu'elle démontrait que Terri Bridges avait été garrottée à plusieurs reprises.

— Si je me fie aux marques que je vois... je dirais au moins trois fois, ajouta-t-elle.

Le Dr Lester était plantée de l'autre côté de la civière, bras croisés sous sa poitrine, l'air gêné.

— Et, à chaque fois, combien de temps s'est écoulé avant qu'elle ne sombre dans l'inconscience ? demanda Benton.

— Ça peut s'être produit très vite, en dix secondes. La mort aurait alors suivi en quelques minutes, à moins que l'agresseur n'ait relâché la tension du lien, et c'est selon moi ce qui s'est passé. Le tueur la ramenait à la conscience, puis l'étranglait à nouveau jusqu'à ce qu'elle s'évanouisse. Il s'est amusé à cela jusqu'au moment où elle est morte, ou alors il en a eu assez et il l'a achevée.

— Ou bien il a été interrompu, suggéra Benton.

— Ce n'est pas exclu. Quoi qu'il en soit, ce rituel répétitif explique la congestion très importante du visage et l'abondance d'hémorragies ponctiformes.

— Du sadisme, conclut Benton.

Le Dr Lester se rapprocha et intervint :

— Ou alors un jeu sado-masochiste qui est allé trop loin.

— Vous avez vérifié l'éventuelle présence de fibres

sur le cou ? lui demanda Scarpetta. Tout ce qui pourrait nous orienter quant à la nature du lien utilisé ?

— J'ai récupéré des fibres dans ses cheveux et sur d'autres parties du corps, et je les ai envoyées aux labos pour une recherche de traces. Pas de fibres dans les égratignures du cou.

— À votre place, je leur enjoindrais d'accélérer les analyses. Il ne s'agit pas d'un jeu SM qui a mal tourné. Les sillons rougeâtres, secs et profonds, qui entaillent ses poignets indiquent qu'ils ont été attachés très serré à l'aide d'un seul bracelet et que le lien en question avait des bords tranchants.

— L'ADN du Flexi Cuff va être analysé.

— Ces marques n'ont pas été faites par un Flexi Cuff. Ses bords sont arrondis afin d'éviter ce genre de blessures. Je suppose que vous avez déjà envoyé...

Le Dr Lester la coupa :

— Tout a été expédié aux labos. Bien sûr, la ligature des poignets est d'abord passée par moi. Mike me l'a montrée afin que je puisse la corréler avec les sillons et, éventuellement, avec les marques qu'elle porte au cou. Et puis il l'a remportée. Cela étant, il en existe plusieurs clichés, dont ceux que je vous ai donnés.

Cette sortie déçut Scarpetta. Elle voulait voir la vraie ligature, chercher si elle lui évoquait un souvenir, un détail qu'elle aurait déjà rencontré auparavant. Elle récupéra les photographies mentionnées, ainsi que les gros plans, qui ne lui apprirent rien d'autre que ce qu'elle avait déjà déduit des photos de scène de crime. La menotte en plastique qu'Oscar affirmait avoir coupée des poignets de Terri était une bande de nylon incolore d'exactement 0,6 centimètre de large et de 51 centimètres de long, du bout effilé jusqu'au cliquet de fermeture. L'une de ses faces était crénelée, l'autre lisse. Quant à ses bords, ils étaient aigus. La bande ne portait aucun numéro de série, rien qui puisse permettre de remonter jusqu'à un fabricant.

— On dirait un collier pour serrer des câbles ensemble, quelque chose de ce genre, remarqua Benton.

— En tout cas, il ne s'agit pas d'un Flexi Cuff ou d'une autre marque de lien plastique que l'on utilise comme menottes, renchérit Scarpetta.

— La plupart des colliers de serrage, notamment pour les câbles, sont noirs, réfléchit Benton en examinant quelques photos. Tout ce qui est utilisé à l'extérieur et qui peut donc être dégradé par les UV est noir. Certainement ni transparent, ni de couleur claire.

— Peut-être un lien à usage unique pour un sac quelconque, suggéra Scarpetta. Réservé à l'intérieur, puisqu'il est clair. Mais, en ce cas, plutôt un gros sac. Rien à voir avec un léger sac-poubelle.

Son regard se posa sur le sac rouge vif à déchets biologiques suspendu à son support, poussé non loin d'un évier.

— En fait, c'est ici même que j'ai déjà vu ce genre de liens. Pour ça.

Elle pointa en direction du support.

— Le nôtre est attaché grâce à un cerceau torsadé, lâcha d'un ton sec le Dr Lester, un ton qui laissait entendre qu'elle soupçonnait Scarpetta d'insinuer que les menottes improvisées de Terri sortaient de sa morgue.

— Ce qui est important là-dedans, reprit celle-ci, c'est que les gens qui pratiquent le SM ne se ligaturent pas au point d'arrêter la circulation, et il est peu probable qu'ils utilisent des liens à bords coupants, ou qui ne peuvent pas être facilement détendus ou retirés à l'aide d'une clé. (Elle désigna du doigt une photo et compléta :) Un lien de ce type ne peut pas être défait une fois qu'il est fermé. On peut juste le resserrer davantage. Elle a dû souffrir. Il n'y avait aucun moyen de la libérer sans forcer avec la lame d'un couteau ou tout autre instrument tranchant sous la bande plastique. Or on peut apercevoir ici une petite coupure, non loin de l'os du poignet gauche. Les choses ont pu se dérouler de cette façon. Les ciseaux de la cuisine ont pu la couper, si c'est bien d'eux qu'on s'est servi. Y avait-il des traces de sang sur le corps lorsqu'il est arrivé à la morgue ? Des traces autres que celles des blessures aux jambes ?

Les yeux sombres du Dr Lester ne lâchaient pas Scarpetta.

— Non, répondit-elle.

— Si elle était déjà morte lorsque la menotte a été retirée en coupant légèrement la victime, il est normal qu'elle n'ait pas saigné, ou presque pas. Il ne s'agissait pas d'un jeu. C'était beaucoup trop douloureux pour être une mise en scène sexuelle.

— Selon moi, la souffrance est la base du SM.

— On n'a pu tirer aucun plaisir de cette souffrance-là, contra Scarpetta. Sauf la personne qui l'a infligée.

La page de titre correspondait à une version revue trois semaines auparavant, le 10 décembre.

— Il s'agit d'un très gros fichier que nous sommes loin d'avoir totalement récupéré, annonça Lucy. Mais ce bout de chapitre devrait te permettre de te faire une idée.

Elle venait de le transférer dans un fichier texte. Berger commença sa lecture, rythmée par les tap-tap de Lucy enfonçant la touche de descente.

... lorsque j'ai les mains plongées dans un cadavre, j'imagine comment j'aurais pu tuer cette personne de façon bien plus efficace. Avec tout ce que je sais, bien sûr que je pourrais commettre le crime parfait. Quand je me retrouve avec mes collègues et que nous avons descendu pas mal de whiskies, nous aimons beaucoup échanger nos scénarios, ceux que nous ne présenterions jamais lors d'une réunion professionnelle ou que nous n'évoquerions pas devant nos familles, nos amis et encore moins nos ennemis !

Quel est votre whisky préféré ?

Difficile de choisir entre un whisky irlandais *single malt* Knappogue Castle et le scotch *single malt* Brora.

Je n'ai jamais entendu parler ni de l'un ni de l'autre.

Ça ne m'étonne pas. Le Knappogue est probablement le meilleur des whiskies irlandais, et il doit coûter pas loin de sept cents dollars la bouteille. Quant au Brora, il est si rare et si raffiné que chaque bouteille produite est numérotée et vaut plus cher que tous les ouvrages universitaires que vous achèterez au cours de l'année.

Comment pouvez-vous boire des alcools si onéreux et ne pas vous sentir coupable vis-à-vis de tous ces gens qui perdent leur maison ou qui ne peuvent même plus faire le plein de leur réservoir ?

Si je refuse un verre de magnifique whisky, est-ce que cela vous aidera à faire le plein ? Si tant est que vous possédiez une voiture. Il est de fait que les plus grands crus – qu'il s'agisse d'un château-pétrus, d'un whisky *single malt* ou d'une excellente tequila d'agave – endommagent moins votre foie ou votre cerveau.

Et donc les gens riches qui boivent de bonnes choses ne subissent pas les effets néfastes de l'excès d'alcool ? Je n'avais jamais entendu cela.

Combien de foies et de cerveaux humains avez-vous vus et disséqués ?

Et si vous me donniez d'autres exemples de la face sombre des choses ? Que racontez-vous d'autre une fois que le rideau est tombé, lorsque vous rencontrez vos confrères ?

Nous avons tendance à nous vanter des gens célèbres dont nous avons réalisé l'autopsie. Nous aurions tous voulu être chargés de l'autopsie d'Elvis ou d'Anna Nicole Smith, le mannequin, ou alors de la princesse Diana, mais personne ne l'avouera. Écoutez, je ne suis pas différente des autres. Je veux les meurtres en série de Gainesville. Je veux arriver sur la scène de crime et qu'une tête coupée posée sur une étagère me fixe lorsque je passe la porte. J'aurais adoré que Ted Bundy me fasse subir un contre-interrogatoire lorsqu'il a choisi de se défendre lui-même lors de son procès. Mince, à la fin ! J'aurais adoré réaliser son autopsie après son exécution.

Pouvez-vous me parler de quelques affaires sensationnelles sur lesquelles vous avez travaillé ?

J'ai eu la chance d'en récupérer quelques-unes. Par exemple, les cas d'électrocution par la foudre. Personne d'autre n'était capable de préciser la cause de la mort parce que le corps avait été retrouvé étendu dans un champ, les vêtements de la victime – une femme – étaient déchirés et les lambeaux éparpillés autour. Première hypothèse ? Une agression sexuelle. Mais aucun signe de blessures à l'autopsie. Seul indice révélateur, le dessin en arborescence connu sous le nom de figures de Lichtenberg, dues aux décharges électriques. Dans d'autres cas, si la victime portait un objet en métal – une boucle de ceinture, par exemple –, il peut également être magnétisé. Ou alors sa montre peut s'être arrêtée à l'heure de la mort. Je suis toujours à l'affût de tels signes. Ce n'est pas le cas de beaucoup de médecins légistes, soit parce qu'ils manquent d'expérience ou qu'ils sont naïfs, soit parce qu'ils n'excellent vraiment pas dans leur partie.

Je m'attendais à davantage de compassion de votre part.

Regardons les choses en face. Je peux faire étalage de toute l'empathie du monde et bouleverser un jury aux larmes. Mais pensez-vous véritablement que mon cœur se brise parce qu'on pousse la dernière tragédie du moment dans ma morgue, sur un chariot ? En ai-je vraiment quelque chose à faire lorsque j'entends les commentaires des flics, ces commentaires que le public ne connaîtra jamais ?

Quel genre ?

Le plus souvent à connotations sexuelles. La taille du pénis du défunt, surtout s'il est petit ou énorme. Le volume des seins de la femme morte, notamment si c'est ce que j'appelle du « matériel pour magazine ». Je connais plein de médecins experts qui embarquent des souvenirs. Des trophées. La hanche artificielle d'une célébrité. Une dent. Un implant mammaire. Ce sont les hommes qui aiment ce genre de choses. Ne me demandez pas ce qu'ils fabriquent avec. Ce qui est sûr, c'est qu'ils les gardent à portée de main. Un implant pénien, ça, c'est assez amusant.

Et vous, avez-vous déjà conservé des souvenirs ?

Un seul. C'était il y a vingt ans, un cas survenu assez tôt dans ma carrière, des meurtres en série à Richmond, où je venais de prendre mes fonctions de médecin expert en chef. Le trophée en question ne provenait pas d'un cadavre, mais de Benton Wesley. Notre première rencontre s'est déroulée dans ma salle de réunion. Après son départ, j'ai conservé le gobelet en plastique dans lequel il avait bu son café. Vous savez, l'un de ces gobelets très hauts en polystyrène. Dès que j'ai vu Benton, j'ai éprouvé un violent désir pour lui.

Et qu'avez-vous fait avec ce gobelet ?

Je l'ai rapporté chez moi et j'ai léché le bord. J'avais l'impression qu'en le goûtant je goûtais Benton.

Mais vous n'avez pas couché avec lui tout de suite ? Il s'est écoulé combien ? Cinq ans ?

C'est ce que tout le monde croit. Toutefois, les choses ne se sont pas vraiment passées ainsi. Je l'ai appelé après notre première réunion en lui proposant de venir boire un verre. Le prétexte était que nous pourrions ainsi continuer nos discussions au sujet des meurtres, en toute tranquillité. La porte de chez moi n'était pas refermée que nous nous jetions dans les bras l'un de l'autre.

347

Qui a commencé ?

Je l'ai séduit. Cela allégeait sa culpabilité. Il était marié. Quant à moi, j'étais divorcée et très célibataire à ce moment-là. Sa pauvre femme. Benton et moi étions amants depuis près de cinq ans lorsqu'il lui a enfin révélé la vérité, prétendant que notre relation commençait tout juste parce que leur mariage était moribond.

Et personne ne s'en est jamais douté ? Pete Marino ? Lucy ? Rose, votre secrétaire ?

Je me suis toujours demandé si Rose ne soupçonnait pas la vérité. Quelque chose dans sa façon d'agir lorsque Benton débarquait pour une autre de nos discussions d'enquête, ou lorsque je me rendais à Quantico pour une prétendue consultation. Elle est morte d'un cancer l'été dernier. Vous ne pourrez donc pas le lui demander.

Je n'ai pas l'impression que travailler avec les morts fasse de vous une femme inhibée.

C'est tout le contraire. J'ai exploré si souvent chaque centimètre carré du corps humain. À partir de ce moment-là vous n'éprouvez plus aucune gêne, aucune répulsion. Tous les interdits sexuels disparaissent, et tant d'expériences sont possibles...

Le texte s'interrompait brutalement. Berger demanda :

— Tu peux expédier cela à Kay ? Ainsi elle en prendra connaissance dès qu'elle aura un moment. Peut-être qu'elle comprendra des choses qui nous échappent.

— Il s'agit de l'extrait d'une prétendue interview que ma tante aurait donnée à Thanksgiving. Et je sais que c'est impossible, martela Lucy. D'autant que jamais elle ne parlerait de cette façon.

— J'ai remarqué l'utilisation assez créative des polices de caractères.

— L'auteur – Terri ou autre – s'en sert beaucoup, en effet.

En dépit de son indignation, Lucy tentait de conserver son calme. Berger le sentait et elle attendait. Elle se souvenait des redoutables colères de Lucy quelques années auparavant.

— À mon avis, il y a une sorte de recherche de symboles, poursuivit celle-ci. Prenons le cas de cette interview bidon. Lorsque Terri – disons qu'il s'agit bien d'elle – pose les questions, la police est du Franklin Gothic et les caractères sont en gras. L'Arial est réservé aux réponses bidon de ma prétendue tante.

— En d'autres termes et d'un point de vue symbolique, Terri supplante Kay, traduisit Berger.

— C'est bien pire que ça. Pour les puristes du traitement de texte, Arial a très mauvaise réputation, expliqua Lucy en étudiant le texte. Cette pauvre police s'est vue affublée de qualificatifs comme « moche », « commune », « manquant de caractère ». On la considère aussi parfois comme un imposteur sans vergogne. Il y a eu plein d'articles sur le sujet.

Elle évita le regard de Berger.

— Un imposteur ? la poussa Berger. Tu veux dire un plagiaire, comme dans une violation de copyright ? Mais de quoi tu parles au juste ?

— Certains considèrent qu'il s'agit d'une copie d'Helvetica, une police conçue dans les années cinquante et qui est devenue une des plus populaires au monde. D'ailleurs, pour un œil profane, Helvetica et Arial sont similaires. Mais pour un puriste, un graphiste, un concepteur de polices ou un imprimeur, Arial est un parasite. L'ennui, c'est qu'il y a aujourd'hui pas mal de jeunes concepteurs qui pensent que c'est Arial qui a servi de base à Helvetica. Plutôt drôle quand on y pense. Vois-tu l'implication symbolique sous-jacente ? Ça fait peur. Du moins, moi, ça m'effraye.

— Bien sûr que je la vois. Ça pourrait suggérer que

Terri s'est substituée à Kay en tant qu'expert en sciences légales de réputation internationale. C'est un peu ce qu'a fait Mark David Chapman avant d'abattre John Lennon. Il s'était épinglé un badge au nom de l'idole. Même topo avec Sirhan Sirhan lorsqu'il a – c'est du moins ce que l'on raconte – déclaré qu'en assassinant Bobby Kennedy il devenait encore plus célèbre.

— Les changements de police suivent une progression, remarqua Lucy. Ils sont encore plus prononcés dans les versions les plus récentes. Cela va de pair avec l'importance croissante que prend Terri et le rendu négatif des supposés propos de ma tante.

— Un changement qui laisse sous-entendre que l'attachement émotionnel de Terri à l'égard de Kay était en train de virer à l'hostilité, au dédain aussi. Enfin, je devrais parler de l'« auteur », plutôt que lui attribuer un nom. Toutefois, simplifions-nous la vie et partons du principe qu'il s'agit bien de Terri. (Berger réfléchit un instant, puis :) Au fond, ça ressemble un peu à ce qui s'est passé entre Kay et Marino. Il l'adorait. Ensuite, il a voulu la détruire.

— Ce n'est pas aussi simple et ça n'a rien à voir, rétorqua Lucy. Marino avait une raison d'être amoureux de ma tante. Il la connaissait. En revanche, Terri n'avait aucune raison d'éprouver quoi que ce soit à son égard. On est dans l'invention délirante.

— On peut supposer qu'elle était une *aficionada* des polices de caractères. Revenons là-dessus, conseilla Berger.

Lucy avait changé, véritablement. Elle était toujours passionnée, sans doute, mais s'était débarrassée de son impulsivité. À l'époque, selon Berger, la jeune femme était en permanence au seuil de la violence. Il s'agissait là de sa faille, une faille qui la rendait dangereuse.

— Je pense que Terri connaissait très bien les polices, dit Lucy. Elle en utilise différentes pour les notes de bas de page, la bibliographie, les têtes de chapitre et la table des matières. La plupart des gens n'ont pas recours à ces changements de typographie lorsqu'ils rédigent un mémoire ou autre. Ils changent parfois la taille ou choisissent l'italique, sans aller jusqu'à ces prétentions artistiques. En réalité, la police de caractères la plus employée est programmée par défaut dans la plupart des traitements de texte, notamment celui qui se trouve sur l'ordinateur de Terri. En général, il s'agit de Times New Roman.

Se préparant à jeter des notes sur son calepin, Berger demanda :

— Donne-moi des exemples. Quelle police adopte-t-elle, pour quel usage et quand ?

— Le Palatino Linotype pour les notes de bas de page, très lisible sur écran ou sur les sorties papier. Le Bookman Old Style est réservé à la bibliographie. Très lisible aussi. Pour les têtes de chapitre, elle a préféré le MS Reference Sans Serif, la police le plus souvent employée pour les gros titres des journaux. Je me répète, c'est très rare de trouver autant de polices différentes dans un travail universitaire. Cela me pousserait à dire que ce qu'elle écrivait était très personnel. Il ne s'agissait pas simplement d'un compte rendu.

Berger la considéra un long moment.

— Mais comment peux-tu savoir tout cela ? Les polices de caractères, je ne leur prête jamais attention. Je serais incapable de nommer celle que j'utilise pour rédiger mes dossiers.

— Tu emploies la même police que Terri. Par défaut. Times New Roman, qui a été créée à l'origine pour le journal anglais le *Times*. Une police étroite, donc économique, mais très claire. J'ai vu des sorties d'imprimante sur ton bureau lorsque je suis venue te rendre visite un peu plus tôt. Dans le domaine de l'informatique légale, des détails insignifiants à première vue peuvent s'avérer d'une extrême importance.

— Et je ne serais pas étonnée que nous soyons dans ce cas, admit Berger.

— Ce dont je suis convaincue, c'est que ces différentes polices ont été sélectionnées délibérément parce qu'il a fallu qu'elle supprime la police par défaut, préenregistrée. Maintenant étaient-elles chargées de symboles à ses yeux, lui servaient-elles à faire sentir comment elle se positionnait par rapport aux autres, notamment à ma tante, je n'en sais rien. En revanche, ce dont je suis certaine, c'est que ce truc est malsain et que ça n'allait pas s'arranger. Si Terri Bridges est bien l'auteur de ce mémoire et si elle était encore en vie, je la considérerais dangereuse pour tante Kay. À tout le moins, elle diffame une personne qu'elle n'a jamais rencontrée.

— Kay devrait alors prouver qu'il s'agit de mensonges. Et comment y parviendrait-elle, par exemple en ce qui concerne l'anecdote du gobelet de café ? Comment peux-tu être certaine que c'est faux ?

— Parce qu'elle ne ferait jamais un truc pareil !

— Je ne pense pas que tu sois à même de savoir ce que fait Kay en privé, insista Berger.

— Bien sûr que si. (Le regard de Lucy se riva à celui du procureur.) Et toi aussi d'ailleurs. Demande donc à n'importe qui si elle s'est permis un jour une plaisanterie déplacée au sujet d'un mort. Demande si elle a toléré que quelqu'un d'autre, n'importe qui, se permette un écart de langage. Demande à tous ceux qui ont été un jour présents à la morgue ou sur une scène de crime avec elle si elle aime les affaires horribles et si elle a espéré réaliser l'autopsie de Ted

Bundy. J'espère que tout ça ne sera jamais déballé devant un tribunal.

— Je parlais du gobelet de café. Pourquoi cela te dérange-t-il d'imaginer Kay en être sexué ? As-tu un jour toléré qu'elle soit un être humain ? Ou alors n'était-elle que la mère parfaite, ou, pire, une mère qui traîne encore des imperfections ?

— J'admets que j'ai eu un problème avec cette facette d'elle, que j'étais en compétition pour capter toute son attention. Je ne lui tolérais aucun défaut, ni même d'avoir des sentiments d'être de chair et de sang. J'étais un tyran.

— Plus maintenant ?

— Peut-être Marino a-t-il joué le rôle de la dose ultime. La dernière dose de chimiothérapie. Sans même le vouloir, il a guéri la chose maligne que j'hébergeais en moi. La conséquence de poids, c'est que mes relations avec ma tante sont meilleures. J'ai compris qu'elle avait une vie en dehors de moi, et ça me va. Ça me va très bien. C'est même mieux. En réalité, il ne s'agit pas d'une découverte, je le savais déjà, mais je ne le ressentais pas. Maintenant elle est mariée. Si Marino n'avait pas fait ce qu'il a fait, je ne suis pas sûre que Benton se serait décidé à franchir le pas conjugal.

— Tu parles comme si la décision venait seulement de lui. Kay n'a pas eu son mot à dire ?

Berger détailla le visage de la jeune femme.

— Elle lui a toujours permis d'être ce qu'il était au fond, et elle aurait continué. Elle l'aime. Cela étant, elle n'aurait jamais pu se marier avec personne d'autre parce qu'il y a trois choses qu'elle ne peut pas supporter et qu'elle ne tolérera jamais. Être dominée, trahie ou s'ennuyer. Elle préfère rester seule.

— Ça me rappelle d'autres gens, commenta Berger.

— C'est sans doute vrai.

Berger s'intéressa à nouveau à ce qui s'affichait sur l'écran. Elle lâcha :

— Eh bien... malheureusement, ce qui est enregistré dans ces ordinateurs est une pièce à conviction, et ceux qui sont impliqués dans l'enquête en prendront connaissance. Et, en effet, ça sera rendu public.

— Ça va la détruire.

— Non. Toutefois, nous devons trouver d'où proviennent ces informations. Je n'ai pas le sentiment que ce soit fabriqué de toutes pièces. Terri, ou quiconque a écrit ce mémoire, en sait trop. Par exemple, la première rencontre de Benton et Kay à Richmond, il y a vingt ans.

— Ils ne sont pas devenus amants à cette époque, persista Lucy.

— Comment peux-tu l'affirmer ?

— Parce que cette année-là j'ai passé les vacances d'été chez elle. Benton n'est pas venu une fois à la maison, pas une seule ! Lorsqu'elle n'était pas à l'institut médico-légal ou sur une scène de crime, elle me tenait compagnie. J'étais une sale gosse, pas mal secouée, très potelée. J'étais un peu dingue et j'essayais désespérément d'attirer son attention. En d'autres termes, je m'échinais à me retrouver dans les ennuis, sans comprendre qu'elle devait avant tout s'occuper de toutes ces femmes qui se faisaient violer et massacrer. Ma tante ne traînait pas ses guêtres ici ou là ! Elle ne me laissait pas seule, pas une minute, et surtout pas avec un tueur en série lâché dans la nature et qui terrorisait la ville. D'ailleurs, pour ta gouverne, je n'ai jamais vu de gobelet en polystyrène.

— Que tu ne l'aies pas vu ne signifie rien, argumenta Berger. Pourquoi te l'aurait-elle montré ? Surtout, pourquoi t'aurait-elle expliqué la raison pour laquelle elle l'avait rapporté de sa salle de réunion ?

— Elle ne l'aurait pas fait. Pourtant, tu vois, je suis presque désolée de ne jamais avoir vu ce gobelet. Elle était tellement seule à cette époque.

Chapitre 20

Scarpetta bascula le corps de Terri Bridges sur le flanc pour examiner le dos et la face antérieure de plus près.

Si l'on excluait les égratignures sur le cou et la discrète coupure au poignet, les seules blessures que détecta Scarpetta commençaient à mi-cuisse. Toutes étaient localisées sur la face antérieure. Il s'agissait de longs bleus étroits avec de nombreuses abrasions rectilignes, la plupart horizontales, qui avaient dû saigner. On aurait dit qu'elle avait été frappée à l'aide d'une surface plane terminée par un bord franc, telle une planche.

Les genoux avaient été sévèrement contusionnés et égratignés, tout comme le dessus des pieds. Grâce au grossissement de la loupe, Scarpetta découvrit dans chaque genou de minuscules échardes blondes, aussi fines que des cheveux. La vive rougeur et l'absence de gonflement des plaies indiquaient que toutes avaient été infligées peu avant la mort. Quelques minutes avant, peut-être une heure.

La seule réponse que trouva le Dr Lester à la découverte des échardes, toutes sur la face antérieure, fut que peut-être le corps avait été traîné sur le ventre à un moment quelconque et qu'il était entré en contact avec une surface en bois. Scarpetta lui rétorqua que peu de planchers pouvaient produire des échardes, à moins qu'ils ne soient pas poncés ni traités.

Le Dr Lester s'obstina :

— Vous ne m'avez toujours pas convaincue d'abandonner la thèse de l'accident. Du *bondage*, des bleus, une fessée musclée, des coups de fouet. Et parfois les choses dérapent.

— Et une lutte ? intervint Benton. Avez-vous également pris cette hypothèse en compte ?

— Des spasmes de douleur, des hurlements. J'ai vu tout cela sur les vidéos que vous autres profileurs aimez montrer lors de vos conférences, expliqua le Dr Lester. (La ride qui divisait son front se fit aussi profonde qu'une crevasse.) Les couples filment leurs ébats sans se douter que leurs rituels pervers vont se terminer par la mort.

— J'aimerais que tu fasses le tour de ces clichés, dit Scarpetta à Benton. Ceux qui ont été pris sur la scène de crime. Il y a certaines choses que je souhaite que nous examinions ensemble.

Benton récupéra une enveloppe posée sur une paillasse et ils étalèrent devant eux les photos de la salle de bains de la victime. Scarpetta désigna celle qui montrait la tablette de toilette, au-dessus de laquelle était suspendu le miroir ovale légèrement incliné. Scarpetta résuma :

— Les blessures qu'elle porte aux jambes ont été causées par des coups assez brutaux assenés à l'aide d'un objet plat avec une bordure. Le bord de la tablette de toilette ou le dessous de son tiroir, peut-être. Si elle avait été assise face à la tablette en question ? Ce qui expliquerait pourquoi toutes ses blessures sont localisées sur la face ventrale et depuis le milieu des cuisses jusqu'aux pieds. Rien sur la face dorsale ou plus haut sur le corps. Rien dans le dos ou sur les fesses, qui sont pourtant des zones de prédilection pour les fessées.

S'adressant au Dr Lester, Benton demanda :

— Savez-vous si la police a retrouvé un objet ou une arme quelconque sur la scène qui pourrait être à l'origine de ces ecchymoses et ces égratignures ?

— Pas à ma connaissance. Cependant cela ne me surprend pas. Si la personne qui se trouvait avec elle est partie en embarquant le lien utilisé pour l'étrangler, peut-être a-t-elle aussi fait disparaître l'instrument avec lequel elle l'a battue. Si elle a bien été battue. Franchement, je serais beaucoup plus en faveur de l'hypothèse d'un homicide si elle avait été violée. Mais aucun indice ne va dans ce sens. Pas d'inflammation, pas de lacérations, pas de sperme...

Scarpetta revint vers la civière et orienta la lampe de chirurgie sur le pelvis.

Le Dr Lester la regarda faire et précisa :

— Ainsi que je vous l'ai dit, j'ai réalisé des écouvillons.

Au ton de sa voix, il était évident que le Dr Lester avait perdu de son assurance et qu'elle était maintenant sur la défensive.

— J'ai aussi pris l'initiative de faire plusieurs lames de microscope que j'ai examinées pour vérifier la présence éventuelle de sperme. Négatif. Les échantillons ont été envoyés au labo d'ADN et vous avez eu connaissance des résultats. Selon moi, il est peu probable qu'il y ait eu rapport sexuel. Ce qui ne signifie pas que telle n'était pas l'intention de départ. Ma conviction, c'est que nous devons impérativement nous assurer que la victime n'était pas consentante pour un jeu qui impliquait des préliminaires, du genre *bondage*.

— A-t-on retrouvé du lubrifiant sur la scène de

crime ? Peut-être dans la salle de bains ou dans la chambre, bref dans un endroit qui suggère qu'il appartenait à la victime ? Je n'ai rien vu de tel dans le rapport de police, comme je l'ai dit, déclara Scarpetta.

— Ils ont dit que non.

— Eh bien, c'est très important. S'il n'y en avait pas dans son appartement, cela sous-entendrait que la personne qui se trouvait avec elle l'a apporté. Par ailleurs, une multitude de raisons peuvent expliquer que le rapport sexuel a eu lieu, ou presque eu lieu, sans pour autant que l'on retrouve du sperme. La plus évidente est bien sûr l'utilisation d'un préservatif. Mais un dysfonctionnement de l'érection est envisageable, et pas inhabituel dans les cas de viol. Cependant d'autres scénarios sont possibles. Le tueur a subi une vasectomie ou souffre d'azoospermie, ce qui implique qu'on ne retrouvera aucun spermatozoïde. Ou encore, le canal éjaculateur est bouché. Ou même une éjaculation rétrograde, lorsque le sperme remonte vers la vessie au lieu de descendre vers le pénis, puis dans le vagin. Ou enfin, des médicaments qui interfèrent avec la spermatogenèse.

— Encore une fois, je vous rappelle ce que j'ai déjà dit plus tôt. Non seulement je n'ai pas retrouvé de spermatozoïdes, mais lorsqu'on applique une lumière UV, pas de fluorescence indiquant une éventuelle présence de liquide séminal. En d'autres termes, la personne avec laquelle elle se trouvait n'a vraisemblablement pas éjaculé.

— Tout dépend si le sperme a été projeté très loin au fond du canal vaginal ou même dans le rectum, argumenta Scarpetta. Vous ne verrez rien, à moins d'une dissection ou d'utiliser une technologie fibre optique capable d'appliquer un faisceau d'UV. Avez-vous vérifié l'intérieur de la cavité buccale, écouvillonné la bouche et le rectum ?

— Bien sûr.

— Bien. J'aimerais jeter un œil aux résultats.

— Je vous en prie.

Plus la détermination de Scarpetta augmentait, plus l'assurance et la combativité du Dr Lester s'effritaient.

Scarpetta ouvrit un placard et y découvrit un spéculum encore protégé par son enveloppe. Elle passa une paire de gants neuve et réalisa le même examen que celui que dispense un gynécologue de cabinet pour une surveillance de routine. Elle détailla les organes génitaux externes, ne remarquant aucune blessure, aucune anormalité. Puis, à l'aide du spéculum, elle écarta les parois du vagin et y découvrit un résidu de lubrifiant suffisant pour réaliser plusieurs prélèvements qu'elle étala sur les lames de microscope. Elle préleva également des échantillons au niveau du rectum, de la cavité buccale et de la gorge, puisqu'il n'est pas rare qu'une victime avale du sperme lors d'un viol oral.

— Le contenu gastrique ? demanda-t-elle.

— Une faible quantité de liquide brunâtre, environ vingt centilitres. Elle n'avait rien ingéré depuis des heures.

— Vous l'avez conservé ?

— C'était inutile. J'ai fait analyser les fluides corporels habituels pour une recherche de drogues, se défendit le Dr Lester.

— Je pensais moins à la présence de drogues qu'à celle de sperme, expliqua Scarpetta. Si elle a été violée par voie orale, il est très possible de retrouver du sperme dans l'estomac. On peut même en récupérer parfois dans les poumons. Malheureusement, il faut que nous innovions un peu dans cette enquête.

Elle récupéra un scalpel sur un chariot et inséra une

nouvelle lame dans l'instrument. Elle commença d'inciser les contusions des genoux de Terri et sentit l'os brisé sous la peau éraflée. Les deux rotules avaient été fracturées, une blessure typique des accidents de voiture, lorsque les genoux viennent percuter le tableau de bord.

— Je vous serais reconnaissante de vous assurer que je reçoive des versions électroniques de toutes les radios, demanda Scarpetta.

Elle passa ensuite à l'incision des contusions des cuisses et découvrit que des vaisseaux sanguins avaient éclaté sur près de trois centimètres de profondeur, jusqu'aux muscles. Utilisant sa règle de quinze centimètres comme échelle, elle réquisitionna Benton afin qu'il l'aide avec les clichés. Elle reporta ses annotations sur les diagrammes de corps qu'elle trouva dans des caissons scellés au-dessus de la paillasse.

Elle extirpa quelques échardes plantées dans les genoux et les pieds de Terri à l'aide de pinces et les déposa sur des lames. Après s'être installée devant le microscope optique, elle fit jouer la lumière et le contraste, et avancer les lames sur la platine. Au grossissement 100, elle put discerner les trachéides, ces cellules du bois chargées de véhiculer l'eau dans le végétal. Elle se rendit ainsi compte qu'à certains endroits lesdites cellules avaient été écrasées sans ménagement aux joints du placage collés grâce à un adhésif puissant.

Les échardes provenaient d'un contre-plaqué poncé de façon assez sommaire. Benton et elle examinèrent à nouveau la photographie vingt sur vingt-cinq centimètres du corps nu de Terri gisant sur le sol de la salle de bains. On distinguait en arrière-plan le comptoir en marbre blanc avec sa tablette de toilette et une petite chaise en métal doré décorée d'un dossier en forme de cœur, au siège recouvert de satin noir. Un plateau en miroir reposait sur la tablette. S'y alignaient des parfums, une brosse à cheveux et un peigne. Tout était impeccablement rangé, à l'exception du miroir ovale. Scarpetta scruta chaque détail de la photo, s'aidant de la loupe. Le bord du comptoir avait été découpé à l'endroit où avait été insérée la tablette de toilette. Il semblait tranchant.

Elle passa à d'autres photos de la salle de bains, prises sous des angles différents.

— Il s'agit d'un ensemble, déclara-t-elle en tendant un des clichés à Benton. Le comptoir a été construit autour du lavabo, des placards et de la tablette avec son tiroir. Si tu regardes là, ces photos prises du ras du sol, tu verras que le comptoir s'applique contre une planche de contre-plaqué peinte en blanc qui est fixée au mur carrelé. C'est très similaire à ce qu'on voit dans certaines cuisines intégrées. Toutefois, bien souvent la partie en contre-plaqué des meubles, celle qui est située en dessous et qu'on ne voit pas, n'est pas peinte. Ce que je veux dire, c'est qu'il est possible que le dessous du tiroir de la tablette ne le soit pas non plus. Or l'examen microscopique que je viens de réaliser prouve sans ambiguïté que les échardes retrouvées dans ses genoux et ses pieds provenaient d'un contreplaqué brut. Il faut que nous nous rendions sur place.

Le Dr Lester se tenait derrière eux, écoutant en silence.

Scarpetta reprit :

— Il est possible qu'il l'ait contrainte à s'asseoir sur la chaise, devant le miroir, afin qu'elle puisse se voir alors qu'il la garrottait. Elle a commencé à se débattre en donnant des coups de pied. Ses jambes ont heurté le bord du comptoir, occasionnant les abrasions rectilignes et les ecchymoses sur les cuisses. Ses genoux ont percuté le dessous du tiroir de la tablette avec tant de violence que les rotules se sont fracturées. Si nous vérifions que le dessous du tiroir en question est bien en contre-plaqué non peint, ça peut expliquer les échardes retrouvées dans les genoux et sur le dessus des pieds. Compte tenu de ses jambes courtes, les pieds n'atteignaient pas le mur. Eux aussi ont dû heurter le dessous du tiroir.

— Si vous avez vu juste, cela influencera mon opinion, concéda le Dr Lester. Si elle se débattait avec une telle énergie et que quelqu'un l'a forcée à s'asseoir et à se voir dans la glace, c'est une histoire très différente.

— Un autre point me semble crucial, remarqua Benton. À quoi ressemblait la salle de bains lorsque Oscar y a pénétré et a découvert le corps ? Si tant est que sa version soit exacte.

— Je crois qu'on peut vérifier s'il nous a menti grâce à quelques mesures, déclara Scarpetta. Tout dépend de la chaise. Si Terri y était assise et qu'Oscar se tenait derrière elle, je doute fort qu'il ait pu tirer le lien assez en hauteur pour provoquer l'angle suivi par la marque que nous avons constatée sur le cou de la victime. Cela étant, nous devons vraiment nous rendre sur place. Et nous devons nous dépêcher.

— La première chose que je vais faire, c'est poser la question sans détour à Oscar, décida Benton. Peut-être acceptera-t-il de me parler, s'il pense que nous possédons d'autres indices et qu'il est dans son intérêt de coopérer. Je vais appeler l'étage de psychiatrie, vérifier s'il est devenu raisonnable.

Lucy parcourait des *e-mails*, alors que Scarpetta, dont la voix lui parvenait par les haut-parleurs, expliquait qu'elle voulait que les écouvillons réalisés à partir de tous les orifices de Terri Bridges ainsi que la chaise de la salle de bains soient expédiés par avion au National Security Complex, situé à Oak Ridge dans le Tennessee.

— J'ai des amis au Y-12, précisa Scarpetta à Berger, dont elle souhaitait l'approbation. Je pense que nous pourrions avoir un retour très rapide. Une fois qu'ils ont reçu les pièces à conviction, le travail en lui-même ne dure que quelques heures. Aspirer l'intérieur de la chambre est ce qui prendra le plus de temps, en raison des circonstances particulières. En effet, le lubrifiant dérivé du pétrole renferme beaucoup d'humidité.

— Je pensais qu'ils fabriquaient des armes nucléaires, s'étonna Berger. Ce ne sont pas eux qui ont traité l'uranium destiné à la première bombe atomique ? Vous n'êtes pas en train d'insinuer que Terri Bridges pourrait avoir eu des liens avec le terrorisme ou quelque chose d'approchant ?

Scarpetta poursuivit en expliquant que s'il était exact que le Y-12 fabriquait des composants entrant dans la fabrication de tout l'arsenal nucléaire des États-Unis et qu'ils stockaient également la plus grosse quantité d'uranium enrichi du pays, son intérêt à elle se limitait aux ingénieurs, aux physiciens, aux chimistes qu'ils accueillaient et surtout aux scientifiques spécialisés dans les matériaux.

— Connaissez-vous leur microscope électronique à balayage équipé d'une grande chambre ? demanda-t-elle.

— Je suppose que nous n'en avons pas ici ?

— Malheureusement, aucun laboratoire de sciences légales de la planète ne possède un microscope pesant dix tonnes, capable d'un grossissement d'un facteur 200 000, avec analyse dispersive en énergie et spectroscopie à infrarouges par transformation de Fourier. Tout dans le même panier pour obtenir la morphologie, la composition élémentaire et chimique des échantillons, depuis une macromolécule jusqu'à quelque chose d'aussi gros qu'un moteur. Il est possible que je leur demande d'introduire une chaise entière dans la chambre. Il faut voir. Je ne vais pas demander à Lucy de nous prêter son jet pour que des policiers escortent les pièces à conviction jusque dans le Tennessee afin de les confier à mes amis scientifiques, le tout au beau milieu de la nuit, sans être certaine d'avoir une raison légitime.

— Dites-m'en plus au sujet de cette chaise, demanda Berger. Pourquoi pensez-vous qu'elle soit si importante ?

— Il s'agit de la chaise de la salle de bains de Terri. Je pense qu'elle y était assise lorsqu'elle a été tuée. Il s'agit pour l'instant d'une théorie, que je ne peux vérifier avant de l'avoir examinée personnellement. J'ai des raisons de croire qu'elle était nue lorsqu'on l'a forcée à s'asseoir dessus. Or nous savons que le lubrifiant est contaminé avec un mélange d'ADN. Il peut donc être également contaminé par des traces d'autres composés, organiques ou non. Nous ignorons à quel usage était initialement destiné ledit lubrifiant, d'où il provenait ou même ce qu'il contient. Cela étant, la microscopie électronique à balayage peut nous aider et nous renseigner rapidement. Il faut que je me rende dans l'appartement de Terri. Le plus vite possible.

— Des policiers le gardent vingt-quatre heures sur vingt-quatre, la renseigna Berger. Il sera très facile pour vous d'y entrer. Cela étant, j'aimerais bien qu'un enquêteur vous accompagne. De plus, je me trouve dans l'obligation de vous demander si vous avez eu dans le passé des relations, de quelque nature qu'elles aient été, avec Oscar Bane ou Terri Bridges.

— Aucune.

— Nous sommes en train de découvrir des fichiers stockés sur un ordinateur provenant de l'appartement de Terri qui tendraient à prouver le contraire. Du moins dans son cas.

— Non, je ne la connaissais pas. Nous en aurons terminé ici dans quinze à vingt minutes, reprit Scarpetta. Ensuite, il ne nous restera plus qu'à faire un saut dans le bureau de Benton afin de récupérer des petites choses. Quelqu'un pourrait-il nous attendre devant l'hôpital ?

— Et si ce quelqu'un était Pete Marino ? lâcha Berger d'un ton délibérément plat.

Scarpetta adopta le même ton, comme si ce que venait de suggérer Berger ne la surprenait pas :

— Si mes suppositions au sujet de Terri Bridges sont exactes, nous avons affaire à un sadique sexuel qui a peut-être déjà tué deux autres personnes en 2003. Benton a reçu des *e-mails*, ceux qui ont été portés à votre connaissance. Par Marino.

— Je n'ai pas consulté ma messagerie depuis plusieurs heures. Nous commençons tout juste à éplucher les messages de Terri Bridges. D'Oscar Bane aussi.

— En admettant que je ne me trompe pas, Oscar Bane n'était vraisemblablement pas en mesure de faire ce qu'a fait le tueur. Certes, son ADN n'a pas encore été comparé dans CODIS. Cela étant, ce que je peux affirmer, c'est que s'il s'était tenu derrière Terri alors qu'elle était assise, ils devaient avoir la même hauteur. À moins d'imaginer qu'il ait grimpé sur un tabouret bas. Toutefois, dans ces conditions, garder son équilibre pendant qu'il l'étranglait aurait été très difficile, sinon impossible.

— Que venez-vous de dire ?

— Une des conséquences de leur achondroplasie est que leurs torses sont de longueur normale, alors que leurs membres sont plus courts. Il faudra que je vous montre toutes les mensurations d'Oscar. Supposons qu'un individu atteint de cette forme de nanisme mesure un mètre vingt-deux et qu'il soit assis face à quelqu'un de la même taille environ, se tenant debout. Leurs têtes et leurs épaules arriveront à peu près à même hauteur.

— Je ne comprends pas votre démonstration. Ça ressemble à une charade.

— Sait-on où se trouve Oscar en ce moment ? Il faudrait que nous nous assurions qu'il ne craint rien. Il a peut-être d'excellentes raisons d'être paranoïaque s'il n'est pas le tueur. Or j'ai des doutes sur sa candidature. De sérieux doutes, lâcha Scarpetta.

— Mon Dieu ! s'écria Berger. Que voulez-vous dire par « où il se trouve » ? Il n'a quand même pas quitté l'hôpital Bellevue !

— Benton vient juste d'appeler le service de psychiatrie carcérale. Je pensais que vous étiez au courant.

Chapitre 21

Le magasin mère de l'animalerie Tell-Tail Hearts était situé sur Lexington Avenue, à quelques pâtés de maisons à l'ouest de Grace's Market. La Mégère avança dans l'obscurité venteuse, se souvenant de cet article qu'elle avait affiché sur le site quelques semaines plus tôt.

Lui revinrent en mémoire les descriptions vantant la propreté du lieu, le personnel en blouse de laboratoire qui offrait aux petits pensionnaires ce qu'il y avait de mieux en matière de nutrition, de soins vétérinaires, d'affection. Tous les magasins de la chaîne étaient ouverts sept jours sur sept, de dix heures à vingt et une heures, afin de ne pas laisser les chiots, par exemple, trop longtemps seuls en raison de leur délicate constitution. En dehors des périodes d'ouverture, la direction ne coupait ni le chauffage ni l'air conditionné – la pratique habituelle afin d'économiser l'énergie – et faisait jouer de la musique en sourdine pour tenir compagnie aux bébés. La Mégère s'était livrée à tout un tas de recherches après la mort d'Ivy. Elle avait appris qu'il était crucial d'empêcher la déshydratation et de protéger du froid les très jeunes animaux, et aussi de leur éviter de souffrir de la solitude.

Lorsqu'elle aperçut la boutique qui s'élevait sur la gauche, celle-ci n'avait rien à voir avec ce qu'avait espéré la Mégère, et encore moins avec ce qu'avait raconté le Patron dans son article. L'intérieur de la devanture était semé de copeaux de papier journal souillé et un extincteur en plastique rouge penchait de façon périlleuse sur le côté. Il n'y avait plus aucun chiot ni chaton, et la vitre était sale.

Tell-Tail Hearts était pris en sandwich entre In Your Attic – de toute évidence un bric-à-brac – et un magasin de disques, Love Notes, qui bradait son stock avant fermeture définitive. Un panonceau suspendu derrière la porte d'un blanc miteux de l'animalerie prévenait d'éventuels clients que la boutique était fermée. Pourtant toutes les lumières étaient allumées à l'intérieur et sur le comptoir était posé un grand sac en aluminium provenant de chez Adam's Ribs, un traiteur situé quelques mètres plus loin. Une Cadillac noire était garée juste devant la boutique. Son conducteur attendait, installé derrière le volant, et le moteur tournait.

Quand elle poussa la porte de l'animalerie, la Mégère eut l'impression que le conducteur la suivait du regard. Elle avança, environnée par une invisible brume de rafraîchisseur d'ambiance dont la bombe traînait sur la caisse.

— Hello ? appela-t-elle.

Les chiots remuèrent, certains se mirent à aboyer, la fixant. Des chatons somnolaient sur la couche de copeaux de bois de leurs cages, et des poissons nageaient paresseusement dans leurs aquariums. Derrière le comptoir en U qui longeait trois des murs s'empilaient presque jusqu'au plafond, auréolé d'anciennes marques d'inondations, des cages grillagées. Chacune renfermait les petits représentants d'à peu près toutes les races et les espèces imaginables d'animaux domestiques. La Mégère évita de croiser leurs regards. Bien trop dangereux.

Si elle regardait un animal, il lui ravirait aussitôt le cœur. À tous les coups, elle repartirait chez elle avec une petite créature qu'elle n'avait eu aucune intention d'acheter, et elle ne pouvait pas tous les ramener. Pourtant elle les aurait tous voulus, les pauvres choses pitoyables. Elle devait procéder avec discernement. Il fallait qu'elle s'informe et qu'elle se décide sur le meilleur choix avant que quelqu'un ne sorte un chiot de sa cage et le lui fourre dans les bras. Pour cela, il fallait qu'elle discute avec le directeur.

— Hello ? appela-t-elle à nouveau.

Elle avança avec circonspection vers une porte entrouverte située au fond de la boutique.

— Y a quelqu'un ?

Elle ouvrit grand la porte. Un escalier en bois menait au sous-sol. Elle entendit un chien aboyer. D'autres se joignirent à lui. Elle entreprit de descendre, lentement, une marche à la fois, prenant garde de ne pas tomber en raison de la faible luminosité et aussi parce qu'elle avait bu bien trop de bourbon. Certes, sa balade à pied jusqu'ici l'avait un peu dessaoulée, pas assez toutefois. Son esprit était engourdi, et son nez lui faisait l'effet d'être anesthésié, une manifestation classique lorsqu'elle était éméchée.

Elle se retrouva dans une sorte de réserve, environnée d'une pénombre épaisse. L'endroit sentait la maladie, les excréments et l'urine. Des cages répugnantes remplies de lanières de papier souillé étaient entourées de piles de boîtes de fournitures pour animaux, de sacs de croquettes. Ensuite, elle distingua la table de bois semée de fioles et de seringues, sur laquelle étaient posés des sacs rouges ornés de la mention « Déchets biologiques » écrite en lettres noires. À côté se trouvait une paire d'épais gants de caoutchouc noir.

Une grande chambre froide s'élevait derrière.

Sa porte en acier béait, et la Mégère découvrit ce qui se déroulait à l'intérieur. Un homme vêtu d'un costume sombre et d'un chapeau de cow-boy et une femme dans une redingote grise lui tournaient le dos, leurs voix étouffées par le souffle puissant du système d'aération. La Mégère vit ce qu'ils étaient en train de faire. Elle eut envie de fuir cet endroit, mais ses pieds semblaient pris dans le sol de ciment brut. Elle regarda, horrifiée. La femme découvrit sa présence à cet instant précis. La Mégère se sauva en courant. Une voix grave cria dans son dos :

— Attendez ! Hé, vous !

Une lourde cavalcade derrière elle. La Mégère trébucha et s'affala, son menton heurtant la marche. Une main agrippa son coude. L'homme au chapeau de cow-boy l'escorta jusque dans la boutique, sous les lumières vives. Puis la femme en redingote grise les rejoignit. Elle fixa la Mégère d'un air de désapprobation, mais semblait trop épuisée pour réagir à cette transgression.

L'homme au chapeau de cow-boy lança d'un ton désagréable :

— Mais qu'est-ce que vous fichez à fouiner comme ça ?

Ses yeux sombres étaient injectés de sang, et il avait le visage d'un homme qui a commis beaucoup d'excès. Elle remarqua les rouflaquettes de cheveux blancs et ses bijoux tape-à-l'œil en or.

— Je ne fouinais pas, se défendit-elle. Je cherchais le directeur.

Son cœur cognait dans sa poitrine.

— Nous sommes fermés, lui jeta l'homme.

— Je suis passée pour acheter un chiot, commença-t-elle avant de fondre en larmes.

— Vous n'avez pas vu le panonceau « fermé » sur la porte ? dit-il.

La femme en redingote restait muette.

— La porte n'était pas verrouillée. Alors je suis descendue pour vous prévenir. N'importe qui aurait pu entrer.

La Mégère ne parvenait pas à calmer ses sanglots.

Elle ne parvenait pas à chasser de son esprit ce qu'elle avait vu dans la chambre froide.

L'homme se tourna vers la femme comme s'il exigeait une explication. Il se dirigea vers la porte et vérifia, puis marmonna quelque chose entre ses dents. Sans doute se rendit-il compte que la Mégère disait la vérité. Comment aurait-elle pu entrer sinon ?

— Eh bien, il n'empêche qu'on est fermés. C'est un jour de fête.

Il devait avoir soixante-cinq ans, peut-être même soixante-dix. Il parlait avec l'accent traînant du Midwest, ses mots semblant ramper hors de sa bouche.

Elle eut le sentiment qu'il s'était sans doute laissé aller, comme elle un peu plus tôt, en abusant de la bouteille, et remarqua que sa grosse bague en or représentait une tête de chien.

— Je suis désolée. J'ai vu que c'était allumé, aussi je suis entrée, pensant que la boutique était ouverte. Je vous prie de m'excuser. Je me suis dit que je pourrais m'offrir un chiot, et puis des jouets et de la nourriture pour lui. Une sorte de cadeau de nouvel an à moi-même.

Elle récupéra une des boîtes d'aliments pour chiens alignées sur une étagère. Elle regretta ses mots au moment où elle les prononça :

— Ça n'a pas été interdit lorsqu'il y a eu cette panique sur la mélamine dans les produits importés de Chine ?

— J'ai l'impression que vous mélangez avec le dentifrice, lâcha l'homme.

Il jeta un regard à la femme en manteau gris dont le visage inerte était alourdi de bajoues. Ses longs cheveux teints en noir s'échappaient d'une barrette.

— C'est ça. Le dentifrice, renchérit celle-ci avec le même accent que l'homme. Plein de gens ont eu des problèmes de foie avec ça. D'un autre côté, ils ne vous racontent jamais toute la vérité. Si ça se trouve, certaines de ces personnes étaient alcooliques et c'est pour cela qu'elles ont eu ces ennuis hépatiques.

Mais la Mégère était informée. Elle connaissait l'histoire du dentifrice qui avait tué plusieurs personnes parce qu'il contenait de diéthylène glycol, et elle n'était pas dupe : l'homme et la femme savaient très bien qu'elle parlait d'autre chose. Cet endroit était mauvais – peut-être le plus infect du monde – et elle avait déboulé au mauvais moment – peut-être le pire. De plus, elle avait vu des choses si affreuses qu'elle ne s'en remettrait jamais.

Mais qu'est-ce qui lui était passé par la tête ? On était le soir du réveillon, et il n'y avait aucune chance qu'une animalerie soit ouverte, celle-ci incluse. D'ailleurs que faisaient-ils là, tous les deux ?

Toutefois, après être descendue au sous-sol, elle connaissait la raison de leur présence.

— Il est important que nous éclaircissions les choses, reprit l'homme en s'adressant à elle. Vous n'aviez rien à faire ici.

— Je n'ai rien vu, balbutia-t-elle, indiquant sans ambiguïté que rien ne lui avait échappé.

L'homme au chapeau de cow-boy et aux bijoux voyants se justifia :

— Quand un animal meurt d'une maladie contagieuse, vous faites le nécessaire, et vite, pour éviter que d'autres ne l'attrapent. Et une fois que vous en avez terminé avec cet acte de compassion, il faut vous débrouiller pour le stockage temporaire de la dépouille. Vous comprenez ce que j'essaie de vous expliquer ?

Ce ne fut qu'à cet instant que la Mégère remarqua les six cages dont les portes béaient. Elle regretta de ne pas avoir fait plus attention lorsqu'elle avait pénétré dans le magasin. Dans le cas contraire, sans doute serait-elle ressortie. La vision des autres cages vides empilées dans le sous-sol s'imposa à elle. Celle de ce qui se trouvait sur la table et de ce qu'elle avait vu dans la chambre froide aussi.

Elle fondit à nouveau en larmes et murmura :

— Mais certains d'entre eux bougeaient encore !

— Vous habitez dans le coin ? lui demanda l'homme.

— Pas vraiment.

— C'est quoi, votre nom ?

Elle était si effrayée, si bouleversée, qu'elle commit la sottise de le lui donner. Elle poussa même la stupidité jusqu'à se défendre :

— Et ne pensez pas que je sois une sorte d'inspectrice du ministère de l'Agriculture ou d'une ligue de protection des animaux. J'étais juste passée pour m'acheter un chien. J'ai oublié que c'était un jour férié. Je sais bien que les chiots peuvent tomber malades. La toux du chenil, par exemple. Et le parvovirus. Si un l'attrape, les autres y passent tous ensuite.

L'homme et la femme la considérèrent sans répondre et elle se fit la réflexion qu'ils n'avaient pas besoin de se consulter pour décider de leur plan. Il proposa à la Mégère :

— Écoutez, on attend un nouvel arrivage demain, plein de races différentes. Vous n'avez qu'à revenir et choisir celui que vous préférez. Cadeau de la maison. Vous aimez les springers, les shih tzu, peut-être les teckels ?

La Mégère ne parvenait pas à contrôler ses larmes. Elle avoua :

— Excusez-moi, je suis un peu saoule.

La femme récupéra la bombe de rafraîchisseur d'ambiance posée sur la caisse et se dirigea vers la porte du fond qui menait au sous-sol. Elle referma derrière elle et la Mégère l'entendit descendre l'escalier. Elle se retrouvait seule avec l'homme au chapeau de cow-boy. Il lui prit le bras et l'escorta à l'extérieur, vers la Cadillac noire. Le chauffeur, en livrée et casquette, descendit du véhicule et leur ouvrit la portière arrière.

L'homme au chapeau proposa à la Mégère :

— Montez, je vous raccompagne. Il fait trop froid pour rentrer à pied. Où habitez-vous ?

Lucy se demanda si Oscar Bane était au courant des dix-huit noms d'utilisateur sous lesquels sa petite amie correspondait. Il était beaucoup moins compliqué qu'elle – et sans doute plus honnête – puisqu'il n'en possédait qu'un. Lucy expliqua à Berger :

— Chacune de ses identités correspond à un usage spécifique. Pour donner son opinion lors de sondages, bloguer, participer à des *chats*, envoyer son avis de consommatrice, souscrire des abonnements à différents périodiques *on line* ou recevoir des informations.

— Ça fait beaucoup, remarqua Berger en regardant sa montre.

De l'avis de Lucy, peu de gens étaient aussi agités que Berger : elle ne tenait pas en place. Elle lui évoquait l'un de ces colibris qui ne se posent jamais tout à fait, et plus elle s'énervait, plus Lucy ralentissait le mouvement. La jeune femme trouvait cette situation assez paradoxale. En général, c'était elle qui ne parvenait pas à rester tranquille.

— Oh, de nos jours ce n'est pas extraordinaire, remarqua-t-elle. Sa messagerie électronique est gratuite, comme la plupart, pour peu qu'elle ne réclame pas d'autres options. En ce qui concerne les comptes classiques, elle pouvait en ouvrir autant qu'elle le souhaitait. Ils sont presque impossibles à tracer puisque, du coup, elle n'avait rien besoin de régler par carte bancaire et qu'elle n'avait pas à divulguer d'informations personnelles si elle n'en avait pas envie. En d'autres termes, tout se passe de façon anonyme. J'ai eu vent de gens qui ont des centaines de noms d'utilisateur, qui sont une foule à eux tout seuls, dont les pseudonymes se parlent par forums interposés, qui sont d'accord, pas d'accord avec eux-mêmes. Ou alors ils veulent commander des trucs, ou s'abonner, et n'ont aucune envie qu'on puisse associer leurs achats à leur véritable identité – que sais-je encore ? Cela étant, à de rares exceptions près et quel que soit le nombre de pseudos qu'utilise une personne, en général il n'y en a qu'un qui leur correspond vraiment, si je puis dire. Celui qu'ils utilisent pour leur correspondance normale. Celui d'Oscar est « Carbane », assez simple et direct quand on y pense, puisque c'est la réunion entre la dernière syllabe de son prénom et son nom. À moins d'imaginer qu'il ait une passion pour la chimie organique et qu'il fasse référence au nom systématique proposé pour le méthane, ou qu'il construise des maquettes d'avions et fasse allusion aux mâts qui réunissent les ailes d'un biplan. Mais là c'est tiré par les cheveux. Celui de Terri est « Dingue », et, selon moi, nous devrions commencer par ces *e-mails*-là.

— Quelle raison pourrait pousser une étudiante en maîtrise de psychologie médico-légale à choisir un tel pseudonyme ? s'étonna Berger. Ça traduit une forme d'insensibilité, de faire allusion aux « dingues », un terme péjoratif et pas du tout professionnel. Je dirais même que c'est faire preuve d'un manque de compassion.

— Peut-être qu'elle en manquait totalement et qu'elle était froide. Je ne suis pas du genre à idéaliser les morts. Ce n'est pas parce qu'on a été victime d'un meurtre qu'on était nécessairement quelqu'un de bien de son vivant.

— Commençons par la mi-décembre et remontons jusqu'aux *mails* les plus récents, proposa Berger.

Il y avait cent trois *e-mails* depuis le 15 décembre. Sept d'entre eux avaient été écrits par Terri à ses parents vivant à Scottsdale, et le reste consistait en échanges entre la jeune femme et Oscar. Lucy les classa par date et heure, sans les ouvrir, pour déterminer si un des deux correspondants écrivait plus que l'autre et quand.

— Bien plus proviennent d'Oscar, observa-t-elle. Il écrivait trois fois plus qu'elle et à toute heure, on dirait. En revanche je ne vois pas d'*e-mail* d'elle envoyé après vingt heures. D'ailleurs, en semaine elle ne semblait plus écrire passé seize heures. Tu crois qu'elle avait un boulot en soirée ?

— Peut-être préféraient-ils se téléphoner ? Espérons que Morales ait commencé à éplucher ses factures téléphoniques. En tout cas, il aurait dû. Il est peut-être parti en vacances sans me prévenir. Ou peut-être ferait-il mieux de chercher un nouvel emploi. Je crois que je choisis la dernière option, ironisa Berger.

— C'est quoi, son problème ? Et d'ailleurs pourquoi le supportes-tu ? Il te traite avec un total manque de respect.

— Il fait cela avec tout le monde et appelle ça « prioriser ».

— Et toi, tu appelles ça comment ? demanda Lucy en poursuivant son inspection de la messagerie électronique.

— Trop sûr de lui et exaspérant. Il pense qu'il est plus intelligent que tout le monde, dont moi. Cependant il l'est indiscutablement plus que pas mal de gens, ce qui ne rend pas les choses aisées. En plus, il est bon dans son domaine, quand il se décide. Dans la plupart des cas ses fameuses priorités finissent par se justifier, et il fait les choses beaucoup plus vite que les autres. Ou alors il se débrouille pour que quelqu'un fasse le boulot à sa place, magouille pour recevoir les compliments et coller des ennuis à la personne en question. C'est probablement ce qu'il est en train de faire en ce moment.

— À Marino.

On aurait dit que Lucy estimait plus facile de penser à Marino comme s'il s'agissait d'un détective quelconque, qu'elle connaissait à peine. Ou bien elle ne le détestait pas autant que Berger l'avait supputé.

— C'est exact. Il est en train d'isoler Marino, admit Berger. On dirait qu'aux yeux de Morales les faits et gestes de Marino sont devenus la seule chose qui le préoccupe.

Tout en poursuivant sa lecture, Lucy demanda :

— Il est marié ? Je ne parle pas de Marino, bien sûr.

— Ce n'est pas exactement le genre à s'engager. Il saute sur tout ce qui se tient tranquille deux minutes. Même si ça ne se tient pas tranquille d'ailleurs.

— Des rumeurs vous concernant tous les deux me sont venues aux oreilles, lâcha Lucy.

— Ah, oui ! Notre fameuse rencontre secrète à la Tavern on the Green.

Elles parcouraient les inévitables échanges électroniques bien plats qui sont le propre de toutes les messageries.

— Ce meurtre dans Central Park l'automne dernier, se souvint Lucy. Cette joggeuse violée et étranglée non loin du Ramble.

— Morales m'a conduite jusqu'à la scène de crime. Ensuite, nous nous sommes arrêtés à la Tavern on the Green pour prendre un café et discuter de l'enquête. En moins de temps qu'il ne faut pour le dire, toute la ville était informée que nous sommes amants.

— Tout ça parce que c'était sur le site *Dans le collimateur de Gotham*. Encore un ragot infâme avec une photo de vous deux, l'air presque intimes, résuma Lucy.

— Ne me dis pas que tes moteurs de recherche ronronnent matin, midi et soir en quête d'informations sur mon compte.

— Mes moteurs de recherche ne ronronnent pas. Ils sont plus rapides que cela. Les sources qui alimentent ce site spécialisé dans le dénigrement sont avant tout les lecteurs eux-mêmes. Ils envoient leurs cancans, en général anonymement. Tu es sûre que Morales n'y est pour rien ?

— Il aurait fallu qu'il soit drôlement fort pour prendre une photo de nous deux alors que nous étions installés face à face.

— Il a peut-être demandé à quelqu'un de s'en charger, suggéra Lucy. Une sacrée pièce à son tableau de chasse. Super-détective tombeur rencontre discrètement le procureur superstar dans une taverne. Échange intime. Fais attention à lui.

— Au cas où tu n'aurais pas compris le point important, il ne s'agissait pas d'une rencontre, martela Berger. Nous prenions juste un café.

— Ce type me fait un effet étrange. J'ai l'impression de le cerner assez bien, alors que je ne l'ai jamais rencontré. Comment réagit-il face à une femme qui est sa patronne, qui doit avoir le pouvoir sur lui, qui lui est très supérieure ? Monsieur « priorise », je te cite. Il te fait prendre un ticket et rejoindre la queue ? En fait, il se débrouille pour capter ton attention, mais d'une façon négative, parce qu'il te désarçonne à chaque fois qu'il en a l'occasion. Qui a le pouvoir alors ? Une vieille tactique qui a fait ses preuves. Affirmer sa domination, manquer de respect, et la grande chef finit par tomber entre vos draps.

— J'ignorais que tu étais experte dans ce domaine.

— Pas ce genre d'expert. À chaque fois que j'ai couché avec un type, ce n'était pas parce qu'il me dominait. C'était juste parce que je commettais une erreur.

— Je suis confuse. Je n'aurais pas dû dire cela, s'excusa Berger.

Elle s'absorba dans la lecture des *e-mails*. Lucy demeurait silencieuse.

— Je te présente mes excuses, répéta Berger. Morales me met en colère parce que – tu as raison – je ne parviens pas à le contrôler et que, d'un autre côté, je ne peux pas m'en débarrasser. Des gens comme lui ne devraient pas se retrouver dans les forces de l'ordre. Ils ne rentrent jamais dans le rang. Ils ne supportent pas qu'on les commande. Ils ne savent pas fonctionner en équipe et tous les autres les prennent en grippe.

— C'est pour ça que j'ai fait une splendide carrière

chez les fédéraux, lâcha Lucy d'un ton doux et sérieux. À ceci près que moi, je ne joue pas de petits jeux. Je ne tente pas de prendre le pouvoir sur les autres et encore moins de les rabaisser afin d'obtenir ce que je veux d'eux. Je n'aime pas ce Morales et je n'ai même pas à le connaître pour cela. Sois prudente avec lui. C'est le genre de type qui pourrait te causer pas mal d'ennuis. Ça m'inquiète que tu ne saches jamais au juste où il est, ni ce qu'il fait.

Quatre *e-mails* qui s'affichaient sur la mosaïque de l'écran captèrent son attention. Des *e-mails* entre Oscar et Terri.

— Non, je ne crois pas qu'ils se téléphonaient, enchaîna-t-elle. Ces messages ont été envoyés à vingt heures quarante-sept, vingt et une heures dix, vingt-deux heures quatorze et vingt-trois heures dix-neuf. S'il lui téléphonait, pourquoi lui aurait-il écrit une fois par heure ? Tu remarqueras que ses messages à lui sont longs, alors que ceux de Terri sont brefs. C'est une constante.

— Une de ces situations où ce que l'on ne dit pas compte davantage que ce qui est formulé, commenta Berger. Aucune référence à des appels téléphoniques, à ses réponses à elle, à leurs rencontres. Il écrit des choses du genre : *Je pense à toi. J'aimerais être avec toi. Que fais-tu ? Tu travailles sans doute.* Je n'ai pas le sentiment qu'il y ait eu un échange réel de messages entre eux.

— C'est exact. Il écrit à sa maîtresse plusieurs fois par soirée et elle ne répond pas.

— De toute évidence, c'est lui le plus romantique des deux. Je ne m'avancerai pas jusqu'à prétendre qu'elle n'était pas amoureuse de lui. Nous n'en savons rien et nous ne l'apprendrons probablement jamais. Toutefois, les *e-mails* de Terri sont moins démonstratifs, plus réservés. Ça n'a pas l'air d'embarrasser Oscar d'y aller d'allusions sexuelles qui frisent la pornographie, conclut Berger.

— Tout dépend de ta définition de la pornographie.

Berger remonta vers un message qu'Oscar avait envoyé à Terri moins d'une semaine auparavant.

— Pourquoi ce serait pornographique ? insista Lucy.

— Je voulais dire « sexuellement explicite ».

— C'est bien toi qui travailles sur les crimes sexuels ? Ou alors je t'ai confondue avec la dame caté-chiste ? Il lui parle de l'explorer avec sa langue. Il lui confie que le simple fait de le lui écrire l'excite.

— Je crois qu'il s'essayait au cybersexe avec elle. Ne pas répondre était une rebuffade de la part de Terri. Il s'est mis en colère, contra Berger.

— Il tentait de lui expliquer ce qu'il ressentait, sou-ligna Lucy. Moins elle répondait, plus il insistait parce que son sentiment d'insécurité augmentait.

— Ou sa colère, souligna à nouveau Berger. Cette espèce de surenchère d'allusions sexuelles est une manifestation de sa colère et de son agressivité. C'est une mauvaise combinaison, surtout lorsque la cible de ce genre de sentiments est assassinée.

— Je comprends que le fait d'enquêter sur des crimes sexuels ait un coût. Ça doit devenir difficile de faire la différence entre l'érotisme et la pornographie, le désir et la lubricité, le manque de confiance en soi et la colère. Et ça doit être dur d'envisager que lors-qu'un des partenaires se rejoue une scène de sexe, il s'agit d'une sorte de célébration, pas d'un truc dégra-dant. Peut-être que tu es lasse et blasée parce que tout ce que tu vois est dégueulasse et violent, et que, du coup, le sexe est nécessairement un crime.

— En revanche, je ne vois aucune allusion au sexe... disons musclé, au *bondage*, au sado-masochisme, remarqua Berger pendant qu'elles lisaient. Et je te serais reconnaissante de cesser de me psychanalyser. En dilettante, ajouterai-je.

— Oh, je pourrais, et pas du tout en dilettante, contrairement à ce que tu dis. Mais il faudrait que tu me le demandes d'abord.

Berger ne répondit pas et elles poursuivirent leur lecture. Lucy remarqua :

— Jusque-là, aucune allusion à des trucs... disons olé olé. Je suis d'accord. Rien d'un tant soit peu brutal. Pas une seule mention de menottes, de colliers de chien, bref les bons vieux trucs, et encore moins du lubrifiant dont t'a parlé tante Kay un peu plus tôt. Pas de lotions pour le corps, d'huiles de massage, rien de tout cela. Ah, tant que j'y pense, j'ai envoyé un texto à mes pilotes. Ils nous attendront à l'aéroport de La Guardia, dans l'éventualité où nous aurions à faire parvenir des pièces à conviction à Oak Ridge. Pour en revenir à ce que je voulais dire, un lubrifiant est incompatible avec le sexe oral, sauf, pardon d'être brutale, s'il est comestible. Or ce que nous a décrit tante Kay évoque davantage un lubrifiant dérivé du pétrole, du genre qu'on laisse de côté si on a décidé d'avoir des pratiques orales.

— Il n'y a pas que cet aspect qui soit troublant, renchérit Berger. Les capotes rangées dans la table de nuit de Terri sont lubrifiées. Pourquoi donc Oscar aurait-il eu besoin d'un lubrifiant supplémentaire ?

— Tu connais la marque ?

Berger ouvrit sa sacoche et en extirpa un dossier. Elle feuilleta un rapport jusqu'à tomber sur la liste des pièces à conviction retrouvées la veille au soir sur la scène de crime.

— Des préservatifs Durex Love.

Lucy lança une recherche sur Google et annonça :

— En latex. Vingt-cinq pour cent plus résistants et plus grands que les préservatifs standard, faciles à poser d'une seule main, c'est bon à savoir. Un réservoir plus important, également bon à savoir. Néanmoins, ils ne sont pas compatibles avec un lubrifiant à base de pétrole qui pourrait endommager le latex et occasionner des ruptures. Si on ajoute ça au fait qu'on n'a pas retrouvé ledit lubrifiant dans l'appartement de Terri, tu vois ce que je pense ? Rien ne pointe dans la direction d'Oscar. Donc tout pointe en direction d'une autre personne.

Elles parcoururent d'autres *mails*, se rapprochant du soir où Terri avait été tuée. La frustration d'Oscar et son désir sexuel, de toute évidence non partagé, devenaient de plus en plus évidents, et l'irrationalité semblait le gagner.

— Tant d'excuses, remarqua Lucy. Pauvre gars. Il a l'air si malheureux.

Berger lut encore avant de murmurer :

— Ça devient presque agaçant. J'avoue que j'en viens à ne pas trop aimer Terri et à être désolée pour lui. Elle ne veut pas se précipiter, il doit être patient, elle est débordée de travail...

— Ça ressemble assez à quelqu'un qui mène une double vie.

— Peut-être.

— Donc voilà des gens prétendument amoureux, mais qui ne se voient qu'une fois par semaine, reprit Lucy, alors que ni l'un ni l'autre ne travaillait à l'extérieur. De cela on est sûr. Un truc ne colle pas. Quand on est amoureux, fou de désir, on ne dort pas. On mange à peine. On ne parvient pas à se concentrer sur son travail. Et ce qui est sûr, c'est qu'on doit être physiquement proche de l'autre.

— Ça empire au fur et à mesure que l'on se rapproche du soir de sa mort, souligna Berger. Il devient paranoïaque. Il est vraiment contrarié, bouleversé parce qu'ils passent si peu de temps ensemble. Il commence à avoir des soupçons au sujet de Terri. Pourquoi ne veut-elle de lui qu'une seule fois par semaine ? Et seulement le samedi soir ? Pourquoi le fiche-t-elle presque à la porte avant l'aube ? Pourquoi tient-elle tant à visiter son appartement, alors qu'elle n'a jamais manifesté le moindre intérêt pour ce lieu auparavant ? Que pense-t-elle qu'elle y découvrira ? Il lui affirme qu'il ne s'agit pas d'une bonne idée. Au début, il aurait volontiers accepté. Mais plus maintenant. Il l'aime trop. Elle est l'amour de sa vie. Il aurait préféré qu'elle ne lui demande pas de venir chez lui parce qu'il ne peut pas lui expliquer la raison qui le force à refuser. Un jour, il le lui dira de vive voix. Mon Dieu ! C'est bizarre. Alors qu'ils sortent et qu'ils couchent ensemble depuis trois mois, elle n'a jamais mis les pieds chez lui ? Et maintenant elle veut impérativement qu'il l'invite ? Pourquoi ? Et pourquoi refuse-t-il ? Pourquoi ne peut-il lui fournir d'explication que de vive voix ?

— Peut-être pour la même raison qu'il ne lui dit jamais où il a été, ni ce qu'il a fait, suggéra Lucy. Il ne lui précise jamais les endroits où il compte se rendre, ni quand, même lorsqu'il s'agit de courses par exemple. Il lui raconte qu'il a marché tant de kilomètres, mais ne lui divulgue jamais où ni quand il projette sa prochaine séance d'exercice. En fait, il écrit comme quelqu'un qui redoute qu'une tierce personne lise ses *e-mails* ou le surveille.

— Reviens aux *mails* de l'automne dernier, de l'été et du printemps, demanda Berger. Voyons s'ils sont de même nature.

Elles les passèrent en revue durant un moment. Ces

échanges entre Oscar et Terri n'avaient rien à voir avec ceux dont elles venaient de prendre connaissance. Ils étaient moins personnels. De surcroît, le ton et le contenu de ceux qu'adressait Oscar à la jeune femme étaient bien plus détendus. Il lui parlait de ses librairies et de ses bibliothèques favorites. Il lui décrivait les endroits de Central Park où il aimait marcher et la salle de gym qu'il avait testée à plusieurs reprises, mais dont plein de machines n'étaient pas adaptées à sa taille. Il n'aurait jamais donné tous ces détails, toutes ces informations, si à l'époque il avait craint qu'une tierce personne puisse avoir accès à ses *e-mails*, s'il avait redouté d'être espionné.

— Il n'avait pas peur à ce moment-là, commenta Berger. Les conclusions de Benton semblent fondées. Il dit que la paranoïa d'Oscar n'est pas feinte mais qu'elle est récente. Très récente. Une menace qu'il perçoit maintenant.

Lucy tapa le nom du procureur dans la fenêtre de recherche en annonçant :

— Je suis curieuse de voir s'il fait mention quelque part de son appel à tes bureaux le mois dernier. Sa terreur d'être surveillé électroniquement, qu'on ait volé son identité, et tout ça.

La réponse à sa demande s'afficha vite. Toutefois, l'*e-mail* en question n'avait rien à voir avec l'appel d'Oscar Bane aux bureaux du procureur :

Date : lundi 2 juillet 2007. 10 : 47 : 31
De : « Terri Bridges »
À : « Jaime Berger »
CC : « Dr Oscar Bane »
Sujet : « Interview avec le Dr Kay Scarpetta »

Chère Madame Berger,
Je suis étudiante et rédige en ce moment mon mémoire

de maîtrise consacré à l'évolution des sciences légales et de la médecine, des siècles passés à nos jours.

De façon très succincte : la boucle est bouclée ! Du charlatanisme de la phrénologie, de la physiognomonie et de l'image du meurtrier imprimée sur la rétine de sa victime jusqu'aux tours presque magiques des films et des séries télé actuels. Je serais honorée de vous en expliquer davantage si vous aviez la bonté de me répondre. Bien que le courrier électronique soit plus aisé pour moi, j'inclus mon numéro de téléphone.

J'adorerais connaître votre avis à ce sujet, mais je vous avoue que la vraie raison de mon message est que je tente de joindre le Dr Kay Scarpetta. Nul n'est plus compétent dans ce domaine, je suis certaine que vous en conviendrez. Pourriez-vous, je vous prie, me communiquer une adresse *e-mail* qui me permette de la contacter ? Je l'ai tenté à plusieurs reprises à son bureau de Charleston, en vain. Je sais que vous avez entretenu des relations professionnelles dans le passé et je me suis dit que vous étiez toujours amies et en contact.

Avec mes sentiments les meilleurs,
Terri Bridges,
212-555-2907.

— Évidemment, tu n'as jamais reçu cet *e-mail*, vérifia Lucy.

— Envoyé à New York City Government.org de la part de quelqu'un dont le pseudo est « Dingue » ? Pas une chance sur cent milliards. En revanche, la question importante que je me pose, c'est pourquoi Kay n'a-t-elle pas su que Terri tentait de la joindre. Charleston n'a pas grand-chose à voir avec New York.

— C'est vrai, mais le résultat a été le même.

Berger se leva et récupéra son manteau et sa sacoche avant de lancer :

— Il faut que j'y aille. Nous aurons probablement

une réunion demain. Je t'appellerai dès que je saurai l'heure précise.

— Vers la fin du printemps, au tout début de l'été, résuma Lucy. Je comprends pourquoi ma tante n'a pas reçu le message de Terri Bridges, si elle l'a bien envoyé. Et je crois qu'elle l'a fait.

Elle se leva à son tour et elles traversèrent le loft.

— Rose était en train de mourir, reprit Lucy. Elle a vécu dans le relais de poste de ma tante de la mi-juin à début juillet. Ni l'une ni l'autre n'allaient plus au bureau. Quant à Marino, il s'était volatilisé. Le cabinet de tante Kay était modeste. Elle n'était installée que depuis deux ans. Il n'y avait pas d'autres employés qu'eux.

— Personne pour relever les messages, ni répondre au téléphone, dit Berger en enfilant son manteau. Avant que j'oublie, pourrais-tu me transférer l'ensemble des *e-mails* pour que j'en garde une copie, puisque le papier semble avoir disparu de ta vie ? Et si tu découvres autre chose dont je dois être avertie, joins-le.

— Marino avait disparu depuis le début mai. Rose n'a jamais su ce qu'il était devenu, c'est injuste. Il s'est évanoui dans la nature et ensuite elle est morte. Elle l'aimait bien, en dépit de tout.

— Et toi ? Où étais-tu quand les téléphones sonnaient et que personne n'était là pour répondre ?

— J'ai maintenant le sentiment qu'il s'agissait d'une autre vie, comme si j'avais été à peine présente, avoua la jeune femme. J'ai du mal à me rappeler où j'étais, ce que je faisais. Du moins vers la fin. Ma tante avait installé Rose dans la chambre d'amis. Elle la veillait jour et nuit. Rose a baissé si vite après le départ de Marino. Quant à moi, je ne mettais plus les pieds ni aux labos, ni au bureau. Rose a toujours fait partie de ma vie, aussi loin que je me souvienne. C'était la grand-mère *cool* que tout le monde souhaiterait, super-*cool* dans ses jolis tailleurs austères, avec ses cheveux remontés en chignon, mais une sacrée bonne femme qui n'avait peur de rien, ni des cadavres, ni des flingues, ni des motos de Marino.

— Et la mort ? En avait-elle peur ?

— Non.

— Mais toi si, insista Berger.

— Nous tous avions peur. Moi surtout. Du coup, j'ai fait un truc vraiment brillantissime : je me suis défoncée dans l'hyperactivité. Il m'a soudain paru fondamental de rafraîchir mes connaissances concernant la protection des super-cadres d'entreprise, la reconnaissance d'attaque, les armes à feu militaires, bref le truc classique. Je me suis débarrassée d'un hélicoptère et j'en ai acheté un autre, puis j'ai fait un stage de plusieurs semaines à l'école de pilotage de Bell Helicopter, au Texas, stage dont je n'avais pas vraiment besoin non plus. Et puis, soudain, je me suis aperçue que tout le monde avait déménagé au nord et que Rose était enterrée dans un caveau de Richmond, faisant face à la rivière James. Elle aimait tant l'eau, et ma tante a voulu qu'elle puisse la contempler pour toujours.

— En d'autres termes, d'une certaine façon, nous avons affaire à quelque chose qui a débuté à cette époque, quand personne n'y prêtait attention, résuma Berger.

— Qu'est-ce qui a débuté ?

Elles se tenaient devant la porte de l'immeuble, ni l'une ni l'autre ne semblant pressées de l'ouvrir. Berger se demandait si un jour une autre opportunité se présenterait d'être seules comme ce soir, si cette intimité était souhaitable et ce que Lucy pensait d'elle.

Quant à elle, son jugement sur elle-même ne faisait pas de doute dans son esprit. Elle avait fait preuve de malhonnêteté et elle ne pouvait pas faire comme si de rien n'était. Lucy ne méritait pas cela. Ni l'une ni l'autre ne méritaient cela.

— J'avais une copine à Columbia, commença Berger en fermant son manteau. Nous partagions un appartement, un taudis plutôt. Je n'avais pas un sou. Je ne suis pas née avec une cuillère en argent. Je me suis mariée avec un homme riche, mais tu sais tout cela. Nous faisions toutes les deux des études de droit et nous vivions dans cet endroit monstrueux à Morningside Heights. C'est un vrai miracle que nous ne nous soyons pas fait égorger dans notre sommeil.

Jaime Berger fourra les mains dans ses poches. Lucy ne la quittait pas du regard. Chacune avait appuyé son épaule contre le panneau de la porte.

— Nous étions très proches, poursuivit le procureur.

— Tu ne me dois aucune explication, l'arrêta Lucy. Je respecte tout à fait la personne que tu es et la façon dont tu vis.

— Tu n'en sais pas assez pour être à même de respecter quoi que ce soit. Et je vais te donner une explication, pas parce que je te la dois, mais parce que j'en ai envie. Elle, ma copine, avait un truc qui déraillait. Je ne te dirai pas son nom. Un trouble de l'humeur dont à l'époque je ne savais rien. Quand elle se mettait en colère et qu'elle devenait odieuse, j'étais certaine qu'elle pensait ce qu'elle balançait. Je me suis bagarrée avec elle, alors que je n'aurais pas dû parce que ce genre de réaction ne fait qu'empirer les choses, terriblement. Un samedi soir, l'un des voisins a appelé la police. Cela m'étonne que tu n'aies pas déterré cette information. Il n'y a pas eu de suites, mais les choses

390

ont été plus que déplaisantes. Nous étions saoules toutes les deux, dépenaillées, et avions l'air de vraies folles. Si je me présente un jour aux élections, je te laisse imaginer ce qui se passera si des histoires comme celle-ci se propagent.

— Et pourquoi cela ? À moins qu'il n'entre dans tes intentions de te saouler, de te castagner et de ressembler à une folle dépenaillée.

— Jamais je n'ai eu ce type de relations avec Greg. Je ne me souviens pas d'une seule occasion où nous ayons levé le ton et encore moins balancé la vaisselle au visage de l'autre. Nous vivions côte à côte sans rancune, sans grand-chose d'ailleurs. Une détente assez agréable au fond, la plupart du temps.

— Qu'est devenue ta copine ?

— Ça dépend de ce que tu entends par le mot « succès », lâcha Berger. Selon moi, rien de bon. Cela ne fera qu'empirer parce qu'elle vit dans un mensonge, ce qui veut dire qu'elle ne vit pas du tout. La vie peut se montrer assez impitoyable lorsque tu ne la vis pas, surtout lorsque tu commences à vieillir. Je n'ai jamais vécu dans le mensonge. Tu peux penser le contraire, mais c'est faux. Il a juste fallu que je comprenne, que je décide au fur et à mesure où j'avançais, et j'ai respecté les décisions que j'avais prises, qu'elles soient bonnes ou mauvaises. Crois-moi, cela n'a pas été toujours facile. Plein de choses n'ont aucune importance tant qu'elles restent théoriques.

— Ce qui signifie qu'il n'y a eu personne d'important, jamais, tant que la chose a été impossible, résuma Lucy.

— Je ne suis pas dame patronnesse, Lucy. Loin de là. Mais ma vie ne concerne personne. Si quelqu'un doit la ficher en l'air, c'est moi, mais je n'en ai nulle intention. Je ne le tolérerai pas non plus de toi, pas plus que je n'ai envie de ficher ta vie en l'air.

— Tu commences toujours par une série de négations, par refuser le changement ?

— Je ne commence pas.

— Pourtant, cette fois, il va falloir te jeter à l'eau. Parce que je ne m'y collerai pas. Pas avec toi, déclara Lucy.

Berger retira les mains de ses poches, frôla le visage de Lucy, puis fit un geste en direction de la porte, sans l'ouvrir. Elle caressa à nouveau le visage de la jeune femme et l'embrassa.

Chapitre 22

Dix-huit étages sous la prison, dans le parking situé de l'autre côté de la 27e Rue Est, Marino n'était qu'une silhouette solitaire dans l'ombre des monte-charge, la plupart déserts à cette heure. Aucun voiturier n'était en vue.

Il les observait dans la lueur verdâtre de ses jumelles longue portée à vision de nuit, parce qu'il avait besoin de la voir. Il avait besoin de la voir en personne, même si c'était à la dérobée, de loin et pour un bref instant. D'une certaine façon, il avait besoin de se rassurer en constatant qu'elle n'avait pas changé. Parce que, si elle était bien restée la même, elle ne serait pas cruelle avec lui lorsqu'elle le verrait. Elle ne le déshonorerait pas, ne l'humilierait pas, ne le fuirait pas. Jamais elle ne l'aurait fait dans le passé. Mais que savait-il d'elle aujourd'hui, à l'exception de ce qu'il lisait ou voyait à la télé ?

Scarpetta et Benton venaient tout juste de quitter la morgue et coupaient par le parc pour rejoindre l'hôpital Bellevue. C'était presque étourdissant de la voir à nouveau, irréel, comme si elle avait été morte, et Marino tenta de s'imaginer ce qu'elle penserait si elle savait que lui avait été à un cheveu de la mort.

Il n'avait plus eu envie de continuer après ce qu'il avait fait. Allongé sur le lit de la chambre d'amis du relais de poste de Scarpetta, le lendemain matin après l'avoir malmenée, il avait passé en revue une liste de possibilités, combattant les assauts de sa nausée, pendant que la pire migraine de sa vie lui réduisait le cerveau en bouillie.

Sa première idée avait été de grimper dans son pick-up ou d'enfourcher sa moto et de se lancer d'un pont. Mourir noyé. Toutefois, il avait une chance de s'en sortir et la perspective d'une agonie d'asphyxie le terrifiait. Se servir d'un sac en plastique enfoncé sur la tête, l'étouffement qui en résulterait, était donc également exclu. La pendaison lui faisait horreur, son corps qui se balancerait en tournant, les coups de pied qu'il enverrait après avoir renversé la chaise qui lui aurait permis de grimper alors qu'il en serait venu, trop tard, à changer d'avis. L'envie de s'asseoir dans la baignoire et de se trancher la gorge lui avait traversé l'esprit. Mais il était certain qu'après le premier jet de sang carotidien, il changerait aussi d'avis. Trop tard encore.

Les gaz d'échappement, un empoisonnement au monoxyde de carbone ? Il aurait trop de temps pour penser. Le poison ? Même chose, et c'était pénible. Et s'il paniquait, s'il appelait le numéro d'urgence ? Il aurait droit à un lavement d'estomac et il perdrait le respect de tous ceux qui auraient eu vent de son suicide. Se jeter du haut d'un immeuble ? Avec sa chance, il survivrait, mais resterait invalide à vie. Dernier point sur sa liste : son pistolet 9 mm. Mais Scarpetta l'avait caché.

Alors qu'il était allongé dans cette chambre d'amis, s'interrogeant sur l'endroit où elle avait pu dissimuler son arme, il avait décidé qu'il ne la trouverait pas, qu'il se sentait trop mal pour la chercher et qu'il pourrait quand même se tirer une balle dans la tête un peu plus tard, puisqu'il avait deux autres flingues dans sa cabine de pêcheur. Il faudrait qu'il vise juste parce que la pire chose serait de terminer dans un poumon d'acier.

Lorsqu'il avait appelé Benton au McLean pour lui confesser tout ça, celui-ci lui avait répondu d'un ton anodin, pour ne pas dire ironique, qu'à moins de vouloir se tuer en s'injectant la polio, il n'avait pas à redouter le poumon d'acier. Dans ces termes-là. Il avait ajouté que si Marino se débrouillait mal en se tirant une balle en pleine tête, il terminerait avec des dommages cérébraux qui compromettraient grandement son avenir, tout en lui laissant assez de conscience pour se souvenir vaguement de ce qui l'avait poussé à ce geste.

Le coup de malchance pourri, selon Benton, serait que Marino soit plongé dans un coma irréversible et devienne un sujet de discussion entre les membres de la Cour suprême, jusqu'à ce que quelqu'un donne l'autorisation de débrancher les appareils. Il avait poursuivi en expliquant qu'il y avait peu de chances que Marino en soit alors conscient, mais que personne ne pouvait jurer de rien. On n'avait de certitude que dans le cas des patients dont l'électroencéphalogramme était plat.

— *Vous voulez dire que je pourrais entendre les gens décider qu'ils vont m'enlever ce...*, avait demandé Marino.

— *Assistance respiratoire*, avait complété Benton.

— *Donc elle ne fonctionnerait plus, mais je pourrais m'en rendre compte et personne ne s'en apercevrait ?*

— *Vous ne pourriez plus respirer. Il est du domaine du possible que vous soyez conscient qu'on arrête le respirateur. Qu'on vous débranche, en d'autres termes.*

— Je pourrais donc voir cette personne se diriger vers le mur et tirer sur la prise ?

— C'est possible.

— Et donc je commencerais immédiatement à mourir d'étouffement.

— En effet, vous seriez alors dans l'incapacité de respirer. Toutefois, avec un peu de chance, des êtres chers seraient présents et vous aideraient à passer de l'autre côté, même sans savoir que vous avez conscience de leur présence autour de vous.

Cet échange avait aussitôt ramené Marino à sa terreur de l'asphyxie et au sinistre constat que les seuls « êtres chers » qui lui restaient étaient précisément les gens qu'il venait tout juste de dégoûter de lui, surtout elle, Scarpetta. Alors qu'il se trouvait dans cette chambre d'un motel situé non loin du Boston Bowl Family Fun Center, parvenu à ce point de la discussion avec Benton, Marino avait décidé qu'il ne se suiciderait pas. À la place, il allait s'offrir les plus longues vacances de toute sa vie, au centre de traitement sur le North Shore du Massachusetts.

Les progrès n'avaient pas tardé, dès qu'il eut terminé de chasser de son corps l'alcool et les drogues permettant les performances sexuelles. Il avait suivi sa thérapie sans tricher, et l'étape suivante avait été de trouver du boulot. Six mois plus tard, il atterrissait ici, à New York, employé par Berger, se cachant dans un parking juste pour apercevoir Scarpetta avant qu'elle grimpe dans la voiture de Benton et qu'ils partent pour une scène de crime. Le travail, comme d'habitude.

Il la regarda. C'était comme un film muet. Ses gestes étaient presque irréels dans la lumière verdâtre. Elle parlait et tout d'elle lui semblait familier, chaque détail, et pourtant complètement inaccessible. Marino se sentit comme un fantôme. Il la voyait, mais elle ne pouvait pas le voir. Sa vie avait continué sans lui et, la connaissant comme il la connaissait, il était certain qu'aujourd'hui elle avait surmonté ce qu'il lui avait infligé. En revanche, sans doute n'avait-elle toujours pas digéré le fait qu'il s'était volatilisé. Ou peut-être s'accordait-il trop d'importance. Après tout, peut-être ne pensait-elle plus du tout à lui. Peut-être le revoir ne lui ferait ni chaud ni froid. Elle ne ressentirait plus rien, se souviendrait à peine du passé.

Tant de choses s'étaient produites depuis. Elle s'était mariée. Elle avait quitté Charleston. Elle était devenue le médecin expert d'un grand service situé non loin de Boston. Pour la première fois, Benton et elle vivaient ensemble dans une magnifique maison ancienne à Belmont. Marino était passé devant une ou deux fois, à la nuit tombée. Ils avaient même un appartement à New York. Parfois Marino longeait l'Hudson, à plusieurs pâtés de maisons à l'ouest de Central Park, et il regardait leur immeuble. Il comptait les étages jusqu'à être presque sûr d'avoir déterminé quel était leur appartement, il imaginait à quoi il ressemblait, la magnifique vue qu'ils devaient avoir sur la rivière et la ville à la nuit tombée. Elle passait sans cesse à la télévision. Elle était devenue vraiment célèbre. Pourtant, à chaque fois qu'il imaginait des gens la suppliant pour un autographe, son esprit se bloquait. Ça, c'était un truc qu'il ne comprenait pas. Elle n'était pas du genre à rechercher cette sorte d'attentions. Du moins l'espérait-il, parce que, sinon, cela signifierait qu'elle avait changé.

Il la regardait à travers les puissantes jumelles de vision de nuit que Lucy lui avait offertes pour son anniversaire, deux ans plus tôt. Le son de la voix de Scarpetta lui manquait terriblement. Il percevait son état d'esprit juste à la façon dont elle bougeait, dont elle changeait de position, esquissant de petits gestes de ses mains gantées de noir. Elle était discrète. Tout le monde disait cela d'elle. Elle parlait peu, évitait les effets, ce qui donnait du poids à ses propos. Elle n'avait rien d'un histrion. C'était un autre mot que Marino avait appris. Il se souvenait très bien que Berger l'avait utilisé lorsqu'elle avait décrit la façon dont Scarpetta se comportait dans le box des témoins. Elle n'avait pas besoin de lever la voix, de faire de grands gestes. Elle se contentait de rester assise calmement et de dire aux jurés ce qu'elle avait à leur communiquer. Ils lui faisaient confiance, ils la croyaient.

Marino détailla son long manteau par l'intermédiaire des jumelles, la ligne de ses cheveux blonds, leur coupe sobre qui dégageait son front. Elle les portait un peu plus longs qu'avant et ils frôlaient presque son col. Il voyait ses traits bien dessinés, impossibles à confondre avec ceux d'une autre femme, parce qu'elle était jolie sans l'être, les méplats de son visage trop accentués pour en faire une reine de beauté ou lui permettre de rejoindre l'armée des femmes fil de fer en vêtements design qui hantaient les allées des défilés de mode.

Il eut peur de vomir à nouveau, comme ce matin-là dans sa chambre d'amis. Son cœur s'affola dans sa poitrine au point de lui faire mal.

Elle lui manquait affreusement. Pourtant, alors qu'il se tenait dans son coin de parking cradingue, sombre et sentant la rouille, il se rendit compte qu'il ne l'aimait plus comme avant. Son désir d'autodestruction avait fini par empoisonner l'espoir. Il était mort. Marino n'espérait plus qu'elle tomberait un jour amoureuse de lui. Elle s'était mariée. L'espoir était mort. Et même si Benton avait pu disparaître du tableau, l'espoir ne revivrait pas. Marino avait tué l'espoir. Il l'avait massacré avec férocité. Il n'avait jamais commis une telle chose de toute sa vie. Cependant c'était à elle qu'il l'avait faite.

Jamais il ne s'était imposé à une femme, n'importe quelle femme, pas même lors de ses cuites les plus répugnantes.

S'il en embrassait une mais qu'elle ne voulait pas de sa langue dans sa bouche, il se retirait. Si elle repoussait ses mains, il ne la touchait plus, à moins qu'elle ne le suggère. S'il avait une érection et qu'elle n'était pas intéressée, il ne tentait pas de se plaquer contre elle ou de fourrer sa main entre ses cuisses. Si elle remarquait que son sexe refusait de s'assagir, il sortait toujours les mêmes blagues : *Il veut juste te dire bonjour, chérie. Il se lève toujours quand y a une dame dans la pièce. Hé, chérie, c'est pas parce que j'ai un manche de changement de vitesses que tu peux conduire ma caisse !*

Marino était peut-être un homme grossier et sans éducation, mais il n'avait rien d'un agresseur sexuel. Il n'était pas un sale type. Cela étant, comment Scarpetta aurait-elle pu le savoir ? Il n'avait rien réparé le lendemain matin. Il n'avait pas fait une seule tentative pour arranger les choses lorsqu'elle était apparue dans la chambre d'amis, lui apportant un café et des toasts sans rien dessus. Au lieu de ça, comment avait-il réagi ? Il avait feint l'amnésie. Il s'était plaint au sujet du bourbon qui se trouvait dans son bar, comme si elle était coupable d'avoir chez elle un alcool capable de provoquer une gueule de bois aussi carabinée et un évanouissement.

Il n'avait rien admis, rien reconnu. La honte s'était mêlée à la panique, le rendant muet car il ne savait plus très bien ce qu'il avait pu faire et qu'il ne l'aurait demandé pour rien au monde. Il valait mieux qu'il y réfléchisse ensuite tout seul. Au fil des semaines, puis des mois, après avoir fouillé tous les recoins de son propre crime, il l'avait enfin reconstitué. Il ne pouvait pas avoir été si loin, trop loin, puisque, lorsqu'il s'était réveillé le lendemain matin, il portait toujours ses vêtements et que le seul fluide corporel détectable sur lui était sa sueur froide qui puait.

Il ne se souvenait nettement que de fragments : lorsqu'il la poussait contre le mur, le crissement de son corsage qu'il déchirait, la douceur de sa peau, sa voix à elle qui répétait qu'il lui faisait mal mais qu'elle savait que ce n'était pas ce qu'il souhaitait. Elle n'avait pas bougé, et aujourd'hui il se demandait comment son instinct avait pu aussi bien la guider. Il ne se maîtrisait plus du tout, et elle avait été assez intelligente pour ne pas se défendre, ne pas l'inciter à davantage d'agressivité. Il ne se souvenait de rien d'autre, à peine de ses seins. Ils l'avaient surpris – il ne s'agissait pas de déception, mais après les décennies durant lesquelles il avait fantasmé à leur sujet, ils ne ressemblaient pas à ce qu'il avait imaginé. Toutefois, c'était le cas avec toutes les femmes.

Il avait compris ça en vieillissant. Cela n'avait rien à voir avec une intuition, ni même avec le bon sens. Sa seule référence en la matière – alors qu'il n'était qu'un petit garçon et que le sexe lui montait à la tête – avait été les magazines salaces que son père planquait dans la remise à outils. Aussi n'avait-il qu'une idée déformée de ce qu'il découvrirait un jour. Les seins, tout comme les empreintes digitales, ont chacun leurs caractéristiques, qui ne se devinent pas toujours sous les vêtements. Chaque poitrine avec laquelle il était devenu intime avait sa taille, sa forme, sa symétrie, sa courbure, la variable la plus évidente étant le mamelon, la quintessence de l'éternelle fascination. Marino, qui se considérait connaisseur en la matière, était le premier à affirmer que des gros seins étaient préférables, et de loin. Et une fois dépassées les étapes du matage puis des caresses, c'était la seule chose qu'il prenait dans sa bouche.

Scarpetta et Benton traversèrent le parc et rejoignirent le trottoir dans la lueur verdâtre des jumelles de vision nocturne de Marino. Elle avait fourré les mains dans ses poches car elle ne portait rien, suggérant qu'ils s'arrêteraient quelque part, peut-être au bureau de Benton. Il remarqua qu'ils ne parlaient pas beaucoup. Et soudain, comme s'ils avaient lu les pensées de Marino, Benton prit la main de Scarpetta et se pencha pour l'embrasser.

Ils atteignirent la rue, si près que Marino n'avait plus besoin de l'intensification lumineuse de ses jumelles pour distinguer leurs traits. Ils se regardèrent comme si ce baiser avait une signification particulière et n'était que la première étape d'autre chose. Ils s'avancèrent en direction de la 1re Avenue et disparurent.

Marino s'apprêtait à quitter son paisible refuge de monte-charges hydrauliques lorsqu'il aperçut une autre silhouette qui traversait le parc, venant vraisemblablement du bâtiment où étaient réalisées les empreintes génétiques. Dans la lumière verdâtre de ses jumelles, il vit le détective Mike Morales s'asseoir sur un banc à côté du Dr Lester.

Marino ne pouvait entendre leur conversation. En revanche, il vit le médecin expert tendre une enveloppe à Morales. Sans doute des informations concernant l'autopsie de Terri Bridges. Le geste en lui-même était étrange. On aurait cru des espions. Marino se demanda s'ils avaient une liaison. Son estomac se retourna lorsqu'il imagina le visage peu avenant et

pincé du Dr Lester, son corps nu qui évoquait un sque-
lette d'oiseau, environné de draps en désordre.

C'était impossible.

Il était bien plus probable que le Dr Lester ait appelé
Morales aussi vite que possible pour s'arroger le
mérite de ce que Scarpetta avait découvert un peu plus
tôt dans la morgue. Quant à Morales, il avait sauté
sur l'occasion de récupérer les informations avant tout
le monde, notamment Marino et surtout Berger. Cela
signifiait surtout que Scarpetta avait trouvé quelque
chose d'important. Marino poursuivit sa surveillance
jusqu'au moment où les deux acolytes se levèrent de
leur banc. Morales disparut au détour du bâtiment des
empreintes génétiques et le Dr Lester avança de son
pas nerveux en direction de Marino, vers la 27e Rue
Est, le regard rivé sur le BlackBerry qu'elle consultait.

Elle força encore l'allure pour rejoindre la 1re Avenue, où elle hélerait sans doute un taxi qui la conduirait
au ferry lui permettant de rentrer chez elle, dans le New
Jersey. Marino eut le sentiment qu'elle envoyait un
texto à quelqu'un.

Museum Mile avait été la promenade favorite de
la Mégère. N'oubliant jamais d'emporter sa petite
bouteille d'eau, ainsi qu'une barre de céréales, elle
descendait de son appartement, optant toujours pour
Madison Avenue. Cet itinéraire lui permettait en plus
de faire un peu de lèche-vitrine alors que le plaisir de
l'attente montait, accélérant peu à peu son allure.

Le clou de cette balade était sans conteste le Guggenheim, où des œuvres de Clyfford Still, John Cham-
berlain, Robert Rauschenberg et, bien sûr, Picasso
étaient présentées. La dernière exposition qu'elle y
avait vue, deux ans plus tôt au printemps, était consa-
crée aux peintures sur papier de Jackson Pollock.

Que s'était-il passé ?

Pourtant elle ne courait pas après le temps et son existence était un désert. Cependant, après avoir été engagée par le Patron, elle avait peu à peu cessé d'aller au musée, au théâtre, de visiter les galeries ou de flâner dans les librairies.

Elle tenta de se souvenir de la dernière fois où elle s'était absorbée dans un bon roman, où elle était sortie victorieuse de mots croisés, où elle avait donné la pièce à des musiciens qui jouaient dans le parc, où elle s'était vidé l'esprit au cinéma, où un poème l'avait chavirée.

Elle était devenue une sorte d'insecte prisonnier de son bloc d'ambre. Elle s'était fait piéger dans des vies dont elle ne savait rien et qui l'indifféraient. Des ragots. Les banals, sordides petits événements qui peuplaient la vie d'autres gens dotés d'un cœur et d'une âme de figurine en carton. Qu'est-ce que ça pouvait lui faire, la façon dont Michael Jackson s'était habillé pour se rendre au tribunal ? Quelle différence dans sa vie ou dans celle des autres que Madonna ait fait une chute de cheval ?

Au lieu de contempler des œuvres d'art, la Mégère avait commencé à regarder les cuvettes de WC de la vie, se régalant de la merde des autres. Elle repensa à son trajet nocturne en Cadillac noire le long de Lexington Avenue et quelques vérités s'imposèrent à elle. L'homme au chapeau de cow-boy avait été gentil à son égard. Il lui avait même tapoté le genou juste avant qu'elle descende du véhicule. Toutefois, il ne lui avait pas donné son nom, et le bon sens avait soufflé à la Mégère de ne pas le lui demander.

Cette soirée avait été sa dégringolade vers le pire. D'abord Marilyn Monroe, puis ce ver qui avait infecté le site, enfin ce sous-sol. Peut-être Dieu venait-il de lui administrer une sorte d'électrochoc spirituel, en lui faisant prendre conscience qu'elle avait perdu son cœur. Elle jeta un regard circulaire à son trois-pièces à loyer modéré, et pour la première fois depuis que son mari n'était plus là, elle le vit tel qu'il était. Elle constata que rien n'avait changé.

Le canapé en velours côtelé et ses deux fauteuils assortis étaient sans prétention mais réconfortants. La texture douce du tissu usé ramena le souvenir précis de son mari. Elle le revit assis dans le relax, lisant le *Times*, mâchonnant son bout de cigare jusqu'à ce qu'il soit trempé de salive. Elle eut même le sentiment qu'elle pouvait encore sentir la fumée qui avait saturé chaque recoin de leurs existences. Elle la sentait à cet instant précis, et pourtant elle avait fait nettoyer l'appartement par des professionnels.

Il lui avait fallu plusieurs semaines avant de trouver assez de courage pour vider ses vêtements, ranger ou donner des objets qu'elle ne supportait plus de voir.

Combien de fois lui avait-elle répété de ne pas traverser la rue juste parce que le petit bonhomme clignotant lui indiquait que la voie était libre ?

C'était aussi stupide que, par exemple, rester planté au bord du trottoir sous prétexte que le feu était vert, alors que la rue était barrée et qu'il n'y avait pas une seule voiture en vue.

Et un jour il avait obéi au petit bonhomme clignotant au lieu d'écouter la Mégère. La veille, elle avait eu un mari qu'elle n'arrêtait pas de tanner parce que ses cigares empestaient et qu'il laissait tout traîner. Le lendemain et les jours suivants, il ne lui restait rien d'autre que ses odeurs, son désordre et le souvenir des derniers mots qu'ils avaient échangés alors qu'il s'apprêtait à sortir.

— *On a besoin de crème pour le café* ?

Il avait enfoncé sa ridicule casquette à la Sherlock Holmes sur son crâne.

Elle la lui avait achetée à Londres plusieurs dizaines d'années auparavant. Il n'avait jamais compris qu'elle n'espérait surtout pas qu'il la porte.

— *Je ne sais pas. Il n'y a que toi qui bois du café crème*, avait-elle répondu.

Ses derniers mots à elle résonnaient dans ses oreilles.

Ses mots à elle. Les mots d'une mégère qui s'était installée avec eux le même cruel mois d'avril, alors que sa boîte avait externalisé son boulot en Inde et que tous les deux se retrouvaient serrés dans leur petit appartement, jour après jour, et qu'ils se rongeaient les sangs au sujet de l'argent. Son mari était comptable, il avait fait le calcul.

Elle repassa leur dernier moment ensemble, le retourna en tous sens, se demandant s'il n'y avait pas une chose qu'elle aurait pu dire ou faire qui aurait modifié le destin. Si elle lui avait dit qu'elle l'aimait et qu'elle comptait lui préparer son dîner préféré : des côtelettes d'agneau avec une pomme de terre en robe des champs ? Si elle avait acheté cette jacinthe en pot pour décorer la table basse ? L'esprit de son mari se serait-il arrêté sur ces choses-là, plutôt que de s'absorber ailleurs au point de ne pas regarder dans les deux sens ?

Était-il irrité et distrait à cause de sa remarque de mégère au sujet de la crème ?

Si, au lieu de cela, elle lui avait conseillé d'être prudent, aurait-elle pu lui sauver la vie, et la sienne dans la foulée ?

Elle reporta son attention sur le grand écran plat de la télé et imagina son mari en train de fumer son cigare, regardant les informations, un air sceptique peint sur le visage, un visage qu'elle revoyait à chaque fois qu'elle fermait les paupières ou que quelque chose entrait dans son champ de vision, une ombre ou une pile de linge sale, ou même lorsqu'elle ne portait pas ses lunettes. Elle le revoyait juste avant qu'il meure. Et puis elle se souvenait soudain qu'il était mort.

Il détaillerait sa télévision de luxe et dirait :

— *Mon Dieu, mais pourquoi avoir acheté cette télé ? Qui a besoin d'un tel appareil ? Si ça se trouve, il n'a même pas été fabriqué chez nous. On n'a pas les moyens de s'offrir ce genre de choses.*

Il n'approuverait pas. Seigneur, rien de ce qu'elle avait fait ou acheté depuis que son mari n'était plus ne trouverait grâce à ses yeux.

Le relax était abandonné. Le velours était élimé à l'endroit où il s'asseyait. D'autres souvenirs affluèrent et le désespoir la submergea.

Elle avait signalé sa disparition.

Alors qu'elle se cramponnait au téléphone et suppliait la police de la croire, elle avait eu l'impression de jouer une scène qu'elle avait vue dans des centaines de films.

— *Croyez-moi. Je vous en prie, croyez-moi !*

Elle avait assuré à la femme policier lisse et polie qui lui avait répondu que son mari ne fréquentait pas les bars, qu'il ne traînait pas. Non, il n'avait ni liaison ni troubles de la mémoire. Il rentrait toujours aussitôt sa course faite, comme un gentil garçon. S'il s'était senti d'humeur « aventureuse » ou même s'il avait été de « mauvais poil », il aurait téléphoné à la Mégère.

— *Il m'aurait simplement dit d'aller me faire voir, qu'il rentrerait quand l'envie l'en prendrait. C'est ce qu'il a fait la dernière fois où il s'est senti d'humeur « aventureuse » et où il était de « mauvais poil » !* avait rétorqué la Mégère à la femme policier bien lisse qui devait être en train de mâchouiller un chewing-gum si on en jugeait par son élocution.

La Mégère s'était retrouvée seule au milieu de sa panique.

Tout le monde s'en fichait.

Un détective, un autre dans cette gigantesque fourmilière qu'était le département de police de New York, avait appelé, la voix teintée de regret :

— *Madame, je suis désolé de vous informer que... Aux environs de seize heures, je me suis rendu sur une scène...*

Le policier était courtois mais très occupé. Il avait répété à plusieurs reprises qu'il était désolé, mais n'avait pas proposé de l'accompagner à l'institut médico-légal, à la manière d'un neveu attentionné qui escorterait sa tante dévastée à une veillée mortuaire ou à l'église.

— *L'institut médico-légal où ça ?*

— *À côté de l'hôpital Bellevue.*

— *Quel Bellevue ?*

— *Il n'y en a qu'un, madame.*

— *Certainement pas. Il y a le vieil hôpital et puis le nouveau. L'institut médico-légal est proche duquel ?*

Elle pouvait s'y rendre à huit heures du matin afin d'identifier le corps. On lui avait donné l'adresse exacte pour qu'elle ne confonde pas le récent hôpital avec l'ancien, ainsi que le nom du médecin légiste.

— *Dr Lenora Lester.*

Une femme si déplaisante, si froide malgré toutes ses années d'études. Elle avait fait preuve d'un manque total de sensibilité lorsqu'elle avait poussé la Mégère dans la petite pièce, avant de tirer le rideau.

Ses yeux étaient clos et une sorte de drap en papier tissé bleu le recouvrait jusqu'au menton.

Pas la moindre trace de blessure, pas une égratignure, pas une ecchymose, et durant un instant la Mégère s'était persuadée que rien ne s'était passé.

— *Il n'y a rien de fracturé. Qu'est-ce qui s'est passé ? Qu'est-ce qui s'est vraiment passé ? Il ne peut pas être mort. Tout va bien. Il a l'air d'aller bien. Il est juste pâle. Très pâle. Bon, d'accord, il n'a pas l'air en bonne santé. Mais il ne peut pas être mort.*

Le Dr Lester ressemblait à l'une de ces colombes empaillées que l'on protégeait jadis sous une cloche de verre. Ses lèvres avaient à peine bougé alors qu'elle expliquait qu'il s'agissait d'un accident de la circulation, un cas typique.

Il avait été percuté par l'arrière, alors qu'il se tenait debout.

Il avait été projeté sur le capot du taxi.

L'arrière de son crâne avait heurté le pare-brise.

Le visage impassible et blafard avait ajouté que les vertèbres cervicales avaient été fracturées.

La brutalité de l'impact avait également fracturé ses deux « extrémités postérieures ».

Extrémités postérieures.

Les jambes de son mari, qui, par ce cruel matin d'avril, étaient recouvertes d'un pantalon en velours côtelé d'une couleur fauve presque identique à celle du relax et du canapé, un pantalon qu'elle lui avait acheté chez Saks. Des jambes terminées de chaussettes et de chaussures.

Le visage rigide et blanc avait poursuivi :

— *Il n'a pas l'air en mauvais état parce que les mutilations les plus importantes sont localisées sur les extrémités postérieures.*

Et elles étaient recouvertes – les extrémités postérieures – par le drap bleu en papier tissé.

La Mégère avait quitté la morgue en laissant son adresse. Plus tard, elle avait rédigé un chèque et reçu le rapport final d'autopsie signé par le Dr Lester, rapport qui avait traîné durant cinq mois dans l'attente des résultats de toxicologie. Les résultats étaient toujours dans leur enveloppe cachetée, au fond d'un tiroir du bureau, sous une boîte des cigares préférés de son mari qu'elle avait placée dans un sachet à congélation parce qu'elle ne voulait pas sentir leur odeur mais ne parvenait pas à les jeter.

Elle se resservit un verre de bourbon et le déposa à côté de son ordinateur. Elle s'installa, décidée à travailler plus tard qu'à l'accoutumée, refusant d'aller au lit ni bientôt, ni jamais. L'idée que tout avait été à peu près supportable jusqu'à ce qu'elle découvre cette photo de Marilyn Monroe un peu plus tôt lui traversa l'esprit.

L'image d'un Dieu vengeur s'imposa à elle lorsqu'elle repensa à l'homme aux rouflaquettes et aux bijoux tape-à-l'œil, à sa proposition de lui offrir un chiot teckel ou shih tzu, ou même un petit springer, au fait qu'il l'avait ensuite raccompagnée jusqu'à chez elle. Il voulait la faire taire, acheter son silence grâce à ce marché faussement généreux qui sous-entendait bien ce qui se passerait s'il décidait de ne pas être gentil du tout. Elle l'avait pris la main dans le sac et tous deux le savaient. Il souhaitait donc qu'elle lui soit reconnaissante. Pour leur bien mutuel.

Elle alla sur Internet à la recherche d'une histoire publiée par le *Times* trois semaines plus tôt, peu de temps avant que le Patron écrive une chronique si élogieuse au sujet de l'animalerie Tell-Tail Hearts et de sa maison mère sur Lexington Avenue. Une photo accompagnait l'article du journal, celle d'un homme aux cheveux blancs avec de larges rouflaquettes et un visage de noceur.

Son nom était Jake Loudin.

Huit plaintes pour cruauté envers les animaux avaient été émises contre lui en octobre dernier, après une descente dans l'une des animaleries qu'il possédait dans le Bronx. Pourtant peu après, début décembre, il s'en était sorti sans la moindre amende.

LES POURSUITES CONTRE LE ROI
DE LA VENTE MASSIVE DE CHIOTS ONT ÉTÉ ABANDONNÉES

Les bureaux du procureur du comté de New York ont abandonné les huit plaintes pour cruauté aggravée envers les animaux qui pesaient sur un homme d'affaires du Missouri que les associations de défense ont baptisé « le Pol Pot du chiot », comparant ainsi Jake Loudin au leader khmer rouge responsable du massacre de millions de Cambodgiens.

Loudin aurait pu être condamné à seize ans de prison s'il avait été reconnu coupable. « Mais il n'y avait pas moyen de prouver que les huit animaux décédés découverts dans le congélateur y avaient été placés alors qu'ils étaient toujours vivants », a déclaré Jaime Berger, le procureur, dont l'équipe nouvellement constituée, chargée de veiller au respect des animaux, avait fait une descente dans l'animalerie en octobre dernier. Elle a ajouté que le juge avait considéré que la police n'avait pas fourni assez de preuves démontrant que l'euthanasie de ces huit animaux de compagnie n'était pas justifiée. Il s'agissait dans tous les cas de chiots âgés de trois à six mois.

Berger a précisé qu'il est de notoriété publique que certaines de ces boutiques « éliminent » des chats, des chiens et d'autres espèces d'animaux lorsqu'on ne peut pas les vendre ou qu'ils deviennent un « passif commercial ».

« Un chiot malade ou un chiot qui atteint trois ou quatre mois d'âge perd de son attrait et n'émeut plus autant derrière la vitrine, a-t-elle expliqué. De plus, beaucoup trop de ces boutiques sont très désinvoltes en ce qui concerne les soins vétérinaires, sans même évoquer les soins de base comme des cages propres et chauffées et une nourriture suffisante. L'une des raisons pour lesquelles il m'a semblé important de constituer cette équipe est que les New-Yorkais en ont assez de cette situation et traîner ces criminels derrière les barreaux est une de mes priorités... »

C'était la seconde fois de la soirée que la Mégère composait le numéro d'urgence de la police.

À ceci près qu'elle était encore plus saoule et incohérente.

— Assassins ! cria-t-elle à l'opérateur qu'elle eut en ligne, répétant l'adresse de la boutique sur Lexington Avenue. Les pauvres petites créatures enfermées là-dedans...

— Madame ?

— Et ensuite il m'a forcée à monter dans sa voiture et j'avais le cœur qui me faisait mal... Et il avait un visage renfrogné et tout rouge, et son silence était glacial.

— Madame ?

— Vous avez déjà essayé de l'envoyer en prison, et pour la même chose ! Hitler ! Pol Pot, c'est bien ça ! Mais il s'en est sorti. Dites-le à Mme Berger. S'il vous plaît. Dites-le-lui tout de suite.

— Madame ? Souhaitez-vous qu'un policier se rende chez vous ?

— Je veux quelqu'un de l'équipe de Mme Berger, l'équipe qui défend les animaux. Oh, s'il vous plaît ! Je ne suis pas folle, je vous donne ma parole. J'ai pris une photo de lui et de la chambre froide. Avec mon téléphone portable.

Elle mentait.

— Ils bougeaient, hurla-t-elle. Ils bougeaient encore !

Chapitre 23

L'Impala bleu nuit patientait devant l'entrée de l'hôpital lorsque Scarpetta et Benton en sortirent.

Elle reconnut le blouson de cuir doublé de laine, celui de Marino. Le coffre se souleva et le grand flic récupéra la mallette de scène de crime des mains de Benton. Il se lança dans une grande explication au sujet de cafés qu'il leur avait achetés et qui se trouvaient sur la banquette arrière.

Ce fut sa façon de les saluer après tout ce temps, après tout ce qui s'était passé.

— Je me suis arrêté dans un Starbucks, poursuivit-il en refermant le coffre. Des super-grands, ils appellent ça des Ventis, annonça-t-il en écorchant le mot. Et de l'édulcorant, celui qui est enveloppé en jaune.

Il voulait parler du Splenda. Il avait dû se souvenir que Scarpetta ne touchait ni à l'aspartame, ni à la saccharine.

— Mais pas de lait. C'est dans ces bouteilles et j'arrivais pas à y accéder. D'un autre côté, à moins que vos goûts aient changé, je crois que vous le buvez noir. Les gobelets sont dans le vide-poches arrière. Jaime Berger est installée sur le siège passager. Vous pouvez peut-être pas la voir dans l'obscurité, mais commencez pas à dire des trucs sur elle.

Il s'essayait à l'humour.

— Merci, lâcha Scarpetta tandis qu'elle et Benton s'installaient à l'arrière. Comment allez-vous ?

— Super.

Il se glissa derrière le volant, son siège si repoussé vers l'arrière qu'il frottait contre les genoux de Scarpetta. Berger se tourna vers les nouveaux arrivants et les salua, adoptant l'attitude qu'elle aurait eue si la situation avait été parfaitement banale. Elle avait raison. Les choses en devenaient plus aisées.

Marino démarra et Scarpetta détailla l'arrière de sa tête, le col de son blouson de cuir noir dans le style *bomber*. Du « Papa Schultz » pur jus, ainsi que l'avait baptisé Lucy pour se moquer de lui gentiment, surtout de son blouson avec sa demi-ceinture, ses manches à fermetures Éclair et ses inclusions décoratives en cuivre. Au fil des années, Scarpetta avait connu les périodes où Marino était devenu trop gros pour l'enfiler, notamment sur l'abdomen, ou, plus récemment, trop charpenté, résultat de sa frénésie de musculation, mais aussi de ses excès de stéroïdes, ainsi qu'elle l'avait appris trop tard.

Durant l'absence de Marino, elle avait eu pas mal de temps pour penser à ce qui s'était passé et à ce qui y avait mené. Les choses s'étaient éclairées un jour, peu de temps auparavant, lorsqu'elle avait recontacté Jack Fielding, son ancien assistant en chef, et l'avait engagé à nouveau. Les stéroïdes avaient pratiquement foutu la vie de Jack en l'air, et Marino en avait été témoin. Toutefois, son sentiment croissant d'impuissance avait pris le dessus, l'effrayant et le frustrant au point que Scarpetta ne pouvait plus rien tenter pour l'aider. Il était à son tour devenu obsédé par sa force physique.

Marino avait toujours admiré Fielding et sa musculature sculpturale, tout en restant très critique sur les moyens illégaux et dangereux que l'assistant en chef avait choisis afin de l'entretenir. Scarpetta était convaincue que Marino avait commencé à prendre des stéroïdes plusieurs années avant de donner dans les drogues potentialisant les performances sexuelles. Cette automédication expliquait qu'il soit devenu si agressif et méchant, bien avant de perdre totalement le contrôle de ses faits et gestes dans le relais de poste au printemps dernier.

Le revoir lui procurait une peine étrange qu'elle n'avait pas imaginée et qu'elle parvenait difficilement à s'expliquer. Elle se souvenait de toutes les années qu'ils avaient partagées, lorsqu'il laissait pousser ses quelques cheveux gris afin de les rabattre sur son crâne pour dissimuler sa calvitie. Le style Donald Trump, à ceci près que Marino ne croyait ni à la laque, ni au gel. Au moindre courant d'air, les longues mèches s'affalaient derrière ses oreilles. Il s'était ensuite rasé le crâne et avait commencé à porter un fichu, comme les jeunes, ce qui lui donnait un air sinistre. Aujourd'hui il avait laissé repousser un duvet en demi-lune et ne portait plus de clou d'oreille. Il avait abandonné son allure de dur à cuire à moto, de délinquant ou de Hell's Angel.

Il avait à nouveau l'air de Marino, en mieux mais en plus vieux, s'évertuant à une conduite irréprochable, et on aurait presque cru qu'il emmenait en balade le comité qui devait décider de sa libération sur parole.

Il bifurqua dans la 3e Avenue, en direction de l'appartement de Terri Bridges situé non loin de l'hôpital Bellevue.

Berger demanda à Scarpetta si elle se souvenait que Terri Bridges ait tenté de contacter son bureau de Charleston au printemps dernier, peut-être au début de l'été, bref n'importe quand.

Scarpetta répondit par la négative.

Berger tripota alors son BlackBerry, marmonnant quelque chose au sujet de Lucy et de son rejet des sorties papier, puis lut l'*e-mail* que Terri lui avait envoyé l'année précédente, dans lequel elle requérait son aide pour joindre Scarpetta.

— Le 2 juillet. C'est à cette date qu'elle a envoyé son message à l'adresse informatique générique de la ville de New York, c'est-à-dire dans notre triangle des Bermudes. Elle espérait me joindre parce qu'elle ne parvenait pas à vous contacter. De toute évidence, ses tentatives ont été vaines dans les deux cas.

— Avec un nom d'utilisateur comme « Dingue », ça ne me surprend qu'à moitié, remarqua Benton depuis la banquette arrière plongée dans l'obscurité.

Le regard perdu vers la vitre de sa portière, il détaillait le voisinage paisible de Murray Hill. Jusque-là, Scarpetta n'avait vu qu'une seule personne dehors : un homme qui promenait son boxer.

— Rien ne me surprend, pas même un internaute qui choisit « Le pape » comme nom d'utilisateur, commenta Berger. Toujours est-il que je ne l'ai pas reçu. Kay, ma question est la suivante : êtes-vous absolument certaine qu'elle n'a pas appelé votre bureau de Charleston ?

— Je suis absolument certaine de n'en avoir jamais été informée, rectifia Scarpetta. Mais au printemps et au début de l'été derniers mon bureau ressemblait, lui aussi, au triangle des Bermudes.

Elle refusait d'entrer dans les détails, pas avec Marino assis devant elle. Comment aurait-elle pu expliquer ce qu'elle avait dû affronter après sa disparition sans aucune explication ? Rose avait ensuite décliné si vite qu'elle avait perdu jusqu'à son élégante obstination qui lui permettait de refuser que Scarpetta la déménage chez elle, qu'elle s'en occupe, qu'elle finisse par la nourrir à la cuillère comme un bébé, qu'elle change ses vêtements et ses draps souillés. À la fin étaient arrivées la morphine et la bonbonne d'oxygène, lorsque Rose avait décidé qu'elle avait assez souffert, lorsque la mort s'était installée dans son regard.

Comment réagirait Marino s'il savait à quel point son attitude avait mis Rose en colère, parce qu'il avait lâché tous ceux qui peuplaient sa vie, surtout elle, dont les jours étaient comptés ? Rose avait dit que c'était mal, ce qu'il avait fait, et que Scarpetta devait le lui faire savoir un jour.

Rose avait lâché :

— *Prévenez-le de ma part que je vais lui frictionner les oreilles.*

On aurait dit qu'elle parlait d'un petit garçon de deux ans.

— *Prévenez-le aussi que je suis très en colère contre Lucy, je suis furieuse contre eux deux. Et c'est de sa faute à lui si elle se conduit de la sorte. Perdue à Blackwater ou un autre camp d'entraînement, en train de s'exercer au tir ou de balancer des grands coups de pied à des gars baraqués comme si elle était Sylvester Stallone, parce qu'elle a les jetons d'être avec nous.*

Durant les dernières semaines de Rose, son inhibition de dame bien élevée s'était effilochée. Elle s'était laissée aller à dire ce qu'elle pensait, mais n'avait jamais perdu sa perspicacité et encore moins sombré dans le délire.

— *Vous lui direz qu'une fois que je serai passée de l'autre côté, il me sera beaucoup plus facile de lui mettre la main dessus et de m'en occuper personnellement. Et je vais m'en occuper. Vous verrez !*

Scarpetta avait installé un lit médicalisé à roulettes. Elle avait ouvert les portes-fenêtres de façon qu'elles puissent contempler le jardin et les oiseaux en écoutant le bruissement des chênes à feuillage persistant plantés avant la guerre de Sécession. Scarpetta et elle devisaient dans ce joli salon, bercées par le tic-tac de l'horloge qui ornait le manteau de la cheminée, métronome donnant le rythme de leurs derniers jours ensemble. Scarpetta ne s'était jamais appesantie sur les détails de ce qui s'était passé avec Marino. Toutefois, elle avait confié à Rose une chose importante, qu'elle n'avait dite à personne d'autre :

— *Vous savez... cette expression... lorsqu'on dit :* « *Oh, si je pouvais tout recommencer !* »...

Installée le dos calé contre ses oreillers, alors que la lumière du matin faisait paraître ses draps si blancs, Rose avait répliqué :

— *Vous ne m'entendrez jamais sortir une telle chose. Je ne vois pas en quoi un souhait aussi bête pourrait faire du bien.*

— *Oui. Je ne le dirai pas parce que je ne le pense pas. Vous avez parfaitement raison. Je ne revivrais pas cette nuit, même si j'en avais la possibilité, parce que ça ne changerait rien. Je peux tenter de réécrire l'histoire autant que je veux. Je n'empêcherai pas Marino de faire ce qui s'est produit dans la réalité. La seule façon dont je pourrais incliner le cours des choses serait de revenir très en arrière, dix ou vingt ans plus tôt. Ma part de culpabilité dans son crime, c'est que je n'ai pas été assez attentive.*

Elle avait fait à Marino ce que lui-même et Lucy avaient fait à Rose durant ses derniers jours. Scarpetta n'avait pas regardé, avait prétendu ne rien voir, s'était désengagée en s'absorbant soudain dans le travail et des préoccupations diverses et variées, ou même en

relevant ses manches pour faire face à une crise quelconque au lieu de se confronter à lui. Elle aurait dû
ressembler davantage à Jaime Berger. Le procureur,
elle, n'hésitait pas à balancer à un grand flic, doté des
mêmes appétits et du même sentiment d'insécurité que
Marino, de cesser de saliver devant ses seins ou le bas
de sa jupe parce qu'elle ne coucherait jamais avec lui.
Elle ne deviendrait ni sa pute, ni sa madone, ni sa
femme, ni sa mère et encore moins le tout. Or le
« tout », c'était ce qu'il avait toujours voulu, ce que la
plupart des hommes voulaient parce qu'ils n'avaient
pas compris que les choses avaient changé.

Elle aurait pu le faire sentir à Marino lorsqu'elle
avait pris son poste de médecin expert de Virginie et
qu'il s'était appliqué à lui rendre la vie impossible,
agissant comme un méchant petit garçon qui a le
béguin. Elle n'en avait rien fait de peur de le blesser,
et, au fond, sa faute primordiale venait du fait qu'elle
redoutait de peiner les gens. Au bout du compte, elle
l'avait blessé terriblement, et elle avec, sans oublier
tous les autres dans la foulée.

Elle avait enfin admis qu'elle était égoïste.

Scarpetta avait dit à Rose :

— *Je suis la plus égoïste des femmes. Ça vient de
mon sentiment de honte. J'étais différente, pas comme
les autres. Je sais ce que c'est d'être mise à l'écart.
Je sais ce que c'est que la honte, lorsque tout le monde
vous évite. Je n'ai jamais voulu faire subir cela à un
autre être. J'ai tout fait pour qu'on ne me l'impose
plus jamais. Ma dernière phrase est sous doute la plus
importante. Au fond, ce qui comptait le plus était mon
rejet de mon propre inconfort psychologique. C'est
horrible d'admettre une chose pareille sur soi-même.*

— *Vous êtes, en effet, une personne très singulière*,
avait répondu Rose. *Je comprends pourquoi ces filles*

de l'école ne vous aimaient pas, pourquoi beaucoup de gens ne vous ont pas aimée et peut-être vous détestent toujours. Tout cela tient à une chose : les gens sont petits et, sans même le vouloir, vous le leur rappelez. Du coup, ils s'échinent à vous rabaisser comme si ça pouvait les rendre plus grands. Vous savez très bien comment fonctionne ce processus. Toutefois, qui peut avoir la sagesse de s'en rendre compte pendant que ça se passe ? Moi, je vous aurais aimée. Si j'avais été une de ces sœurs ou une des filles de l'école, vous auriez été ma chouchoute.

— *Sans doute pas.*

— *Oh si. Je vous ai suivie durant vingt fichues années ou presque. Et pas à cause des somptueuses conditions de travail que vous m'avez accordées, ni des fourrures et des bijoux que vous m'avez offerts, et encore moins des sublimes vacances exotiques que nous avons partagées,* avait plaisanté Rose. *Je suis folle de vous. Dès le premier jour où vous vous êtes assise derrière votre bureau. Vous vous souvenez ? Je n'avais jamais rencontré de femme médecin expert auparavant et mon esprit pataugeait dans les clichés. Vous deviez être quelqu'un de bizarre, de difficile et de déplaisant. Sans cela, aucune femme n'aurait accepté ce genre de travail. Je n'avais vu aucune photo de vous et j'étais donc certaine que vous deviez ressembler à une créature tout juste sortie d'un lagon sinistre ou d'une caverne. J'avais déjà songé à ce que je ferais si je démissionnais, où je pourrais atterrir. Peut-être à la faculté de médecine. Je n'avais pas pensé une seconde que je pourrais rester avec vous, du moins jusqu'à ce que je vous rencontre. Ensuite, je ne vous aurais plus quittée pour un empire. Je suis désolée d'y être maintenant contrainte.*

— Je suis sûre que nous pourrions vérifier les

relevés de téléphone, dit Scarpetta à Benton, Marino et Berger dans la voiture.

— Ce n'est pas la priorité du moment, rétorqua Berger en se retournant. Toutefois, Lucy vous a transféré des informations qu'il serait souhaitable que vous consultiez dès que vous aurez un moment. Il faut que vous preniez connaissance de ce que Terri Bridges écrivait. Nous pensons qu'elle est bien l'auteur de ces textes. Sans garantie, puisque Oscar Bane aurait tout aussi bien pu les rédiger et même être le fameux Dingue.

— J'ai une liste de pièces à conviction. Elles ont été classées en fonction des cônes marqueurs semés dans l'appartement, annonça Marino tout en conduisant. Et des diagrammes de la scène de crime. Un exemplaire pour chacun de vous, pour que vous voyiez où les choses se trouvaient.

Berger leur tendit deux dossiers.

Marino bifurqua dans une rue sombre, plantée d'arbres et de vieux immeubles en grès brun.

— L'éclairage est loin d'être génial et j'ai l'impression que beaucoup de gens sont toujours en vacances. C'est un voisinage plutôt tranquille, remarqua Benton.

— Ouais, approuva Marino. Rien dans le coin. La dernière plainte avant le meurtre, c'était un tapage, un gars qui faisait gueuler sa musique.

Il se gara derrière une voiture de patrouille du département de police de New York.

— Autant que je vous prévienne : nous avons un autre problème, lança Berger. Si je me fie aux *e-mails* que Lucy et moi avons parcourus, il n'est pas exclu que Terri ait eu une autre relation amoureuse.

— Y a des gars qui font vraiment aucun effort pour planquer leur foutue bagnole de police, pesta Marino en arrêtant le moteur.

— La cacher ? interrogea Berger.

— Morales a dit qu'il voulait de la discrétion. Au cas où l'affreux monstre des profondeurs referait surface. Je suppose qu'il a pas prévenu les gens concernés.

— Vous voulez dire qu'elle trompait Oscar ? demanda Benton en ouvrant sa portière. C'est bien cela ? Je pense que nous devrions laisser nos manteaux dans la voiture.

Profitant de ce qu'elle ôtait le sien, des bourrasques d'air glacial s'engouffrèrent sous le tailleur de Scarpetta et ébouriffèrent ses cheveux. Marino descendit de voiture, les lèvres collées à son téléphone mobile, prévenant de toute évidence l'officier de garde à l'intérieur de l'appartement de leur arrivée. La scène de crime était toujours considérée comme « active » et devait rester dans l'état où l'avaient quittée les policiers peu après une heure du matin, si l'on en croyait les rapports qu'avait parcourus Scarpetta.

La porte de l'immeuble s'ouvrit et Marino, Benton, Berger et Scarpetta gravirent les cinq marches qui menaient au vestibule. Un officier de police en uniforme les y attendait, prenant son rôle très au sérieux.

Marino lui balança :

— J'ai vu que ta bagnole était garée juste devant. Je croyais que les ordres du quartier général étaient d'être un peu discret.

— L'autre flic se sentait pas trop bien. À mon avis, c'est l'odeur. En fait c'est pas trop terrible, sauf quand on est assis depuis pas mal de temps. Quand je l'ai remplacé, j'ai pas eu les nouveaux ordres sur le fait qu'il fallait pas se garer juste en face de l'immeuble. Vous voulez que je déplace mon véhicule ?

S'adressant à Berger, Marino demanda :

— Vous avez une opinion sur le sujet ? Morales

voulait pas que la présence des flics soit visible comme le nez au milieu de la figure. Comme je vous l'ai dit. Au cas où le tueur reviendrait sur les lieux de son crime.

— Il a installé une caméra sur le toit, intervint le flic en uniforme.

— Je suis vachement content que ce soit un secret bien gardé, commenta Marino.

— La seule personne qui pourrait revenir est Oscar Bane, résuma Benton. À moins que quelqu'un d'autre n'ait les clés. Or, en dépit de sa paranoïa galopante, j'ai vraiment du mal à croire qu'il monterait ici et qu'il tenterait de pénétrer dans l'appartement de Terri.

— Selon moi, étant donné son état d'esprit, Oscar est davantage susceptible de se rendre à la morgue pour voir une dernière fois l'être cher, renchérit Scarpetta.

Elle en avait assez de devoir se taire. Il existait des moyens de faire passer les informations nécessaires sans pour autant trahir le secret professionnel.

Marino se tourna vers le policier de garde.

— Ce serait peut-être pas une mauvaise idée de patrouiller autour des bureaux du médecin expert. Juste au cas où Oscar Bane se pointerait. Mais faites-moi plaisir, les gars : ne transmettez rien par radio. On a pas envie qu'un journaliste soit mis au courant, d'accord ? C'est pas la peine que tous les nains de l'East Side soient arrêtés et questionnés.

À l'entendre, on aurait pu croire que les alentours de l'institut médico-légal étaient la promenade favorite des personnes de petite taille.

— Si t'as envie de casser la croûte ou autre chose, c'est le moment rêvé, poursuivit Marino.

— Ça serait vraiment pas de refus, mais je peux pas, déclina le policier en jetant un regard de biais à

Berger. Les ordres sont formels, je dois pas quitter mon poste, et en plus faut que vous signiez le registre.

— Sois pas si tatillon sur le règlement. Personne ne mord, même pas Mme Berger. Et on voudrait avoir un peu de place pour bouger. Tu peux rester dans le hall de l'immeuble si tu préfères. Ou alors aller t'acheter un peu de ravitaillement. Je te préviendrai un quart d'heure avant qu'on quitte les lieux. Donc, t'éloigne pas trop quand même.

Le policier ouvrit la porte de l'appartement. L'odeur du poulet cuit avarié parvint jusqu'à Scarpetta. L'officier récupéra sa veste abandonnée sur le dossier d'une chaise pliante et le livre qu'il avait posé sur le plancher de chêne : *American Rust* de Philipp Meyer. Le policier n'avait pas le droit de s'aventurer plus avant. Même s'il avait été tenté, les petits cônes orange vif qui signalaient les endroits où avaient été retrouvées les pièces à conviction étaient là pour le lui rappeler d'éclatante manière. Peu importait qu'il ait envie de boire ou manger, ou même qu'un besoin pressant le pousse vers la salle de bains. En cas d'urgence, il devait d'abord appeler un renfort chargé de le remplacer. Il n'avait la permission de s'asseoir que s'il apportait sa propre chaise.

Scarpetta ouvrit la mallette de scène de crime dès qu'elle eut passé la porte palière et en tira un appareil photo numérique, un carnet, un stylo, ainsi qu'une paire de gants pour chacun. Sans bouger ni même parler, elle inspecta les lieux à son habitude. N'eût été la présence des cônes, on aurait pu croire que rien ne s'était produit. Tout était en ordre et rien ne pouvait laisser supposer qu'un drame violent avait eu lieu ici. L'appartement était impeccable et tout portait la signature de la femme rigide et obsessionnelle qui y avait vécu et qui y était morte.

Le canapé recouvert d'un tissu à motif floral et la chaise du salon qu'elle apercevait d'où elle se trouvait étaient arrangés avec minutie autour d'une table basse en érable sur laquelle reposaient des magazines, alignés avec un soin maniaque. Un écran plat Pioneer, poussé dans un coin du salon, faisait précisément face au centre du canapé. Un bouquet de fleurs en soie ornait l'âtre de la cheminée. Le tapis berbère de couleur ivoire, rectiligne, était immaculé.

Peu de choses révélaient que la police avait fouillé l'appartement, hormis les cônes orange. En cette nouvelle ère de gestion des scènes de crime, tous avaient dû porter des combinaisons jetables, sans oublier des protections de chaussures. Des bandes électrostatiques avaient été utilisées pour récupérer toutes les marques visibles sur le parquet de bois ciré. Des lampes et des appareils photo avaient été préférés aux salissantes poudres noires du passé. Dans des départements de police aussi perfectionnés que celui de New York, les techniciens de scènes de crime ne détruisaient ni ne créaient rien.

Le salon se terminait par un coin repas qui ouvrait sur la cuisine. L'appartement était assez petit, et Scarpetta pouvait apercevoir la table dressée pour deux, ainsi que les ustensiles qui patientaient sur le plan de travail, non loin de la cuisinière. À l'évidence, le poulet attendait toujours dans le four et nul ne savait encore quand on l'en retirerait. Peu importait qu'il soit complètement pourri lorsque le propriétaire de l'appartement ou la famille de Terri seraient enfin autorisés à entrer. Il n'était pas de la responsabilité des forces de police de nettoyer les vestiges abandonnés dans le sillage d'une mort violente, qu'il s'agisse de sang ou des restes d'un dîner de fête. Au demeurant, elles n'en avaient pas le droit.

— Permettez-moi de poser une question évidente, lança Scarpetta à la cantonade. Y a-t-il une possibilité qu'elle n'ait pas été la victime prévue ? Même lointaine ? Après tout, il y a un autre appartement sur le même palier, et combien ?... Deux autres au-dessus, c'est cela ?

— Tout est toujours possible, répliqua Berger. Il n'en demeure pas moins que c'est elle qui a ouvert les portes. Ou alors, si c'est quelqu'un d'autre, cette personne avait les clés. On peut donc supposer qu'il y avait un lien – quel qu'il soit – entre elle et son tueur. (Se tournant vers Marino, elle demanda :) Vous avez mentionné un accès vers le toit. Du nouveau à ce sujet ?

— J'ai reçu un texto de Morales. Il dit que lorsqu'il est arrivé sur la scène hier soir, l'escabeau était exactement où il l'avait trouvé après avoir installé la caméra sur le toit : dans le placard de maintenance.

Marino avait une curieuse expression peinte sur le visage : celle d'un homme pensant à une blague qu'il n'a pas l'intention de raconter.

Toujours plantée dans le couloir, juste à côté de la porte, Berger poursuivit en s'adressant au grand flic :

— Donc rien de nouveau. Aucun suspect ou témoin possible parmi les autres occupants de l'immeuble ?

— Si on en croit le propriétaire qui vit à Long Island, Terri Bridges était une locataire paisible, sauf lorsqu'elle avait une réclamation à faire. Elle était de ces gens qui veulent que tout marche au poil, expliqua Marino. En revanche, ce qui est assez intéressant, c'est que s'il s'agissait d'un truc qu'elle ne pouvait pas régler toute seule, elle refusait quand même que le propriétaire s'en charge. Elle préférait faire appel à quelqu'un d'autre. Il m'a dit qu'il avait parfois l'impression qu'elle établissait une liste de doléances au cas où l'idée l'aurait pris d'augmenter son loyer.

— On dirait que le propriétaire en question n'appréciait pas vraiment Terri, remarqua Benton.

— Il a utilisé le terme « exigeante » à plusieurs reprises. Elle ne communiquait avec lui que par *e-mails*, jamais au téléphone. Il a même fait la réflexion qu'elle agissait comme si elle se préparait à le traîner en justice.

— On peut demander à Lucy de retrouver ces messages, observa Berger. On sait avec quel nom d'utilisatrice elle lui écrivait, parmi ses dix-huit alias ? Je ne pense pas qu'elle ait choisi « Dingue », ou alors c'est que Lucy et moi sommes passées à côté de leurs échanges. À propos, je lui ai demandé de me transférer tout ce qu'elle pourrait dénicher. Du coup, on reste tous quasiment en ligne avec elle pendant qu'elle poursuit ses investigations sur les deux ordinateurs portables retrouvés ici.

— Elle se servait du compte « Train express », comme si c'était elle qui conduisait la locomotive, précisa Marino. C'est le nom qu'a cité le propriétaire. Peu importe. Ce que je veux dire, c'est qu'il donne l'impression que la dame était une emmerdeuse de première.

— De plus, il semblerait qu'elle ait eu quelqu'un pour l'aider lorsqu'elle avait besoin de faire réparer une chose ou une autre, souligna Scarpetta.

— Je doute qu'il s'agisse d'Oscar, remarqua Berger. Je n'ai vu aucune référence à ce genre de petits services dans les *e-mails* que nous avons parcourus. Rien. Pas d'appels au secours pour réparer une fuite des toilettes ou même changer une ampoule de plafonnier. Cela étant, certaines tâches doivent être ardues dans le cas de quelqu'un de la taille d'Oscar.

— Il y a un grand escabeau dans le placard de l'étage, rappela Marino.

— J'aimerais d'abord faire un petit tour seule, intervint Scarpetta.

Elle récupéra son mètre souple dans la mallette et le glissa dans la poche de sa veste de tailleur. Elle étudia l'inventaire des pièces à conviction qui précisait quel cône correspondait à tel indice emporté par la police. Le cône numéro 1 était posé à gauche de la porte, à un mètre quatre-vingts, là où l'on avait retrouvé la lampe torche. Il s'agissait d'une Luxeon Star en métal noir, renfermant deux piles Duracell au lithium, en parfait état de marche. Elle n'était donc pas en plastique, contrairement à ce qu'avait affirmé Oscar Bane, une erreur ou un mensonge qui n'avait pas nécessairement de signification, à ceci près qu'une lampe en métal peut devenir une arme dangereuse. En d'autres termes, Oscar avait dû avoir la main très légère lorsqu'il s'était frappé, provoquant les contusions qu'elle avait examinées.

Les cônes 2 à 4 correspondaient à des empreintes de pas recueillies sur le plancher. L'inventaire précisait qu'il s'agissait vraisemblablement de semelles de chaussures de sport, d'environ vingt-cinq centimètres de long sur dix de large. Un assez petit pied. Scarpetta découvrit sur la liste qu'une paire de tennis avait été retrouvée dans la penderie de Terri : un modèle pour femme de marque Reebok, blanc avec une bordure rose de pointure 35, en d'autres termes des pieds moins longs que les vingt-cinq centimètres précisés sur l'inventaire. Au demeurant, cela confirmait ce dont Scarpetta se souvenait lorsqu'elle avait examiné les pieds de Terri à la morgue, d'autant que la jeune femme avait des doigts de pied extrêmement petits, disproportionnés.

Sans doute les empreintes de chaussures retrouvées près de la porte étaient-elles celles d'Oscar. Il les avait probablement abandonnées en entrant et en ressortant de l'appartement pour enlever son manteau et le laisser dans sa voiture, ou quoi qu'il ait pu faire après avoir découvert le corps.

Du moins si l'on partait du principe que sa version des faits était exacte, ne serait-ce qu'en partie.

D'autres empreintes relevées sur le sol présentaient un grand intérêt parce qu'elles avaient été laissées par des pieds nus. Scarpetta se souvint d'avoir examiné plusieurs photos prises en lumière oblique. Elle en avait déduit qu'il s'agissait des pieds de Terri, et la localisation des marques était importante.

Toutes étaient concentrées juste à la sortie de la chambre, là où avait été découvert le corps de la jeune femme, et Scarpetta se demanda si elle ne s'était pas massée avec une huile ou une lotion pour le corps, peut-être après sa douche, expliquant que les empreintes groupées soient ressorties avec tant de netteté sur le plancher. Cela signifiait-il que Terri avait conservé ses chaussons jusqu'au moment où elle s'était trouvée à l'endroit où elle allait être assassinée ? Si elle avait été attaquée quand elle avait ouvert la porte de son appartement, si elle s'était débattue, si son agresseur l'avait traînée de force dans la chambre située à l'autre bout, n'aurait-elle pas perdu ses chaussons plus tôt ?

Toutes ces années durant lesquelles Scarpetta avait étudié des scènes de crime lui avaient appris que des chaussons, l'un ou les deux, restent rarement aux pieds d'une victime de violences physiques.

Elle s'avança jusqu'au coin repas. L'odeur du poulet cuit en décomposition devint plus forte, plus désagréable. La cuisine se trouvait après. Ensuite venait une chambre d'amis servant également de bureau, si l'on en croyait le plan de l'appartement établi par ordinateur et incluant toutes ses mesures, plan qui se trouvait dans les papiers que Marino avait rassemblés.

La table était dressée avec un soin méticuleux. Les deux assiettes à bordure bleue étaient posées sur des sets amidonnés d'un bleu immaculé, se faisant face. Les couverts étincelants étaient posés à leur place exacte. En bref, tout était impeccable jusqu'à la maniaquerie, l'obsession. Seul l'arrangement floral déparait dans cette perfection, les petits chrysanthèmes à pompons avaient commencé à s'incliner et des pétales de pieds-d'alouette étaient tombés, évoquant des larmes.

Scarpetta examina les chaises à coussins de velours bleu, à la recherche de marques laissées par les genoux de quelqu'un qui aurait grimpé dessus afin de compenser une taille et des bras trop courts. Si tel avait été le cas de Terri lorsqu'elle avait mis la table, elle avait dû tapoter le velours ensuite. Tous les meubles de l'appartement étaient de taille standard, et Scarpetta ne remarqua aucun des équipements que l'on trouve chez des gens souffrant d'un handicap. Cependant, quand elle entreprit d'ouvrir placards et tiroirs, elle découvrit un escabeau muni d'une poignée, un instrument servant à attraper les objets et un autre ustensile qui évoquait un tisonnier et qui devait servir à la jeune femme à repousser ou à tirer ce dont elle avait besoin.

Le désordre régnait dans un coin de la cuisine, juste sous le four micro-ondes. Des gouttes de sang et des taches avaient séché, prenant une couleur d'un rouge presque noir. Sans doute l'endroit où Oscar s'était coupé en attrapant les ciseaux. Le bloc de couteaux n'était plus là, tout comme les ciseaux de cuisine. L'ensemble avait dû être envoyé aux labos. Une casserole pleine d'épinards crus était posée sur la cuisinière, sa queue tournée vers l'intérieur, le geste de quelqu'un de vigilant en matière d'accidents domestiques. L'odeur âcre et forte du poulet lui fouetta le visage lorsqu'elle ouvrit le four. La graisse s'était figée autour de la volaille dans le plat profond en aluminium, évoquant de la cire jaune.

Les ustensiles et les maniques étaient alignés en ordre martial sur le comptoir, à côté du basilic, d'une salière, d'un poivrier et d'une bouteille de xérès réservé à la cuisine. Trois citrons jaunes et deux verts, ainsi qu'une banane qui se tachetait de brun, étaient réunis dans un bol de céramique. Non loin se trouvaient un tire-bouchon à pompe – un gadget qui, aux yeux de Scarpetta, gâchait le cérémonial et le charme qui entouraient l'ouverture d'une bouteille de vin – et une bouteille de chardonnay, un vin correct pour son prix. Son bouchon était toujours en place. Elle se demanda si Terri avait sorti le vin du réfrigérateur une heure avant l'arrivée d'Oscar, en admettant qu'elle ait été tuée par quelqu'un d'autre. Si tel avait été le cas, peut-être s'était-elle renseignée sur la bonne température du vin blanc : frais, mais pas glacé.

Une bouteille de champagne était couchée dans le réfrigérateur, encore un choix correct pour le prix. On aurait dit que Terri avait suivi tous les conseils qu'elle pouvait dénicher, peut-être sur Internet, et que sa bible était *Consumer Reports*. De toute évidence, aucun de ses achats n'était impulsif, motivé par le simple plaisir. Qu'il s'agisse de la télé, de la verrerie ou de la vaisselle, tout trahissait une acheteuse bien informée qui ne faisait rien de façon précipitée ou sur un caprice.

Des brocolis, des poivrons, des oignons, de la laitue, des tranches de rôti de dinde et du gruyère étaient rangés dans les tiroirs du réfrigérateur. Leurs étiquettes indiquaient qu'ils avaient été achetés dans une épicerie de Lexington Avenue, plusieurs pâtés de maisons plus loin, le dimanche, tout comme les aliments prévus pour le dîner de la veille. Les assaisonnements et les condiments alignés dans les rangements de la porte étaient tous allégés en calories.

Les biscuits, soupes et fruits secs que Scarpetta repéra dans les placards étaient, quant à eux, allégés en sel. Les alcools, comme le reste, étaient tous d'un bon rapport qualité-prix : le Dewar's, la Smirnoff, le Tanqueray et le Jack Daniel's.

Scarpetta ne fut pas surprise de constater que la poubelle était en acier brossé, un matériau qui ne rouillait pas et sur lequel les traces de doigts ne se remarquaient pas. Une pédale permettait d'ouvrir le couvercle, évitant qu'on se souille les mains avec les déchets. Elle repêcha à l'intérieur du sac-poubelle en polyéthylène blanc l'emballage du poulet et le sachet ayant contenu les épinards, sans oublier une profusion de feuilles d'essuie-tout et le papier vert qui avait enveloppé les fleurs ornant la table. Elle se demanda si Terri avait utilisé les ciseaux de la cuisine pour couper une petite dizaine de centimètres des queues, toujours prisonnières de l'élastique qui avait enserré le bouquet, avant de nettoyer les lames et de les ranger à leur place dans le bloc à couteaux.

Il n'y avait pas de reçu. La police l'avait trouvé hier soir et il était mentionné dans l'inventaire. Terri avait acheté les fleurs la veille au matin dans un marché du coin, et les avait payées huit dollars et quatre-vingt-quinze *cents*. Sans doute ne s'était-elle offert le piteux petit bouquet printanier qu'après réflexion. Quelle tristesse, cette jeune femme manquant de créativité, de spontanéité et de cœur ! Quelle épouvantable façon de vivre et quel dommage qu'elle n'ait rien fait pour changer !

Terri avait étudié la psychologie. Elle devait savoir

qu'on pouvait la traiter pour ses problèmes d'anxiété. Si elle avait opté pour cette solution, peut-être son destin aurait-il été très différent. Vraisemblablement, ses compulsions étaient à l'origine de la situation actuelle : de parfaits étrangers examinant son appartement, fouillant dans chaque recoin de sa vie pour comprendre qui elle était et comment elle avait vécu.

Une petite chambre d'amis, qui faisait office de bureau, était située après la cuisine, sur la droite. Seuls la meublaient un bureau, une chaise réglable et une desserte sur laquelle était posée une imprimante, ainsi que deux hauts classeurs poussés contre un des murs. Les classeurs étaient vides. Scarpetta ressortit de la pièce dans le couloir et regarda en direction de la porte. Berger, Marino et Benton étaient passés dans le salon, examinant à leur tour le semis de cônes orange et discutant des pièces à conviction auxquelles ils correspondaient.

— Quelqu'un sait-il si ces deux meubles de rangement de dossiers étaient vides lorsque la police est arrivée ? lança Scarpetta.

Marino feuilleta son inventaire et répondit :

— Ils disent qu'ils ont embarqué du courrier et divers papiers personnels. Une boîte de dossiers avec des trucs de ce genre a été retrouvée dans sa penderie.

— En d'autres termes, ils n'ont rien pris dans les classeurs muraux. C'est intéressant. Les deux qui se trouvent dans la chambre d'amis sont vides. On dirait qu'ils n'ont jamais été utilisés.

Marino la rejoignit et s'enquit :

— Et la poussière ?

— Vous pouvez jeter un œil. Cela étant, Terri Bridges et la poussière étaient incompatibles. Pas le moindre grain !

Marino pénétra dans la petite chambre et ouvrit

les classeurs en question. Scarpetta remarqua les empreintes qu'abandonnaient ses bottes sur l'épaisse moquette bleu foncé. Elle remarqua également que c'étaient les seules, excepté celles qu'elle avait elle-même laissées en entrant. La chose l'étonna. La police faisait sans doute très attention à ne pas disperser de la poussière ou des indices en allant et venant sur une scène de crime, mais pas au point de brosser la moquette après en avoir terminé.

— On pourrait presque croire que personne n'est entré dans cette pièce hier soir, observa-t-elle.

Marino referma les classeurs en lâchant :

— J'ai pas le sentiment que ces meubles aient contenu quelque chose, à moins que quelqu'un ait épousseté le fond des tiroirs. Pas le moindre dépôt de poussière qui pourrait suggérer que des dossiers étaient suspendus là-dedans. En tout cas, ce qui est sûr, c'est que les flics sont passés par cette pièce.

Son regard rencontra enfin celui de Scarpetta et elle y lut de l'incertitude, de la timidité.

— Vous pouvez vérifier sur la liste que la boîte à dossiers se trouvait bien dans sa penderie...

Il fronça les sourcils, scruta la moquette, remarquant la même chose qu'elle.

— Bordel, ça, c'est pas banal ! Je suis venu ce matin. Cette penderie, là, insista-t-il en la désignant du doigt, c'est aussi là-dedans que se trouvaient ses valises.

Il en tira la porte. Des rideaux protégés par leurs housses du pressing étaient suspendus à la tringle. D'autres bagages étaient alignés avec soin par terre. À chaque fois que Marino posait un pied, il écrasait la moquette en velours.

— On dirait que personne n'a jamais posé les pieds

ici, reprit-il. Ou alors quelqu'un est revenu après les faits et a brossé la moquette.

— Je ne sais pas. D'après ce que vous dites, personne, hormis vous, n'est passé chez Terri depuis le départ de la police hier.

— Ben, j'ai peut-être perdu du poids, mais je ne vole pas encore au-dessus du sol. Alors, où sont mes fichues empreintes de pas de ce matin ?

En bas du mur, près du bureau, un cordon d'alimentation à extrémité aimantée était branché sur une prise. Cet autre détail troubla Scarpetta.

— Elle a rangé ses ordinateurs portables dans ses valises pour les emporter durant son séjour dans l'Arizona sans prendre le cordon ?

— Quelqu'un est passé après les flics, conclut Marino. Sans doute ce foutu Morales.

Chapitre 24

Lucy travaillait seule dans son loft. Le vieux boule-dogue était assoupi à ses pieds.

Elle continuait sa lecture des *e-mails* échangés entre Terri et Oscar tout en discutant avec sa tante au téléphone.

Date : dimanche 11 novembre 2007. 11 : 12 : 03
De : « Oscar »
À : « Terri »

Tu vois bien, je t'avais dit que le Dr Scarpetta n'était pas comme ça. Manifestement, elle n'avait pas reçu tes précédents messages. C'est drôle comme ce qu'on a sous le nez, bien en évidence, est souvent la solution. Vas-tu me mettre en copie des e-mails ?

Date : dimanche 11 novembre 2007. 14 : 45 : 16
De : « Terri »
À : « Oscar »

Non, ce serait une violation de sa vie privée. Ce projet est en train de décoller à toute vitesse. Je suis aux anges et aussi un peu effrayée.

— Qu'est-ce qui était sous son nez et bien en évidence ? On dirait qu'elle a tenté un truc, ou alors lui, et que, du coup, il ou elle, ou les deux ont obtenu ce qu'ils voulaient, s'énerva Lucy, son combiné sans fil soulignant la ligne de sa mâchoire. Mais de quoi elle parle à la fin !

— Je ne sais pas ce qui se trouvait sous son nez, mais elle se trompe ou elle ment.

— Je pencherais pour la deuxième solution, rétorqua sa nièce. Ce qui explique pourquoi elle refusait qu'Oscar voie tes *e-mails*.

— Il n'y a pas eu d'*e-mails* de ma part, répéta Scarpetta. Il faut que je te demande quelque chose. Je suis dans l'appartement de Terri Bridges et ce n'est pas l'endroit idéal pour avoir ce genre de conversation. Surtout par téléphones mobiles interposés.

— C'est moi qui t'ai donné ton appareil. Tu te souviens ? Il est spécial. Inutile de t'inquiéter. Nos deux téléphones sont parfaitement sécurisés.

Tout en parlant, Lucy continuait à ouvrir chaque compte de messagerie, fouillant aussi la poubelle Internet à la recherche de quelque chose qui pourrait se révéler important mais aurait été supprimé. Elle reprit :

— Peut-être qu'elle a aussi donné à Oscar une bonne raison de t'en vouloir. Sa petite amie obsédée par son héroïne, son idole, qui lui a enfin répondu, du moins le croit-il. Pourtant elle refuse de lui montrer les messages. Tu aurais été à l'origine d'un problème sans en avoir la moindre idée que cela ne m'étonnerait pas.

— Ni sans y avoir jamais participé. Quel genre de cordons d'alimentation requièrent ses ordinateurs portables ? C'est ma question.

L'un des comptes de messagerie de Terri était vide, aussi Lucy ne l'avait-elle pas encore consulté, pensant que la jeune femme l'avait créé mais ne l'avait encore jamais utilisé. Lorsque Lucy ouvrit le dossier des messages supprimés, la surprise la cloua.

— Waouh ! C'est dingue, ça ! Elle a tout effacé hier matin. Cent trente-six *e-mails*. Elle les a supprimés les uns derrière les autres.

— Pas un port USB, mais un cordon aimanté. Qu'est-ce qui a été supprimé ?

— Attends, lança Lucy. Ne raccroche pas. Reste où tu es. Nous allons regarder cela ensemble. Appelle Berger, Marino et Benton. Mets-moi sur haut-parleur.

Tous les *e-mails* supprimés avaient été échangés entre Terri et un utilisateur dont le nom n'était autre que « Scarpetta612 ».

6-12. Juin, le 12, la date de naissance de Scarpetta.

L'adresse du fournisseur d'accès à Internet était la même que celles des dix-huit comptes appartenant à Terri, mais Scarpetta612 n'était pas dans l'historique. En d'autres termes, ce compte-là n'avait pas été créé sur cet ordinateur portable, ordinateur qui ne permettait pas non plus d'y accéder, sans quoi – en se fondant sur les dates des *e-mails* que Lucy était en train de découvrir – Scarpetta612 aurait été enregistré sur l'historique, avec les dix-huit autres comptes de Terri.

En conclusion, rien n'indiquait jusque-là que Terri avait créé ce compte.

Tout en faisant défiler le texte sur l'écran, Lucy souligna :

— Scarpetta612. Je suppose que quelqu'un ayant choisi ce nom d'utilisateur lui écrivait – à Terri. Peux-tu appeler Berger et Marino pour que nous obtenions le mot de passe de ce compte ?

— N'importe qui peut utiliser mon nom. Quant à ma date de naissance, ce n'est un secret pour personne, surtout si on cherche un peu.

— Donne juste à Jaime le nom d'utilisateur, insista sa nièce. « Scarpetta » et « 612 », le tout attaché.

Lucy lui communiqua ensuite le nom du fournisseur d'accès et patienta. Sa tante était en train de discuter avec quelqu'un. Sans doute Marino.

Scarpetta annonça à Lucy :

— On s'en occupe.

— Maintenant, tout de suite !

— Oui, à l'instant, confirma Scarpetta. Je te demandais si l'un des ordinateurs portables de Terri que tu passes au crible pouvait avoir un cordon d'alimentation à extrémité aimantée.

— Non. Un port USB à cinq broches, quatre-vingt-cinq watts. Ce dont tu parles ne serait pas reconnu par ses bécanes. L'adresse IP pour Scarpetta612 est située au numéro 899 de la 10ᵉ Avenue. Ce n'est pas là que se trouve le John Jay College de justice criminelle ?

— Quelle IP ? Et oui, en réponse à ta question. Qu'est-ce que le John Jay vient faire dans cette histoire ? Jaime et Marino sont toujours à côté de moi. Ils veulent entendre ce que tu dis. Je branche le haut-parleur. Que fait Benton ? demanda-t-elle au flic et au procureur.

La réponse de Berger parvint aux oreilles de Lucy : Benton discutait au téléphone avec Morales. Entendre le procureur prononcer le nom du détective ennuya Lucy. Elle ne savait trop pourquoi, si ce n'était que Morales était intéressé par Berger, qu'il la désirait sexuellement et qu'il semblait capable d'obtenir ce qu'il voulait.

— La personne qui écrivait à Terri en se faisant passer pour toi envoyait ses messages depuis cette adresse IP, au John Jay, répéta Lucy.

Elle poursuivit sa lecture des *e-mails* supprimés,

expédiés par quelqu'un qui avait usurpé l'identité de sa tante.

— Je vais t'en transférer quelques-uns, proposa-t-elle. Vous devriez tous les lire et ensuite j'aurais besoin du mot de passe, d'accord ? Un des *e-mails* les plus récents a été envoyé par Scarpetta612 à Terri il y a quatre jours. Le 28 décembre à presque minuit. Le lendemain de l'assassinat de Bhutto, lorsque tu en as parlé sur CNN. Tu te trouvais à New York ce jour-là.

— En effet, mais ce n'est pas moi. Ce n'est pas mon adresse *mail*, martela Scarpetta.

Le message que Lucy leur lut était le suivant :

Date : vendredi 28 décembre 2007. 23 : 53 : 01
De : « Scarpetta »
À : « Terri »

Terri,
Je vous dois à nouveau des excuses. Je suis sûre que vous comprenez. C'est une si affreuse tragédie et il a fallu que je participe à cette émission sur CNN. Je ne pourrais vous en vouloir de penser que je ne tiens pas mes promesses, mais je ne peux pas faire grand-chose lorsque mon emploi du temps est bousculé par un décès ou tout autre désagrément. Nous essayerons à nouveau !
Scarpetta.
P.-S. : Avez-vous reçu la photographie ?

— Tante Kay ? À quelle heure as-tu quitté CNN cette nuit-là ?

— « Tout autre désagrément » ? répéta Berger en s'adressant à Scarpetta. Jamais vous ne feriez référence à un assassinat ou à une mort violente quelconque en employant ce mot ! Qui est l'auteur de tout ça, à la fin ? Pourrait-il s'agir d'une personne que vous connaissez ?

La voix de Scarpetta qui s'adressait au procureur parvint à Lucy :

— Non, personne.

À nouveau, Berger :

— Marino ?

Celui-ci répondit :

— Aucune idée. Mais elle dirait jamais un truc comme ça, renchérit-il comme s'il défendait la réputation de Scarpetta. Je pense pas que ce soit Jack, au cas où sa candidature aurait traversé l'esprit de quelqu'un.

Il faisait allusion à Jack Fielding et, de fait, nul n'aurait jamais pu croire ce dernier capable d'une telle manipulation. Fielding était un anatomopathologiste sérieux, qui voulait bien faire, un homme dans l'ensemble loyal envers Scarpetta. Cependant il réfléchissait un peu avec ses muscles, souffrait de sautes d'humeur, sans oublier tout un éventail de problèmes physiques, dont une cholestérolémie alarmante et des ennuis cutanés, conséquences des années où il avait soulevé de l'acier et s'était gavé d'anabolisants. Fielding n'avait pas l'énergie pour parader sur Internet en se faisant passer pour Scarpetta. Enfin, Scarpetta le pensait exempt de toute ruse ou cruauté. Or – et si l'on voulait offrir le bénéfice du doute à Terri Bridges en admettant qu'elle n'était pas Scarpetta612 – seule une personne cruelle avait pu la mener en bateau de la sorte. Elle avait idolâtré Scarpetta, du moins au début. Elle avait tenté par tous les moyens de la contacter. Enfin, son idole lui avait répondu, du moins l'avait-elle cru. Quelle émotion, jusqu'à ce que son héroïne commence à la décevoir.

— Tante Kay ? Tu as quitté CNN dans la nuit du 28 décembre. Tu étais à deux pâtés de maisons du John Jay. Tu es rentrée à l'appartement à pied, comme tu le fais toujours ?

Leur appartement était situé sur Central Park West et très proche du John Jay et de CNN, en effet.

— Oui.

Un autre *e-mail*, celui-là daté de la veille, provenait de la même adresse IP au John Jay :

Date : lundi 31 décembre 2007. 03 : 14 : 31
De : « Scarpetta »
À : « Terri »

Terri,

Je suis certaine que vous vous rendez compte qu'il m'est très difficile de prévoir mon emploi du temps à New York. J'ai très peu de contrôle sur l'institut médico-légal de cette ville, puisque je n'en suis pas le médecin expert, juste une petite consultante sans importance.

Je me disais qu'il serait préférable que nous nous rencontrions à Watertown, où c'est moi qui commande. Je vous ferais faire le tour de mes bureaux. Aucun problème pour que vous assistiez à une autopsie ou à toute autre chose qui pourrait vous être utile. Bonne nouvelle année et j'attends avec plaisir de vous rencontrer.

Scarpetta.

Lucy expédia l'*e-mail* à chacun avant de le lire à haute voix.

— Je n'étais pas à New York hier après-midi, rappela Scarpetta. Même si je l'avais souhaité, je n'aurais pas pu envoyer ce message du John Jay. Et je ne fais pas de visites guidées de la morgue.

— L'insistance avec laquelle l'auteur du message souligne que vous n'êtes pas le chef à New York... Quelqu'un est en train de vous rabaisser en se faisant passer pour vous, remarqua Berger. Bien sûr, je ne peux pas écarter l'hypothèse que Terri soit Scarpetta612 et qu'elle se soit expédié ces *e-mails* à elle-même. Un coup d'éclat pour son mémoire ! Ma question est donc la suivante, Lucy : y a-t-il une raison qui justifie que nous écartions définitivement la candidature de Terri au rôle d'imposteur ?

Lucy sentit une pointe de chaleur dans la voix du procureur.

Tout s'était passé si vite, et Berger était si sûre de ce qu'elle voulait. Sa hardiesse avait été impressionnante. Et puis elle avait ouvert la porte et était sortie alors qu'un vent mordant s'engouffrait dans l'entrée.

S'adressant à sa tante, elle lâcha :

— Les *e-mails* qu'a reçus Terri, prétendument de toi, pourraient expliquer qu'elle te cite dans son mémoire de maîtrise et qu'elle agisse comme si elle te connaissait.

— Kay, Oscar vous a-t-il donné une indication dans ce sens ? s'enquit Berger.

— Je ne peux pas vous répéter ce qu'il m'a confié. Toutefois, en effet, certaines de ses remarques s'expliquent mieux.

— Je vois. En d'autres termes, il connaissait l'existence de cette correspondance. Qu'il en ait pris connaissance ou non est une autre histoire.

— Si c'est pas Terri l'imposteur, qui a supprimé tous ces messages et pourquoi ? intervint Marino.

— La question est importante, approuva Jaime Berger. Juste avant qu'elle soit assassinée. Juste avant qu'Oscar arrive pour dîner. Ou alors, peut-être quelqu'un d'autre est-il à l'origine de ce nettoyage par le vide. Peut-être a-t-il ensuite rangé les ordinateurs dans la penderie.

— Si Terri a fait le ménage sur sa messagerie parce qu'elle craignait qu'une tierce personne prenne connaissance des messages, elle aurait dû ensuite vider la fichue poubelle, remarqua Lucy. Même un crétin sait qu'on peut récupérer des *e-mails* supprimés, surtout lorsque la suppression est récente.

— C'est certain, renchérit Scarpetta. Cependant, et quelle que soit la raison pour laquelle elle ou une autre personne a vidé ses *e-mails*, il est clair que Terri Bridges ne s'attendait pas à être tuée hier soir.

— Bien sûr, elle ne pouvait pas le savoir, à moins d'imaginer un suicide, compléta Lucy.

— Et elle a ensuite enlevé le lien qui l'avait étranglée ? Je crois pas, contra Marino comme s'il prenait Lucy au pied de la lettre.

— Il n'y avait pas de lien à enlever, rectifia Scarpetta. Rien n'a été noué autour de sa gorge. Elle a été garrottée par une ligature aux extrémités libres.

— Il faut que je découvre qui est cette Scarpetta612 et quelle photographie cette personne aurait envoyée à Terri, reprit Lucy. Je n'en ai pas trouvé, ni d'images JPEG dans la poubelle. Cependant il est possible qu'elle l'ait supprimée avant les autres messages et ait vidé sa mémoire tampon.

— Et ensuite ? demanda Berger.

— Ensuite, il faudra que l'on tente de récupérer cette fichue photo sur cet ordinateur, de la même façon que nous avons récupéré les fichiers texte sur l'autre. Procéder de la même façon que lorsque tu étais avec moi tout à l'heure.

— Il existe d'autres possibilités concernant cette photo ? s'enquit à son tour Scarpetta.

— Si elle – disons Terri – a eu accès à cette photo en fichier attaché grâce à un autre appareil, un BlackBerry ou un troisième ordinateur par exemple, on ne la retrouvera pas sur celui dont elle se servait pour se connecter à Internet.

— C'est ce que j'ai essayé de te dire tout à l'heure, souligna sa tante. Il y a un cordon d'alimentation dans son bureau qui ne correspond à aucun de ses deux ordinateurs. Il doit donc y avoir un troisième appareil quelque part.

— On devrait se rendre chez Oscar, proposa Marino aux autres. Morales avait la clé. Il l'a gardée ?

— Oui, confirma Berger. Il l'a. Oscar pourrait être rentré chez lui. Nous ne savons pas où il se trouve.

— Je ne crois pas un instant qu'il y soit, coupa la voix de Benton.

— Vous aviez Morales en ligne ? Que voulait-il ? demanda Berger à Benton.

— Selon lui, Oscar se serait douté qu'il allait être arrêté. Morales affirme qu'un des gardiens lui a confié que Bane ne se sentait pas au mieux après le départ de Kay. Morales a ajouté qu'Oscar avait le sentiment qu'elle venait de le trahir. Cela étant, n'oublions pas de qui ça vient. Bane aurait eu la conviction qu'on lui mentait et qu'on se montrait irrespectueux à son égard. Il aurait été soulagé que Terri ne soit pas témoin de la violence dont aurait fait preuve Kay au cours de son examen dans l'infirmerie, examen durant lequel elle aurait versé des produits chimiques sur lui, lui occasionnant de vives souffrances.

— Violence ? s'offusqua Scarpetta.

Ils poursuivaient cette conversation comme s'ils avaient oublié que Lucy était toujours au téléphone. Pendant ce temps, la jeune femme continuait à parcourir des *e-mails* supprimés.

— C'est le terme utilisé par Morales, confirma Benton.

— Je n'ai certainement jamais fait preuve de violence et, qui que soit ce Morales, il sait très bien que je ne peux pas raconter ce qui s'est passé entre Oscar Bane et moi. Il sait que tant qu'Oscar n'est pas arrêté, je suis dans l'incapacité de me défendre s'il lui prend l'envie de balancer des mots de ce genre.

— Je ne crois pas qu'Oscar ait fait ce genre de commentaires, précisa Benton. Il sait fort bien que tu ne peux rien répéter. En conséquence de quoi, si vraiment il n'avait plus confiance en toi, il partirait du principe que tu vas ruer dans les brancards s'il s'amuse à colporter des mensonges à ton sujet, que tu vas violer le secret professionnel puisque tu n'as aucune intégrité. De toute façon, je vais parler moi-même à ce gardien.

— Je suis d'accord, approuva Berger. Morales est sans doute à l'origine de ces commentaires.

— C'est un fouteur de merde, lâcha Marino.

— Il avait un message pour vous, reprit Benton.

— Ouais ? Ça m'étonne pas.

— Le témoin que vous avez rencontré un peu plus tôt, cette femme qui habite de l'autre côté de la rue...

Tous semblaient avoir oublié la présence de Lucy à l'autre bout de la ligne.

— Je lui en avais pas parlé, marmonna Marino.

— Eh bien, il est au courant.

— Il a fallu que je demande au dispatcheur de rassurer la dame et de me laisser entrer chez elle. Elle pensait que j'étais un tueur à la tronçonneuse et avait appelé le numéro d'urgence des flics. Peut-être que c'est de cette façon que Morales en a eu vent.

— Il semble qu'elle ait appelé à nouveau le numéro d'urgence. Il y a peu, lui apprit Benton.

— Elle a la trouille, expliqua Marino. À cause de ce qui est arrivé à Terri.

— Elle voulait signaler des mauvais traitements sur des animaux.

— Oh, m'en parlez pas ! À cause de son chiot mort ?

— Pardon ?

— Ouais, c'est aussi ma question. De quoi vous parlez au juste ?

— De toute évidence, cette dame a supplié l'opérateur du numéro d'urgence de prévenir Jaime Berger que le même type qui – je cite – « s'en est sorti le mois dernier a remis ça ». Elle a ajouté qu'elle avait pris une photo avec son téléphone mobile et qu'elle pouvait prouver ses dires.

— Jake Loudin, lâcha Berger. Et qui est cette femme qui aurait pris une photo ?

— Tout ce que je sais, c'est que l'opérateur a transmis le message à Morales, sans doute à cause de ses liens avec Jaime.

Lucy décapsula un Diet Pepsi, écoutant la conversation tout en poursuivant sa lecture. Jet Ranger ronflait à ses pieds.

— Quels foutus liens ? s'emporta Marino. La foutue Tavern on the Green ? Je vous le répète, j'aime pas ce mec ! C'est un enfoiré.

— Il a ajouté que vous devriez discuter à nouveau avec cette dame, poursuivit Benton. Et peut-être que Jaime le souhaitera aussi, puisque cela semble concerner son grand projet de lutte contre les actes de cruauté envers les animaux. Cela étant, nous devrions tous nous rendre chez Oscar pendant que nous en avons encore la possibilité.

— Ben, la dame habite juste en face, argumenta Marino. Elle picolait un peu quand je lui ai rendu visite cet après-midi. Elle a commencé à dire qu'elle voulait acheter un autre chien. Je comprends pas pourquoi elle aurait pas mentionné Loudin à ce moment-là. On parlait de chiens et de l'équipe anti-cruauté envers les animaux créée par Jaime. On pourrait d'abord passer chez elle, puisque c'est juste en face, puis partir chez

Oscar. Il habite de l'autre côté du parc, pas très loin de chez vous. Pas très loin non plus du John Jay.

— Pourquoi ne pas nous partager les tâches ? suggéra Berger. Kay et Benton partent chez Oscar et Marino et moi allons rendre visite à cette dame.

— J'aimerais en revenir à cette histoire du John Jay, intervint Scarpetta. Qu'est-ce que ça implique qu'on soit remontés à une adresse IP située là-bas ? La personne qui envoie ces *e-mails* doit le faire de l'immeuble, non ?

Un silence lui répondit.

Scarpetta répéta sa question et insista :

— Lucy, tu es toujours avec nous ?

— Oh, je suis désolée. J'avais oublié que j'étais là ! ironisa celle-ci.

— Je ne savais pas qu'elle était en ligne, protesta Benton. Kay, tu devrais peut-être laisser ton mobile sur le bureau. Je suis désolé, Lucy.

Un petit bruit sec signala que Scarpetta venait de poser son appareil. Lucy se lança :

— Qui que soit Scarpetta612, cette personne devait se trouver à portée du réseau sans fil du John Jay pour pouvoir expédier ses *mails* par cet intermédiaire. Je veux dire physiquement proche. Par exemple, cette personne aurait pu utiliser un des ordinateurs du John Jay, quoique ça paraisse peu vraisemblable à presque minuit, les bâtiments étant bouclés. Or c'est à ce moment-là que le fameux *mail* daté du 28 décembre a été expédié, peu avant minuit. Ou alors cette personne a pu apporter son ordinateur portable ou même un appareil plus petit, comme un BlackBerry, un iPhone, un PDA, bref un truc qui lui permettait d'ouvrir une session Internet. Et je suis certaine que c'est ainsi que les choses se sont passées. Cet individu disposait d'un appareil genre PDA. Il lui suffisait juste de se tenir sur le trottoir d'un des bâtiments du John Jay pour pirater le réseau sans fil. Je suppose que les flics ont retrouvé le téléphone mobile de Terri ? Ou son BlackBerry, son PDA, le cas échéant ? Quant à la photographie envoyée par Scarpetta612, le même genre d'appareil était capable de l'expédier.

Marino reprit la parole :

— Ils sont en train d'examiner son mobile. Pas d'autre appareil, ni BlackBerry, ni machin qu'on peut utiliser pour se connecter à Internet. Du moins si on part du principe que l'inventaire qu'ils nous ont filé est exact. Juste ce téléphone portable-là. Le genre archi-banal à clapet. Il était sur le comptoir de la cuisine, en recharge. L'écouteur aussi.

Ils continuèrent à discuter, échangeant les hypothèses. Marino et Berger contactèrent ensuite le fournisseur d'accès de Scarpetta612.

Ils obtinrent les informations nécessaires à Lucy.

— Le mot de passe est *stiffone*, relaya Berger en l'épelant pour Lucy. Marino, vous devriez peut-être vous rapprocher du service de sécurité du John Jay pour savoir s'ils n'ont pas remarqué un individu qui faisait le pied de grue devant le bâtiment des salles de classe le 28 décembre vers minuit. Et aussi hier au milieu de l'après-midi.

— Dans les deux cas, que ce soit le 28 ou hier, les bâtiments devaient être fermés, soit en raison de l'heure, soit parce qu'il s'agissait d'un jour férié, remarqua Benton.

— Ils n'ont pas de caméras de surveillance ? argumenta le procureur.

Lucy intervint :

— Je viens d'avoir une idée. Je crois que l'adresse IP est un choix délibéré pour faire croire que ces *e-mails* émanent vraiment de tante Kay. Elle est consultante au John Jay. En d'autres termes, il serait légitime qu'elle utilise son réseau sans fil. Ce que je veux dire, c'est que la personne qui a usurpé l'identité de tante Kay par le biais de cette correspondance se fiche de savoir si ladite adresse va être tracée. Peut-être même qu'elle l'espérait, ou même qu'elle était partie du principe qu'on découvrirait d'où elle envoyait les *e-mails*. Dans le cas contraire, cette personne aurait eu recours à un intermédiaire anonyme, un serveur de *proxies* lointain qui récupère les fichiers pour vous et maquille votre véritable adresse. Ou alors un de ces systèmes d'*anonymizers* qui vous accordent une nouvelle adresse temporaire à chaque fois que vous expédiez un *e-mail*, de sorte qu'on ne puisse pas remonter jusqu'à votre véritable adresse IP.

— Ça, c'est mon cheval de bataille.

La récrimination numéro 1 de Berger au sujet d'Internet.

Lucy aimait assez l'entendre. La menace que combattait Berger était bien connue de la jeune femme.

— Le crime en col blanc, le harcèlement, les usurpations d'identité... tout cela me porte sur les nerfs, poursuivit le procureur.

— On a des infos au sujet de Scarpetta612 ?

Marino s'adressait à Lucy comme si rien de sérieux ne les avait jamais séparés.

Il faisait juste un peu plus attention à ce qu'il disait, était devenu plus poli, une fois n'est pas coutume.

— Des renseignements autres que le truc basique qu'ils m'ont filé ? insista le grand flic.

— L'internaute s'est enregistré au nom du Dr Kay Scarpetta. Son adresse et son numéro de téléphone sont ceux des bureaux de ma tante, à Watertown. Des informations que tout le monde peut se procurer, donc.

Pas de profil, pas d'option, rien qui aurait contraint cette personne à régler par carte bancaire.

— À l'image des comptes de Terri, souligna Berger.

— C'est le cas de millions de comptes, observa Lucy. Je viens de pénétrer dans Scarpetta612. Les seuls *e-mails* que je vois ont été échangés entre Terri et cette personne.

— D'après toi, cela sous-entend-il que c'est Terri qui a ouvert ce compte pour faire croire que Kay correspondait avec elle ? s'enquit Berger.

— Et le code accès machine ? intervint Benton.

— Ça ne colle avec aucun des deux ordinateurs portables de Terri, le renseigna Lucy en parcourant les *e-mails* qu'elle venait de découvrir. Cependant, la seule chose que ça signifie, c'est que Terri – ou quelqu'un d'autre – ne s'est pas servi de ces deux bécanes pour envoyer des *mails* à proximité du John Jay, c'est-à-dire grâce à son réseau. Mais tu as raison. L'unique justification de ce compte Scarpetta612 semble être de permettre à un imposteur de correspondre avec Terri Bridges. Ce montage aurait pu accréditer encore plus solidement l'hypothèse selon laquelle Terri et l'imposteur en question n'étaient qu'une seule et même personne. Mais une chose coince !

La « chose » dont elle parlait s'était affichée sur l'écran.

— Je suis en train de parcourir le compte Scarpetta612, reprit-elle. Et ça, c'est important. C'est vraiment très, très important !

Si important que Lucy n'en croyait pas ses yeux. Elle attaqua :

— À vingt heures dix-huit hier soir, Scarpetta612 a rédigé un message à l'intention de Terri, message qui a été archivé dans le dossier « Brouillons » et n'a donc jamais été expédié. Je vais vous le transférer, à tous. Toutefois je vais vous le lire dans quelques secondes. Est-ce que vous comprenez bien ce que ça implique ? Ça signifie que ni Terri, ni Oscar n'ont pu l'écrire ! Cet *e-mail* est la preuve que ni l'un ni l'autre ne sont Scarpetta612.

La voix de Marino claqua :

— Merde ! Quelqu'un a écrit ce *mail* alors que cet appartement grouillait de flics. D'ailleurs, si ça se trouve, à cette heure-là son corps était déjà à la morgue.

— Si je me souviens bien, il est arrivé aux environs de vingt heures, précisa Scarpetta.

— Récapitulons, réfléchit Lucy. Quelqu'un écrit un message à Terri et, pour une raison ou pour une autre, décide de ne pas l'envoyer. Peut-être que cette personne a découvert que Terri Bridges était décédée pendant qu'elle lui écrivait. Et elle aurait sauvegardé le brouillon de son message ?

— Ou alors elle voulait que nous tombions dessus et qu'on en arrive là, qu'on en tire des conclusions, tempéra Scarpetta. N'oublions pas que nous ignorons quels pièges nous sont tendus, quelles informations on nous donne pour nous induire en erreur.

— C'est aussi mon sentiment, approuva Berger. Tout cela est délibéré. La personne qui se cache derrière est assez intelligente pour se douter que nous remonterions jusqu'à ces *e-mails*. Cette personne voulait que nous voyions ce qu'elle a semé pour nous.

— Ouais, pour nous balader, résuma Marino. Ça marche. Je me sens pas mal baladé.

— Deux choses sont sûres, reprit le procureur. Tout d'abord, Terri était morte depuis plusieurs heures lorsque ce message a été écrit et sauvegardé dans le dossier des brouillons. Ensuite, Oscar avait déjà été admis à l'hôpital Bellevue et se trouvait dans l'incapacité d'envoyer un *e-mail* à qui que ce soit. Lucy ? Tu peux nous le lire, s'il te plaît ?

Celle-ci s'exécuta :

Date : lundi 31 décembre 2007. 20 : 18 : 31
De : « Scarpetta »
À : « Terri »

Terri,

Après avoir avalé trois coupes de champagne et un verre de ce whisky qui coûte davantage que vos ouvrages de référence, je peux me permettre d'être sincère. D'ailleurs je vais l'être. Je vais être très sincère avec vous, brutalement sincère. C'est ma résolution de début d'année : être brutale.

Alors que je suis certaine que vous êtes assez intelligente pour avoir une bonne compréhension de la psychologie médico-légale, je pense que vous devriez vous en tenir à l'enseignement, si toutefois vous persistez dans ce domaine. La chose affligeante ? Les suspects, les détenus et même les victimes n'accepteront jamais une naine, et je ne sais même pas comment réagiraient les jurés.

Peut-être souhaiterez-vous un jour devenir assistante de morgue ? L'apparence physique ne compte pas dans ce genre de métier. Qui sait ? Peut-être un jour pourrez-vous travailler pour moi.

Scarpetta.

— Et l'IP n'appartient pas au John Jay. Il s'agit d'une adresse que nous n'avons jamais rencontrée jusque-là, termina Lucy.

Scarpetta lâcha d'un ton grave :

— Je suis contente qu'elle n'ait jamais reçu cela. Si ce n'est pas elle l'auteur des *e-mails*, elle pensait sans doute qu'ils émanaient vraiment de moi. Oscar aussi, probablement. Oui, je suis vraiment contente que ni elle ni Oscar n'aient pris connaissance de ce message, contente qu'il n'ait jamais été envoyé. C'est d'une rare cruauté.

— Ouais, c'est là que je voulais en venir, acquiesça Marino. Cette personne est une vraie merde ! Elle se complaît dans les petits jeux et elle s'amuse avec nous. Tout ça a été prévu pour nous, pour nous entuber, pour nous mettre le nez dans le caca. Parce que qui aurait eu l'opportunité de lire cet *e-mail* non envoyé, à part nous qui enquêtons sur la mort de Terri ? Et, en fait, c'est surtout destiné à la Doc. Si vous voulez mon avis, y a vraiment quelqu'un qui l'a dans le collimateur.

— Tu peux remonter jusqu'à cette adresse IP ? La dernière, celle qui n'appartient pas au John Jay ? demanda Benton à Lucy.

— Tout ce dont je dispose, c'est une série de chiffres transmis par le fournisseur d'accès à Internet. Ils ne m'apprendront rien, sauf si je pirate l'ordinateur central.

— Je n'ai rien entendu, lâcha Berger. Tu n'as tout simplement pas dit ça !

Chapitre 25

C'était la première fois depuis qu'il l'avait agressée au printemps dernier que Scarpetta se retrouvait seule en compagnie de Marino.

Elle déposa sa mallette de scène de crime par terre dans la chambre de Terri, juste à l'entrée de la salle de bains. Ils regardèrent le matelas dénudé poussé sous une fenêtre dont les doubles rideaux étaient tirés. Ils comparèrent avec les photos prises de la chambre par la police, dès son arrivée. De jolis vêtements sexy étaient étalés sur le lit. Une sorte de gêne s'était glissée entre eux maintenant qu'ils étaient à quelques centimètres l'un de l'autre, sans personne autour, personne pour les entendre.

Il tapota de son doigt épais un gros plan, vingt sur vingt-cinq, des vêtements alignés sur le lit impeccable.

— Vous pensez que le tueur aurait pu les exposer ? Genre : il se jouait un fantasme de merde après l'avoir étranglée ? Vous voyez... Que Terri allait s'habiller en rouge juste pour lui...

— J'en doute. Si tel avait été son désir, pourquoi ne pas passer à l'acte ? Il était en position de la contraindre à enfiler tout ce dont il avait envie.

Elle pointa à son tour vers les vêtements alignés sur le lit, son index plus mince que l'auriculaire de Marino.

— Ils sont disposés avec soin, comme si elle avait minutieusement prévu ce qu'elle enfilerait ce soir-là, commenta-t-elle. De la même manière qu'elle avait mis en place le reste, avec méthode et précision. Je pense que c'est de cette façon qu'elle gérait le moindre aspect de son existence. Elle avait chronométré la préparation du dîner, sans doute sorti le vin quelques heures auparavant pour qu'il soit à la température voulue. Elle avait dressé la table, disposé un bouquet des fleurs achetées plus tôt au marché. Elle était en peignoir. Peut-être venait-elle de sortir de la douche.

— Vous n'avez pas l'impression qu'elle venait de se raser les jambes, Doc ?

— Il n'y avait rien à raser. Ce n'est pas de cette façon qu'elle s'épilait. Elle avait recours à une dermatologue.

Les photos faisaient un léger bruit en glissant dans les mains de Marino, qui les examinait les unes derrière les autres à la recherche de celles montrant l'intérieur des placards et des tiroirs. La police les avait retournés à la recherche d'indices et rien de l'ordre maniaque de Terri ne subsistait. Scarpetta et Marino entreprirent de fouiller au milieu des chaussettes et des collants, sous les vêtements et les ensembles de sport. Tout était sens dessus dessous, souvenir du passage de multiples mains gantées qui avaient plongé dans les tiroirs, poussé les cintres. La police avait passé en revue une impressionnante variété d'escarpins à talons hauts, de sandales stilettos, ornées de pierres précieuses fantaisie, de chaînettes ou de brides de cheville, de taille 34 ou 35.

— Trouver une paire qui vous va est un parcours du combattant, commenta Scarpetta en détaillant le monceau de chaussures. Une épreuve, et, selon moi, elle devait faire la plupart de son shopping via Internet, sinon l'intégralité.

Elle rangea une paire de nu-pieds ornés de clous de métal sous la tringle, qui, contrairement à ce qu'elle avait observé ailleurs dans l'appartement, avait été installée plus bas, de sorte que Terri puisse y accéder sans ustensile particulier et sans avoir à grimper sur un escabeau. Elle poursuivit :

— Et je suis certaine d'avoir raison en affirmant qu'elle se fiait aux revues de consommateurs. Peut-être même en ce qui concernait ses choix un peu provocants.

— Ça, je lui file trois étoiles, déclara Marino en brandissant un string qu'il venait d'extraire d'un tiroir. Mais, si vous voulez mon avis pour ces notes qu'on attribue aux sous-vêtements... ben, tout dépend de la personne qui les porte !

— Victoria's Secret. Frederick's of Hollywood. Des marques de lingerie. Mailles ouvertes et filet. Des *bodies* en dentelle, des slips sans entrejambe. Un corset. Elle portait un soutien-gorge demi-buste en soie rouge sous son peignoir. Il est invraisemblable qu'elle n'ait pas enfilé le slip coordonné.

— Je suis pas sûr de savoir ce que c'est, un soutien-gorge demi-buste, hésita Marino.

— Le nom est assez évocateur. Il s'agit de demi-bonnets qui découvrent les seins. Le but est d'augmenter, d'accentuer... de présenter.

— Oh ! Celui qu'elle portait et qu'il a découpé. À mon avis, ça doit pas cacher grand-chose.

— Non, et c'est fait pour. C'est du reste dans cette optique qu'elle l'avait choisi. À moins que ce ne soit la volonté du tueur.

Scarpetta replaça la lingerie dans le tiroir. Elle resta quelques instants incapable de regarder Marino. Le souvenir de son odeur, de sa force herculéenne cette nuit-là. Ce n'est que plus tard qu'elle l'avait ressentie physiquement, lorsque la douleur avait tracé ses marques dans sa chair malmenée, lorsque l'empreinte de ses mains avait commencé à l'élancer, à la brûler.

— Ça et toutes les capotes.

Il lui tournait le dos, penché au-dessus de la table de nuit. La police avait embarqué les préservatifs.

— Si vous regardez ces photos, vous pourrez constater qu'il y avait au moins une centaine de capotes dans le tiroir du haut, poursuivit Marino. Bon, c'est peut-être une question pour Benton, mais si elle était hystéro sur la propreté et tout ça...

— Pas « si ».

— En d'autres termes, elle était un peu coincée. Tout devait être parfaitement en ordre. Ça vous paraît logique, ce côté débridé chez quelqu'un comme elle ?

— Vous voulez dire qu'une obsessionnelle compulsive aime le sexe ?

— Ouais.

Marino transpirait et son visage avait viré au rouge brique.

— Parfaitement logique, répondit Scarpetta. Le sexe était un moyen de réduire son anxiété. Peut-être le seul moyen acceptable qu'elle avait trouvé de se désinhiber, de relâcher un peu le contrôle. Ou plutôt de se le faire croire.

— Ouais, elle le relâchait tant qu'on suivait son plan.

— Ce qui signifie qu'en fait elle le conservait toujours. Elle ne pouvait pas faire autrement. Elle n'était pas programmée pour cela. Même lorsqu'elle prétendait s'en remettre à quelqu'un d'autre, comme durant les relations sexuelles, elle restait maîtresse d'elle-même. Parce que ce n'est ni Oscar ni quelqu'un

457

d'autre qui choisissait ce qu'elle achetait. Je doute fort qu'aucun de ses partenaires ait pu lui suggérer ce qu'elle devait porter ou si elle devait s'épiler intégralement ou pas. Même en ce qui concerne l'épilation d'Oscar, je suis certaine que ce n'est pas lui qui a pris cette décision. Selon moi, c'était elle qui décidait de ce qu'ils feraient ou ne feraient pas. Et quand, où, comment.

Elle se souvint de ce que lui avait confié Oscar. Terri aimait que le corps de son partenaire sexuel soit musclé, parfaitement propre et imberbe. Elle aimait le sexe dans la douche. Elle aimait être dominée et attachée.

— C'est elle qui faisait la loi, conclut Scarpetta. Jusqu'à la fin. Le plus délectable pour son tueur, ça a dû être de la dominer totalement.

— Peut-être qu'Oscar en a eu ras-le-bol à un moment, commenta Marino sans aller au bout de son raisonnement.

Scarpetta se tenait dans l'embrasure de la porte de la salle de bains. Elle contempla le marbre blanc, la robinetterie dorée, le bac de coin avec sa pomme de douche et son rideau tiré. Elle détailla le sol de pierre cirée, d'un gris veiné, et imagina les contusions qu'elle aurait retrouvées sur Terri si son agresseur l'avait violée par terre. Cette hypothèse ne concordait pas avec les marques que portait la victime. Le poids de l'assaillant – même d'une personne de quarante-neuf kilos comme Oscar – aurait occasionné des contusions aux zones de contact du corps avec le sol, notamment si les poignets de la victime étaient ligotés dans son dos.

Elle exposa ses réflexions à Marino, tout en étudiant le miroir ovale à bord doré suspendu au-dessus de la tablette de toilette, puis la chaise à dossier de métal, doré lui aussi, tourné en forme de cœur. Son reflet dans la glace lui rendit son regard. Puis le torse de Marino se réfléchit à son tour. Il passait en revue tout ce qui avait retenu l'attention de Scarpetta.

— S'il voulait la voir mourir, peut-être qu'il avait aussi envie de la voir violée, suggéra-t-il. Mais, maintenant que je suis face au miroir, je comprends pas comment ça aurait pu se passer s'il était de taille normale. Je veux dire : s'il se tenait derrière elle. J'vois pas comment il aurait pu s'y prendre.

— De surcroît, je ne suis pas certaine qu'on aurait pu la violer sans qu'elle ait la marque d'autres contusions. Si ses mains étaient ligotées derrière son dos et qu'il se soit affalé sur elle, même sur un lit, on aurait retrouvé des ecchymoses, des abrasions. Sans même parler du lit qui ne semble pas avoir été en désordre, si on se fie aux photos. Et puis il y avait ces vêtements alignés avec soin.

— Elle portait pas de blessures dans le dos.

— Aucune.

— Vous avez l'air assez sûre qu'elle avait les mains attachées dans le dos.

— Je ne peux pas le prouver. Mais le fait que le tueur a dû couper son peignoir et son soutien-gorge suggère que tel était bien le cas.

— Et pourquoi vous croyez que ses mains étaient liées dans le dos et pas sur le devant ? questionna Marino. C'est ce qu'a déclaré Oscar à la police. C'est là-dessus que vous vous basez ?

Scarpetta présenta ses poignets, la main droite posée sur la gauche, comme si elles étaient liées par une seule ligature.

— Je me fonde sur le dessin du sillon qui encercle ses poignets, où la gorge était la plus profonde, à quel endroit elle était la moins nette, etc. Si elle avait été ligotée sur le devant, il est probable que la menotte aurait été passée sous cette main, expliqua-t-elle en désignant la droite, avec le bloc de fermeture situé à droite de l'os droit de son poignet. En revanche, si on lui a lié les bras dans le dos, le schéma est inversé.

— À votre avis, le tueur est droitier ou gaucher ?

— Si on se fie à la direction dans laquelle il a tiré le lien pour le resserrer, il est plutôt gaucher, du moins s'il lui faisait face lorsqu'il l'a attachée. Tiens, pour ce que ça vaut : Oscar est droitier. Et je ne devrais sans doute pas vous le dire.

Marino et elle passèrent une paire de gants neuve et elle avança dans la salle de bains. Elle souleva la chaise et la posa au milieu de la pièce. Elle mesura sa hauteur en partant des pieds de métal tourné jusqu'au siège de satin noir, auréolé de zones plus sombres, des taches, ce qui ne faisait que conforter sa théorie.

— Des résidus de lubrifiant, mais personne ne s'en est aperçu, commenta-t-elle. Sans doute parce qu'on n'a jamais pensé qu'elle pouvait être assise lorsqu'elle a été garrottée, face au miroir. Il y a peut-être aussi un peu de tissu biologique et du sang qui a coulé de ses jambes quand elle se débattait. Attendez...

Elle s'arma d'une loupe.

— ... J'ai du mal à me prononcer. Peut-être pas. Je ne suis pas vraiment surprise puisque ses blessures sont toutes localisées sur la face antérieure des jambes, pas la face postérieure. Vous avez toujours cette petite torche capable d'aveugler les gens ?

Marino plongea la main dans sa poche, en extirpa la lampe et la lui tendit. Elle s'agenouilla et braqua le faisceau lumineux sous la tablette de toilette, éclairant des traces sombres de sang séché sous le bord du comptoir, invisibles si l'on se tenait debout. Elle découvrit encore du sang sous le tiroir en contre-plaqué brut de la tablette. Marino s'accroupit à son tour pour détailler ce qu'elle lui désignait.

Scarpetta prit quelques clichés.

— Je vais écouvillonner tout cela, à l'exception de la chaise, annonça-t-elle. Nous nous contenterons de l'emballer. Elle part pour La Guardia. Elle sera transportée dans le jet de Lucy. Pourriez-vous aller demander à Jaime Berger de contacter un officier qui escortera la chaise jusqu'à Knoxville et qui la remettra, contre reçu, au Dr Kiselstein ? Lucy peut régler tout le reste. D'ailleurs, la connaissant, c'est déjà fait.

Elle examina la petite chaise et déclara :

— Le lubrifiant est chargé d'humidité. En d'autres termes, nous devons éviter le film thermoplastique. Du papier plutôt, de sorte que ça continue à se déshydrater à l'air. Ensuite nous protégerons la chaise emballée dans un grand carton à pièces à conviction. Bon, il va falloir improviser, mais je ne veux prendre aucun risque avec les bactéries. Et je ne veux pas que quelque chose frotte contre.

Marino sortit de la salle de bains et Scarpetta tira un rouleau de ficelle, un autre d'adhésif bleu destiné à signaler les indices, ainsi qu'une paire de courts ciseaux de sa mallette de scène de crime. Elle poussa la chaise contre le mur carrelé et coupa des bouts de ficelle représentant les tailles d'Oscar et de Terri, sans oublier les longueurs de leurs bras, de leurs jambes et de leurs torses. Elle colla les bouts de ficelle sur le mur à l'aide de l'adhésif, juste derrière la chaise. Marino réapparut, accompagné de Jaime Berger.

— Pourriez-vous donner mon calepin et un stylo à Jaime afin qu'elle puisse prendre des notes et vous libérer les mains ? lui enjoignit Scarpetta. Je vais vous montrer pourquoi je ne crois pas qu'Oscar ait pu commettre ce crime. Je n'affirme pas que c'est impossible, mais plutôt que c'est fort improbable. Il s'agit juste d'un peu de mathématiques de base.

Elle tourna son attention vers les bouts de ficelle qui pendaient contre le mur carrelé, derrière la chaise, retenus par l'adhésif.

— Nous partons de la théorie que Terri était assise sur cette chaise. La longueur de son buste est la donnée importante. Quatre-vingt-six centimètres et demi. J'ai mesuré Terri à la morgue. Ainsi que vous le savez, les sujets atteints d'achondroplasie ont les membres inférieurs et supérieurs anormalement courts. En revanche, la taille de leur torse et de leur tête est assez similaire à ceux d'un adulte normal, ce qui explique qu'ils paraissent trop importants, disproportionnés. C'est aussi la raison pour laquelle les personnes de petite taille peuvent conduire un véhicule sans avoir recours à des coussins pour rehausser le siège, mais en faisant équiper leur véhicule de pédales allongées, de sorte que leurs pieds atteignent le frein, l'accélérateur et le changement de vitesses. En résumé, le torse de Terri a, à peu près, la même longueur que celui de Jaime ou le mien. J'ai donc scotché au mur un bout de ficelle le représentant, en partant de l'assise de la chaise, poursuivit-elle.

Elle désigna la section en question, puis son doigt remonta vers le morceau d'adhésif bleu qui la maintenait au mur. Elle poursuivit sa démonstration :

— La distance entre le coussin de la chaise et le sol est de cinquante-trois centimètres un quart. Si vous ajoutez cette longueur à celle du torse de Terri vous obtenez cent trente-neuf centimètres trois quarts. Oscar Bane mesure cent vingt-deux centimètres et demi.

Elle pointa vers le bout de ficelle qui le figurait.

Berger commenta, tout en reportant les mesures sur le carnet :

— Il était donc plus petit que Terri alors qu'elle était assise.

— C'est exact, approuva Scarpetta.

Elle souleva la « cordelette Oscar », ainsi qu'elle la nommait, et la tira à angle droit du mur, puis répéta la même manipulation avec la « cordelette Terri ». Elle demanda à Marino de les maintenir dans cette position, rectilignes et parallèles au sol.

Elle prit encore quelques photos.

Benton entra, suivi d'un officier de police.

L'officier demanda :

— Quelqu'un a besoin qu'on escorte une chaise en jet privé jusqu'à cette usine de bombes à Oak Ridge ? Ça va pas exploser ou un truc de ce genre, hein ?

— Vous avez apporté l'emballage que j'ai demandé ? grogna Marino.

— C'est comme avec UPS, plaisanta l'officier.

Scarpetta recommanda à Marino de ne pas lâcher les morceaux de ficelle Terri et Oscar, et entreprit d'expliquer à Benton ce qu'ils faisaient.

— De plus, les bras d'Oscar sont très courts, trente-cinq à trente-six centimètres et demi de l'articulation de l'épaule à l'extrémité de ses doigts, ajouta-t-elle en détaillant Benton. Ton allonge doit avoir au moins vingt centimètres de plus que la sienne. Si donc tu t'étais trouvé debout derrière Terri, tu l'aurais dominée d'une bonne cinquantaine de centimètres, ce qui t'aurait permis un effet de levier considérable, contrairement à Oscar. Imagine quelqu'un de sa taille tentant de tirer avec force, vers l'arrière et le haut, un garrot, alors que la victime se débat sur sa chaise.

— D'autant qu'il est même plus petit qu'elle à ce moment-là. Je vois pas comment il y parviendrait, approuva Marino. Surtout s'il recommence à plusieurs reprises. Elle reprend conscience, et puis il l'étrangle à nouveau, et on recommence, comme vous avez dit. Et je me fous de savoir combien de pompes il peut faire d'affilée !

— À la réflexion, je ne vois pas non plus comment il aurait pu s'y prendre, admit Berger.

— Je m'inquiète à son sujet, avoua Scarpetta. Quelqu'un a-t-il tenté de le joindre ?

— Lorsque j'ai eu Morales au téléphone, je lui ai demandé si on savait où se trouvait Oscar ou si quelqu'un avait eu des nouvelles de lui, intervint Benton. Il m'a juste dit que la police avait récupéré son mobile.

— Oscar le leur a donné ? demanda Scarpetta.

— Avec d'autres choses, en effet. Et c'est vraiment dommage, du moins pour le téléphone, d'autant qu'il ne répond pas sur la ligne fixe de son appartement. Cela étant, ça ne me surprend pas. Je ne sais vraiment pas comment nous allons parvenir à le joindre.

— Je pense que nous devrions répartir nos forces, ainsi que je l'ai proposé plus tôt, suggéra Berger. Benton ? Vous et Kay rejoignez Morales pour inspecter l'appartement d'Oscar. Marino et moi nous assurerons que cette chaise est emballée avec soin et que les écouvillons que vous venez de réaliser et les autres indices parviennent au plus vite à leurs destinataires. Ensuite, nous irons rendre visite à cette dame qui habite de l'autre côté de la rue pour entendre ce qu'elle a à nous révéler au sujet de Jake Loudin.

Scarpetta attrapa la chaise et sortit de la salle de bains pour la poser devant l'officier de police chargé de l'emballer et de l'escorter.

Berger lui proposa :

— Si vous êtes toujours dans l'appartement d'Oscar lorsque Marino et moi en aurons terminé, nous vous retrouverons là-bas. Lucy m'a promis qu'elle m'appellerait si elle dénichait quelque chose d'important de son côté.

Chapitre 26

Oscar Bane habitait Amsterdam Avenue, un immeuble de neuf étages en brique jaune sans aucun charme et qui évoquait à Scarpetta une construction romaine de l'époque mussolinienne. Ils pénétrèrent dans le hall. Le portier refusa de les laisser approcher de l'ascenseur jusqu'à ce que Morales lui brandisse son badge sous le nez. L'homme, âgé et corpulent, était sans doute irlandais. Il portait un uniforme du même vert que la marquise de toile qui protégeait l'entrée.

Détaillant la volumineuse mallette de scène de crime de Scarpetta, le portier expliqua :

— Oh, je l'ai pas vu depuis le réveillon du nouvel an. Je crois que je sais pourquoi vous êtes là.

— Ah ouais ? grommela Morales. Et pourquoi ?

— J'ai lu un truc à son sujet. Mais elle, je l'ai jamais vue.

— Terri Bridges, vous voulez dire ? intervint Benton.

— Ben, vous vous en doutez, tout le monde parle de ça. J'ai entendu qu'ils avaient libéré M. Bane du Bellevue. C'est pas bien, tous ces noms qu'on lui donne. Moi, ça me rend triste qu'on se moque de quelqu'un comme ça.

De toute évidence, personne n'avait plus entendu

parler d'Oscar Bane. Personne ne semblait savoir où il se trouvait. Scarpetta redoutait que quelqu'un lui fasse du mal.

Le portier poursuivit sur sa lancée :

— On est cinq à assurer la surveillance et on dit tous pareil. Elle a jamais mis un pied dans l'immeuble. Et lui, il est devenu un peu bizarre.

Il s'adressait à Scarpetta et à Benton. De toute évidence, Morales ne lui plaisait pas et il ne faisait guère d'efforts pour le cacher. Il reprit :

— Ça a pas toujours été comme ça. Et je peux vous le certifier parce que ça fait onze ans que je travaille ici, et M. Bane, ça fait pas six ans qu'il a emménagé. C'était un type super-sympa, chaleureux. Et puis il a changé tout d'un coup. Il a coupé ses cheveux, les a fait teindre en jaune orangé. Il est devenu de plus en plus silencieux, il restait presque tout le temps bouclé chez lui. Quand il sortait pour marcher ou autre chose, il était nerveux comme un canari.

— Où garait-il sa voiture ? demanda Morales.

— Y a un parking souterrain au coin de la rue. Pas mal de nos résidents se garent là-bas.

— Et quand cela s'est-il produit ? intervint Benton. Je veux dire : quand avez-vous remarqué que son comportement se modifiait ?

— De mémoire, je dirais à l'automne dernier. En octobre, dans ces eaux-là. Un truc se passait, c'était évident. Avec ce que je sais maintenant, je me demande dans quoi il s'est fourré... vous voyez, avec cette fille. Mon avis, c'est que quand deux personnes se mettent ensemble et que l'une change vraiment pas en bien, c'est pas la peine de chercher midi à quatorze heures !

— Un portier est présent en permanence ? se renseigna Benton.

— Vingt-quatre heures sur vingt-quatre, sept jours sur sept. Venez. Je vous accompagne. Vous avez une clé, non ?

— Vous aussi sans doute ?

— C'est marrant que vous me demandiez ça. (Son doigt ganté de vert enfonça la touche d'appel de l'ascenseur.) M. Bane a décidé de faire changer sa serrure il y a quelques mois, à l'époque où il a commencé à se comporter de façon étrange...

Ils pénétrèrent dans la cabine et le portier pressa la touche du neuvième étage.

— ... Normalement, il devait nous donner un double. Faut qu'on ait une clé, si jamais y avait une urgence. On a pas arrêté de le lui rappeler, mais on a jamais rien vu.

— J'ai l'impression que notre bon vieil Oscar veut personne chez lui, ironisa Morales. Ça m'étonne que vous l'ayez pas viré de l'immeuble.

— On en arrivait au point où on devrait alerter le manager de l'immeuble. Mais personne en avait envie. On espérait juste qu'il finirait par céder sur la clé. Je suis désolé que ce soit si lent. C'est l'ascenseur le plus lent de la ville ! On dirait qu'il y a un pauvre gars sur le toit qui nous remonte avec un treuil. De toute façon, M. Bane était du genre assez solitaire. Jamais de visite. Jamais on a eu un ennui avec lui. Mais, comme je vous ai dit, il a commencé à agir de façon bizarre, à peu près au moment où il a fait changer sa serrure. Je suppose qu'on connaît jamais vraiment les gens.

— C'est le seul ascenseur de l'immeuble ? s'informa Scarpetta.

— Y a aussi le monte-charge. On demande à nos résidents de l'utiliser lorsqu'ils sortent leurs chiens. Personne a envie de se retrouver dans un ascenseur avec un chien. Les caniches, c'est les pires. Surtout

les caniches royaux. Ils me fichent la trouille. Je mon-
terais jamais avec un chien comme ça. Je préfère
encore être coincé dans la cabine avec un pit-bull.

— Et si quelqu'un prenait ce monte-charge, vous
vous en apercevriez à tous les coups ? demanda
Morales. Je veux dire : si ce quelqu'un essayait de pas
se faire remarquer par un portier ?

— Je vois pas comment il pourrait s'y prendre.
Faudrait quand même qu'il entre par le hall et qu'il
ressorte ensuite, répondit le portier.

— Y a pas du tout d'autre accès ? insista Morales.
Est-ce qu'on peut être certains qu'Oscar n'est pas
passé chez lui cette nuit sans que personne le voie ?

— Non, à moins que M. Bane ait escaladé l'échelle
d'incendie et soit passé par la trappe du toit, rétorqua
l'homme d'un ton qui sous-entendait qu'Oscar devrait
être Spider-Man pour réaliser une telle prouesse.

Scarpetta se souvint avoir remarqué un escalier
métallique en zigzag, interrompu à chaque palier par
des passerelles, sur le flanc ouest de l'immeuble.

L'ascenseur s'arrêta enfin. Le portier les précéda
dans un couloir aux murs jaune pâle et dont le sol
était recouvert d'une moquette un peu défraîchie, de
couleur verte. Scarpetta leva la tête vers le dôme en
plastique cerclé d'une armature de métal, qui ne ressemblait pas à un puits de lumière classique.

— C'est l'accès au toit dont vous parliez ? demanda-
t-elle à l'homme.

— Oui, m'dame. Mais faut avoir une échelle. C'est
ça, ou alors faut passer par l'escalier de secours extérieur et entrer par la fenêtre d'un des appartements.

— Et où range-t-on l'échelle ?

— Dans le sous-sol, j'imagine. Mais c'est pas mon
boulot.

— Ce serait bien que vous vérifiiez qu'elle est toujours là, conseilla Benton.

— Bien sûr, bien sûr. Mais c'est évident qu'il est pas allé et venu par là, parce que sans ça l'échelle serait sous le dôme, non ? Vous commencez à me rendre un peu nerveux, là. Peut-être qu'il faudrait que des flics inspectent le toit. En plus, ils l'ont laissé sortir du Bellevue. Ouais, vous me filez un peu les jetons, je vous dis.

Il les mena jusqu'au bout du couloir et s'arrêta devant la porte de bois sombre de l'appartement d'Oscar, qui portait le numéro 10B.

— Combien y a-t-il d'appartements à cet étage ? s'enquit Scarpetta. Quatre, c'est bien cela ?

— C'est ça. Les voisins de M. Bane travaillent. Ils sont pas là de la journée. En plus, ils sont souvent de sortie le soir. Des célibataires sans enfants. Deux des locataires ont une autre résidence.

— Va me falloir toutes ces infos, bougonna Morales. Pas seulement les résidents de cet étage, mais tous ceux de l'immeuble.

— Bien sûr, bien sûr. Il y a quarante appartements, quatre par étage. Et là, on est au dernier. J'appellerais pas ça un penthouse, parce que les appartements à ce niveau sont pas plus jolis que les autres, mais la vue est plus agréable. On peut voir l'Hudson très bien depuis les fenêtres de ceux qui sont situés sur l'arrière. Faut que je vous dise quand même à quel point ça me choque. Parce que M. Bane, c'était vraiment pas le genre de gars à faire un truc pareil. Bon, mais vous savez ce qu'on dit. On sait jamais avec les gens. En plus, il était quand même devenu étrange. Je vais vérifier pour cette histoire d'échelle.

— Laisse-moi te dire un truc, mon pote. M. Oscar Bane n'est accusé de rien. Personne n'a jamais prétendu qu'il avait assassiné sa petite amie. Alors, fais gaffe à ce que tu répands autour de toi, le mit en garde Morales.

Ils se tenaient devant la porte d'Oscar, et Morales sortit une clé que Scarpetta reconnut : celle d'une serrure haute sécurité Medeco. Elle remarqua autre chose, mais demeura silencieuse, peu désireuse d'attirer l'attention tant que le portier se trouvait là. Un bout de fil noir d'une vingtaine de centimètres de long, tombé sur la moquette du couloir, juste sous le gond inférieur de la porte.

— Je serai dans le hall, annonça le portier. Si vous avez besoin de moi, y a un téléphone de service dans la cuisine. Un poste mural blanc. Vous composez le zéro. Qui je dois prévenir pour l'échelle ?

Morales lui tendit une carte.

À l'évidence, le portier aurait préféré un autre interlocuteur, mais il n'avait pas le choix. Il rebroussa chemin et se dirigea vers l'ascenseur. Scarpetta posa sa mallette de scène de crime, l'ouvrit et tendit une paire de gants à chacun. Elle ramassa le bout de fil, l'examina sous la loupe et remarqua un nœud épais à l'une de ses extrémités, piégé dans ce qui ressemblait à un petit amas aplati de cire transparente.

Elle pensait avoir découvert la fonction du fil à nœud. Toutefois la porte était deux fois plus haute qu'Oscar et il était exclu qu'il ait pu atteindre son sommet sans aide.

— Qu'est-ce que vous avez trouvé ? demanda Morales.

Il récupéra le fil entre ses doigts et l'examina à son tour sous la loupe.

— À première vue, je dirais qu'il l'a posé à cheval sur le haut de la porte pour savoir si quelqu'un avait pénétré chez lui en son absence, suggéra Scarpetta.

— Quel petit gars futé ! Donc faut vraiment qu'on retrouve cette échelle. Sans ça, je vois pas comment il aurait pu atteindre le haut.

— Nous savons qu'il est paranoïaque, leur rappela Benton.

Scarpetta plaça le fil dans un sachet à indice qu'elle étiqueta à l'aide d'un feutre, pendant que Morales ouvrait la porte. Le système d'alarme émit aussitôt une série de bips. Il pénétra et tapa le code qu'il avait inscrit sur une serviette en papier, puis alluma.

— Eh bien, eh bien, regardez-moi ça ! Un autre gadget de chasseurs de fantômes..., lâcha-t-il d'un ton désinvolte.

Il se pencha pour ramasser un cintre qui gisait derrière la porte. Ses angles avaient été redressés et le fil métallique avait été rendu rectiligne.

— ... Ou alors peut-être qu'Oscar l'utilisait en brochette, pour faire griller des *marshmallows*. Ben, je vais aussi chercher la ligne de farine sur le sol. C'est ce que font les dingues pour vérifier si un *alien* est entré chez eux.

Scarpetta examina les deux extrémités du cintre, puis le petit morceau de cire aplati dans le sachet à indice.

— Il est possible que ce soit de cette manière qu'il ait réussi à positionner le fil en haut de la porte, réfléchit-elle. Il aurait pu coller le nœud enduit de cire au bout du cintre. D'ailleurs on distingue une indentation dans la cire qui concorde avec le diamètre du fil métallique. Vérifions si mon hypothèse colle.

Toujours dans le couloir, elle repoussa la porte. Le cintre allongé était assez long pour permettre de positionner le bout de fil en haut de la porte. Quant à l'espace qui subsistait entre le bas de la porte et le sol, il était suffisant pour permettre de repousser ensuite le fil métallique dans l'appartement. Elle tenta l'expérience. Morales ouvrit la porte.

— D'accord, le gros dingue ! commenta Morales. J'parlais pas de vous, bien sûr.

Le salon, très masculin, était immaculé. Aux murs peints en bleu profond était accrochée une jolie collection de cartes et de gravures originales de l'époque victorienne. Oscar semblait avoir un goût marqué pour les meubles anciens de bois sombre, les fauteuils anglais en cuir, et une nette obsession pour les appareils censés lutter contre la prise de contrôle mental. Ils étaient disposés aux endroits stratégiques du salon : des spectromètres peu coûteux, des détecteurs de fréquences radio, des TriField pour la détection supposée de certaines fréquences utilisées en surveillance, tels les ondes magnétiques, les ondes radio ou les infrarouges.

Ils firent le tour de l'appartement, découvrant d'autres appareils, des antennes, des bandes de plomb recouvertes de vinyle, des seaux d'eau et des choses étranges comme des plaques de métal doublées de papier aluminium et branchées à des piles, des pyramides de cuivre, des casques à l'intérieur tapissé d'isolant phonique et hérissés de petits morceaux de tuyau.

Une tente en feuille d'aluminium séparait complètement le lit d'Oscar du reste du monde.

— Des dispositifs pour brouiller les ondes, commenta Benton. Les pyramides et les casques pour repousser les ondes sonores, les rayonnements et même l'énergie psychique. Il essayait de créer une sorte de champ protecteur autour de lui.

Marino et un officier de police en uniforme portaient un gros carton de la taille d'une machine à laver lorsque Lucy descendit d'un taxi juste devant l'entrée de l'immeuble de grès brun de Terri.

Lucy balança son sac en nylon sur son épaule, régla la course et les regarda pousser le carton à l'arrière d'une fourgonnette de police. Elle n'avait pas revu Marino depuis le printemps dernier, lorsqu'elle l'avait coincé dans sa cabine de pêcheur pour le menacer de lui faire exploser le crâne. Elle décida que la meilleure attitude consistait à aller vers lui.

— C'est l'officier de police qui va monter à bord de mon avion ? demanda-t-elle au grand flic.

— Ouais.

Elle se tourna vers l'homme et lâcha :

— Vous avez le numéro d'immatriculation de queue et le nom des pilotes ? Il est à La Guardia. Lorsque vous monterez, Brent devrait vous accueillir. C'est le CB. Il portera un uniforme noir, une chemise blanche, une cravate à rayures bleues et un pantalon.

L'officier referma le hayon de la fourgonnette dans un claquement.

— C'est quoi, le CB ? Et qu'est-ce que vous voulez dire par « il portera un pantalon » ?

— Commandant de bord. C'est celui qui s'installe sur le siège de gauche, non que cela vous soit d'une quelconque utilité. Prévenez-le que vous êtes armé, au cas où il aurait oublié ses lunettes. Sans elles, il est miraud comme une taupe. C'est d'ailleurs pour ça qu'il porte un pantalon.

— Euh, c'est une plaisanterie, c'est ça ?

— Il y a deux pilotes. C'est le règlement. Un seul a besoin de voir clair, mais tous les deux doivent porter un pantalon.

L'officier la dévisagea.

Il se tourna ensuite vers Marino, hésitant :

— Dis-moi qu'elle rigole !

— J'sais pas. J'aime pas voler. Plus maintenant.

Berger émergea de l'immeuble et descendit les marches dans le froid, sans manteau, giflée par des rafales venteuses. Elle repoussa ses cheveux malmenés par les bourrasques et rabattit les pans de sa veste sur elle, croisant les bras pour se protéger un peu.

— On ferait mieux de récupérer nos manteaux, conseilla-t-elle à Marino.

Elle n'adressa pas un mot à Lucy, mais lui frôla la main alors qu'elles se dirigeaient vers l'Impala bleu sombre à la suite du grand flic.

Lucy s'adressa à lui :

— Je vais procéder à des vérifications avec le réseau sans fil que Terri utilisait. Ce serait bien que vous vous assuriez que le gars en faction me laissera entrer et que je ne me retrouverai pas à plat ventre par terre et menottée... ou bien lui. D'ailleurs je n'aurai peut-être pas besoin de pénétrer dans son appartement si l'immeuble dans son ensemble passe par le même réseau. Bon, j'ai deux choses intéressantes à vous communiquer.

— Pourquoi ne pas nous installer à l'intérieur de la voiture ? Il fait un froid de canard, proposa Berger.

Elle et Lucy grimpèrent à l'arrière pendant que Marino s'installait derrière le volant. Il tourna le contact et poussa le chauffage. La fourgonnette chargée de la chaise de salle de bains de Terri démarra. Lucy descendit la fermeture à glissière de son sac et en tira son MacBook, qu'elle ouvrit.

— Deux choses importantes. La première, c'est comment Terri Bridges a déniché le mystérieux Scarpetta612, qui que ce soit. Par l'intermédiaire du site Web du John Jay. Le 9 octobre, c'est-à-dire environ un mois après que ma tante et Benton ont accepté d'y faire des conférences, Terri – ou du moins la personne

475

qui signe « Dingue » – a envoyé une requête sur le bulletin du site du John Jay demandant si quelqu'un savait de quelle façon elle pourrait entrer en contact avec tante Kay.

Berger était en train d'enfiler son manteau et les effluves subtils de son parfum parvinrent à Lucy, mélange d'épices, de bambou, d'huile de fleur d'oranger. Elle l'achetait chez un parfumeur anglais. Lucy s'était renseignée auprès d'elle, espérant qu'il ne s'agissait pas d'une trouvaille de son ex-mari.

— De toute évidence, son message était archivé, poursuivit la jeune femme.

— Et comment tu l'as dégotté ? demanda Marino en se tournant vers elles, ses traits noyés dans l'obscurité, à peine discernables.

— Vous avez perdu pas mal de poids, on dirait ? fut la réponse de Lucy.

— Ouais, j'ai arrêté de manger. Je sais pas pourquoi les autres y ont pas pensé avant moi. J'pourrais écrire un bouquin et gagner plein d'argent.

— Vous devriez. Un livre aux pages blanches.

— C'est ce que je pense. Pas de bouffe, rien d'écrit. Ça marche.

Lucy pouvait sentir son regard pesant aller d'elle à Berger, évaluant les deux femmes assises côte à côte. Marino était doté d'antennes qui lui indiquaient si les gens entretenaient une relation ou s'ils étaient prêts à en établir une avec lui. Tout cela était lié, du moins dans son esprit.

Lucy détailla Berger lorsqu'elle entreprit de parcourir ce qui s'affichait sur l'écran du MacBook :

Bonjour tout le monde,
Je m'appelle Terri Bridges et je suis étudiante en maîtrise de psychologie médico-légale. Je cherche à entrer en

476

contact avec le Dr Kay Scarpetta. Si quelqu'un parmi vous la connaissait, pourriez-vous, s'il vous plaît, lui transmettre mon adresse *e-mail* ? J'essaie de la joindre depuis le printemps dernier, pour l'interviewer dans le cadre de mon mémoire.

Merci d'avance.

T.B.

Lucy lut le message à haute voix à l'intention de Marino.

Elle ouvrit ensuite un autre fichier. La photographie de Scarpetta, celle de l'article paru le matin même sur le site *Dans le collimateur de Gotham*, s'afficha.

— Elle faisait partie de son message sur le site du John Jay ? s'enquit Berger.

Lucy souleva et tourna l'ordinateur afin que Marino puisse voir la photo peu engageante de Scarpetta dans la morgue, brandissant son scalpel.

— C'est l'original, commenta-t-elle. L'arrière-plan n'a pas été gommé à l'aide du logiciel Photoshop. Si vous vous souvenez de celle qui illustrait l'article de *Dans le collimateur de Gotham*, on y voit juste ma tante, mais on ne peut qu'imaginer le contexte, c'est-à-dire qu'elle se trouve à la morgue, puisque ce qui l'entoure a été effacé. Sur cet original, avant traitement d'image, on distingue la paillasse sur laquelle est posé l'écran de surveillance relayant les caméras et, derrière, un mur en parpaings auquel s'adossent des placards. Je me suis livrée à quelques agrandissements... (Elle effleura le pavé tactile et un autre fichier s'ouvrit.) J'ai obtenu ça.

Elle montra l'agrandissement du heaume de plastique transparent qui protégeait le visage de Scarpetta. La forme vague d'une autre personne s'y réfléchissait.

Elle frôla à nouveau le pavé tactile et un autre

fichier s'afficha : l'image réfléchie avait gagné en définition.

— Le Dr Lester, lâcha Berger.

— Tu m'étonnes ! grogna Marino. Quelqu'un dans son genre doit détester la Doc.

— On peut en déduire certaines choses, liées ou pas, reprit Lucy. La photographie de ma tante – balancée ce matin sur Internet – a été prise à l'institut médico-légal de New York, pendant une ou des autopsies en présence du Dr Lester, et c'était à elle que s'adressait ma tante. De toute évidence, ce n'est pas le Dr Lester qui a pris ce cliché. Cela étant, selon moi, elle sait qui en est l'auteur, à moins qu'elle n'ait eu l'esprit ailleurs juste à cet instant précis...

— Oh, je suis certaine qu'elle le sait, l'interrompit Berger d'un ton sans appel. Elle surveille son royaume tel un vautour.

— En fait, je n'ai pas trouvé cette photo originale sur le site du John Jay, reprit Lucy. Cela étant, il est tout à fait possible qu'elle soit diffusée un peu partout sur Internet et qu'un fan l'ait envoyée à *Dans le collimateur de Gotham*.

— Et comment tu peux savoir que c'est pas le Dr Lester qui leur a expédiée ? intervint Marino.

— Il faudrait que je pénètre dans sa messagerie électronique pour en avoir le cœur net.

— Et tu ne le feras pas ! ordonna Berger. Ce n'est pas le style de Lenora. Son fonctionnement, à ce stade de sa vie sinistre, consiste plutôt à ignorer les autres, à prétendre qu'ils n'ont aucune importance. Certainement pas à attirer l'attention sur eux. La seule personne qu'elle voudrait voir au premier plan, c'est elle-même.

— Je les ai vus tous les deux un peu plus tôt dans le parc du Bellevue, à côté du bâtiment des empreintes génétiques, genre super-intimes, lâcha Marino. Lester et Morales. Ils se sont rejoints juste après que la Doc et Benton ont quitté la morgue, et se sont assis sur un banc. Je les ai aperçus parce que je devais conduire la Doc. J'en ai déduit que le Dr Lester voulait mettre Morales au courant des trouvailles qu'avait faites la Doc à la morgue. Ensuite, et je sais pas si c'est important, j'ai vu que le Dr Lester écrivait un texto lorsqu'elle s'est éloignée.

— Je ne suis pas certaine que cela signifie quoi que ce soit, hésita Berger. Tout le monde envoie des textos aujourd'hui.

— C'est étrange quand même, réfléchit Lucy. Ils ont rendez-vous dans un parc à la nuit tombée ? Est-ce qu'ils auraient...

— Ben, j'ai essayé de l'imaginer, mais j'ai pas pu, ironisa Marino.

— Il sait s'y prendre pour se rapprocher des gens, précisa Berger. Peut-être sont-ils devenus amis ? Quant au reste, j'en doute vraiment. Non, Lenora n'est pas son genre.

— Sauf si c'est un nécrophile, proposa Marino.

— Je n'ai pas l'intention de persifler sur les gens, le rabroua Berger, et elle était sincère.

— Ce que je voulais dire, c'est que ça m'a surpris parce que je la vois pas ayant une relation personnelle digne de ce nom avec quelqu'un, du moins au point d'envoyer un texto à cette personne.

— Il est probable qu'elle envoyait un message au médecin expert en chef, supputa Berger. C'est une hypothèse. C'est assez le genre à lui expédier des informations de première main, surtout si elle peut s'arroger le mérite de ce que les autres ont trouvé.

— Elle protège la peau de ses fesses parce qu'elle est passée à côté de trucs, suggéra Lucy. Du coup, elle appelle aussitôt le grand chef. Il faut que je pénètre dans sa messagerie à lui afin de vérifier.

— Oh, tu ne vas certainement pas faire une telle chose !

L'épaule de Berger était contre celle de Lucy lorsqu'elle lança ces mots.

Lucy était si consciente du moindre mouvement du procureur, du mot le plus anodin qu'elle prononçait, de la plus infime odeur qui émanait d'elle, qu'elle aurait tout aussi bien pu être sous LSD, du moins si elle se fiait à ce qu'elle en avait lu : accélération du rythme cardiaque, augmentation de la température corporelle, mélange des sensations. On entendait les couleurs et on voyait les sons.

— Ouais, ça pourrait être un truc comme ça, admit Marino. C'est un poisson pilote. Elle est obligée de nager derrière les requins pour récupérer les restes qu'ils lui accordent. Et je me moque pas d'elle. C'est la vérité.

— Et le lien avec Terri dans tout ça ? reprit Berger.

— La photographie de tante Kay lui a été envoyée, expliqua Lucy. À elle seule, sur son compte utilisateur Dingue.

— Envoyée par qui ?

— Scarpetta612 la lui a expédiée le premier lundi de décembre, le 3 donc. En revanche, là où j'ai du mal à comprendre, c'est pourquoi Terri – ou plutôt la personne qui se cache derrière Dingue – l'a supprimée, et pourquoi l'expéditeur l'a aussi fait disparaître, ce qui explique que je ne l'ai pas retrouvée dans la poubelle. Il a fallu que je la restaure grâce au réseau neuronal.

— Attends... Tu es en train de nous dire que cette fichue photo a été expédiée le 3 décembre et qu'expéditeur et destinataire l'ont supprimée immédiatement ? récapitula Marino.

— Tout juste.

— Un message l'accompagnait-il ? intervint Berger.

— Je vous montre ça tout de suite.

Son doigt caressa le pavé tactile.

— Et voilà !

Date : lundi 3 décembre 2007. 12 : 16 : 11
De : « Scarpetta »
À : « Terri »

Terri,

Je sais que vous aimez les informations de première main. Aussi, considérez cet envoi comme un cadeau de Noël en avance pour votre futur livre. Toutefois, je ne veux pas en être publiquement remerciée et je nierai vous l'avoir donné si on me le demandait. Je ne vous dirai pas non plus qui est l'auteur de cette photo. Cet imbécile l'a prise sans mon autorisation et m'en a ensuite offert un tirage en pensant qu'il me ferait plaisir. Je vous demande de la transférer dans un fichier Word et de la supprimer ensuite de votre messagerie électronique, ainsi que je vais le faire.

Scarpetta.

— Terri Bridges écrivait un bouquin ? s'étonna Marino.

— Je ne sais pas, avoua Lucy. Mais si on se fonde sur ce que Jaime et moi avons retrouvé de son mémoire de maîtrise, il est fort possible qu'elle en ait eu le projet.

Le procureur renchérit :

— Surtout si elle était persuadée que les informations qui affluaient par *e-mail* provenaient vraiment de Kay. Et je suis sûre qu'elle le croyait. D'ailleurs, autant vous le dire, je suis certaine maintenant que Dingue est bien Terri, mais nous n'en avons pas de preuve formelle.

— C'est aussi mon cas, admit Lucy. La question cruciale est la suivante : cette personne qui prétend être ma tante dans les *e-mails* qu'elle envoie à Terri a-t-elle quelque chose à voir dans son meurtre ?

— Et l'adresse IP ? intervint Marino.

— Quand obtiendrez-vous l'information du fournisseur d'accès Internet afin de parvenir à une identification de ce client en particulier ? Parce que ce que j'ai, le 20 quelque chose de l'Upper East Side, inclut le Guggenheim, le Metropolitan, et le Musée juif, et ça manque drôlement de précision.

En réalité, Lucy connaissait la localisation précise de l'ordinateur en question, mais n'avait aucune intention de la révéler. Berger détestait son manque de respect pour les règles. Cela étant, Lucy avait pas mal d'amis dans le monde des fournisseurs d'accès, certains qu'elle avait connus lors de ses années dans les forces de l'ordre, d'autres encore auparavant. Elle connaissait des gens qui connaissaient des gens. Au fond, ce qu'elle avait fait s'apparentait assez à la tactique des flics qui obtenaient un mandat de perquisition *après* avoir ouvert le coffre d'une voiture et découvert cent kilos de cocaïne.

Elle poursuivit :

— À ce propos, on trouve également au coin de cette zone, qui n'est autre que Museum Mile, le cabinet de dermatologie du Dr Elizabeth Stuart.

Dans l'habitacle obscur, le visage de Berger était si proche du sien. Son parfum l'envoûtait.

— Comment ça, « au coin de cette zone » ? demanda le procureur.

— La dermatologue des stars possède un appartement qui occupe tout le douzième étage de l'immeuble dans lequel elle a son cabinet, précisa Lucy. Elle est en ce moment en vacances. Le cabinet ne rouvre que le lundi 7 janvier.

Chapitre 27

Scarpetta attendit d'avoir un bon prétexte pour être seule avant de pénétrer dans la bibliothèque, prétexte que lui fournit l'appel de sa nièce.

Elle abandonna Morales et Benton dans la chambre, traversa le salon et parvint au seuil de l'endroit où Oscar rangeait ses livres au moment où Lucy lui faisait part du message envoyé par Terri sur le site du John Jay et lui demandait si elle était au courant. Tout en détaillant les étagères à la recherche d'anciens ouvrages de psychiatrie, Scarpetta lui affirma le contraire.

— Je suis vraiment désolée d'entendre une telle chose, poursuivit-elle. Tout ce que j'apprends m'attriste, vraiment beaucoup. Je regrette de n'avoir jamais su qu'elle essayait de me contacter.

Elle ne découvrit pas le livre dont Oscar Bane lui avait parlé, *Expériences d'un médecin d'asile d'aliénés*, celui dans lequel il affirmait avoir dissimulé le CD. Les doutes qu'elle entretenait à son sujet s'accrurent. Mais à quoi jouait-il avec elle ?

— Quant à la photographie qui a été affichée sur Internet ce matin, elle a été prise à l'institut médico-légal de New York. Tu discutais avec le Dr Lester. Ça te dit quelque chose ?

— Je n'ai aucun souvenir que quiconque ait pris

une photo de moi là-bas, sinon elle m'aurait évoqué quelque chose.

— Lorsque tu l'examineras à nouveau, imagine l'arrière-plan. Une paillasse avec un écran de surveillance posé dessus. Peut-être qu'un truc te reviendra et que tu auras une idée sur l'endroit où se tenait l'auteur du cliché.

— La personne devait être non loin d'une table d'autopsie, or il y en a trois dans la salle de morgue. Il peut donc s'agir de quelqu'un qui travaillait sur une autre affaire. Je te promets d'y penser sérieusement, mais pas maintenant.

En cet instant précis, une seule chose lui importait : discuter à nouveau avec Oscar et lui dire que le livre ne se trouvait pas là où il l'avait indiqué. Elle imaginait déjà sa réponse : *ils* s'étaient emparés du CD, ce qui expliquerait du même coup le fil noir tombé au sol dans le couloir. *Ils* avaient le CD. Voilà ce qu'il lui répondrait. Elle n'avait fait allusion ni à l'ouvrage, ni au CD qu'il était censé contenir devant Morales ou Benton. Étant le médecin d'Oscar Bane, elle n'avait rien le droit de leur confier. Tout ce qui s'était passé entre eux restait, pour l'instant, confidentiel.

— Tu as quelque chose pour écrire ? continua sa nièce. Je vais te donner les numéros de téléphone du Dr Elizabeth Stuart, la dermatologue.

— Je sais qui elle est.

Lucy lui expliqua ensuite que la photographie avait été expédiée à Terri Bridges le 3 décembre aux alentours de midi, depuis un café Internet situé juste en face de l'immeuble du Dr Stuart. Elle donna à sa tante un numéro de téléphone mobile, ainsi que celui d'une suite présidentielle en multipropriété de l'hôtel Saint Regis d'Aspen, Colorado. Elle précisa que le Dr Stuart séjournait toujours là-bas sous le nom de son mari : Oxford.

— Donc tu demandes le Dr Oxford, résuma Lucy. C'est dingue ce que les gens te racontent. Cela étant, je n'ai rien dit à personne d'autre que toi. Jaime nous fait une obsession avec la voie légale, la seule qu'on puisse suivre, tu te rends compte ! Quoi qu'il en soit, pourrais-tu demander un truc à Morales de ma part et prévenir Benton que je voudrais qu'il m'appelle ?

— Je les rejoins.

— Je me trouve dans le hall de l'immeuble de Terri et je me suis connectée au réseau sans fil qui est accessible à tous les résidents. Et c'est en train d'émettre. Je veux dire que c'est visible par tous ceux qui sont connectés. Il y a un appareil dessus.

Benton et Morales discutaient dans la chambre d'Oscar. Son lit protégé par la tente en aluminium trônait au milieu. Un coin gymnastique avait été aménagé.

— Que veux-tu lui demander au juste ? s'enquit Scarpetta.

Elle comprenait pourquoi Morales était apprécié des femmes, et respecté – à contrecœur et non sans ressentiment – par tous les autres, dont les juges. Il lui rappelait deux ou trois athlètes du temps où elle était étudiante de premier cycle à Cornell, grâce à une bourse. Ces jeunes gens brouillons, si assurés, qui compensaient leur envergure intellectuelle relativement médiocre grâce à leurs muscles et leur rapidité, leur impudence et leur conduite outrancière. Ils n'écoutaient personne, n'avaient que peu de considération pour leurs camarades d'équipe ou leurs entraîneurs. Ils étaient paresseux intellectuellement, mais engrangeaient les points et plaisaient à leur public. Ce n'étaient pas des gens bien, ni même gentils.

— Demande-lui s'il est au courant de la présence d'une caméra, répondit Lucy.

— Oh, je sais. Il a installé une caméra de surveillance sur le toit. Marino est au courant. Jaime est avec toi ?

Scarpetta ne se rendit compte de ce qu'elle venait de dire que lorsque les mots furent sortis de sa bouche. C'était une intuition. Quelque chose qu'elle avait perçu la première fois qu'elle avait vu sa nièce et le procureur ensemble, alors que Lucy n'était pour elle qu'une gamine, presque une gamine. Berger avait bien quinze ans de plus.

Quel était le problème ?

Lucy n'avait rien d'une gamine.

Sa nièce était en train de lui raconter que Marino et Berger s'étaient rendus de l'autre côté de la rue pour discuter avec un témoin. Elle ne les avait pas revus depuis une bonne demi-heure.

Peut-être parce que, en toute logique, un procureur aussi occupé et important que Jaime Berger n'avait pas à se rendre en soirée dans un loft de Greenwich Village pour assister aux prouesses d'un programme d'ordinateur. Toutes les découvertes de Lucy auraient pu être transmises par téléphone ou courriel. Certes, tout le monde reconnaissait que Berger était aussi une femme de terrain, très énergique et même féroce lorsqu'il s'agissait de se concentrer sur chaque détail d'une scène de crime, d'exiger que les indices soient analysés au plus vite. Elle venait parfois à la morgue, lorsqu'elle souhaitait assister à une autopsie et que le Dr Lester n'était pas le médecin expert qui en était chargé. Cependant elle ne regardait pas les écrans d'ordinateurs. Elle ne s'installait pas sur une chaise dans un laboratoire pour suivre en personne une chromatographie en phase gazeuse, une analyse en microscopie, un examen de trace ou une amplification d'ADN.

Berger donnait les directives et organisait des réunions pour prendre connaissance des résultats. L'idée de Jaime Berger et de Lucy enfermées seules des heures dans le loft tracassait Scarpetta. Sans doute la gêne qu'elle éprouvait à ce sujet remontait-elle à la dernière fois où elle les avait vues ensemble, cinq ans plus tôt, lorsqu'elle était arrivée sans se faire annoncer dans le penthouse de Berger.

Elle ne s'attendait pas à découvrir sa nièce chez le procureur, lui confiant ce qui s'était passé dans cette chambre d'hôtel à Szczecin, en Pologne, révélant des détails que Scarpetta ignorait encore à ce jour.

Soudain, elle avait songé qu'elle n'était plus le centre de la vie de sa nièce. Ou peut-être avait-elle vu venir son inévitable éloignement. C'était la vérité, son égoïste vérité à elle.

Scarpetta annonça à Benton que Lucy souhaitait s'entretenir avec lui. Il hésita, attendant qu'elle lui indique d'un signe qu'elle allait bien.

— Je vais aller vérifier le contenu de ses placards, lança-t-elle.

Le signe qu'il attendait.

Il fallait que Benton quitte la chambre afin d'avoir une conversation privée.

— Je serai au bout du couloir, prévint-il en entrant un numéro sur son mobile.

Scarpetta pénétra dans la salle de bains d'Oscar. Elle sentit le regard de Morales posé sur elle. Plus elle découvrait la manière dont vivait Oscar Bane, plus l'évidente détérioration de son état mental la déprimait. Les flacons alignés dans l'armoire à pharmacie prouvaient qu'il croyait à la réalité de ses cauchemars et la date inscrite sur certains d'entre eux, délivrés sur ordonnance, précisait le début de sa glissade.

Elle trouva de la L-lysine et d'autres acides aminés, des vitamines B5 et B9, du calcium, de l'iode, de la poudre de varech, le genre de substances que prennent les gens qui ont été soumis aux radiations ou, du moins, qui en sont convaincus. Sous le lavabo, elle découvrit de grosses bouteilles de vinaigre blanc et songea qu'il devait en mettre dans l'eau de son bain. Son regard tomba ensuite sur un flacon d'eszopiclone délivré en octobre dernier, un médicament prescrit aux insomniaques. Depuis, il avait renouvelé l'ordonnance à deux reprises, la dernière fois le 27 décembre, à la pharmacie Duane Reade. Le nom du médecin prescripteur était mentionné : le Dr Elizabeth Stuart. Scarpetta comptait l'appeler, mais pas maintenant, pas ici.

Elle passa ensuite en revue le contenu d'un autre petit placard dans lequel Oscar rangeait l'habituelle collection de médicaments délivrés sans ordonnance et sa trousse de premiers soins : pansements, alcool, gaze, sans oublier un pot de lubrifiant, de l'Aqualine, qui n'avait jamais été ouvert. L'étiquette s'était décollée et elle n'avait aucune idée de quand il l'avait acheté.

— C'est un genre de vaseline, non ? demanda Morales.

— En effet.

— Vous croyez que les labos sont capables de déterminer si c'est le même truc que ce qu'on a retrouvé dans son vagin ?

— On utilise davantage ce produit comme pommade apaisante. Pour les brûlures, les irritations ou les gerçures, l'eczéma atopique, ce genre de choses. Or Oscar ne souffre de rien de tout cela. Les coureurs, les cyclistes ou les motards l'utilisent beaucoup. Ça se trouve un peu partout, en pharmacie et dans certains supermarchés.

À son ton, on aurait presque pu croire qu'elle prenait la défense d'Oscar Bane.

— Ouais. On sait qu'Oscar est un sacré petit marcheur malgré ses pieds plats. Le portier dit qu'il le voit sortir presque tous les jours, vêtu de ses petits survêtements, qu'il neige ou qu'il vente. Ah, l'échelle a été retrouvée sur le toit. C'est-y pas étrange, ça ? Les gars de l'immeuble n'ont pas la moindre idée de la raison pour laquelle elle est là-haut. Ce que je pense, c'est que le petit gars s'est servi de l'échelle d'incendie extérieure pour monter et il est entré chez lui par l'une de ses fenêtres. Ensuite, il est ressorti par la trappe d'accès au toit et il a tiré l'échelle après lui. Du coup, ça explique qu'on l'ait retrouvée là-haut.

— Et pourquoi aurait-il fait cela ?

— Pour entrer, répondit Morales en lui jetant un regard intense.

— Mais en pénétrant par une de ses fenêtres, il aurait déclenché l'alarme, non ?

— C'est ce qui s'est passé. J'ai téléphoné à la compagnie de sécurité pour vé-ri-fier. Peu après qu'Oscar est sorti du Bellevue, boum, l'alarme s'est déclenchée. La compagnie en question a téléphoné à l'appartement. Un homme a répondu, expliquant qu'il avait fait une mauvaise manipulation et il a donné le mot de passe. Ça fait pas tant de bruit que ça. Je veux dire qu'il y avait peu de chances que les gens de l'immeuble l'entendent. Surtout si elle a été arrêtée rapidement. Alors ? Qu'est-ce que vous en pensez ?

— Rien du tout.

— Merde alors ! Vous pensez pourtant toujours à tout, docteur CNN. C'est bien pour ça que vous êtes réputée. Vous êtes connue pour tous vos raisonnements saisissants, non ?

Il se rapprocha du petit placard qu'elle était en train d'inventorier et la heurta légèrement en récupérant le pot d'Aqualine.

— D'un point de vue chimique, ils pourraient nous dire si c'est le même machin que celui qu'on a retrouvé sur elle, non ?

— En effet. On pourrait savoir si ça contient des antiseptiques, des additifs comme l'hydroxyde de sodium ou du méthylparabène. L'Aqualine est garantie sans additifs. C'est principalement un mélange d'huile de paraffine et de vaseline. Je suis presque certaine que rien de similaire n'a été découvert dans l'appartement de Terri. En tout cas, rien de tel ne figure sur l'inventaire des pièces à conviction. De plus, j'ai vérifié son armoire à pharmacie, regardé un peu partout lorsque je me trouvais sur les lieux, un peu plus tôt. Vous devriez le savoir mieux que personne.

— Ça veut pas dire qu'il l'a pas apporté avec lui, avec le reste de son petit kit de meurtre. Et puis il l'aura embarqué en repartant. Je dis pas que c'est Oscar qui a fait ça. Je parle du meurtrier. Mais je dis pas non plus qu'il s'agit pas de la même personne.

Les yeux marron de Morales la fixaient. Il avait l'air de s'amuser. Pourtant une sorte de colère transparaissait également.

— Vous avez raison sur le fait qu'il y avait rien dans son appartement, reprit Morales. La nuit dernière, je savais pas qu'on cherchait un lubrifiant, parce que l'autopsie avait pas encore été faite. Mais j'ai regardé quand j'y suis retourné.

Elle ignorait qu'il était retourné chez Terri et elle repensa à la chambre d'amis de la jeune femme. Le commentaire de Marino sur le fait qu'on aurait cru que quelqu'un avait brossé la moquette lui revint à l'esprit.

— Après que votre bon copain Marino a trouvé les ordinateurs portables, j'ai fait un saut là-bas pour m'assurer qu'on avait pas raté autre chose. À ce moment-là, j'étais au courant des résultats de l'autopsie puisque j'avais parlé avec notre chère Lester. Alors j'ai fouiné un peu partout à la recherche de lubrifiant. Y avait rien.

— Oui, nous avons remarqué le parfait état de la moquette dans son bureau, lâcha Scarpetta.

— M'étonne pas. Ma maman m'a répété qu'il fallait toujours ranger derrière soi, brosser les franges du tapis, être obéissant et responsable. Ça me fait penser que je devrais embarquer certains de ces trucs comme pièces à conviction. Je vous ai dit que j'avais un mandat de perquisition, au cas où on tomberait sur quelque chose de sympa ?

Il lui décocha un sourire éclatant qui découvrait ses dents et cligna de l'œil.

Ils revinrent ensuite vers la chambre, son équipement de musculation et son lit protégé par une tente en feuille aluminium. Scarpetta ouvrit un placard et découvrit d'autres casques doublés de mousse antisons et plusieurs antennes. Elle passa en revue les vêtements, la plupart décontractés, et remarqua que des carrés de plastique tapissaient les poches de plusieurs vestes. Un autre type de champ protecteur. Elle se souvint qu'à l'infirmerie Oscar s'était inquiété de n'avoir aucune protection avec lui.

Des paires de petites bottes de neige, de chaussures de ville, des Nike gisaient par terre, non loin d'un panier rempli de *hand grips*, ces pinces de force destinées à muscler les avant-bras, de cordes à sauter, de poids de cheville, sans oublier un ballon dégonflé.

Elle ramassa la paire de Nike. Elle était vieille et usée, peu adaptée à un individu qui pouvait souffrir de problèmes d'articulations et de pieds.

— Ce sont ses seules chaussures de sport? demanda-t-elle à Morales. C'est étonnant qu'il n'en possède pas en meilleur état, plusieurs paires même.

— Oh, j'oublie toujours comment ils vous appellent...

Il se rapprocha.

— ... Œil d'épervier, entre autres.

Il était maintenant si près d'elle qu'elle voyait les légères taches de rousseur qui parsemaient sa peau d'un léger caramel. Elle pouvait sentir l'odeur trop forte de son eau de Cologne.

— Il porte des Brooks Ariel, adaptées aux gens qui ont besoin du maximum de stabilité. Plutôt drôle quand on y pense..., ajouta-t-il.

Il désigna la chambre d'un mouvement de main et précisa :

— À vue d'œil, je dirais que votre fan, le petit Oscar, a besoin de toute sa stabilité, ironisa Morales. C'est des bonnes chaussures pour les gens qui ont les pieds plats. Chaussant large, un dessin de semelle exclusif. J'ai récupéré la paire qu'il portait hier soir et je l'ai déposée aux labos avec le reste de ses vêtements.

— Mais que portait-il au juste lorsqu'il est sorti du Bellevue ?

— Une nouvelle question digne d'Œil d'épervier.

Elle tentait de se reculer, en vain. À chaque centimètre qu'elle gagnait, il avançait à nouveau, au point qu'elle était presque complètement dans la penderie. Elle posa les Nike par terre, tourna sur elle-même et se dégagea de son embarrassante proximité.

— La nuit dernière, quand j'ai accepté de le

conduire chez les dingues, j'ai passé un petit marché avec lui, expliqua Morales. Je lui ai dit que s'il me confiait ses fringues, on s'arrêterait d'abord chez lui pour qu'il fourre des trucs de rechange dans un sac. Du coup, s'il voulait sortir du Bellevue, il aurait tout à portée de main.

— On dirait que vous vous attendiez à ce qu'il n'y séjourne pas très longtemps.

— Tout à fait. Il n'avait aucune intention de s'attarder là-bas puisque la seule raison qui le poussait à y aller, c'était de rencontrer Benton et surtout vous. Son rêve s'est réalisé et il s'est tiré.

— Lorsqu'il est passé chez lui hier pour prendre un sac de rechange, il était seul ?

— Il n'était pas sous mandat d'arrestation. Il pouvait faire ce qu'il voulait. Je suis resté dans la voiture et il est monté seul. Il est redescendu dix minutes plus tard, au max ! Peut-être que c'est pour ça que son petit piège en forme de fil traînait par terre. Il a pu oublier de l'installer en haut de la porte. Il était un peu secoué.

— On sait ce que contenait son sac ?

— Un jean, un tee-shirt bleu marine, une autre paire de baskets de marque Brooks, des chaussettes, des sous-vêtements et un manteau en laine à fermeture éclair. Le Bellevue a l'inventaire. C'est Jeb qui l'a réalisé. Vous l'avez rencontré.

Ils se tenaient près de la tente en feuille d'aluminium, ne se lâchant pas des yeux.

— Le gardien de prison qui se tenait derrière la porte de l'infirmerie cet après-midi pour s'assurer que vous ne risquiez rien, précisa-t-il.

La chanson de Rod Stewart *Do Ya Think I'm Sexy ?* la fit sursauter.

La sonnerie sélectionnée par Morales pour son PDA, un modèle assez mastoc et très cher.

494

Il enfonça le bouton de son écouteur Bluetooth et lança :

— Ouais ?

Elle sortit de la chambre et retrouva Benton dans la bibliothèque. Il tenait entre ses mains gantées un exemplaire de *The Air Loom Gang* et commenta :

— C'est l'histoire vraie d'un schizophrène à la fin du XVIIe siècle. Il s'était imaginé qu'une machine capable de contrôler l'esprit des gens existait. Tu vas bien ? Je n'ai pas voulu m'en mêler. Je me suis dit que tu crierais si tu voulais que je l'écrabouille comme une crêpe.

— C'est un véritable connard !

— En lettres capitales, en effet !

Il rangea le livre dans l'espace vide sur l'étagère.

— Je te parlais de *The Air Loom Gang*. Cet appartement pourrait être une scène tirée du livre, poursuivit Benton. Un asile de fous.

— Je sais.

Leurs regards se rencontrèrent, comme s'il attendait qu'elle lui dise quelque chose.

— Étais-tu au courant qu'Oscar était arrivé à l'étage carcéral de psychiatrie avec un sac contenant des vêtements de rechange, pour le cas où il aurait l'impérieuse envie de repartir ? Savais-tu que Morales l'avait conduit ici hier soir ?

— Je savais qu'Oscar pouvait quitter le Bellevue quand il le décidait. Nous étions tous au courant.

— Je trouve cela étrange. On dirait presque que Morales a tout fait pour l'encourager à partir, qu'il ne voulait pas qu'Oscar reste à l'hôpital.

— Qu'est-ce qui te fait penser ça ? demanda Benton.

— Des choses qu'il a dites.

Elle jeta un regard inquiet vers la porte ouverte,

redoutant de voir le détective dans l'encadrement, avant de reprendre :

— J'ai le sentiment qu'il y a eu pas mal de négociations hier soir, pendant qu'il ramenait Oscar à son appartement par exemple.

— Ça n'aurait rien d'inhabituel.

— Tu comprends bien dans quelle épineuse situation je me retrouve, lâcha-t-elle en déchiffrant à nouveau les titres des ouvrages alignés sur les étagères, pour être à nouveau déçue.

Oscar avait affirmé qu'elle trouverait le CD dans le livre, rangé dans la deuxième bibliothèque située à gauche de la porte, sur la quatrième étagère. Il n'y était pas. Des boîtes à archives s'entassaient sur ladite étagère, toutes étiquetées « Circulaires et prospectus ».

— À ton avis, que manque-t-il à sa collection pour qu'elle soit complète ? demanda Benton, jouant aux devinettes.

— Pourquoi me poser cette question ?

— Un gardien du nom de Jeb me raconte des choses. Malheureusement, il a tendance à être aussi bavard avec plein de gens. Ce qui est certain, c'est qu'il ne voulait surtout pas qu'il t'arrive des ennuis pendant que tu te trouvais à l'infirmerie, et il n'était pas du tout content que tu lui demandes de sortir. Quand j'ai appelé et appris qu'Oscar venait de quitter le Bellevue, Jeb et moi avons eu une petite conversation. Peu importe. Que manque-t-il à la collection d'ouvrages d'Oscar ?

— Je suis surprise qu'il ne possède pas *Expériences d'un médecin d'asile d'aliénés* de Littleton Winslow.

— Intéressant. C'est très intéressant que tu mentionnes ce titre.

Elle le tira par la manche et ils s'accroupirent devant la deuxième bibliothèque.

Scarpetta entreprit de tirer les boîtes à archives serrées sur l'étagère du bas. Elle commençait à se sentir vraiment désorientée, comme si elle venait de perdre son GPS ou tout autre moyen de lui indiquer la bonne direction. Elle ne savait plus qui était fou ou sain, qui mentait ou qui disait la vérité, qui parlait et à qui, et qui risquait de débarquer à l'improviste.

Elle ouvrit une boîte à archives et découvrit une multitude de brochures datant du XIXᵉ siècle, traitant des camisoles physiques et des traitements hydriques psychiatriques.

— J'aurais pensé qu'il l'aurait, murmura-t-elle.

— Il est normal qu'il ne possède pas un tel ouvrage puisqu'il n'existe pas, rétorqua Benton, son bras frôlant celui de Scarpetta, alors qu'ils parcouraient les brochures.

Sa présence, sa proximité physique était rassurante et elle avait besoin de la sentir.

— En tout cas pas par cet auteur, reprit-il. *Expériences d'un médecin d'asile d'aliénés* a été écrit par Montagu Lomax, à peu près cinquante ans après que Littleton Winslow, le fils de Forbes Winslow, avait écrit *Plaidoyer de folie* et le *Manuel de démence*.

— Pourquoi Oscar aurait-il menti à ce sujet ?

— Parce qu'il n'a confiance en personne et qu'il croit sincèrement être espionné. Peut-être que les méchants qui le poursuivent pourront l'entendre révéler l'endroit où il a caché son unique preuve. Du coup, il devient cryptique avec toi. Peut-être aussi que ses idées s'embrouillent ou qu'il te met à l'épreuve. S'il est assez important pour toi, si tu prends soin de lui, tu examineras sa bibliothèque, ce que tu viens juste de faire, et tu comprendras tout. Toutes sortes de raisons peuvent motiver son comportement.

Scarpetta ouvrit une autre boîte à archives, pleine, celle-ci, de brochures sur le Bellevue.

Elle en extirpa un manuel de soins et un répertoire recensant le personnel médical entre 1736 et 1894. Elle tira une liasse d'opuscules et de comptes rendus de conférences qui remontaient à 1858.

Au fond de la boîte reposait une clé USB attachée à une cordelette.

Scarpetta retira ses gants afin d'en envelopper la clé, qu'elle tendit à Benton.

Elle se releva et sentit la présence de Morales dans son dos avant de se tourner vers la porte. Elle espéra juste qu'il n'avait pas aperçu son geste.

— Bon, faut qu'on lève le camp tout de suite, lâcha le détective.

Il tenait un sac en papier réservé aux pièces à conviction, dont l'ouverture avait été scellée par du ruban adhésif rouge.

Benton rangea la boîte à archives sur son étagère basse et se releva à son tour.

La clé enveloppée des gants de latex avait disparu. Sans doute l'avait-il glissée dans sa poche.

— Jaime et Marino sont de l'autre côté de la rue. Pas de cette rue-ci, de celle de l'immeuble de Terri, dans Murray Hill, lança Morales, de toute évidence très nerveux et impatient. Le témoin qui a appelé pour signaler un cas de cruauté envers les animaux, elle répond ni au téléphone ni à l'interphone. Y a pas de lumière à l'entrée de son immeuble et le portail est verrouillé. Marino affirme que quand il est passé un peu plus tôt, c'était pas le cas.

Ils sortirent de l'appartement d'Oscar sans que Morales prenne la peine de rebrancher le système d'alarme.

— Il semble qu'il y ait une échelle d'incendie et une trappe de toit, poursuivit-il, tendu. La trappe en question est ouverte.

Il ne se préoccupa pas non plus de verrouiller.

Chapitre 28

Depuis la première visite de Marino un peu plus tôt, un des occupants de l'immeuble était rentré, l'homme qui vivait dans l'appartement 2C, au premier étage. Lorsque Marino avait fait le tour du bâtiment quelques minutes auparavant, il avait vu de la lumière et la lueur dansante d'un écran de télévision derrière d'épais doubles rideaux.

Il connaissait le nom du locataire, parce qu'il connaissait tous leurs noms. Pourtant, jusque-là, le Dr Wilson, un médecin du Bellevue âgé de vingt-huit ans, ne répondait pas à l'interphone.

Marino tenta à nouveau sa chance. Lucy et Berger étaient plantées à côté de lui, dans le froid, le vent, observant, attendant.

— Docteur Wilson ? s'époumona Marino en maintenant le bouton de l'interphone enfoncé. Docteur Wilson, ça nous ennuierait de pénétrer par la force dans l'immeuble !

Une voix d'homme, vraisemblablement celle du Dr Wilson, répondit par l'intermédiaire du haut-parleur scellé juste à côté de la porte :

— Vous ne m'avez toujours pas expliqué la raison de votre présence.

— Je suis l'enquêteur Marino du département de police de New York, répéta le flic en lançant ses clés de voiture à Lucy. Nous devons entrer dans l'appartement 2D, celui de Mme Eva Peebles. Si vous jetez un œil par la fenêtre, vous verrez mon Impala bleu sombre banalisée, d'accord ? Une femme officier de police va allumer la barre lumineuse du pare-chocs avant pour que vous puissiez constater qu'il s'agit bien d'un véhicule de police. Je comprends votre réticence à ouvrir, mais nous ne voulons pas pénétrer en force dans l'immeuble. Lorsque vous êtes rentré, avez-vous aperçu votre voisine ?

— Je ne vois rien du tout. Il fait trop sombre dehors, répliqua la voix.

Le doigt de Marino relâcha le bouton de l'interphone afin que le Dr Wilson ne puisse plus l'entendre et il bougonna pour lui-même :

— Sans blague, Sherlock ! Vous pariez combien qu'il a fumé de l'herbe ? C'est pour ça qu'il veut pas qu'on entre.

— Vous êtes bien le Dr Wilson ? demanda à nouveau Marino via l'interphone.

— Je n'ai pas à répondre à vos questions et je n'ai pas l'intention d'ouvrir la porte de l'immeuble. Certainement pas après ce qui s'est passé de l'autre côté de la rue. J'ai bien failli ne pas revenir.

Marino était certain que ce type était défoncé et se souvint que Mme Peebles lui avait confié qu'il fumait de l'herbe. Enfant de salaud ! Il s'inquiétait davantage d'être inculpé pour possession de stupéfiants que de ce qui avait pu arriver à sa vieille voisine veuve.

— Monsieur, il faut que vous déverrouilliez cette porte immédiatement. Si vous regardez par la fenêtre, vous remarquerez que les lumières de l'entrée ne sont plus allumées. Est-ce vous qui les avez éteintes en rentrant ?

— Je n'ai pas touché à l'éclairage, se défendit

l'homme dont la voix paraissait maintenant nerveuse. Comment je peux savoir que vous êtes de la police ?

— Laissez-moi essayer, proposa Berger.

Elle enfonça le bouton de l'interphone situé à droite de la porte, pendant que Marino l'éclairait de sa lampe. Il faisait nuit noire.

— Docteur Wilson ? Ici Jaime Berger, magistrate. Je travaille avec le procureur de la République. Nous devons nous assurer que votre voisine va bien et nous avons besoin que vous nous laissiez entrer.

— Non, lança la voix. Dites à de vraies voitures de police de se garer dans la rue et je changerai peut-être d'avis.

— Je pense que votre intervention n'a rien arrangé, commenta Marino. Il est chez lui, en train de fumer de l'herbe, je vous le garantis. C'est pour ça qu'il vient d'ouvrir sa foutue fenêtre.

À l'intérieur de la voiture de Marino, Lucy actionna la rampe lumineuse. Les intenses lumières rouges et bleues pulsèrent.

— Ça ne m'impressionne pas, déclara le Dr Wilson. N'importe qui peut acheter un truc pareil.

— Laissez-moi lui parler, intervint Berger en se protégeant les yeux des aveuglantes pulsations rouges et bleues.

Mais Marino insista :

— Docteur Wilson... je vais vous donner un numéro que je veux que vous appeliez. Quand vous aurez le dispatcheur en ligne, vous lui expliquerez qu'il y a un gars en bas de chez vous qui affirme être l'enquêteur P.R. Marino, d'accord ? Demandez-lui de vérifier parce qu'ils savent que je suis ici en ce moment, en compagnie du procureur Jaime Berger.

Un silence lui répondit.

— Il n'appellera pas, pronostiqua Berger.

Lucy gravit les marches quatre à quatre.

— Ça t'embêterait de me rendre un autre service pendant que je suis planté là et que je calme le bébé ?

Il la pria de retourner jusqu'à sa voiture et d'envoyer un message radio au dispatcheur. Elle voulut savoir ce qu'était devenue sa radio portable, à moins que la police n'ait décidé de ne plus s'en servir. Il rétorqua qu'il avait oublié la sienne dans la voiture. Pourrait-elle la récupérer pendant qu'elle demandait au dispatcheur d'envoyer une autre unité banalisée et un kit d'outils pour forcer la porte, un kit incluant un bélier ? Lucy observa qu'il s'agissait d'une vieille porte et qu'ils pourraient sans doute l'ouvrir avec un simple pied-de-biche. Marino n'était pas de cet avis. Il voulait bien davantage qu'un pied-de-biche. Il voulait que cet enfoiré de médecin défoncé du premier étage voie ce que ça donnait, un bélier double turbo en action, l'un de ceux qu'ils utilisaient pour défoncer les portes des taudis dans lesquels on fumait du crack. D'ailleurs, peut-être qu'ils n'auraient même pas à en faire la démonstration et que ce connard finirait par les laisser entrer. Marino termina en lui conseillant d'appeler une ambulance, au cas où Eva Peebles en aurait besoin.

La vieille dame ne répondait ni au téléphone, ni à l'interphone. Marino ne parvenait pas à déterminer si des lumières filtraient de son appartement. Toutefois, la fenêtre devant laquelle était installé son ordinateur était sombre.

Il n'eut pas besoin de donner les codes radio, ni aucune autre instruction à Lucy. Personne ne pouvait lui apprendre quoi que ce fût sur le métier de flic. Alors qu'il la regardait plonger à nouveau dans sa voiture, les souvenirs affluèrent.

Il regrettait les bons vieux jours où ils partaient tous

les deux en balade à moto. Il regrettait leurs entraîne-ments au tir, leur collaboration sur des enquêtes. Il regrettait ces moments de détente où ils se vidaient des canettes de bière, et il se demanda quelle arme elle avait sur elle.

Il était évident qu'elle avait une arme. Tout d'abord, il était inimaginable que Lucy traîne un peu partout désarmée, même à New York. De surcroît, il recon-naissait un blouson holster quand il en voyait un, et il avait remarqué le sien à l'instant même où elle était descendue de taxi, alors que l'officier de police était en train de charger la chaise empaquetée à l'arrière de la fourgonnette. Le vêtement, qui pour un œil non averti ressemblait comme deux gouttes d'eau à un blouson de motard en cuir noir, avait une poche exté-rieure assez grande pour dissimuler n'importe quel pistolet.

Peut-être qu'elle avait conservé le Glock calibre 40 avec mire laser qu'il lui avait offert à Noël dernier, alors qu'ils étaient encore à Charleston ? Mince, encore un coup de sa déveine habituelle : il n'avait pas eu le temps de transférer l'enregistrement de l'arme au nom de Lucy avant de disparaître de sa vie. En d'autres termes, si jamais elle faisait un truc timbré avec, on remonterait la piste jusqu'à lui. Néanmoins, l'idée qu'elle soit assez attachée au pistolet pour l'avoir sur elle, en violant les lois de New York sur le port d'armes et en risquant la prison, faisait plaisir à Marino.

Elle ressortit de l'habitacle de l'Impala avec autant d'aisance que s'il s'était agi de sa voiture et trotta vers eux. Il hésita. Pourquoi ne pas lui demander carrément si elle portait un flingue et, dans l'affirmative, lequel ? Il se retint. Elle se tenait à côté de Berger. Il y avait quelque chose entre elles et Marino l'avait perçu, tout comme il avait aussitôt remarqué le blouson holster. Berger gardait toujours ses distances avec les gens. Elle ne permettait à personne d'envahir la bulle invisible qu'elle maintenait autour d'elle, ou plutôt qu'elle s'était convaincue de devoir maintenir. Elle touchait Lucy, s'appuyait contre elle et son regard ne la quittait pas.

Lucy tendit la radio portative à Marino.

— Vous devez être un peu rouillé. Vous avez lâché le vrai boulot de flic depuis trop longtemps ? lui jeta-t-elle avec sérieux, le visage impassible, du moins pour ce qu'il en discernait dans cette obscurité. C'est une mauvaise idée d'oublier sa radio dans sa voiture. D'autres petites omissions du même type ? C'est comme ça qu'on finit par avoir des ennuis.

— Si j'ai besoin d'assister à tes cours un jour, je m'inscrirai, bougonna Marino.

— Je verrai si j'ai encore de la place.

Il appela le renfort qu'il avait demandé pour savoir où il se trouvait.

— Juste au coin, fut la réponse.

— Balance les gyrophares et la sirène, ordonna Marino.

Il enfonça à nouveau le bouton de l'interphone.

— Oui ?

— Docteur Wilson, ouvrez cette porte immédiatement ou nous l'enfonçons.

La sirène hurla. Un bourdonnement et la porte se déverrouilla. Marino bascula un interrupteur. La lumière inonda le petit hall et l'escalier de vieux chêne qui menait à l'étage. Il tira son pistolet et contacta l'unité de renfort pour lui demander d'éteindre gyrophares et sirène, d'attendre et de ne pas quitter le devant de l'immeuble des yeux. Il grimpa les marches quatre à quatre, suivi de Berger et Lucy.

Lorsqu'ils parvinrent au premier étage, un courant d'air glacial les accueillit. La trappe d'accès au toit était ouverte et les lumières du palier éteintes. Marino tâtonna à la recherche de l'interrupteur. Un bout de ciel nocturne apparaissait au-dessus de la trappe. Marino ne vit aucune trace de l'échelle de maintenance. Sa sombre prémonition vira à l'inquiétude et un sentiment d'urgence le saisit. Il aurait parié que l'échelle avait été tirée sur le toit. Il s'arrêta devant la porte palière de l'appartement 2D. Elle était entrouverte. Il poussa Berger sur le côté, contre le mur, et lança un bref regard à Lucy. Tous ses sens étaient en alerte. Il ouvrit la porte du bout du pied et cogna contre le mur intérieur.

La crosse du pistolet serrée entre ses mains, le canon légèrement pointé vers le haut, il cria :

— Police ! Y a quelqu'un ? Police !

Il n'eut pas besoin de demander à Lucy d'éclairer l'intérieur de la pièce. Le faisceau lumineux de sa torche la balayait déjà. Le bras de la jeune femme effleura son épaule. Elle bascula l'interrupteur et la lumière dorée d'un vieux lustre trop orné nimba la pièce. Marino et Lucy pénétrèrent dans l'appartement, signalant d'un geste à Berger qu'elle devait rester derrière eux. Tous s'immobilisèrent quelques secondes, regardant autour d'eux. Une sueur glaciale dévala du dos et des flancs de Marino. Il s'essuya le front d'un revers de manche. Son regard passa du relax en velours brun-roux dans lequel il s'était installé un peu plus tôt au canapé où s'était assise Mme Peebles pour descendre son bourbon. L'écran plat de télévision scellé au mur était allumé, mais le volume était baissé au maximum. Le gars qui « murmurait à l'oreille des chiens », ce nouveau type de dresseur qui pratiquait la communication instinctive, parlait sans un son à un beagle qui semblait gronder avec férocité.

De vieux stores vénitiens de bois occultaient toutes les fenêtres. Lucy s'était rapprochée de l'ordinateur qui trônait sur le bureau, et elle enfonça une touche.

L'écran de l'appareil revint à la vie. La page d'accueil du site *Dans le collimateur de Gotham* s'afficha, une page devenue folle.

Dans le collimateur de Gotham se réarrangeait en anagrammes grotesques. LE COLON DE GOTHAMTEUR ! La ligne des toits de New York était noire, sur un fond rouge claquant. L'arbre de Noël du Rockefeller Center était planté, cime vers le bas, au milieu de Central Park. Un orage de neige se déversait, des éclairs zébraient le ciel et le tonnerre éclatait dans le magasin de jouets FAO Schwarz, juste avant que la statue de la Liberté ne semble exploser.

— Allez-y, murmura Lucy, indiquant par là qu'elle couvrait Berger et lui pendant qu'il passait l'appartement en revue.

Il se rendit dans la cuisine, puis vérifia une petite salle d'eau d'amis et rejoignit la salle à manger. Il se retrouva devant une porte qui devait ouvrir sur la chambre. Il tourna la poignée en verre taillé et poussa le battant du pied, balayant la pièce de la gueule du canon de son arme. La chambre était déserte, le grand lit intact et fait avec soin, recouvert d'un kilt écossais sur lequel étaient brodés des chiens. Un verre vide était posé sur la table de nuit. Dans un coin était abandonnée une cage de voyage pour animaux, mais il ne vit trace ni d'un chien, ni d'un chat.

Les lampes de chevet avaient été déplacées et illuminaient maintenant chaque côté de l'embrasure d'une porte, révélant la mosaïque noir et blanc d'un carrelage. Il avança sans bruit vers la salle de bains, longeant le mur. Il braqua son pistolet vers l'intérieur. Un léger mouvement pénétra dans son champ de vision, sans qu'il parvienne tout d'abord à en préciser l'origine.

Le corps frêle et nu d'Eva Peebles était suspendu au plafond, par un bout de chaîne en métal qui retenait le cordon en satin doré lui enserrant la gorge. Ses poignets et ses chevilles avaient été entravés par des liens de plastique transparent, ajustés au plus serré. L'extrémité de ses doigts de pied frôlait le sol. Le courant d'air froid qui pénétrait par la fenêtre ouverte imprimait une oscillation presque surnaturelle au cadavre, qui tournait lentement dans un sens, puis dans l'autre, tordant le cordon doré, encore et encore.

Scarpetta craignait que l'individu qui venait d'assassiner Eva Peebles, âgée de soixante-douze ans, soit également le meurtrier de Terri Bridges. Surtout, elle craignait que cet individu ne soit autre qu'Oscar.

Cette idée lui avait traversé l'esprit au moment où elle avait pénétré dans la chambre, découvert les lampes de chevet posées par terre et le corps suspendu au cordon doré emprunté à un double rideau du salon et noué à une courte chaîne d'acier. Le plafonnier en albâtre, retenu auparavant par le crochet en S de la chaîne, avait été posé dans la baignoire, sur une pile de vêtements pliés. Depuis le pas de la porte, alors qu'elle prenait une série de clichés, elle parvenait à voir que les vêtements avaient été coupés aux coutures et arrachés sur la victime après que ses chevilles et ses poignets avaient été liés, alors qu'elle était sans doute encore en vie.

Des empreintes de chaussures très reconnaissables, pas plus grandes que celles qu'aurait pu laisser un jeune garçon, ornées d'un motif de semelle spécifique, ressortaient sur le blanc de l'abattant baissé des toilettes. De toute évidence, l'agresseur avait grimpé dessus pour atteindre le crochet qui retenait le plafonnier. À cette hauteur, un sujet d'un mètre vingt environ aurait parfaitement pu se débrouiller, surtout s'il était fort.

S'il s'avérait qu'Oscar Bane était le meurtrier, Scarpetta s'était trompée, interprétant de façon erronée les mesures qu'elle avait prises. Elle avait été guidée par son intégrité de médecin. Cependant il n'y avait pas place pour l'erreur ni pour la confidentialité lorsque des gens mouraient. Peut-être aurait-elle dû garder ses conjectures pour elle-même. Peut-être aurait-elle mieux fait d'encourager la police à mettre la main sur Oscar au plus vite, ou à l'empêcher, éventuellement de façon déplaisante, de quitter le Bellevue. Elle aurait pu donner à Jaime Berger une raison légitime de l'arrêter. Elle aurait pu révéler un certain nombre de choses, notamment le fait qu'Oscar s'était infligé ses prétendues blessures, qu'il avait menti aux policiers à leur sujet, menti en inventant un agresseur qui lui avait sauté dessus, menti quant à la raison pour laquelle son manteau était dans sa voiture, et menti encore à propos de cet ouvrage rangé dans sa bibliothèque et du CD qu'il dissimulait. La fin aurait alors justifié les moyens, parce que Oscar n'aurait plus été libre d'aller et venir, et peut-être Eva Peebles ne se balancerait-elle pas au gré du courant d'air.

Au fond, Scarpetta s'était trop comportée comme le fichu médecin d'Oscar. Elle avait commis la faute de s'inquiéter démesurément pour lui, de ressentir de la compassion à son égard. Il fallait qu'elle reste à l'écart des suspects, qu'elle se réserve pour ceux qui ne pouvaient plus souffrir et qu'il était donc plus aisé d'écouter, de questionner, d'examiner.

Berger retourna dans la chambre, restant à une distance raisonnable parce qu'elle connaissait bien le travail de scène de crime et qu'elle n'avait pas enfilé la tenue de protection qui couvrait Scarpetta de la tête aux pieds. Berger n'était pas le genre de femme à laisser sa curiosité l'emporter sur son jugement. Elle savait exactement ce qu'elle pouvait faire et ce qu'elle ne devait pas faire.

— Marino et Morales sont chez le voisin, annonça Berger, un type dont vous refuseriez qu'il soigne vos enfants. D'après ce que j'ai compris, il fait moins de dix degrés dans son appartement parce qu'il a ouvert grand les fenêtres. On peut encore sentir l'herbe d'ici. Nous avons posté des policiers dehors afin d'être certains que personne ne pénètre dans l'immeuble. Lucy s'occupe de l'ordinateur du salon.

— Et le voisin ? Il n'a pas remarqué que la trappe du toit était levée et que toutes les lumières avaient été éteintes ? s'énerva Scarpetta. Mais quand est-il rentré chez lui, à la fin !

Elle examinait toujours la scène avant de se décider à frôler quoi que ce soit. Le corps se balançait avec lenteur dans la lueur irrégulière des deux lampes.

— Voilà ce que je sais : il prétend qu'il est rentré aux environs de vingt et une heures. À ce moment-là, les lumières n'avaient pas été éteintes et la trappe d'accès au toit était fermée. Il s'est endormi devant la télé et n'a rien entendu, si tant est que quelqu'un ait pénétré dans l'immeuble.

— Je ne crois pas me tromper en affirmant que quelqu'un est bien entré.

— L'échelle permettant de grimper jusqu'à la trappe est en général rangée dans un placard de maintenance situé à cet étage. C'est pareil de l'autre côté de la rue, avec le haut escabeau. Benton affirme qu'elle est bien sur le toit. Il semble donc que le meurtrier connaissait cet immeuble, ou alors d'autres construits sur le même modèle – celui de Terri par exemple. Il est reparti par la trappe et a tiré l'échelle derrière lui.

— Vous avez une théorie sur la façon dont il est entré ?

— L'hypothèse du moment, c'est qu'elle lui a ouvert. Ensuite, il a éteint toutes les lumières sur son chemin en montant jusqu'à son appartement. Elle devait le connaître, ou alors elle a jugé qu'elle pouvait lui faire confiance. Ah, autre chose : le voisin affirme qu'il ne l'a pas entendue crier. C'est intéressant. Peut-être qu'il n'y a pas eu de cris ?

— Je vais vous résumer ce que je vois et peut-être pourrez-vous répondre à cette question, proposa Scarpetta. Tout d'abord, et sans avoir à me rapprocher, à la coloration du visage, à la langue qui sort de la bouche et à l'angle que forme le nœud coulant très serré juste derrière son oreille droite, en plus de l'absence de toute autre trace apparente de ligature à cet endroit, je peux vous dire que la cause de la mort est sans doute une asphyxie consécutive à une pendaison. En d'autres termes, je doute que nous découvrions qu'elle a été étranglée d'abord par un lien, puis que son cadavre a été suspendu au crochet du plafonnier à l'aide de l'embrasse du double rideau.

— Je n'ai toujours pas la réponse à ma question, objecta Berger. Pourquoi ne s'est-elle pas mise à hurler ? Quelqu'un vous attache les mains dans le dos, les chevilles, à l'aide de Flexi Cuff terriblement serrés, vous êtes nue et...

— Il ne s'agit pas de Flexi Cuff. Ça ressemble davantage à l'entrave utilisée pour lier les poignets de Terri. Autre ressemblance entre les deux cas : les vêtements ont été découpés. (Scarpetta pointa en direction de la baignoire.) Je crois qu'il veut nous faire connaître la chronologie de ses actes. Il se donne du mal pour que ce soit très clair. Il nous a même laissé les lampes de chevet allumées, à l'endroit où il les avait posées, pour que nous puissions voir mieux. Il n'y a pas d'autre source lumineuse dans la salle de bains puisqu'il a descendu le plafonnier, qu'il a posé dans la baignoire.

— Vous êtes en train d'insinuer que c'est à notre intention qu'il a déménagé ces lampes de la chambre ?

— D'abord pour lui. Sa première priorité était de voir ce qu'il faisait. Mais il les a laissées en partant. Pour faire monter la pression chez ceux qui allaient la découvrir. L'effet choc.

— Dans la lignée des crimes en série de Gainesville. Une tête tranchée posée sur une étagère de bibliothèque, résuma Berger.

Son regard effleura le corps qui tournoyait lentement, dans une sorte de danse grotesque.

— C'est un peu ça, approuva Scarpetta. Et le corps qui oscille dans un sens, puis dans l'autre. Si ça se trouve, c'est l'unique raison pour laquelle le meurtrier a ouvert la fenêtre. Selon moi, c'est sa dernière touche avant de quitter les lieux.

— Le but pourrait être également de refroidir artificiellement le corps, suggéra le procureur.

— Je ne pense pas qu'il s'en préoccupe le moins du monde. Non, je crois vraiment qu'il a ouvert la fenêtre pour que l'air s'engouffre et la fasse danser.

Berger fixa le corps qui se balançait.

Scarpetta récupéra son appareil photo, ainsi que deux thermomètres chimiques à cristaux liquides dans sa mallette de scène de crime.

— Cependant nous sommes environnés d'immeubles, poursuivit Scarpetta d'un ton dur. Il aura donc pris soin de baisser les stores avant de se livrer à son occupation. Sans cela, quelqu'un aurait pu assister à ce cauchemar, peut-être le filmer à l'aide d'un téléphone mobile et le balancer sur *YouTube*. Cela étant, il a été assez pervers pour remonter les stores de la salle de bains juste avant de partir et s'assurer ainsi que l'air pénétrerait bien dans la pièce, rendant possibles ses effets spéciaux.

Percevant la colère de Scarpetta sans en connaître la raison, Berger lança :

— Je suis désolée que votre rencontre avec Marino se soit déroulée de cette façon.

L'humeur de Scarpetta n'avait rien à voir avec le grand flic. Elle avait digéré le drame bien avant et s'en sentait libérée, du moins pour le moment. C'était sans importance pour l'instant. Berger n'était pas accoutumée au comportement de Scarpetta sur une scène de crime, puisqu'elle n'avait jamais eu l'occasion de collaborer avec elle dans ce genre de situation. Elle n'avait donc aucune idée du changement d'attitude de la légiste lorsqu'elle se retrouvait confrontée au triomphe de la cruauté – et surtout l'idée que cette mort-là aurait pu être évitée l'obsédait, peut-être aurait-elle pu l'empêcher.

Eva Peebles était morte de façon affreuse. Elle avait souffert physiquement et avait éprouvé une terreur épouvantable, offrant ainsi au tueur un amusement sadique. C'était à la fois étonnant et regrettable qu'elle ne soit pas morte d'une crise cardiaque avant qu'il en ait fini avec elle.

Si l'on en jugeait par l'angle aigu montant que formait la corde autour de son cou, Eva Peebles n'avait pas sombré rapidement dans l'inconscience. À l'agonie, elle avait été incapable de forcer l'air dans ses poumons en raison de la pression exercée par la corde contre les voies respiratoires. L'inconscience occasionnée par un manque d'oxygène peut prendre plusieurs minutes qui ressemblent à une éternité. Elle aurait donné des coups de pied si ses chevilles n'avaient été entravées, et c'était peut-être pour cette raison que le tueur avait agi ainsi. Peut-être avait-il amélioré sa technique après le meurtre de Terri Bridges, se rendant compte qu'il était préférable que ses victimes ne s'agitent pas.

Scarpetta ne remarqua aucun signe de lutte, juste une abrasion sur le tibia droit. L'éraflure était récente, mais elle ne pouvait guère en dire davantage.

— Vous pensez qu'elle était déjà décédée lorsqu'il l'a pendue ? demanda Berger.

— Non, je ne le pense pas. Selon moi, il l'a attachée, a coupé ses vêtements, l'a mise dans la baignoire, puis a glissé le nœud coulant autour de son cou et l'a hissée juste assez pour que son poids tende la corde et resserre le nœud au point de comprimer la trachée. Elle n'a guère pu se défendre en raison de ses entraves. D'autant qu'elle était frêle. Elle doit faire moins d'un mètre soixante et peser quarante-six à quarante-huit kilos au maximum. Une proie facile pour lui.

— Elle n'était pas assise. Elle ne s'est pas vue mourir ?

— Pas elle. Non, je ne crois pas. Pourquoi ? C'est la question qu'il faut poser à Benton. Si tant est que nous parlons bien du même tueur.

Scarpetta continuait à prendre des photos. Il était crucial qu'elle recueille ce qu'elle voyait avant de passer à autre chose.

— Vous avez un doute ? s'enquit Berger.

— Ce que je sens ou pense n'a pas grand intérêt. J'essaie de le laisser de côté. Je vais vous dire ce que le corps me raconte à cet instant : il existe des similitudes frappantes entre ce meurtre et celui de Terri Bridges.

L'obturateur claqua, le flash les aveugla.

Les mains croisées derrière le dos, Berger s'était rapprochée et appuyée contre le chambranle de la porte. Elle fixait la scène et déclara :

— Marino est dans le salon en compagnie de Lucy. Votre nièce pense que la victime pourrait avoir un lien avec le site *Dans le collimateur de Gotham*.

Sans se tourner vers elle, Scarpetta remarqua :

— Planter le site n'était pas la bonne solution. J'espère que vous parviendrez à le lui faire comprendre. Elle ne m'écoute pas toujours.

— Elle m'a raconté quelque chose au sujet d'une photo de morgue de Marilyn Monroe.

— Ce n'était pas ainsi qu'il fallait procéder, insista Scarpetta au moment où le flash se déclenchait. J'aurais préféré qu'elle s'abstienne.

Le corps virait avec lenteur, la corde se tordant dans un sens, puis l'autre. Tout éclat avait quitté les yeux bleus d'Eva Peebles, grands ouverts. Des cheveux d'un blanc neigeux encadraient son fin visage ridé. Des mèches avaient été prises dans le nœud coulant. Elle ne portait aucun bijou, à l'exception d'une mince chaînette en or autour de la cheville gauche. Comme Terri Bridges.

— Lucy l'a-t-elle admis ? demanda Scarpetta. Ou est-ce une déduction ?

— Non, elle n'a rien admis et je préfère que cela reste ainsi.

— Toutes ces choses dont vous ne souhaitez pas qu'elle vous parle, murmura Scarpetta.

— J'ai beaucoup à lui dire sans risquer de le faire d'une façon qui pourrait se révéler désavantageuse, contra Berger. Néanmoins, je vous comprends parfaitement.

Scarpetta scruta le sol carrelé noir et blanc avant d'y poser ses pieds couverts de protège-chaussures en papier. Elle posa un des thermomètres sur le rebord du lavabo et glissa l'autre sous l'aisselle gauche d'Eva Peebles.

— D'après ce que j'ai compris, le virus qui a endommagé le site a également permis à Lucy de le pirater. Une fois qu'elle est entrée, elle peut accéder à la messagerie électronique d'Eva Peebles, résuma Berger. Ne me demandez surtout pas comment ça marche. Lucy est tombée sur un fichier électronique qui contenait pratiquement tous les articles publiés sur *Dans le collimateur de Gotham*, notamment ceux parus ce matin, à quelques heures d'intervalle. Elle a aussi trouvé la photo de Marilyn Monroe qu'Eva Peebles avait ouverte. En d'autres termes, il semble que la vieille dame n'écrivait pas ces chroniques, elle n'était qu'un intermédiaire. Elles lui étaient envoyées d'une autre adresse IP, dont Lucy dit qu'elle a été rendue anonyme. Toutefois, et puisqu'il s'agit d'une autre mort violente probablement liée à ces *e-mails*, nous n'aurons aucune difficulté à convaincre le fournisseur d'accès de nous révéler à qui appartient ce compte de messagerie.

Scarpetta lui tendit un calepin et un stylo, et lui demanda :

— Vous voulez bien prendre des notes ? La température ambiante est de quatorze degrés et la température corporelle de trente-deux. Ça ne signifie pas grand-chose puisqu'elle était très mince, dévêtue, et que la pièce est froide. La *rigor mortis* n'est pas encore apparente, ce qui n'est pas non plus une surprise puisque la réfrigération la retarde. De plus, nous savons qu'elle a appelé le numéro d'urgence à... à quelle heure exactement ?

— Vingt heures quarante-neuf exactement, la renseigna Berger en prenant des notes. En revanche, nous ignorons quand, au juste, elle s'est rendue dans cette animalerie. On suppose que c'était environ une heure avant son appel à la police.

— J'aimerais entendre l'enregistrement de cette communication.

Scarpetta plaça ses deux mains sur les hanches du cadavre pour l'empêcher de continuer à osciller. Elle l'examina de plus près, le faisceau de sa lampe balayant le corps nu. Elle remarqua un résidu luisant au pourtour vaginal.

Berger réfléchit :

— Ce que l'on sait, c'est que la victime était sûre d'avoir rencontré Jake Loudin. Si ce type est la dernière personne à l'avoir vue vivante...

— Certes, mais est-il vraiment la dernière personne ? Sait-on s'il peut y avoir un lien entre lui et Terri Bridges ?

— Quelque chose d'assez flou qui pourrait n'être qu'une coïncidence.

Et Berger lui raconta la teneur de l'entrevue de Marino avec Eva Peebles. Elle mentionna ce chiot Boston terrier nommé Ivy dont Terri ne voulait pas. On ne savait pas au juste qui avait offert la petite chienne malade à Terri Bridges. Peut-être Oscar. Peut-être quelqu'un d'autre. Peut-être l'animal avait-il été acheté dans une des boutiques de Jake Loudin, mais c'était difficile à confirmer, pour ne pas dire impossible.

— Inutile de vous dire qu'il est bouleversé, continua Berger en faisant référence à Marino. Le cauchemar que redoutent la plupart des flics. Vous discutez avec un témoin, et ensuite il se fait descendre. L'étape suivante, c'est qu'il va se ronger les sangs en se disant qu'il aurait pu tenter quelque chose pour l'empêcher.

Scarpetta maintenait toujours le corps, détaillant le résidu gélatineux collé aux poils pubiens gris et sur les plis des lèvres. Elle ne voulait pas fermer la fenêtre tant que la police n'avait pas relevé tous les indices possibles avec les techniques jugées les plus appropriées.

— C'est une sorte de lubrifiant, annonça-t-elle à Berger. Pourriez-vous demander à Lucy si son avion a déjà décollé de La Guardia ?

Trois pièces les séparaient, aussi le procureur téléphona-t-elle à la jeune femme :

— À quelque chose malheur est parfois bon. Dis-leur d'attendre encore. Nous venons de trouver autre chose qui doit être acheminé... Bien... Merci.

Elle raccrocha et se tourna vers Scarpetta.

— Avis de forts vents parallèles. Ils sont toujours au sol.

Chapitre 29

Les empreintes de pieds retrouvées sur l'abattant des toilettes étaient identiques au dessin de la semelle des chaussures qu'Oscar Bane portait la veille au soir, lorsqu'il avait prétendument découvert le corps de Terri Bridges.

Les traces de doigts découvertes sur le plafonnier d'albâtre que le tueur avait déposé dans la baignoire étaient encore plus compromettantes. Il s'agissait bien de celles d'Oscar. Peu après minuit, un mandat d'arrêt fut lancé contre Oscar Bane, mandat diffusé par les médias et par Internet.

Le « nabot meurtrier » était devenu le « monstrueux nabot », et les forces de police de tout le pays le recherchaient. Morales avait également alerté Interpol, au cas où Oscar serait parvenu à échapper aux services de sécurité des aéroports et des frontières, et se serait enfui à l'étranger. Les témoignages de gens affirmant l'avoir aperçu ici ou là affluèrent. Au premier bulletin d'information de trois heures du matin, on apprit que nombre de personnes de petite taille, surtout les hommes jeunes, se claquemuraient chez elles de crainte de se faire harceler, ou pire.

Ce mercredi matin, aux environs de cinq heures, Scarpetta, Benton, Morales, Lucy, Marino et une enquêtrice de Baltimore qui avait exigé qu'on l'appelle par son nom de famille – Bacardi – étaient réunis depuis au moins quatre heures dans le salon du penthouse de Jaime Berger. La table basse était jonchée de photographies, de rapports, sans oublier des tasses à café et les sacs provenant d'un *delicatessen* voisin, ouvert toute la nuit. Une jungle de cordons sortait des prises murales, alimentant les ordinateurs portables de chacun. Ils parcouraient des fichiers tout en discutant.

Lucy, en tailleur, était adossée à l'un des coins de l'immense canapé en forme de U, son MacBook ouvert sur les genoux. Elle jetait parfois un regard à Morales, se demandant si ce qu'elle pensait était fondé. Derrière les vitres du bar juste en face d'elle s'alignaient une bouteille de Knappogue Castle *single malt*, un whisky irlandais, et une autre de scotch Brora, lui aussi *single malt*. Elle les avait remarquées dès son arrivée, et Morales avait intercepté le regard qu'elle leur jetait. Il s'était approché et avait déclaré :

— *Ah, une fille qui partage mes goûts !*

La façon dont il l'avait formulé avait mis Lucy très mal à l'aise, une sensation dont elle ne parvenait pas à se défaire, au point qu'elle éprouvait depuis des difficultés à se concentrer sur autre chose. Berger était assise à côté d'elle dans le loft lorsqu'elles avaient pris connaissance de la prétendue interview donnée à Terri Bridges, interview dans laquelle Scarpetta se vantait de boire des alcools plus onéreux que tous les ouvrages universitaires que pourrait s'acheter Terri. Pourquoi Berger n'avait-elle pas réagi à ce moment-là ? Comment se faisait-il que son bar renferme le même whisky irlandais, rare et très cher, que celui mentionné dans l'interview et qu'elle n'ait pas fait le moindre commentaire à ce sujet ?

C'était Berger qui dégustait ces alcools, pas Scarpetta. Et, aux yeux de Lucy, le plus troublant, le plus inquiétant, était l'identité de la personne avec qui elle les partageait. La question avait traversé son esprit lorsque Morales s'était rendu compte de son intérêt pour les bouteilles. Il avait eu un petit sourire suffisant et, depuis, à chaque fois qu'il regardait la jeune femme, une lueur étrange passait dans ses yeux, comme s'il avait remporté un concours confidentiel.

Bacardi et Scarpetta argumentaient depuis un moment :

— Non, non, non... Oscar aurait pas pu y arriver avec les miens, répéta Bacardi en secouant la tête. J'espère que je choque personne en parlant de nain. C'est que j'arrive pas à m'habituer à les appeler « personnes de petite taille ». Faut vous dire que, comme vous l'avez remarqué, je suis pas très grande moi-même. En plus, je suis un vieux singe. Difficile de m'apprendre de nouveaux tours. J'ai déjà du mal à me souvenir des anciens.

Elle n'était pas, en effet, très grande, mais pas petite non plus. Lucy avait rencontré quantité de femmes semblables à Bacardi dans sa vie, presque toutes juchées sur des Harley Davidson, des femmes mesurant à peine un mètre cinquante qui persistaient à enfourcher la plus grosse moto qu'elles trouvaient, si possible quatre cents kilos de métal, même si le bout de leurs bottes touchait à peine l'asphalte. Plus tôt dans sa carrière parmi les forces de police de Baltimore, Bacardi avait été flic à moto, et son visage l'attestait. Il avait été buriné par une trop grande intimité avec le soleil et le vent. Elle clignait sans cesse des yeux et ses sourcils se fronçaient, lui donnant l'air renfrogné.

Ses cheveux courts étaient teints en roux et ses yeux d'un bleu intense. Elle était baraquée sans être grosse et avait sans doute pensé faire un gros effort de toilette lorsqu'elle avait opté pour un pantalon de cuir marron, des boots de cow-boy et un pull ajusté avec un col en U au décolleté très avantageux, qui révélait le petit papillon tatoué sur son sein gauche à chaque fois qu'elle se penchait pour récupérer un document dans sa sacoche posée par terre. Dans son genre, elle était assez sexy. Surtout, elle était drôle. Son accent de l'Alabama était aussi épais que du caramel. De toute évidence, elle n'avait peur de rien ni de personne. Marino ne l'avait pas quittée des yeux depuis qu'elle était arrivée, chargée de trois boîtes de dossiers concernant les homicides commis cinq ans plus tôt à Baltimore et à Greenwich.

— Je ne cherche pas à démontrer à toute force ce qu'une personne de petite taille aurait pu ou n'aurait pas pu faire, insista Scarpetta.

Contrairement à pas mal de gens, elle était assez courtoise pour cesser de taper sur son clavier et lâcher l'écran du regard lorsqu'elle discutait avec quelqu'un.

— Mais il pouvait pas ! Attendez, je suis pas le Vieux Fidèle de Yellowstone, le geyser qui crache à intervalles réguliers, et ça m'ennuie d'interrompre à tout bout de champ, mais je veux être sûre que vous écoutez ce que j'ai à vous dire, d'accord ?

Son regard passa de l'un à l'autre.

— D'accord, se congratula-t-elle. Ma dame – elle s'appelait Bethany – faisait pas loin d'un mètre quatre-vingts, donc y a aucun moyen pour qu'un individu mesurant un mètre vingt environ ait pu lui passer un garrot.

Scarpetta répéta patiemment :

— Je me suis contentée de souligner qu'elle avait été garrottée, du moins si j'en juge par les photos que vous m'avez montrées et par les rapports d'autopsie que j'ai parcourus. L'angle des marques qu'elle porte au cou, mais aussi le fait qu'il y en a plusieurs, etc., tout cela est évocateur. Je ne suis pas en train de préciser qui a pu ou n'a pas pu le faire.

— Mais moi, c'est là que je veux en venir. Moi, je dis qui a pu ou a pas pu le faire. Bethany ne s'est pas débattue. Ou alors, par un incroyable miracle, elle ne s'est pas blessée au cours de la lutte, bref elle avait pas un seul bleu. Je vous assure : un agresseur de taille normale se tenait derrière elle et ils étaient tous les deux debout. Je pense qu'il l'a violée par-derrière, pendant qu'il l'étranglait parce que c'est ce qui l'excite. Il s'est produit la même chose avec Rodrick, le jeune garçon. Le gosse était debout et le mec se tenait dans son dos. Le gros avantage que le tueur a eu dans mes deux cas, c'est qu'il était assez costaud pour les maîtriser. Il les a intimidés au point qu'ils se sont laissé ligoter les mains dans le dos sans protester. Il semble pas qu'il y ait eu lutte du tout.

— J'essaie de me souvenir quelle taille faisait Rodrick, intervint Benton.

Ses cheveux étaient en bataille et un duvet couvrait ses joues, évoquant à Lucy un dépôt de sel.

Deux nuits blanches consécutives avaient laissé leur trace sur lui.

— Un mètre soixante-quinze pour soixante et un kilos, le renseigna Bacardi. Maigrichon et pas très robuste. Pas non plus le genre bagarreur.

— On peut affirmer que toutes les victimes avaient un point commun, lança Benton. Enfin, je devrais plutôt dire : toutes les victimes dont nous avons eu connaissance. Elles étaient vulnérables. Elles présentaient toutes un handicap, même de nature différente.

— Sauf si le tueur est Oscar, rappela Berger à l'assemblée. À ce moment-là, la donne change. Parce que, même lorsqu'on est un adolescent maigre bourré de came, on n'est pas nécessairement désavantagé face à un agresseur qui mesure un mètre vingt-deux. Croyez bien que cela m'ennuie vraiment de ressasser cela. Mais tant que nous n'aurons pas une explication logique à la présence des empreintes digitales d'Oscar Bane sur le plafonnier d'Eva Peebles, je persisterai. Sans oublier les empreintes de chaussures abandonnées par une paire de Brooks Ariel, modèle de femme, taille 38, bref les chaussures que porte Oscar.

— On peut pas non plus passer sous silence qu'il s'est volatilisé, renchérit Marino. Il doit bien savoir qu'on le recherche, mais il se transforme en fugitif. Il pourrait se rendre. Ce serait son intérêt. Au moins, il serait plus en sécurité.

— Nous parlons d'un sujet qui présente une véritable paranoïa, insista Benton. Rien au monde ne pourrait le convaincre qu'il sera en sécurité s'il se rend.

— Ce n'est pas forcément vrai, rectifia Berger en se tournant vers Scarpetta.

Celle-ci était plongée dans des clichés d'autopsie et ne remarqua pas le regard pensif du procureur.

— Non, je ne crois pas, lâcha Benton comme s'il savait où Berger voulait en venir. Il ne le ferait pas, pas même pour elle.

Lucy comprit que Berger tramait un plan pour que Scarpetta lance un appel à Oscar.

— De toute façon, je vois pas comment un appel quelconque parviendrait jusqu'à lui, argumenta Morales. À moins qu'elle le contacte par téléphone, chez lui. Peut-être qu'il peut pas résister et qu'il consulte ses messages.

— Jamais de la vie, rétorqua Benton. Mettez-vous à la place d'Oscar, réfléchissez une minute avec sa tête. Quelle personne susceptible de l'appeler aurait-il envie d'entendre ? La seule qui comptait pour lui, la seule en qui il avait apparemment confiance est morte. D'autant que je ne suis pas certain qu'il ait toujours une foi inébranlable en Kay. Peu importe. Je ne crois vraiment pas qu'il consulte ses messages à distance. Il est déjà convaincu d'être contrôlé, qu'on l'espionne, et c'est, selon moi, la raison principale pour laquelle il se cache. La dernière chose qu'il fera, c'est prendre le risque de pénétrer à nouveau sur le radar ennemi.

— Et un message électronique ? suggéra Morales. Elle pourrait lui en envoyer un. Depuis l'adresse Scarpetta612. Je veux dire : il croit vraiment que c'est vous.

Il dévisagea Scarpetta, qui regardait maintenant tous les autres, écoutant leurs ébauches de plans qui se résumaient tous à la même chose : de quelle façon pourrait-elle persuader Oscar Bane de se rendre à la police ? À l'expression qui se lisait sur son visage, Lucy comprit que Scarpetta n'avait aucune envie de participer à ce genre de marchandage, en dépit du fait qu'elle y était désormais autorisée. Le secret professionnel avait été rompu puisque Oscar fuyait la justice. Des mandats d'arrêt avaient été lancés contre lui. Lorsqu'il serait arrêté, il serait jugé et reconnu coupable, à moins d'un miracle. Lucy ne voulait pas penser à ce qui risquait de lui arriver en prison. Elle dit :

— Je crois qu'il doit se douter que nous avons fouillé sa messagerie électronique. Il n'utilisera pas ce compte s'il se connecte. À moins d'imaginer qu'il soit idiot, désespéré ou qu'il ait perdu les pédales. Je suis d'accord avec Benton. Vous voulez une autre suggestion ? Essayez plutôt la télévision. C'est probablement le seul écran qu'il regarde, à moins qu'il ne soit convaincu que ses ennemis peuvent le localiser dès qu'il allume le poste dans un Holiday Inn quelconque. Il doit suivre les informations.

— Vous pourriez lui lancer un appel sur CNN, suggéra Berger.

— C'est géant ! s'exclama Morales. Une fois sur CNN, priez Oscar de se rendre. Étant donné les circonstances, c'est le meilleur plan pour sa vie d'inutile.

— En fonction de l'endroit où il se trouve, il peut contacter un bureau local du FBI. De cette manière, il n'a pas à redouter de tomber entre les pattes du shérif du coin, qui n'a pas la moindre idée de ce qui se passe.

— S'il appelle le FBI, ils vont tirer la couverture à eux et s'attribuer le mérite de son arrestation, objecta Morales.

— Mais on s'en tape, de qui reçoit les compliments, s'énerva Marino. Je suis d'accord avec Benton.

— Moi aussi, renchérit Bacardi. Il faut qu'il appelle les fédéraux.

— Je vous suis très reconnaissante de décider à ma place, intervint le procureur. Cela étant, je suis plutôt d'accord. Ce serait beaucoup plus risqué s'il tombait entre de mauvaises mains. Et si, par hasard, il n'est plus aux États-Unis, il peut quand même toujours contacter le FBI. À partir du moment où il revient ici, je me moque de qui l'aura en fin de compte.

Son regard se riva à celui de Morales et elle conclut :

— On se fiche de qui recevra les lauriers.

Il soutint son regard un instant, puis se détourna et adressa un clin d'œil à Lucy. L'enfoiré d'enfant de salaud !

Scarpetta lâcha soudain :

— Je ne me servirai pas d'une émission de CNN pour lui demander de se rendre. Je ne fais pas ce genre de choses parce que je ne suis pas ce genre de personne. Je ne prends pas parti.

— Vous êtes pas sérieuse là ? contra Morales. Vous

êtes en train de me dire que vous ne poursuivez pas les méchants ? Enfin, le Dr CNN attrape toujours les méchants ! Allons ! Vous ne voulez pas foutre en l'air votre réputation à cause d'un nain !

— Ce qu'elle est en train de vous expliquer, c'est qu'elle représente la défense, la victime, traduisit Benton.

— C'est exact d'un point de vue légal. Elle ne travaille pas pour moi, ni pour la partie adverse.

— Si tout le monde en a fini de parler à ma place et si personne n'a d'autre question, j'aimerais rentrer chez moi, annonça Scarpetta en se levant.

Sa colère était palpable.

Lucy tenta de se souvenir quand elle avait vu sa tante aussi furieuse qu'aujourd'hui, surtout en public. Cela ne lui ressemblait pas.

— À quelle heure pensez-vous que le Dr Lester entreprendra l'autopsie d'Eva Peebles ? Je veux dire : la commencera vraiment. Je ne vous demande pas quand elle a certifié qu'elle s'y mettrait. Je n'ai pas l'intention d'arriver à l'institut médico-légal et d'attendre des heures assise sur une chaise. Et, malheureusement, je ne peux pas débuter sans elle. Au demeurant, c'est bien dommage qu'elle ait quoi que ce soit à y voir.

Scarpetta regarda Morales dans les yeux. Il avait prévenu le Dr Lester de chez Eva Peebles.

— Je n'ai pas mon mot à dire, admit Berger. Je pourrais appeler le médecin expert en chef, mais ce serait une mauvaise idée. Je crois que vous comprenez pourquoi. Ils sont déjà convaincus que je me mêle de tout.

— Ben, c'est parce que c'est vrai, ironisa Morales. Jaime-qui-fourre-son-nez-partout. C'est comme ça qu'ils vous appellent.

Berger l'ignora et se leva de sa chaise. Elle jeta un regard à sa très luxueuse montre et lança à Morales :

— Sept heures. C'est bien ce qu'elle a prévu, n'est-ce pas ?

— Ouais, c'est ce que la mère Lester a dit.

— Puisque vous semblez si copain avec elle, peut-être pourriez-vous vous en assurer, vérifier qu'elle va vraiment commencer l'autopsie à sept heures, de sorte que Kay ne saute pas dans un taxi pour perdre ensuite son temps à l'institut médico-légal, assise à attendre, surtout après une nuit blanche.

Morales se tourna vers Scarpetta.

— Vous savez quoi ? Je vais aller la chercher chez elle. C'est un bon plan, ça, non ? Et je vous appellerai quand on sera sur le chemin. Même que je ferai un détour pour passer vous prendre aussi.

— C'est la meilleure idée que vous ayez eue depuis longtemps, commenta Berger.

S'adressant à tous deux, Scarpetta déclina :

— Merci, mais je me débrouillerai toute seule. En revanche, appelez-moi lorsque vous serez en route. Merci.

Berger raccompagna Scarpetta et Benton à la porte. Lorsqu'elle rejoignit le salon, Marino avait envie d'un café. Lucy suivit le procureur dans la vaste cuisine toute d'acier inoxydable, de vieux châtaignier et de granit. Elle avait décidé qu'elle devait en avoir le cœur net, maintenant. La façon dont Berger réagirait déterminerait si oui ou non le futur pouvait exister.

— Tu t'en vas ?

Il y avait de la familiarité dans le ton de Berger. Elle regarda Lucy en ouvrant un paquet de café. La jeune femme rinça le pot de la cafetière et le remplit avant de lâcher :

— Les whiskys dans ton bar.

— Quels whiskys ?

— Tu le sais très bien.

Berger récupéra le pot et versa l'eau dans le réservoir de la cafetière.

— Non. Ne me dis pas que tu as besoin d'un petit coup de fouet. Je n'aurais jamais pensé ça de toi.

— Il n'y a rien de drôle là-dedans, Jaime.

Berger enfonça le bouton de mise en marche et s'appuya contre le comptoir. Elle semblait vraiment ne pas comprendre où Lucy voulait en venir. Mais la jeune femme ne la croyait pas.

Lucy mentionna le whisky irlandais et le scotch qui se trouvaient dans le bar.

— Ils sont sur l'étagère du haut, juste derrière les vitres, dans ton fichu bar ! Il est impossible de les manquer.

— Greg. Il les collectionne. Et je ne les ai pas vus.

— Il les collectionne au présent ? Je ne savais pas qu'il était toujours dans les parages, s'emporta Lucy qui se sentait mal, peut-être plus mal qu'elle ne l'avait jamais été.

— Ce que je veux dire, c'est que ces bouteilles sont les siennes, rétorqua Berger sans se départir de son calme habituel. Si tu ouvres les placards, tu découvriras une fortune en « nombre limité de bouteilles » ou *single malt*. Et il est exact que je ne les ai pas vus. Je n'y ai même jamais fait attention parce que je ne bois pas ses précieux whiskys. Je n'en ai jamais bu.

— Vraiment ? persista Lucy. Alors pourquoi Morales semble-t-il au courant qu'ils sont dans ton bar ?

— C'est ridicule, et ce n'est ni le moment, ni le lieu, dit Berger d'un ton doux. Je t'en prie, ne fais pas ça.

— Son regard s'est dirigé immédiatement sur les bouteilles, comme s'il savait quelque chose. Il est déjà venu chez toi ? Avant ce matin ? Peut-être que les cancans sur la Tavern on the Green sont plus sérieux qu'il y paraît.

— Non seulement je n'ai pas à répondre à cela, mais en plus je m'y refuse. Je ne peux pas...

Aucun énervement ne transparaissait dans la voix de Berger, dont la réponse était presque gentille. Elle reprit :

— ... Aurais-tu la gentillesse de leur demander qui veut du café et avec quoi dedans ?

Lucy retourna au salon. Elle ne demanda rien à personne. Elle débrancha le cordon d'alimentation, l'enroula calmement autour de sa main et le fourra dans l'étui de protection en Nylon avec le MacBook.

— Il faut que je retourne à mon bureau, lança-t-elle à la cantonade au moment où Berger réapparaissait.

Le procureur proposa du café à tous, agissant comme si tout se déroulait à merveille.

— On a pas écouté l'enregistrement au numéro d'urgence, se souvint soudain Bacardi. En tout cas, j'aimerais bien l'entendre. Je sais pas pour vous autres.

— Ouais, j'aimerais bien aussi, approuva Marino.

— Je n'ai pas besoin de rester pour ça, décida Lucy. Quelqu'un n'aura qu'à m'envoyer le fichier audio si on souhaite que je l'écoute. Je vous contacterai si j'ai de nouvelles informations. Pas la peine de me raccompagner, indiqua-t-elle à Jaime Berger sans daigner la regarder.

Chapitre 30

— Pauvres portiers ! dit Scarpetta. Je crois leur avoir fait encore plus peur que d'habitude.

Lorsqu'ils arrivaient dans leur luxueux immeuble, il suffisait que le regard des portiers tombe sur sa mallette de crime pour qu'ils s'écartent. Mais, à cette heure matinale, leur réaction avait été beaucoup plus vive à cause des nouvelles. Un tueur en série terrorisait Murray Hill, à New York, et il était possible qu'il ait déjà frappé des années plus tôt dans le Maryland et le Connecticut. De surcroît, l'allure de Scarpetta et de Benton n'avait rien de rassurant.

Ils montèrent dans la cabine d'ascenseur qui les conduisit jusqu'au trente et unième étage. Ils n'avaient pas refermé la porte qu'ils commençaient à se déshabiller.

— Je préférerais que tu n'y ailles pas, lâcha Benton.

Il tira sur sa cravate, tout en ôtant sa veste. Son manteau était déjà plié sur le dossier d'une chaise.

— Tu as des prélèvements et tu sais ce qui l'a tuée. Pourquoi ? ajouta-t-il.

— Peut-être aurai-je la chance une fois aujourd'hui que les gens me traitent comme si j'avais un cerveau, ou du moins la moitié de celui que je possédais avant !

Elle balança sa veste de tailleur et son corsage dans

le panier d'osier réservé aux dangers biologiques près de la porte. Il s'agissait pour eux d'un geste si machinal qu'il venait rarement à l'esprit de Scarpetta que ce réflexe pourrait paraître très étrange à une personne extérieure, par exemple quelqu'un en train les observer à l'aide d'un télescope. Elle se rappela ce que Lucy lui avait raconté : le département de police de New York s'était équipé d'un nouvel hélicoptère dont la caméra pouvait distinguer le visage d'individus situés à trois kilomètres, ou quelque chose du même ordre.

Scarpetta descendit la fermeture à glissière de son pantalon et le retira. Elle récupéra la télécommande posée sur une table basse en chêne Arts and Crafts de Gustav Stickley. Leur salon renfermait une véritable collection de meubles Stickley et d'huiles sur toile de Poteet Victory. Elle ferma les volets électroniques. Elle se trouvait des points communs avec Oscar, se cachant de tous.

— Je ne suis pas certaine que tu étais d'accord avec moi, dit-elle à Benton. (Ils étaient tous deux en sous-vêtements, leurs chaussures à la main.) À propos, ceci, c'est nous. Tu es heureux ? Ceci, c'est ce que tu as épousé. Une femme qui doit se changer dès qu'elle passe la porte de chez elle à cause des endroits peu fréquentables qu'elle visite.

Il la prit dans ses bras, enfouissant son nez dans ses cheveux, et murmura :

— Tu n'es pas aussi épouvantable que tu le crois.

— Je ne suis pas sûre de comprendre comment tu l'entends au juste.

— Non. J'étais d'accord avec toi. Ou plutôt si. (Il leva le bras gauche en la serrant toujours contre lui et consulta sa montre.) Si ce n'était... Six heures quinze. Merde ! Si ça se trouve, tu vas devoir repartir dans quelques minutes. C'est là où je ne suis pas d'accord avec toi, du tout. Baby-sitter le Dr Lester. Je souhaite qu'un monstrueux orage t'empêche d'aller où que ce soit. Tu vois ton tableau préféré, là ? *L'Équilibre des éléments* de M. Victory. Je vais prier le Grand Esprit pour que les éléments s'équilibrent. Ainsi tu resteras à la maison et tu prendras une douche avec moi. On pourra laver nos chaussures sous le jet, comme on faisait jadis lorsqu'on rentrait de scènes de crime. Et tu te souviens de ce que nous faisions ensuite ?

— Qu'est-ce qui te prend ?

— Rien.

— Donc tu approuves que je refuse d'aller à la télévision ? insista-t-elle. Et, surtout, fends-toi d'une prière ! Je ne veux pas la baby-sitter. Tout ce que tu dis est vrai. Je sais ce qui est arrivé à Eva Peebles. Nous avons discuté toutes les deux dans sa salle de bains. Toutefois, je n'ai pas besoin d'en parler au Dr Lester, qui n'écoute rien, qui n'a pas l'esprit ouvert, au contraire d'Eva. Je suis fatiguée, stressée, et ça s'entend. Je suis en colère. Je suis désolée.

— Pas contre moi ?

— Non, répondit-elle.

Il caressa son visage, ses cheveux, et plongea son regard dans le sien, comme il en avait l'habitude, avant, lorsqu'il tentait de trouver quelque chose qu'il avait perdu, ou, du moins, qu'il croyait avoir perdu.

— Il ne s'agit pas d'une histoire de protocoles, ni même de savoir de quel côté tu es, reprit-il. Il s'agit d'Oscar. Il s'agit de tous ceux qui ont été brutalisés. Lorsque tu ne sais plus au juste qui fait quoi, comment, ni pourquoi, il est préférable de rester à l'écart. Et c'est le bon moment pour rester à l'écart du Dr Lester. C'est le moment de continuer sans faire de vagues. Oh, mon Dieu ! s'exclama-t-il soudain.

Il revint vers le panier d'osier et y repêcha son pantalon. Il fouilla dans l'une de ses poches et en extirpa la clé toujours enveloppée de sa paire de gants violets en martelant :

— Ceci... Ceci est important. Peut-être que le Grand Esprit a entendu ma prière.

La sonnerie du mobile de Scarpetta se déclencha. Le Dr Kiselstein était en ligne depuis Y-12.

Avant même qu'il puisse prononcer un mot, Scarpetta débita :

— Lucy m'a prévenue que tout était arrivé en parfait état. Mille excuses. J'espère que vous n'avez pas trop attendu. Je ne sais pas trop où l'avion devait se poser.

La voix à l'accent germanique du Dr Kiselstein lui parvint dans l'écouteur :

— Puisque je ne reçois généralement pas d'échantillons par jet privé, je me suis fait un petit plaisir et j'ai écouté de la musique grâce à l'iPod que ma femme m'a offert pour Noël. Il est tellement petit que je pourrais le porter en épingle à cravate. Vraiment, ça ne m'a occasionné aucun dérangement. Je connais bien McGhee-Tyson, la base aérienne de la Garde nationale. Sauf que, comme je viens de vous le dire, je n'y attends pas souvent le jet d'une millionnaire, mais plutôt des C-130 ou d'autres cargos qui nous amènent des trucs de Langley dont la NASA « n'a jamais entendu parler ». Comme des protections anti-chaleur fautives. Ou alors des prototypes, et je préfère, parce que, dans leur cas, rien de grave ne s'est produit. Certes, lorsque vous m'envoyez des choses étranges, c'est toujours grave. Mais j'ai quelques résultats et je présume que c'est le bon moment. Pas encore de rapport officiel d'analyse. Il faudra davantage de temps.

Benton cessa d'hésiter. Il frôla sa joue et se dirigea vers la salle de bains.

— En réalité, nous avons une pommade mélangée à du sang, de la sueur, des sels d'argent, en plus de fibres de bois et de coton, résuma le Dr Kiselstein.

Scarpetta se rapprocha du canapé. Elle récupéra un carnet et un stylo dans le tiroir d'une table basse et s'assit.

— Il s'agit spécifiquement de nitrate d'argent et de nitrate de potassium. Je ne vous étonnerai pas en vous annonçant que nous avons aussi du carbone et de l'oxygène. Je vous envoie par *mail* des clichés à différents grossissements, jusqu'à mille fois. Mais, même à cinquante, vous pouvez distinguer le sang. Les zones riches en argent sont très brillantes en raison de leur nombre atomique plus élevé. Vous pourrez aussi voir le nitrate d'argent dans le bois, des petites taches blanchâtres distribuées de façon régulière à la surface.

— C'est intéressant, cette distribution régulière. Obtenez-vous la même chose avec le coton ?

— En effet. C'est visible à un plus fort grossissement.

Dans son esprit, une distribution de ce type impliquait quelque chose qui avait sans doute été manufacturé, contrairement à un transfert aléatoire dû à une contamination. Toutefois, si ce qu'elle soupçonnait était exact, ils avaient sans doute affaire aux deux.

— Des cellules de peau ? demanda-t-elle.

— Oh oui, tout à fait. Nous en sommes toujours à l'étape labo et ça devrait continuer pendant un jour ou deux. Pas de repos pour les vilains ! D'autant que c'est très compliqué, puisque vous nous avez envoyé beaucoup d'échantillons. En réalité, je vous appelle pour deux d'entre eux, concernant les deux affaires. La chaise et un écouvillon. Dans ce dernier cas, on peut penser que les fibres de coton et de bois proviennent des bâtonnets que vous avez utilisés. Peut-être que oui, peut-être que non. Je ne peux pas être formel. En revanche, pour ce qui est de la chaise... Vous n'avez pas écouvillonné le siège, n'est-ce pas ?

— Non. Nous avons évité d'y toucher.

— On peut donc en conclure que le bois et le coton retrouvés dans le tissu de l'assise proviennent d'une autre source. Peut-être ces fibres ont-elles été transférées par l'espèce de pommade, pommade qui nous pose un épineux problème puisqu'elle n'est pas conductrice. Il va donc falloir que nous ayons recours à une pression variable, qui nous permettra de maintenir un vide très important dans le canon qui génère le faisceau d'électrons, pendant que le reste de la chambre est rempli avec un flux d'air sec filtré. De surcroît, nous avons réduit l'éparpillement des électrons en diminuant la distance de travail. Bon, peut-être suis-je en train de chercher des excuses. Cette pommade est très difficile à analyser parce que le faisceau électronique la fait fondre. Ça devrait s'arranger lorsqu'elle sera sèche.

— Des applicateurs de nitrate d'argent pour cautériser la peau, peut-être ? C'est la première chose qui me vient à l'esprit, réfléchit Scarpetta. Ce qui expliquerait la présence de sang, de sueur et de cellules de peau... Et même le mélange d'ADN, si on envisage un pot de crème utilisé pour différentes personnes. En d'autres termes, l'origine de ce pot communautaire pourrait être un cabinet médical ? Un dermatologue, par exemple ?

— Je ne poserai aucune question au sujet de vos suspects.

— Avez-vous d'autres trouvailles intéressantes en ce qui concerne la chaise ? s'enquit Scarpetta.

— La structure est en acier et la peinture dorée renferme des traces d'or véritable. Mais je vous rassure :

personne n'était assis dessus lorsque nous l'avons placée dans la chambre. Les coupables et la punition qu'ils méritent ne sont pas de mon ressort.

Ils raccrochèrent.

Scarpetta tenta ensuite de joindre le Dr Elizabeth Stuart à ses différents numéros, mais tomba sur des boîtes vocales. Elle ne laissa pas de message et demeura là, assise sur le canapé, plongée dans ses pensées.

Elle parvint à la conclusion qu'elle se débrouillait très bien avec Marino. Pourtant, lorsqu'elle voulut l'appeler, elle se rendit compte qu'elle n'avait pas son numéro de mobile. Elle composa ensuite celui de Berger. À la façon dont le procureur répondit, il était évident qu'elle savait qui l'appelait et que la conversation serait personnelle.

— C'est Kay.

— Oh, mon écran indiquait « secret ». Je n'étais pas certaine de l'identité de l'appelant.

Le numéro de Lucy s'affichait de la même façon. Scarpetta avait le sentiment que quelque chose se passait entre elles, quelque chose qui n'était pas bon.

Lucy avait été plutôt silencieuse, presque abattue, au cours de leur réunion. Scarpetta n'avait pas essayé de la contacter depuis, pensant qu'elle se trouvait toujours chez Berger. Peut-être pas, après tout.

— Morales a appelé il y a quelques minutes. Il tombe sur votre boîte vocale, fit Berger.

— J'étais en communication avec Y-12. Je ne vais pas pouvoir partir immédiatement pour la morgue.

Elle résuma sommairement au procureur l'appel du Dr Kiselstein.

— On a donc un dénominateur commun, conclut Berger. La dermatologue. Terri était sa patiente et Oscar la consulte également. Ou, du moins, la consultait.

Scarpetta avait divulgué cette information un peu

plus tôt, lors de leur réunion. Elle n'était plus tenue au secret professionnel. Toutefois, même si son devoir consistait maintenant à révéler ce qu'elle savait, elle s'était sentie mal à l'aise. La situation avait certes évolué d'un point de vue légal, mais elle éprouvait toujours des réticences. Lorsque Oscar lui avait parlé, lorsqu'il avait sangloté, pas une seconde il n'avait pensé qu'un jour elle aurait le droit de trahir sa confiance, en dépit du fait qu'elle l'avait mis en garde à maintes reprises et lui avait conseillé de prendre un avocat.

Elle se retrouvait en pleine contradiction. Elle en voulait à Oscar, il l'exaspérait parce qu'au fond elle aurait dû être digne de sa confiance malgré les circonstances. Elle lui en voulait, il l'exaspérait parce que la fichue foi d'Oscar en elle l'embarrassait.

— Il faudrait que je mette Marino au courant de ce que vient de m'apprendre le Dr Kiselstein de Y-12, mais je n'ai aucune de ses coordonnées, dit Scarpetta.

Berger lui communiqua deux numéros, puis :

— Avez-vous eu des nouvelles de Lucy ?

— Je pensais qu'elle était peut-être chez vous.

— Tout le monde est parti il y a à peu près une demi-heure. En fait, elle est partie juste après vous et Benton, quelques minutes plus tard. Je me suis dit qu'elle vous avait peut-être mise au courant. Morales et elle ne s'entendent pas.

— C'est exactement le genre d'individu qu'elle ne peut pas supporter, expliqua Scarpetta.

Il y eut un bref silence, puis Berger reprit :

— C'est sans doute parce qu'il y a des choses qu'elle ne comprend pas.

Scarpetta demeura coite.

— Nous vieillissons et il n'existe plus de vérités absolues... En réalité, il n'y en a jamais eu.

Scarpetta n'avait aucune intention de l'aider.

— Vous avez décidé de ne pas en parler et c'est très bien, poursuivit la voix de Berger, toujours calme mais où quelque chose d'autre était pourtant perceptible.

Scarpetta ferma les paupières et se passa la main dans les cheveux. Elle se sentait soudain si impuissante. Elle ne pouvait pas changer ce qui se passait et, de toute façon, c'eût été inepte et inadmissible d'essayer.

— Vous pouvez peut-être me faire gagner un peu de temps, hésita-t-elle. Vous pourriez appeler Lucy et lui faire part des résultats de Y-12. Et moi, j'essayerai de mettre la main sur Marino. Lorsque vous aurez ma nièce en ligne, pourquoi ne pas tenter une autre approche ? Soyez très, très honnête avec elle, même si vous pensez qu'elle risque de mal le prendre et si vous redoutez qu'elle l'utilise contre vous. Déballez-lui juste les faits, même si vous craignez que ça démolisse votre... argumentation et vous fasse perdre quelque chose d'important. Il s'agit d'une stratégie très difficile pour des gens comme nous, et c'est tout ce que j'en dirai. Je me demande si Bacardi – mon Dieu ! j'ai un mal fou à désigner quelqu'un par une marque d'alcool – saurait si Bethany ou Rodrick consultaient un dermatologue à Baltimore ou à Greenwich en 2003. Grâce au rapport de police, j'ai remarqué que le garçon utilisait de l'Accutane, prescrit contre l'acné.

— Ce qui, en effet, sous-entend le recours à un dermatologue.

— Je l'espère. Il ne s'agit pas d'un médicament anodin, commenta Scarpetta.

— Je vais transmettre tout ça à Lucy. Merci à vous.

— Je sais que vous le ferez. Je sais que vous lui direz ce qu'elle a besoin d'entendre.

Benton était sorti de la douche. Enveloppé dans un épais peignoir, il s'était installé sur le lit. Il parcourait quelque chose qui s'était affiché sur l'écran de son ordinateur portable. Scarpetta écarta l'appareil et s'assit à côté de lui. Elle remarqua que la clé rouge récupérée chez Oscar était fichée dans un port.

— Je ne me suis pas encore lavée, s'excusa Scarpetta. Je dois sentir la mort. Me respecterais-tu toujours si je racontais un mensonge ?

— Ça dépend à qui.

— À un autre médecin.

— Oh, dans ce cas, ça me va. Si la situation devait se reproduire, il est encore préférable de mentir à un avocat, plaisanta-t-il.

Elle sourit et rétorqua :

— J'ai fait mon droit et je n'apprécie pas les blagues sur les avocats.

Elle passa les doigts dans les cheveux encore mouillés de Benton et ajouta :

— Bon, je vais faire mon gros mensonge devant toi. Ainsi ce sera un péché véniel. Je n'ai qu'une envie : sauter dans la douche, me laver les dents. Et ces...

Elle ne se rendit compte qu'à cet instant qu'elle tenait toujours ses chaussures souillées dans une main pendant qu'elle lui caressait les cheveux de l'autre.

— Je croyais que tu devais m'attendre pour que nous prenions notre douche ensemble. Et on aurait lavé nos chaussures.

— J'avais bien l'intention de prendre une deuxième douche, répondit-il. D'ailleurs je n'ai pas encore lavé les miennes.

Scarpetta se leva et décrocha le téléphone filaire.

Cette fois, elle ne tenta pas sa chance avec le numéro de la suite présidentielle qu'occupait la dermatologue, ni même avec son numéro de mobile. Elle appela directement la réception du Saint Regis. Elle s'annonça comme travaillant pour CNN et expliqua qu'elle cherchait à joindre le Dr Elizabeth Stuart dont on lui avait appris qu'elle séjournait à Aspen sous le nom de « Dr Oxford ».

— Merci de patienter, la pria-t-on.

Le Dr Stuart fut en ligne.

Scarpetta se présenta, et le Dr Stuart tenta de la congédier d'un brutal :

— Je ne discute pas de mes patients.

— Quant à moi, je n'évoque en général aucun de mes confrères sur CNN, mais je pourrais faire une exception, la rembarra Scarpetta.

— Que voulez-vous dire par là ?

— Exactement ce que je viens d'énoncer, docteur Stuart. Au moins un de vos patients a été assassiné au cours des dernières vingt-quatre heures, un autre est accusé de ce meurtre et peut-être d'un second. D'autres faits très graves pourraient lui être reprochés et il a disparu. Quant à Eva Peebles – elle aussi assassinée la nuit dernière –, j'ignore si elle était l'une de vos patientes. En revanche, ce que je sais, c'est que les pièces à conviction que j'ai en ma possession devraient vous encourager à être raisonnable et à coopérer. À titre d'exemple, je me demande si une femme de Palm Beach ayant un appartement à New York ne vous consulterait pas.

Scarpetta lui communiqua le nom de la paraplégique dont l'ADN avait été retrouvé dans le vagin de Terri Bridges.

— Vous êtes bien placée pour savoir qu'il m'est interdit de révéler des informations sur mes patients, se défendit la dermatologue.

541

À la façon dont le Dr Stuart se dérobait, il était évident que la femme de Palm Beach la consultait.

— J'en suis parfaitement consciente, répondit Scarpetta.

Toutefois, afin d'en avoir la certitude, elle ajouta :

— Dites-moi juste « non », si vous ne la recevez pas.

— Je ne nierai rien.

Scarpetta recommença le même petit jeu avec Bethany et Rodrick, sans renseigner le Dr Stuart sur ses raisons. De toute façon, si la dermatologue les connaissait, elle n'avait pas besoin que Scarpetta l'informe que tous deux avaient été assassinés cinq ans auparavant. Elle devait être au courant.

— Il faut que vous sachiez que j'ai beaucoup de patients qui vivent aux alentours de Greenwich puisque j'ai un cabinet à White Plains, expliqua le Dr Stuart.

Scarpetta s'appuya contre Benton et regarda ce qu'il était en train de lire sur son ordinateur portable.

On aurait dit des fragments de cartes qu'on avait – prétendument – envoyés à Oscar par *e-mail*.

— Entendons-nous bien : je ne suis pas en train de vous révéler que ces deux personnes ont consulté dans mes cabinets, insista le Dr Stuart. En revanche, il est clair que je me souviens très bien de la mort du jeune homme. Nous étions tous très choqués. Tout comme nous le sommes par ce qui vient de se passer à New York. Je l'ai appris au journal télévisé hier soir. En réalité, je me souviens de Greenwich à cause du concessionnaire Aston Martin...

— Bugatti, rectifia Scarpetta.

— Je suis cliente chez Aston Martin. C'est juste à côté du concessionnaire Bugatti. C'est la raison pour laquelle ce crime m'a marquée. J'ai dû passer non loin de l'endroit où il a été retrouvé, voire tué. Lorsque j'ai amené mon Aston pour la révision. Voilà pourquoi je m'en souviens, si vous voyez ce que je veux dire. D'ailleurs, je n'ai plus l'Aston Martin.

Elle était en train de lui indiquer que ni Rodrick ni Bethany ne l'avaient consultée et qu'elle ne se souvenait d'un meurtre sexuel de sadique que parce qu'elle avait possédé une voiture qui coûtait davantage que nombre de maisons.

— Employez-vous quelqu'un ou avez-vous des relations avec une personne qui pourrait intéresser la police ? Permettez-moi de reformuler d'une façon qui devrait rendre votre réponse plus aisée. Que penseriez-vous si vous étiez à ma place ?

— Je penserais à mon personnel. Notamment les employés à temps partiel, répondit le Dr Stuart.

— Quels temps partiels ?

— Les techniciens ou même des médecins intérimaires, notamment ceux qui se chargent des boulots subalternes et qui vont et viennent. Par exemple ceux qui travaillent dans l'un de mes cabinets durant les vacances ou en heures supplémentaires après leur travail. À différents postes : faire le ménage, répondre au téléphone ou prévenir le médecin de garde. J'en ai même un qui est assistant vétérinaire. Toutefois, il ne m'a jamais occasionné aucun ennui. Bon, c'est un anonyme en quelque sorte, et je ne travaille pas directement avec lui. Disons qu'il est chargé de l'hygiène et qu'il aide les autres médecins. J'ai une énorme clientèle. J'emploie plus de soixante personnes dans quatre cabinets.

— Un technicien vétérinaire ? demanda Scarpetta.

— Oui, je crois que c'est son véritable travail. Je sais qu'il a un lien avec des animaleries puisqu'il a procuré des chiots à certains des membres de mon personnel. Vous voyez, il s'occupe des animaux dans ces boutiques, et d'une façon que je n'ai sans doute pas envie de connaître, à dire la vérité, admit le Dr Stuart. C'est un type étrange. Il a essayé de m'offrir un chiot pour mon anniversaire, l'été dernier. Vous savez, un de ces chiens chinois avec une huppe, qui n'ont pas de poil, sauf sur la tête, la queue et le bout des pattes. L'animal ne devait pas être âgé de plus de huit semaines et il avait l'air malformé, comme s'il avait souffert d'une alopécie, il n'arrêtait pas de grelotter et de tousser. Mon technicien avait joint une carte sur laquelle il avait écrit que désormais je pourrais dire que je pratiquais également l'épilation définitive des chiens et que j'ajoutais la dermatologie canine comme corde à mon arc, ou un truc de ce genre. C'était assez dérangeant et ça ne m'a pas du tout amusée. J'ai exigé qu'il ramène le chien où il l'avait trouvé. Franchement, c'était un moment déplaisant.

— Vous lui avez demandé ce qui était arrivé au chien ensuite ?

— Non, mais je crois le savoir.

Elle prononça cette phrase d'un ton inquiétant.

— Disons... qu'il aime faire les piqûres, poursuivit le Dr Stuart. D'ailleurs, il est efficace. Il a reçu une formation en phlébotomie. Écoutez, cette histoire me perturbe. Il s'appelle Juan Amate.

— C'est son nom complet ? Très souvent les noms hispaniques incluent également celui de la mère, remarqua Scarpetta.

— Ça, je n'en sais rien. Il travaille dans mon cabinet de l'Upper East Side depuis plusieurs années. Trois ou quatre ans, mais je ne pourrais l'affirmer. Je ne le connais pas personnellement, d'autant qu'il n'est pas autorisé à entrer dans mon cabinet de consultation lorsque je suis avec un patient.

— Pourquoi ?

— Franchement ? La plupart des patients que je reçois personnellement sont des VIP et je n'autorise pas des techniciens à temps partiel à les rencontrer. J'ai mes assistants habituels. Ils sont formés pour s'occuper de manière adéquate des personnalités très célèbres. Enfin, vous ne demandez pas à un technicien qui travaille quelques heures chez vous de faire une prise de sang à une star du cinéma !

— Avez-vous reçu en personne Terri Bridges et Oscar Bane ou un de vos médecins s'en est-il chargé ?

— Je n'aurais aucune raison de les avoir rencontrés en personne. Cela étant, j'ai quelques autres patients qui sont des personnes de petite taille. L'obésité est courante chez elles et les régimes peuvent se solder par des effets cutanés indésirables. L'acné, des rides prématurées du visage et du cou, et si le sujet ne fait pas attention à son apport en lipides, la peau n'est plus bien hydratée, et des desquamations s'ajoutent à la liste.

Elle ne traitait pas personnellement Terri et Oscar. Ils n'étaient pas assez importants.

— Avez-vous d'autres précisions à me donner au sujet de Juan Amate ? insista Scarpetta. Je ne dis pas qu'il a fait quelque chose de mal. Cela étant, je refuse que quelqu'un d'autre soit tué ou blessé, docteur Stuart. Connaissez-vous son adresse, n'importe quoi ?...

— Aucune idée. Je ne crois pas qu'il ait beaucoup d'argent. Il a le teint olivâtre, les cheveux bruns. Il est hispanique. D'ailleurs il parle l'espagnol, c'est utile. Mais son anglais est parfait, une obligation lorsque l'on travaille pour moi.

— Il est citoyen américain ?

— En principe. Mais cela fait partie des choses

dont je ne m'occupe pas. En d'autres termes, la réponse est : je n'en sais rien.

— Autre chose que vous pourriez m'apprendre ? Par exemple, savez-vous où nous pourrions le trouver afin que la police l'interroge ?

— Vraiment aucune idée. Je ne sais rien d'autre. C'est juste que je n'ai vraiment pas apprécié qu'il m'offre ce chiot chinois, répéta-t-elle. Je me suis dit qu'il y avait quelque chose de méchant dans son geste, qu'il voulait s'amuser avec moi. La dernière personne avec qui il aurait dû agir ainsi ! Me donner, *à moi*, un chiot affreux avec des problèmes de peau et de poil. Je me souviens que c'était terriblement pénible. En plus, ça m'a fait passer pour une femme sans cœur auprès de mon personnel parce que je lui ai ordonné de reprendre la petite bête immédiatement et qu'il a dit qu'il ne savait pas ce qu'il allait en faire, comme si je condamnais la pauvre créature pitoyable à... Eh bien, c'est cela... C'est vraiment comme s'il avait voulu que je paraisse froide et égoïste, et j'ai commencé à penser qu'il allait falloir que je le vire. J'aurais dû, de toute évidence.

Benton avait posé sa main sur la cuisse nue de Scarpetta. Lorsqu'elle prit congé de la dermatologue, il attira son attention sur l'écran, vers ce qu'il avait lu pendant sa conversation téléphonique.

Il fit défiler les cartes, une multitude.

— Des cartes. Des itinéraires enregistrés. Tu vois ces lignes épaisses en couleur, celles qui sont en rose sombre ?

Il suivit du doigt le tracé de l'une d'elles qui allait d'Amsterdam jusqu'à un point de la 3e Avenue dans l'Upper East Side.

— Il s'agit d'un parcours établi par un GPS, poursuivit-il.

— Simulé ou réel ?

— Je dirais réel. Il semble qu'il s'agisse d'itinéraires suivis par Oscar, des centaines. Je ne sais pas... un système quelconque d'enregistrement relevait tous ses déplacements, comme tu peux le voir.

Il fit défiler une douzaine de cartes.

— La plupart commencent ou se terminent devant son immeuble situé sur Amsterdam. Si j'en juge par ce que je vois, cette espèce de... filature a commencé le 10 octobre, pour se terminer le 3 décembre.

— Le 3 décembre ? Donc le jour où la photographie de morgue me représentant a été supprimée de la messagerie électronique de Terri Bridges et de celle de Scarpetta612.

— Hum... Et le jour où Oscar a téléphoné aux bureaux de Jaime Berger et où il est tombé sur Marino.

— Mais que se passe-t-il, à la fin ! s'exclama Scarpetta. Est-ce qu'il se baladait avec une sorte de bracelet électronique ou une puce GPS ? Est-ce qu'il utilisait un PDA équipé d'un GPS pour enregistrer le moindre de ses mouvements et s'expédier à lui-même son itinéraire par *e-mail* ? Pour légitimer ses affirmations selon lesquelles il était suivi, espionné, et tout ce qu'il a raconté ?

— Kay, tu as visité son appartement. Oscar croyait ce qu'il disait. En revanche, si c'est quelqu'un d'autre qui lui a envoyé ces enregistrements, est-ce que tu imagines ce que cela signifie ?

— Non.

Benton fit défiler d'autres fragments de cartes. Des épiceries, des salles de sport, des magasins de fournitures de bureau – bref, ainsi que Benton le résuma, des endroits jusqu'où il aurait pu marcher sans pour autant pénétrer à l'intérieur – étaient indiqués.

Tout en lui massant le dos, il précisa :

— Ainsi que tu peux le voir, plus le temps passe, plus ses destinations deviennent erratiques. Il en change tous les jours. Aucun des itinéraires n'est similaire. Tu peux sentir sa peur. Il zigzague, au propre et au figuré. Ou alors il simule la peur. Si, du moins, il a forgé cette histoire de toutes pièces. Mais ses craintes paraissent réelles. Sa paranoïa n'est pas feinte. Je ne le pense vraiment pas.

Scarpetta se leva et déclara :

— Tu sais parfaitement de quoi ça aura l'air devant un jury. Ils penseront qu'un professeur fou furieux a imaginé ce plan très élaboré pour faire croire qu'il était la cible d'une organisation clandestine ou d'un groupe anti-quelque chose ou Dieu sait quoi. Ils penseront qu'il s'est lui-même suivi à l'aide d'un GPS, qu'il a équipé son appartement et sa voiture d'une multitude de gadgets ahurissants, gadgets qu'il portait également sur lui.

Elle termina de se déshabiller. Il fallait absolument qu'elle prenne une douche. Elle avait tant à faire. Le regard que Benton posa sur elle gagna en intensité. Il se leva à son tour.

— Personne ne le croira. Jamais, termina-t-elle alors que Benton posait les mains sur elle et l'embrassait.

— Je vais t'aider à prendre ta douche, déclara-t-il en la guidant vers la salle de bains.

Chapitre 31

Lucy résistait aux assauts du vent. Elle était assise sur le ciment du toit de l'immeuble de Terri, aussi froid que de la glace, et prenait des photos de la caméra arrimée au pied de l'antenne satellite.

L'appareil était une caméra Internet audio assez bon marché. Elle était connectée au réseau sans fil de l'immeuble et pouvait être utilisée par n'importe lequel des occupants.

Quelqu'un d'autre pouvait également s'en servir : Mike Morales. Cependant, dans son cas, il ne s'agissait pas d'une utilisation classique, ce qui expliquait que Lucy n'ait pas vérifié plus tôt. Et elle s'en voulait terriblement.

Tout le monde savait qu'un autre appareil était connecté au réseau – la fameuse caméra dont Morales avait dit qu'il l'avait installée –, aussi Lucy n'avait-elle jamais pensé à accéder au journal du routeur. Jamais l'idée qu'elle devrait vérifier sa page d'administration ne lui avait traversé l'esprit.

Si seulement elle y avait songé la nuit dernière ! Elle tenta à nouveau de joindre Marino. Cela faisait une demi-heure qu'elle essayait de l'avoir au téléphone, ainsi que Berger. Jusque-là, elle était tombée sur leurs boîtes vocales respectives.

Elle n'avait pas laissé de message, n'ayant aucune envie de répéter ce qu'elle avait déjà dit.

Par chance, cette fois-ci Marino répondit.

— C'est moi ! cria-t-elle pour se faire entendre.

— Bordel, quel vent ! T'es sur une piste de décollage ou quoi ?

— Je suis sur le toit de l'immeuble, à côté de la caméra que Morales a fixée sur l'antenne. En fait, lorsque vous l'avez surpris, il n'était pas en train de la brancher mais sans doute de l'enlever.

— De quoi tu parles ? Je l'ai vue... Ouais, t'as raison. En fait, je n'ai pas vu ce qu'il faisait au juste. J'étais au téléphone avec ta tante, je viens juste de raccrocher. Je te raconte en vitesse parce qu'elle cherche à te joindre. Un truc au sujet de la personne qui nous intéresse et qui serait pistée par un GPS ou un machin de ce genre. Et quelqu'un, un technicien vétérinaire, qui travaillerait dans le cabinet du Dr Stuart. Pour faire court, Terri aurait pu rencontrer son tueur par l'intermédiaire de sa dermatologue, un Hispanique...

— Écoutez-moi, Marino ! Cette foutue caméra est là depuis trois foutues semaines ! Elle est équipée d'un déclencheur sensible au mouvement. À chaque fois qu'elle enregistre une séquence, c'est expédié sur la messagerie électronique de quelqu'un qui va bientôt être piraté. J'ai la foutue adresse IP de Morales. J'ai son foutu code d'accès machine et c'est le même que celui de Scarpetta612. Vous comprenez ce que ça signifie ?

— Je ne suis pas un putain d'attardé mental !

Comme au bon vieux temps. Combien de fois lui avait-il balancé ça au cours de toutes ces années ?

— Ça veut dire que la personne qui a installé cette caméra et qui reçoit ses images par *e-mail* est la même que celle qui a envoyé des messages à Terri en se faisant passer pour ma tante. Probablement grâce à une sorte de PDA. Et cet enfoiré se poste devant le John Jay, pirate leur réseau sans fil, du coup l'adresse IP est la leur. Le code accès machine est également le même pour l'appareil qui a expédié la photo à Terri, cette photographie envoyée d'un café Internet situé à proximité du cabinet du Dr Elizabeth Stuart. C'est Morales qui a exigé le 3 décembre de Terri qu'elle supprime la photo en question...

— Pourquoi ?

— Parce qu'il joue à des putains de jeux, voilà pourquoi ! Il était sans doute dans la morgue lorsque cette foutue photo a été prise, et je parierais qu'il tirait les ficelles, comme dans le cas de la photo de Jaime prise à la Tavern on the Green. Il a probablement orchestré tout ça, pour l'envoyer à *Dans le collimateur de Gotham*.

— Dans ce cas, c'est qu'il a un lien avec ce site, déduisit Marino.

— Je n'en ai pas la moindre idée. En revanche, ce que je sais, c'est qu'Eva Peebles travaillait pour la personne qui est derrière *Dans le collimateur de Gotham*. Cela étant, et même si cette pauvre femme était encore en vie, je suis certaine qu'elle ne pourrait pas nous apprendre grand-chose. Rien de ce qui se trouve sur son ordinateur ne permet de préciser l'identité de son « employeur ». Je suis en train de configurer des *sniffers*, qui « reniflent » les mots de passe, et de prendre connaissance des informations aux points de jonction. Tordu de Morales ! C'est sans doute lui votre putain de technicien vétérinaire hispanique. Enfoiré. Je vais lui rendre une petite visite à domicile.

Elle pianotait sur le clavier de son MacBook tout en

parlant, balayant les ports qui pouvaient être ouverts. Marino observait un silence de mort.

— Vous êtes toujours là ?

— Ouais.

— À votre avis, pourquoi un flic installerait-il une caméra de surveillance sur un toit trois semaines avant un meurtre ? vitupéra-t-elle.

— Mais merde... Pourquoi il aurait envoyé cette merde en prétendant être la Doc ?

Lucy perçut une voix de femme à l'arrière. Bacardi.

— Pourquoi vous ne lui demandez pas ? C'est sans doute lui qui a donné à Terri la brillante idée d'envoyer une requête sur le site du John Jay, requête dans laquelle elle expliquait qu'elle cherchait désespérément à joindre ma tante. Terri s'exécute et, miracle, devinez qui lui répond ? De toute évidence il connaissait Terri, sans cela il ne lui aurait pas envoyé d'*e-mails*. Ainsi que je vous l'ai dit, c'est sans doute lui le putain de technicien vétérinaire, et elle devait l'avoir rencontré par l'intermédiaire du cabinet de dermatologie.

— Et je parierais que c'est lui qui lui a offert le chiot malade. Il a dû trouver ça très marrant, grommela Marino. Ensuite, Eva Peebles le récupère et la petite chienne meurt. Et Eva aussi. Qu'est-ce qu'elle a fait pour mériter ça ? Je me demande si c'est lui qui bricolait et réparait des trucs dans l'appartement de Terri. Le propriétaire y a fait allusion. Ça ressemble bien à Morales de jouer les bons copains, les confidents auprès de quelqu'un qui a besoin d'un gros nul dans son genre. Ouais, c'est tout à fait lui, de convaincre une étudiante en psychologie médico-légale de publier un truc sur un site Internet pour prendre son pied en foutant sa merde. Mais pourquoi contre la Doc ?

— Parce que lui, c'est un médecin raté. Pas ma tante. Je ne sais pas pourquoi. Pourquoi est-ce que les gens font ce qu'ils font ?

— Tu vas pas enlever la caméra, hein ? Faut pas qu'il sache qu'on a compris.

— Bien sûr que non, répondit Lucy en luttant contre le vent qui la giflait comme s'il avait décidé de la balayer du toit. C'est sans doute pour ça qu'il est monté la dernière fois : faire disparaître ce foutu truc. Il ne s'attendait absolument pas à ce que vous grimpiez par l'échelle d'incendie. Il a donc fallu qu'il gare ses fesses. Du coup, il vous a servi le grand jeu en vous racontant qu'il installait une caméra de surveillance au cas où le meurtrier reviendrait sur les lieux de son crime. Des conneries ! J'ai le journal ouvert sur mon ordinateur. Cette caméra a expédié plus de dix mille images au cours des trois dernières semaines, et d'ailleurs elle continue. Si j'en juge par le statut *tab*, cet enfoiré est en train de se connecter en ce moment même. Vous serez content d'apprendre que j'ai désactivé la fonction audio. Remarquez, avec le vent qu'il y a, on peut difficilement entendre quoi que ce soit.

— Tu es sûre de toi ? s'inquiéta Marino.

— Je suis dedans. C'est complètement illégal. Oh, mon Dieu ! s'exclama-t-elle en faisant défiler les fichiers vidéo.

Les fichiers étaient enregistrés dans le compte de messagerie de Mike Morales, sous le nom d'utilisateur « Medix ».

Elle tomba alors sur un fichier vidéo qui avait été enregistré par un autre appareil que la caméra de surveillance du toit. Elle l'ouvrit et enfonça la touche *play*.

— Oh, mon Dieu ! murmura la jeune femme. Il s'agit d'un enregistrement qui a été effectué la veille du nouvel an. Celui-ci n'a pas été filmé du toit... mais de l'appartement de Terri. Oh, merde ! Merde !

Le penthouse de Berger occupait deux étages. La partie privée se trouvait en haut, et c'est là que Lucy et le procureur visionnèrent le meurtre de Terri Bridges sur l'écran plasma géant du coin boudoir de la chambre.

Toutes deux étaient à la limite de leur résistance, et pourtant elles avaient à peu près tout vu. Elles étaient assises, figées, sur le canapé, détaillant le visage de Terri qui se réfléchissait dans le miroir de la table de toilette, alors que deux mains gantées de latex lui passaient autour du cou, par-derrière, un garrot de caoutchouc bleu, identique à ceux que les médecins utilisent lors d'une prise de sang. Victime et agresseur étaient nus. Les mains de Terri étaient ligotées dans son dos. Assise sur la chaise au dossier en forme de cœur, elle tentait de se débattre, donnait de grands coups de pied désespérés pendant qu'il la soulevait presque du siège en l'étranglant jusqu'à ce qu'elle perde connaissance.

Il relâchait alors la tension, attendant qu'elle reprenne conscience, puis recommençait.

Elle ne prononça pas un mot tout le temps de son supplice. Seuls d'affreux sons gutturaux étaient audibles. Ses yeux étaient exorbités, sa langue sortait de sa bouche et un filet de salive s'écoulait vers son menton. Son agonie dura exactement vingt-quatre minutes et demie, le temps nécessaire à son bourreau pour parvenir à l'éjaculation. Il l'acheva ensuite. Elle n'avait plus aucun intérêt à ses yeux.

Il balança le préservatif dans la cuvette des toilettes et tira la chasse, puis éteignit la caméra.

— On le repasse, décida Berger. Je veux écouter plus attentivement leur conversation lorsqu'il l'entraîne dans la salle de bains. J'ai l'impression qu'ils avaient déjà fait l'amour. Et certaines paroles semblent expliquer la raison pour laquelle il a agi ainsi. La préméditation. Il aurait pu avoir des mobiles allant au-delà de ses pulsions sexuelles sadiques. Elle l'a appelé Juan, ou c'est juste un son qu'elle a émis ?

— Je pense qu'elle avait des relations sexuelles avec lui bien avant sa liaison avec Oscar, suggéra Lucy, du moins si on se fie à leur familiarité et à ses remarques à lui. Elle a dû le rencontrer dans le cabinet du Dr Stuart il y a environ deux ans. Et ça m'est égal que nous n'ayons pas encore la preuve que Morales est bien Juan Amate. Parce que moi, je sais qu'il s'agit de la même personne. Il ne peut pas en être autrement. En effet, elle a pu prononcer ce prénom, Juan. Cela étant, difficile d'être formelle.

Lucy enfonça la touche de la télécommande. Le film débuta au milieu d'une phrase, sur un plan du visage terrifié de Terri dans le miroir ovale. Un homme nu se tenait derrière elle. Il se déplaça, rectifiant l'angle de prise de vue de la caméra, exposant son pénis dressé couvert d'un préservatif, le pointant entre les omoplates de Terri à la manière du canon d'une arme. L'homme n'était visible que depuis la taille jusqu'aux pieds.

— C'est juste notre petit jeu, mon cœur, mais avec un peu plus de sauce pimentée, annonça la voix du tueur.

— Je ne suis pas sûre, hésita-t-elle d'une voix tremblante.

Une main gantée apparut dans le miroir, tenant un scalpel, le faisant tourner doucement afin que la lumière se réfléchisse sur la lame d'acier.

Le geignement du tissu de son peignoir que l'on fendait, puis de son soutien-gorge en dentelle rouge.

Un demi-buste qui découvrait ses mamelons. Il fendit ensuite le slip de dentelle rouge assorti. Il déplaça la caméra. Le peignoir et les chaussons roses ainsi que le soutien-gorge envahirent l'écran plat avant d'atterrir dans la baignoire. Sa main gantée secoua le slip rouge fendu devant l'objectif.

— J'ai récupéré le drapeau, commenta la voix hispanique. Dans ma poche, comme ça je pourrai en profiter plus tard, hein, petite fille ?

— Je préfère qu'on ne le fasse pas, dit Terri. Je crois que je ne peux pas.

— Il aurait fallu y penser quand tu as révélé tous nos secrets au petit homme.

— Je ne lui ai rien dit. Tu as envoyé les *e-mails*. C'est à cause de ça.

— Eh bien, tu as vraiment foutu le bordel. Qu'est-ce que ça va donner ? Il s'est plaint à cette putain de procureur. Qu'est-ce que ça va donner, mon cœur ? J'avais confiance en toi. Je t'ai rendu service. Et tu lui racontes tout.

— C'est faux. C'est lui qui me l'a dit. Tu lui envoyais ces *e-mails* et il a fini par me le dire. Il était terrorisé. Pourquoi ? Pourquoi tu fais des trucs pareils ?

C'était à ce moment précis que l'on aurait pu croire qu'elle l'avait appelé Juan.

— Tu vas me demander pourquoi sans arrêt ?

La lame du scalpel caressait l'air, frôlant la joue de Terri, puis reculant, disparaissant.

— Non.

— Alors, c'est qui ton homme ? Le petit gars ou moi ?

— C'est toi, répondit-elle, paniquée, dans le miroir, pendant qu'il pinçait ses mamelons de ses doigts gantés.

— Tu sais que ce n'est pas vrai, sans quoi tu ne lui aurais rien révélé, la gronda le tueur.

— Je te promets que je n'ai rien dit. Il a tout découvert à cause des *e-mails*, de ces cartes que tu lui as envoyées. Il me l'a expliqué. Tu lui as fait peur.

Il pinça encore plus fort le bout de ses seins.

— Allons, mon cœur, je ne veux plus entendre tes mensonges. Maintenant il va falloir que je trouve le moyen de retirer ce putain de truc de son cul avant que quelqu'un d'autre le trouve.

Lucy enfonça la touche d'arrêt sur image. La scène se figea sur l'image un peu floue de Terri réfléchie par le miroir. Elle ouvrait la bouche pour parler, ses yeux étaient agrandis d'effroi, les doigts du tueur pinçaient ses mamelons.

— Juste à ce moment, la façon dont il prononce cette phrase, commenta-t-elle. Est-ce qu'il n'est pas en train d'insinuer qu'il va tuer Oscar ? Parce qu'il faut que ce soit lui qui « retire le truc de son cul » ?

— Je me posais la même question, avoua Berger.

Elle souligna de trois traits la phrase qu'elle venait de noter sur son calepin : *L'idée de Terri – GPS ?*

— Je crois qu'il ne reste plus d'inconnue sur la façon dont les choses ont commencé, poursuivit le procureur. Terri a demandé à Morales de suivre Oscar parce que c'était une femme jalouse qui voulait tout contrôler. Il n'était pas dans sa nature d'accorder sa confiance, à qui que ce soit. Avant de s'engager complètement et peut-être d'en parler à sa famille, elle a voulu s'assurer qu'Oscar était irréprochable.

— Si toutefois on veut rendre logique un comportement psychopathologique.

— Il le faut. Les jurés attendent toujours des raisons qui expliquent les faits. Tu ne peux pas te contenter de leur raconter qu'un être était mauvais ou qu'il avait juste envie de faire le mal.

— Elle a peut-être dit à Morales qu'elle voulait savoir ce que fabriquait Oscar, mais je doute qu'elle ait eu l'idée de l'implantation du GPS, argumenta Lucy. Je crois qu'elle n'a jamais imaginé que cette ordure lui rendrait ce service de cette façon-là, puis qu'il pousserait les choses jusqu'à lui envoyer, de façon anonyme, par *e-mail*, tous ses parcours pour le rendre dingue, pour le plaisir de le tourmenter. Les envois des cartes ont cessé lorsque Oscar en a enfin parlé à Terri et qu'elle a dû s'en prendre à Morales.

— Exact. C'est à cela que Morales fait référence, approuva Berger en désignant l'image gelée sur l'écran de télévision. Elle a fait ce qu'elle ne devait pas. Elle s'est plainte, peut-être même qu'elle l'a sermonné. Un type comme lui ? Insulter son narcissisme ? Quant à lui, sa réaction est typique d'un psychopathe : c'est de sa faute à elle parce que c'est elle qui voulait qu'Oscar soit surveillé. Tout d'un coup, elle est également responsable du fait qu'Oscar ait appelé mes bureaux pour tout déballer.

— À Marino, le 3 décembre, précisa Lucy. À ce moment-là, Oscar a détruit le disque dur de son ordinateur et a caché la clé USB dans sa bibliothèque, où ma tante et Benton l'ont trouvée. Morales a donc cessé d'envoyer à Oscar ses parcours par *e-mail* parce que Terri était au courant et que le spectacle était terminé.

— Kay a mentionné le bout de fil tombé sur la moquette du couloir, devant la porte de l'appartement d'Oscar, intervint Berger. La trappe d'accès au toit et l'escalier d'incendie. Je me demande si Morales n'est pas passé chez Oscar pour retrouver le disque dur ou la clé et, pendant qu'il y était, s'il n'a pas laissé un pot d'Aqualine pour le faire suspecter. Peut-être est-il passé par la fenêtre, puis il a débranché l'alarme, pour repartir par la trappe du toit afin d'éviter qu'un portier ne le voie ? Il avait la clé de l'appartement, le code de l'alarme et le mot de passe. Il a été confronté à pas mal de surprises après le meurtre de Terri. Oscar a exigé d'être admis au Bellevue et qu'on appelle Benton et Kay. Les enjeux devenaient beaucoup plus importants. Morales se retrouvait face à des adversaires de taille. Dont toi. Il voulait absolument récupérer la clé USB pour que quelqu'un comme toi ne puisse pas remonter jusqu'à lui. Et il voulait également qu'Oscar plonge pour au moins quatre homicides.

— Le cas classique d'un individu en décompensation, résuma Lucy. Morales n'avait pas vraiment besoin de tuer Eva Peebles. D'ailleurs il n'avait pas non plus à étrangler Terri. Il avait fait preuve de bien plus d'intelligence dans le passé, en ne s'en prenant qu'à des étrangers. Ce que je n'arrive toujours pas à comprendre, c'est pourquoi Oscar a toléré que quelqu'un lui fasse ça.

— L'implant, tu veux dire ?

— On vient juste d'entendre Morales le dire. Il a collé un truc « dans le cul » d'Oscar et il doit le récupérer. Qu'est-ce que ça pourrait signifier d'autre ? À mon avis, ça implique une seule chose. Je veux dire que tu ne balances pas à quelqu'un : « Hé, est-ce que je peux vous implanter une puce GPS sous la peau ? »

Berger posa sa main sur le genou nu de Lucy et se pencha sur elle pour attraper le téléphone sans fil. Elle appela Scarpetta pour la deuxième fois en une heure.

— C'est encore nous, annonça-t-elle. Je crois que Benton et vous devriez nous rejoindre.

— Je peux, mais pas lui.

Berger enclencha le haut-parleur et posa l'appareil droit sur la table basse du coin boudoir, tout de cuir et de verre, décoré des sérigraphies et peintures poly-morphes d'Agam qui semblaient changer et miroiter à chaque mouvement du procureur.

La chambre de Greg.

La pièce où il s'affalait devant la télé pendant que Berger était seule au lit, dans la chambre mitoyenne, endormie ou terminant un travail. Elle avait mis un moment avant de comprendre pourquoi leurs horaires étaient devenus si étranges, comme s'il vivait à l'heure anglaise. Simplement parce que, en effet, il vivait à l'heure anglaise. Il s'asseyait dans cette chambre et peu après minuit, heure de New York, il appelait sa petite amie avocate qui venait juste de se réveiller à Londres.

— Benton est avec Marino et Bacardi. Ils viennent de partir, expliqua Scarpetta. Il a été plus qu'évasif. Je n'ai pas encore de nouvelles du Dr Lester. Je suppose que vous non plus.

Morales avait déposé un peu plus tôt le Dr Lester à l'institut médico-légal parce qu'il ne savait pas encore ce que Lucy allait découvrir. En revanche, il était maintenant au courant qu'on le cherchait, parce que Berger l'avait contacté en se contentant de lui dire :

— Je crois que vous allez devoir expliquer certaines choses.

Elle avait mentionné le nitrate d'argent et le Dr Stuart, et il lui avait raccroché au nez.

— Je me dis que l'on finira bien par m'avertir que je dois me rendre là-bas, continua Scarpetta. Bien que je doute fort qu'il y ait matière à discussion, il faudrait vraiment qu'elle radiographie Eva Peebles avec soin. Je me répète, mais je ne veux pas que le corps quitte la morgue sans avoir été radiographié sous toutes les coutures. Tout comme le corps de Terri, il faut que chaque centimètre carré soit à nouveau passé aux rayons X.

— Oui, j'allais y venir, intervint Berger. Cette histoire de puce implantée. Lorsque vous avez discuté avec Oscar, avez-vous eu le sentiment qu'il accepterait une telle intervention, quelle qu'en soit la justification ? Lucy et moi sommes en train de visionner à nouveau cette scène effarante, et c'est ce que sous-entend le tueur. Morales, je veux dire. Nous savons qu'il s'agit de lui.

— Non, Oscar n'aurait jamais toléré cela. Ce qui est beaucoup plus vraisemblable, c'est qu'il s'est plaint de traitements douloureux, notamment de l'épilation laser. Or, il s'est également fait épiler le dos et sans doute les fesses. Il est totalement glabre, à l'exception du visage, du crâne et du pubis. Il a mentionné du Demerol. Si quelqu'un est entré dans le cabinet de consultation, engoncé dans une blouse et le visage à moitié caché derrière un masque de chirurgie, Oscar n'avait aucune chance de voir le technicien, ni de le reconnaître plus tard. Dans l'appartement de Terri, par exemple, lorsque Morales est arrivé sur la scène de crime. Oscar n'allait pas nécessairement faire le lien entre lui et un des aides du Dr Stuart.

— Nous avons eu l'impression que Terri l'appelait « Juan » dans la vidéo, mais nous n'en sommes pas certaines. Il faut que vous l'écoutiez, Kay.

— Ils font pas mal de recherches et de développement sur des GPS sans fil, des puces encapsulées sous verre, équipées d'antennes miniatures et d'une batterie qui peut durer trois mois. Environ de la taille d'un grain de riz, peut-être plus petit. L'une d'elles aurait pu être implantée dans les fesses d'Oscar sans qu'il en sache jamais rien, surtout si elle a migré en profondeur, ce qui peut arriver. On la détecterait à la radio, du moins si on met la main sur Oscar. À propos, il n'est pas le seul à être paranoïaque à ce sujet. Le gouvernement américain a lancé des programmes pilotes, et pas mal de gens redoutent que le puçage devienne obligatoire dans le futur.

— Pas moi, rétorqua Berger. Je quitterai le pays.

— Eh bien, vous aurez de la compagnie. C'est pour cette raison que certaines personnes ont baptisé cette technologie la « marque de la bête 666 ».

— Mais vous n'avez rien vu de tel sur les radiographies de Terri ?

— J'ai regardé, déclara Scarpetta. J'ai cela sur fichiers électroniques, en plus du reste, et je n'ai pas arrêté de passer l'ensemble en revue depuis notre dernière conversation. La réponse est non. Il est donc très important que le Dr Lester fasse d'autres radios et je veux les voir. Principalement du dos, des fesses et des bras. Les implantations de puces se font en général dans les bras. Morales doit en savoir long sur ce procédé et sur la technologie des puces puisqu'on les utilise pour les animaux, en remplacement du tatouage. Il a dû voir des interventions de ce type dans le cabinet du vétérinaire. Peut-être même a-t-il réalisé personnellement des implantations. C'est assez simple. Il suffit d'avoir une puce et un pistolet à implant équipé d'une aiguille d'un diamètre adapté. Je peux être là d'ici une demi-heure.

— C'est parfait.

Berger se pencha à nouveau sur Lucy pour replacer le téléphone sur sa base. Elle griffonna des notes et souligna certains mots et quelques phrases. Elle dévisagea Lucy un long moment, et la jeune femme lui rendit son regard. Berger avait envie de l'embrasser, de reprendre là où elles en étaient restées lorsque Lucy était apparue sur le pas de sa porte et qu'elle l'avait conduite par la main jusqu'à la chambre. Lucy n'avait même pas eu le temps de retirer son manteau. Alors que la monstrueuse image était toujours figée sur l'écran plat géant, Jaime Berger se demanda comment une telle chose pouvait lui traverser l'esprit. D'un autre côté, peut-être était-ce précisément la raison pour laquelle elle y pensait. Elle ne voulait pas être seule.

— C'est ce qui paraît le plus logique, commenta Lucy. Morales implantant la puce à Oscar alors qu'il était dans le cabinet de la dermatologue. Il a dû penser qu'on lui faisait une injection de Demerol dans les fesses. Terri s'était sans doute confiée à Morales, expliquant qu'elle n'était pas certaine de pouvoir avoir confiance en Oscar, peut-être dès qu'ils ont commencé à avoir une liaison. Et Morales est passé à l'action, en jouant le bon ami, celui à qui on peut tout dire.

— Une grande question me perturbe : à qui Terri Bridges croyait-elle avoir affaire ? Mike Morales ou Juan Amate ?

— Je parie sur Juan Amate. Ça aurait été trop risqué si elle avait su qu'il était flic au département de police de New York. Je crois vraiment qu'elle a prononcé ce prénom : Juan.

— Tu as sans doute raison.

— Mais est-ce que l'histoire tient debout si elle baisait avec lui ? réfléchit Lucy. Est-ce que Morales n'aurait pas mal pris qu'elle fréquente un autre homme ?

— Non, fit Berger. Comme je te l'ai dit, il joue à l'excellent ami. Les femmes ont confiance en lui. Elles lui parlent. Même moi, dans une certaine mesure.

— Quelle mesure ?

Elles n'avaient jamais abordé à nouveau le sujet des whiskys du bar.

— Je ne devrais pas avoir à le spécifier, mais Morales et moi n'avons jamais eu de relation intime, et je crois que tu le sais, sans cela tu ne serais pas assise ici. Tu ne serais pas revenue. Les rumeurs au sujet de la Tavern on the Green. Ce n'était que ça, des rumeurs. Et, en effet, je suis maintenant certaine que c'est lui qui les a lancées. Greg et Morales s'aimaient beaucoup.

— Pardon ?

— Non, non... pas dans ce sens-là, précisa Berger. Il y a une chose sur laquelle Greg n'a jamais été ambivalent, c'est sur ce qu'il préfère baiser, et ce sont indiscutablement les femmes.

Chapitre 32

Scarpetta remplit à nouveau les tasses à café et les emporta sur un plateau chargé de petites choses à grignoter. Elle était convaincue que bien manger remédiait aux effets délétères de la privation de sommeil.

Elle déposa sur la table un plat de mozzarella fraîche, de rondelles de tomates olivettes parsemées de basilic et agrémentées d'un filet d'huile d'olive pressée à froid et non filtrée. Elle tendit une panière tressée garnie d'une serviette de table en lin et débordant de pain italien fait maison à la croûte appétissante, encourageant tout le monde à se servir, à rompre le pain. Elle proposa à Marino de commencer et il la déchargea de la panière. Elle posa une petite assiette et une serviette bleue à damier devant lui, puis devant Bacardi.

Elle posa sa propre assiette sur la table basse près de celle de Benton, et s'assit au bord du canapé parce qu'elle ne pouvait s'attarder qu'une minute.

Benton lui lança :

— Souviens-toi, lorsqu'elle en entendra parler, et c'est inévitable, n'évoque pas ce que je vais faire. Ni avant, ni après.

— Ouais, un peu ! renchérit Marino. Son téléphone va sonner dans tous les sens. Faut que je vous dise que je le sens pas génial, ce truc. J'aimerais bien avoir un peu plus de temps pour peser le pour et le contre.

— On ne peut pas, trancha Benton. Le temps de réfléchir est un luxe que nous n'avons plus. Oscar est quelque part dans la nature et si Morales ne lui a pas encore mis la main dessus, il y parviendra tôt ou tard. Il lui suffit juste de le pister comme un animal.

— C'est ce qu'il a fait jusque-là, approuva Bacardi. Des types comme ça vous poussent à croire à l'utilité de la peine de mort.

— Il est préférable de les étudier, répliqua Benton d'un ton plat. Les tuer ne rend aucun service.

Il était impeccablement vêtu de l'un des costumes sur mesure qu'il ne portait jamais à l'hôpital, un costume bleu sombre à très fines rayures d'un bleu plus clair. Il portait également une chemise bleu clair et une cravate en soie d'un bleu argenté. La maquilleuse de CNN n'aurait besoin que de dix minutes pour le préparer. Fort peu de choses pouvaient encore améliorer l'apparence de Benton. Peut-être un peu de poudre et un souffle de laque sur ses cheveux platine qui avaient besoin d'une coupe. Pour Scarpetta, il ressemblait à ce qu'il avait toujours été, et elle espérait qu'il faisait ce qui s'imposait. Qu'ils ne se trompaient ni l'un ni l'autre.

— Je ne dirai rien à Jaime. Je resterai en dehors, déclara-t-elle en se rendant soudain compte qu'elle avait commencé à appeler le procureur par son prénom à peu près au moment où celle-ci s'était mise à passer beaucoup de temps en compagnie de Lucy.

Auparavant et durant des années, elle l'avait nommée « Berger », établissant une sorte de distance qui n'avait sans doute pas grand-chose à voir avec le respect.

Elle précisa à Benton :

— Je lui conseillerai de s'adresser à toi. Ce n'est

pas ma chaîne de télévision et, contrairement à ce qu'on pense, je ne dirige pas ta vie.

La sonnerie du téléphone mobile de Marino se déclencha. Il cligna des yeux pour déchiffrer l'écran.

— C'est les impôts. Sûrement pour mes œuvres de bienfaisance, plaisanta-t-il en enfonçant la touche de son combiné bleu. Marino... Ouais... Ça va... Et vous ?... Attendez... je vais prendre des notes...

Tous se turent afin qu'il puisse discuter avec son correspondant. Il posa son PDA sur la table basse et son calepin sur ses énormes genoux. Il commença à griffonner. Qu'elle fût à l'envers ou de bas en haut, l'écriture de Marino n'avait pas changé. Scarpetta avait toujours été incapable de la déchiffrer, du moins pas sans d'énormes difficultés puisqu'il avait sa propre sténo. Peu importaient les plaisanteries qu'il pouvait faire là-dessus, son écriture était encore pire que celle de Scarpetta.

— J'vous assure que j'essaie pas de la ramener, mais quand vous parlez de l'île de Man, c'est où, ce truc ? demanda Marino. Je suppose que c'est un de ces paradis fiscaux dans les Caraïbes ou dans l'une des îles proches des Fidji... Ah, ben ça ! J'en avais jamais entendu parler et pourtant j'y suis allé. En Angleterre, je veux dire. Ouais, je comprends bien que c'est pas vraiment en Angleterre. Je me doute que l'île de Man doit être une foutue île. Mais au cas où vos notions de géographie seraient dans les choux, je vous rappelle que l'Angleterre aussi.

Scarpetta se pencha vers l'oreille de Benton et lui murmura bonne chance. Elle eut envie de lui dire qu'elle l'aimait, une envie très inhabituelle en présence d'autres personnes. Pourtant elle en avait envie, mais se retint. Elle se leva et hésita, Marino semblant sur le point de raccrocher.

— Le prenez pas mal, mais ça, on savait déjà. On a cette adresse, dit-il.

Il jeta un regard à Bacardi en secouant la tête pour indiquer que l'agent des impôts avec lequel il discutait était aussi crétin qu'un sac de marteaux, une de ses expressions favorites.

— C'est ça... Non, vous voulez parler du 1A. Donc c'est Terri Bridges. Je sais qu'il s'agit d'une compagnie à responsabilité limitée et vous n'avez pas encore un nom, mais c'est l'appartement de Terri Bridges... Non. Pas le 2D. Elle occupe le 1A. (Marino fronça les sourcils.) Vous êtes sûr ? Je veux dire vraiment sûr ? Attendez, là... Ce type est anglais, non ? D'accord, il est italien mais il vit en Grande-Bretagne, c'est un citoyen anglais... D'accord. Donc c'est cohérent avec cette merde d'île de Man, non ? Mais vous avez intérêt à pas vous tromper parce que dans une demi-heure on va enfoncer la porte.

Marino raccrocha sans un remerciement ni un au revoir. Il lâcha :

— *Dans le collimateur de Gotham...* On n'a pas le nom de la personne qui se trouve derrière le site, mais on sait qu'elle a un appartement. Juste au-dessus de chez Terri Bridges, appartement 2D. À moins que les choses aient évolué sans qu'on nous prévienne, y a toujours personne dans l'immeuble. Le locataire de l'appartement en question est un financier italien, un type nommé Cesare Ingicco, domicilié à l'île de Man, où sa société est basée. À ce sujet, l'île de Man est pas dans les Caraïbes, pour ceux qui seraient pas au courant. La boîte à responsabilité limitée qui loue l'appart, c'est ce truc *offshore* sur lequel Lucy a pêché des infos. Je vous garantis que le gars en question y vit pas, et que c'est quelqu'un d'autre qui bosse dans l'appartement, ou personne d'ailleurs. J'ai l'impression qu'on devrait demander un mandat et faire un tour là-bas. Ou alors on y va et on demande le mandat après. Peu importe. On perd pas de temps puisque Eva Peebles travaillait indirectement pour ce type qui vivait en face de chez elle, même si, d'ailleurs, c'est sûrement pas lui qui occupe l'appart, parce que le Cesare il est sans doute sur son île. Je vous parie qu'on va apprendre qu'il contactait Eva que par téléphone, des appels longue distance. En tout cas, Eva savait rien de rien. Si c'est pas super-tordu, cette histoire !

— Pourquoi je me brancherais pas avec vos gars là-bas ? suggéra Bacardi. Je crois qu'il faudrait que vous traîniez un peu dans le coin. Parce que quand Benton va faire son apparition en direct, ça va être un cyclone.

— Je suis d'accord, dit Benton. S'il avait encore le moindre doute, Morales va apprendre que nous croyons qu'il pourchasse Oscar, mais que le reste du monde est à ses trousses, à lui.

— À votre avis, y a-t-il une chance que Morales et Oscar soient complices dans ce truc ? s'enquit Bacardi. Peut-être que je suis folle, mais comment est-on certain qu'ils forment pas une sorte d'équipe, comme Henry Lee Lucas et Ottis Toole, les tueurs en série ? D'ailleurs, même encore aujourd'hui, y a plein de gens qui pensent que le Fils de Sam a pas agi seul. On sait jamais.

— C'est très improbable, répondit Benton alors que Scarpetta passait son manteau sur le pas de la porte. Morales est bien trop narcissique pour travailler avec quelqu'un. Il ne peut en aucun cas travailler en équipe.

— Ça, c'est bien vrai ! s'exclama Marino.

Bacardi marqua un point lorsqu'elle rappela :

— Mais les empreintes de chaussures et de doigts retrouvées dans l'appartement d'Eva Peebles ? Est-ce qu'on peut vraiment les ignorer, ou partir du principe qu'elles ont été falsifiées, ou encore que c'est juste une erreur ?

— Devinez qui a relevé les empreintes de doigts et de semelles ! intervint Marino. L'enfoiré de Morales. En plus, il a récupéré une paire de chaussures de sport d'Oscar lorsqu'il a pris ses vêtements le soir du meurtre de Terri.

— Quelqu'un l'a vu prendre les empreintes du plafonnier ? insista Bacardi. C'est pas facile à bidonner. Je veux dire que c'est une chose avec les empreintes de semelles si on a une paire de chaussures appartenant au suspect. Mais c'est une autre paire de manches de laisser des empreintes digitales sans le doigt du gars en question. Là où je veux en venir, c'est qu'il faut avoir mis sur pied une sacrée combine pour relever les empreintes sur une scène de crime et se débrouiller pour qu'elles fassent une touche dans la banque de données de l'IAFIS.

— Ouais, mais Morales est un gars très intelligent, admit Marino.

Bacardi se leva et déclara :

— Bon, je vais aller à Murray Hill. Qui me rejoint ?

Marino la tira avec douceur par l'arrière de sa ceinture.

— Asseyez-vous. Vous allez pas prendre un foutu taxi. Vous êtes une détective de la criminelle. Je vais vous y conduire et puis je reviendrai ici. J'ai un bélier dans le coffre. Je vous le passe. Je l'ai piqué hier quand ils m'en ont déposé un chez Eva Peebles. Oups, on va dire que j'ai oublié de le rendre !

— J'y vais, annonça Scarpetta. Je vous en prie, soyez tous prudents. Mike Morales est une créature diabolique.

— En fait..., hésita Berger. Je n'ai jamais confié cela à personne...

— Tu n'es pas obligée de me parler.

— Je me demande si Morales n'a pas... rodé l'avocate anglaise pour Greg. C'est classique. Le séducteur Morales est ensuite devenu le confident à qui on peut déballer tous ses ennuis. Plus j'y pense... Il est très bizarre sur ce point, sur pas mal de points d'ailleurs, et c'est un euphémisme.

— Tu penses que Greg était au courant ?

— Non, je ne suis pas sûre. Tu veux encore un peu de café ?

— Comment tu sais que Morales s'envoyait en l'air avec l'avocate ?

— Ce n'est pas très difficile quand tu travailles avec des gens dans un bureau. En réalité je n'y prête pas attention, je crois, mais j'enregistre. Rétrospectivement, tout devient clair. Morales a dû faire le même coup des centaines de fois, presque sous mon nez, ou alors ça m'est remonté aux oreilles. Il séduit quelqu'un, l'encourage à tromper le petit ami, le mari, et soudain il se transforme en grand frère attentionné, en nounou pour sa victime. Il l'aide à recoller les morceaux. Ou alors il se débrouille pour faire la connaissance de l'homme qu'il a entubé, qui, bien sûr, ignore qu'il vient juste de se faire rouler dans la farine, parce que Morales adore devenir bon copain avec ceux qui n'ont pas la moindre idée qu'il est diabolique. Des jeux sadiques et encore des jeux sadiques. Greg et lui avaient l'habitude de s'installer en bas pour descendre ses alcools hors de prix en bavardant. Ils parlaient sans doute parfois de moi. Pas en bien.

— Il y a combien de temps de cela ?

— Morales a été transféré dans l'équipe d'enquêteurs il y a à peu près un an. Leur grande amitié a commencé à cette époque-là. Au moment où mon mariage battait de l'aile. Peu de temps avant que Greg déménage à Londres. Je suis certaine que Morales l'y a encouragé. Peut-être même que c'était son idée... que Greg me plaque.

— Comme ça Morales pouvait devenir ton amant ? résuma Lucy.

— Commencer en bousillant mon mariage et finir dans mon lit ? Ça a dû le faire bander.

— Et donc c'est par Greg que Morales aurait eu l'idée du whisky irlandais et du scotch qu'il a mentionnés dans cette interview bidon envoyée à Terri en se faisant passer pour ma tante ? Quant à ton ex-mari, il n'aurait pas dû se laisser influencer par ce type. Merde ! Il a fait son choix. Et Morales ne va plus rien commencer et finir. Il va en finir avec lui-même. Je te le promets.

— Si tu regardes les bouteilles en question, je te parie que Greg et lui les ont sacrément entamées, poursuivit Berger. Morales a dû exiger l'alcool le plus cher qui se trouvait dans le bar. C'est lui craché. C'est vraiment dégoûtant d'avoir prétendu que Kay buvait régulièrement des bouteilles valant cinq, six, sept cents dollars, et de préciser que ça coûtait bien plus cher que tous les ouvrages universitaires de Terri ! Il était en train de brosser d'elle un portrait affreux. Et si Terri avait terminé son mémoire, si elle avait écrit son livre ? Ça aurait été plus que regrettable. Je suis sûre que l'idée qu'il était derrière *Dans le collimateur de Gotham* t'a traversé l'esprit. Ce genre de choses serait tout à fait dans ses cordes.

— L'adresse IP de la personne qui rédige ces articles a été rendue anonyme. Quant au fournisseur d'accès, il a un compte qui remonte à une société domiciliée sur l'île de Man, une des plus solides juridictions au monde pour les compagnies *offshore*, résuma Lucy. Le code d'accès machine ne ressemble à rien de ce que j'ai vu jusque-là. En d'autres termes, ces chroniques n'ont pas été écrites sur un ordinateur portable, ni sur un appareil banal. De surcroît, aucun des *e-mails* que nous avons parcourus n'a été envoyé avec cette machine. Le problème, c'est que les juridictions telles que celle de l'île de Man, Niévès ou Bélize offrent une protection pointilleuse aux affaires privées. Il est très difficile de parvenir à franchir les barrières légales pour savoir qui se trouve derrière une société à responsabilité limitée. J'ai un contact aux impôts qui essaie de tirer quelques ficelles pour moi. D'ailleurs c'est intéressant que la compagnie soit basée au Royaume-Uni. J'aurais plutôt pensé aux îles Caïmans. Comme pour environ soixante-quinze pour cent des *hedge funds*. Cela étant, je ne pense pas que Morales soit à l'origine de *Dans le collimateur de Gotham*.

— Ce qui sous-entend que, qui que soit cette personne, elle a beaucoup d'argent placé en *offshore*, commenta Berger.

— Ça paraît évident, approuva Lucy. Rien qu'avec les publicités et la promotion qu'elle fait de certains produits. Elle doit toucher des pots-de-vin ahurissants, virés sur des comptes protégés et très discrets. Mon grand espoir, c'est qu'elle ait été trop futée en contournant les lois sur les impôts, parce que c'est ce qui nous mènera vers une adresse physique. Ce que je veux dire, c'est qu'elle loue, elle possède, elle paie des factures, ou du moins quelqu'un en son nom, si ça se trouve elle a un appartement à New York et elle payait une employée qui vivait ici, Eva Peebles, et ça, on le sait. Quelqu'un transférait de l'argent sur le compte de la vieille dame depuis le Royaume-Uni, de la part de *Dans le collimateur de Gotham*. Cet agent des impôts est un ancien de l'ATF. Je lui ai aussi donné le numéro de Marino. Il est en train de dénicher d'autres informations auprès de la banque d'Eva Peebles. Je veux savoir qui est *Dans le collimateur de Gotham* et où elle se trouve. Et si elle truande le fisc, bienvenue en prison.

— Elle ? s'étonna Berger.

— Après la parution du premier article sur ma tante, j'ai procédé à une analyse sémantique sur une cinquantaine de chroniques archivées. Non, je ne pense vraiment pas que Morales soit le rédacteur et qu'il ait monté un site de ce genre. Ça demande trop de maintenance, trop de travail. Morales, c'est du vite fait, bien fait, du moins c'est ce que racontent tous ceux qui le connaissent. Il a un côté négligent, je-m'en-foutiste, et c'est ce qui le fera tomber.

— Tu as fait cette analyse du site un peu avant de le planter ?

— Je ne l'ai pas planté. C'est Marilyn Monroe qui s'en est chargée.

— Laissons cela pour une autre fois, temporisa Berger. Il n'en demeure pas moins que je suis contre le procédé qui consiste à infecter des sites avec des vers.

— Les mêmes mots et phrases reviennent constamment, tout comme les métaphores, les allusions et les comparaisons, résuma Lucy en faisant référence à l'analyse sémantique à laquelle elle avait procédé.

— Comment un ordinateur peut-il reconnaître une comparaison ? demanda Berger.

— Un exemple. Tu lances une recherche sur *comme* et *tel*, et l'ordinateur va retrouver ceux qui sont suivis par un adjectif ou un substantif. *Tel le long pied raide d'une chaise – comme s'il en avait trois.* Je te cite encore quelques exemples choisis parmi la prose ampoulée de *Dans le collimateur de Gotham* : *aima-blement incurvée, telle une banane bien ferme moulée dans un Calvin Klein qui semblait avoir fondu sur lui.* Ah oui, voyons si je me souviens de celui-ci : *ses petits nénés, aussi plats que des cookies, ses mamelons aussi minuscules que des raisins secs.*

— Et comment ton ordinateur peut-il au juste reconnaître une métaphore ?

— Des groupes d'informations distincts, incluant des substantifs et des verbes qui sont incohérents ensemble. *Mon crâne hiberne dans le nid détrempé de mes cheveux. Crâne* et *hiberne* seraient reconnus par l'ordinateur comme étant une aberration linguistique. Tout comme *nid* et *cheveux*, si on les considère d'un point de vue littéral. Sauf que métaphoriquement parlant, tu obtiens une ligne tirée de l'œuvre du poète Seamus Heaney, Prix Nobel. Car je suis certaine que tu n'as pas cru qu'il s'agissait de prose ampoulée.

— Et donc ton réseau neuronal sait lire de la poésie quand il n'est pas occupé à traquer les ordures sur Internet ?

— Ce qu'il m'indique, c'est que l'auteur qui se cache derrière *Dans le collimateur de Gotham* est de sexe féminin, précisa Lucy. Une femme sarcastique, pleine de ressentiment, ivre de colère. Une femme qui se sent la rivale de toutes les autres. Une femme qui exècre tant les autres femmes qu'elle n'hésitera pas à se moquer de l'une d'entre elles, agressée sexuelle-ment. Son but est d'humilier, d'avilir à nouveau la victime. Ou du moins d'essayer.

Berger récupéra la télécommande et enfonça la touche de défilement.

Le visage paniqué de Terri renvoyé par le miroir. Elle parlait, alors que des mains gantées de latex lui malaxaient les seins. Les larmes affluaient dans ses yeux. Elle souffrait.

Sa voix trembla affreusement lorsqu'elle déclara :

— Non, je ne peux pas. Je suis désolée. Ne sois pas en colère contre moi. Je ne veux pas qu'on fasse ça.

Sa langue et ses lèvres produisaient de petits sons pénibles. Sa bouche était si sèche.

La voix du tueur lui répondit :

— Mais si, mon cœur, tu en as envie. Tu aimes être attachée et baisée, n'est-ce pas ? Cette fois, on vise le gros lot, tu sais ça ?

Des mains gantées posèrent le pot d'Aqualine sur le comptoir, dévissèrent le bouchon, et des doigts plongèrent dans la pommade. Il lui en enduisit le vagin alors qu'elle avait le dos tourné vers lui. Il prit son temps, son pénis dressé couvert d'un préservatif poussant contre le haut de son dos. En fait, il avait commencé son agression sexuelle avec ses doigts gluants de lubrifiant. Il la violait par la peur. À moins d'imaginer qu'il l'ait pénétrée avec son sexe hors champ, il ne la viola pas avec son pénis. Ce n'était pas ce dont il avait envie.

La chaise crissa sur le sol carrelé lorsqu'il la fit asseoir.

— Regarde comme tu es jolie dans ce miroir, dit-il. Assise et si charmante. Presque de la même grandeur que quand tu te tiens debout. De qui puis-je dire la même chose, hein, petite fille ?

— Arrête, supplia-t-elle. Je t'en prie, arrête. Oscar va arriver d'une minute à l'autre. Arrête, je t'en prie. Mes mains s'engourdissent. Je t'en prie, retire-le. S'il te plaît.

Elle pleurait, mais tentait toujours de prétendre qu'il ne s'agissait que de cela : une mise en scène. Elle essayait de réagir comme s'il n'était pas en train de devenir dangereux. C'était un jeu sexuel, et si l'on se fiait aux allusions qu'ils faisaient et à leur comportement, ils avaient certainement eu des relations sexuelles auparavant, où la domination avait dû faire partie du scénario. Cependant plus rien ne ressemblait à cela. Plus rien du tout. Quelque part, au fond d'elle-même, elle savait qu'elle allait mourir, et de façon affreuse. Pourtant elle tentait de repousser cette éventualité de toutes ses forces.

— Oh, mais il n'arrive qu'à dix-sept heures tapantes. Pauvre petit Oscar si ponctuel ! C'est de ta faute, tu sais ? pouffa la voix du tueur dans le miroir. À partir de maintenant, mon cœur, c'est ce que tu as créé.

Berger arrêta à nouveau le défilement. Elle gribouilla d'autres réflexions sur son carnet de notes.

Toutes les pièces s'agençaient à la perfection. Cela étant, ils ne pouvaient rien prouver. Elles n'avaient pas vu une seule fois le visage de Mike Morales. Il n'était apparu ni sur la vidéo qu'elles étaient en train de visionner, ni sur celle qu'il avait tournée du meurtre de Bethany, étranglée dans son petit appartement minable, l'été où il avait terminé ses études de médecine au Johns Hopkins, en 2003. Il n'apparaissait pas non plus dans l'enregistrement qu'il avait fait quelques mois plus tard de l'assassinat de Rodrick. Il avait ensuite balancé le corps gracieux du jeune garçon non loin de la concession Bugatti de Greenwich. Rodrick s'était sans doute fait piéger par le radar de Morales à cause du cabinet vétérinaire dans lequel Morales travaillait à temps partiel. C'était sans doute également là qu'il avait rencontré Bethany, mais dans un autre cabinet vétérinaire, situé à Baltimore.

Dans les deux cas, il avait reproduit exactement ce qu'il avait fait subir à Terri. Il portait des gants de chirurgie lorsqu'il pénétrait les victimes avec ses doigts enduits de lubrifiant. À cette époque, cinq ans plus tôt, il allait commencer sa formation à l'académie du département de police de New York, à ceci près qu'il était employé à temps partiel par des vétérinaires, pas des dermatologues. Néanmoins, les vétérinaires cautérisent aussi et utilisent des lubrifiants comme l'Aqualine. Morales avait chapardé au cabinet un pot partiellement utilisé, une caractéristique de son *modus operandi*, remontant sans doute à son premier meurtre.

Berger n'avait pas la moindre idée du nombre de gens qu'il avait pu tuer. Toutefois, elle se demandait s'il n'utilisait pas le lubrifiant pour égarer la police avec un mélange d'empreintes ADN.

— Il a dû penser que c'était très drôle, dit-elle à Lucy. Il s'est amusé comme un petit fou lorsque les profils balancés dans CODIS ont fait une touche sur une femme paraplégique de Palm Beach. Il a dû se plier de rire !

— Il ne s'en sortira pas, décréta Lucy.

— Je ne sais pas.

Non seulement la police n'avait pas encore localisé Morales, mais en plus aucun mandat d'arrêt n'était lancé contre lui. Le problème de taille, qui allait perdurer, était la nécessité d'une preuve. Les résultats scientifiques étaient insuffisants pour prouver que Morales avait tué qui que ce soit, et retrouver son ADN chez Terri, sur la scène de crime et même sur son cadavre ne signifiait rien puisqu'il se trouvait dans son appartement et qu'il l'avait touchée pour vérifier si elle était toujours en vie. Il était chargé de l'enquête sur son meurtre et avait touché à peu près tout et tous ceux qui avaient un lien avec la mort de la jeune femme.

Son visage n'apparaissait sur aucun des enregistrements vidéo. On ne le voyait pas non plus entrer ni quitter l'immeuble de Terri, parce qu'il avait sans doute eu recours à l'accès du toit la nuit du meurtre, tirant l'escabeau après lui pour le remettre plus tard dans son placard. Quant à leur relation avant cela, il y avait fort à parier qu'ils se rencontraient ailleurs. Pas dans l'appartement de Terri. C'était trop risqué. Un passant ou un voisin aurait pu se souvenir qu'il avait vu Morales dans le coin, et le détective était beaucoup trop malin pour commettre cette erreur.

Berger suggéra qu'il utilisait peut-être déjà l'accès par le toit. Sans doute n'aurait-elle jamais confirmation de son hypothèse.

Morales était très intelligent. Il avait fini ses études à Dartmouth, au Johns Hopkins. C'était un psychopathe sadique sexuel, peut-être le plus dangereux, le plus monstrueux que le procureur ait rencontré dans sa carrière. Elle repensa à tous ces moments où elle s'était trouvée seule en sa compagnie. Dans sa voiture. À la Tavern on the Green. Au Ramble, lorsqu'elle avait voulu revisiter la scène de crime où la joggeuse avait été violée et étranglée à mains nues. Des doutes assaillaient maintenant Berger. Morales avait-il aussi tué cette femme ?

Elle le soupçonnait, mais n'avait aucun moyen de le prouver. Un jury ne se laisserait pas convaincre par une identification vocale. Il pouvait altérer sa voix pour qu'elle ne ressemble pas à celle du tueur des vidéos. Cet homme-là s'exprimait avec un fort accent espagnol. Or, d'habitude, Morales parlait sans une trace d'accent. Une affaire ne pouvait pas être gagnée grâce à une analyse vocale, même lorsque les logiciels les plus performants étaient utilisés.

Un procureur aussi chevronné que Berger n'allait pas non plus suggérer quelque chose d'aussi ridicule qu'une comparaison de pénis, celui de Morales avec celui des vidéos. Le membre était normal, non circoncis, rien d'inhabituel, aucun signe distinctif. D'autant qu'il était recouvert d'un préservatif qui masquait tout détail permettant une comparaison.

Tout ce que les flics pouvaient faire – ainsi que Lucy –, c'était démontrer que ces vidéos affreuses et accablantes se trouvaient sur sa messagerie. Où se les était-il procurées ? Les avoir en sa possession ne prouvait pas qu'il avait tué quelqu'un, ni même qu'il avait filmé les meurtres à l'aide d'un caméscope qu'il aurait installé sur un trépied. Lucy était la première à le reconnaître : faire comprendre à des jurés ce qu'étaient les adresses IP, les codes d'accès machine, les *anonymizers*, les *cookies*, les renifleurs de mots de passe et une centaine d'autres termes qui faisaient partie de son vocabulaire de base relevait du parcours du combattant. Cela s'apparentait à ce que Berger avait vécu lorsqu'elle avait été une des premières à tenter d'expliquer l'ADN et ses empreintes à des juges et des jurés.

Les regards devenaient absents. Personne ne se fiait à ces nouvelles techniques. Elle avait perdu un temps et une énergie considérables à suivre la règle Frye, qui définissait l'admissibilité des preuves scientifiques, chaque fois qu'elle essayait de retenir une preuve par l'ADN en cour. En réalité, l'ADN n'avait pas profité à son mariage, si tant est qu'autre chose l'ait pu. Et la prolifération des nouvelles techniques scientifiques d'investigation avait généré d'autres pressions, d'autres exigences, que personne n'aurait pu imaginer. Si les sciences médico-légales en étaient restées au même stade que lorsque Berger étudiait à Columbia, alors qu'elle vivait avec une femme qui lui avait brisé le cœur et l'avait tant effrayée qu'elle s'était jetée dans les bras de Greg, peut-être aurait-elle eu un peu de temps à consacrer à sa vie privée. Elle aurait pris un peu plus de vacances, parfois même sans traîner derrière elle ses dossiers. Elle aurait pris le temps de connaître les enfants de Greg, de vraiment les connaître. Pris également le temps de connaître les gens avec qui elle travaillait, dont Scarpetta, à qui elle n'avait même pas envoyé un message de condoléances après le décès de Rose. Or Berger était au courant de l'agonie de la vieille secrétaire.

Marino l'avait informée.

Peut-être Berger aurait-elle aussi pris le temps de se connaître elle-même.

— Kay va arriver d'une minute à l'autre, lança-t-elle à Lucy. Il faut que je m'habille. D'ailleurs il serait souhaitable que tu en fasses autant.

Lucy ne portait qu'un maillot de corps et un slip. Toutes deux avaient visionné ce qu'il est convenu d'appeler un *snuff movie* dans certains réseaux, sans même penser à se vêtir. Il était encore tôt, à peine dix heures du matin. Pourtant on se serait cru en fin d'après-midi. Berger avait l'impression de souffrir d'un décalage horaire. Elle portait toujours le pyjama de soie et le peignoir qu'elle avait passés après avoir pris une douche, quelques minutes avant l'arrivée de Lucy.

En moins de cinq heures, depuis que Scarpetta, Benton, Marino, Bacardi et Morales s'étaient réunis dans son salon, Jaime Berger avait appris l'absurde vérité, elle l'avait vue se dérouler devant ses yeux. Elle avait été témoin des morts sadiques de trois personnes devenues la proie d'un homme censé les protéger : un médecin qui n'avait jamais été, qui n'aurait jamais dû devenir un flic. Un homme qui n'aurait jamais dû approcher une créature vivante.

Jusque-là, seul Jake Loudin avait été localisé. Cependant, il n'allait certainement pas admettre qu'il connaissait Morales – si tel était le cas –, certainement pas reconnaître qu'il l'employait afin d'euthanasier les animaux qui ne se vendaient pas, ou autre chose. Peut-être que Morales utilisait le nom de Juan Amate lorsqu'il officiait dans les sous-sols d'animaleries, ajoutant une couche de misère à ce monde contre un salaire. Mais peut-être que la chance sourirait à Berger. Peut-être qu'en échange d'une réduction de peine elle parviendrait à convaincre Loudin d'admettre qu'il avait téléphoné la veille au soir à Morales, juste après qu'Eva Peebles s'était trouvée au mauvais endroit au mauvais moment, dans le sous-sol d'une affreuse boutique. Berger ne croyait pas que Loudin avait demandé à Morales de tuer la vieille dame. Toutefois, l'existence d'Eva Peebles devenait une gêne, et Morales avait saisi cette excuse pour s'amuser encore un peu.

La sonnerie de l'interphone retentit alors que Berger terminait de s'habiller. Lucy était toujours assise sur le lit puisqu'elles n'avaient pas cessé de discuter.

Berger décrocha le combiné de l'interphone en boutonnant sa chemise Oxford.

— Jaime ? C'est Kay. Je suis devant chez vous.

Berger enfonça la touche du zéro de la télécommande qui déverrouillait sa porte.

— Entrez. Je descends tout de suite.

— Ça ne pose pas de problème si je prends une douche rapide ? demanda Lucy.

Chapitre 33

Marino suivait les informations sur son PDA, tout en avançant d'un pas vif le long de Central Park South, ouvrant la voie à coups d'épaule, slalomant entre les passants tel un joueur de football fermement décidé à se rapprocher du but.

Benton, dans son costume bleu à fines rayures, était installé devant une table, en face d'un intervieweur, Jim quelque chose – Marino ne se souvenait plus de son nom parce qu'il ne s'agissait pas d'un présentateur vedette à cette heure de la journée. Le nom de Benton apparaissait en grosses lettres en bas de l'écran :

Dr Benton Wesley, psychologue légal,
hôpital McLean

— Merci de nous rejoindre. Nous avons aujourd'hui avec nous le Dr Benton Wesley, l'ancien directeur de l'unité des sciences du comportement de Quantico, qui travaille actuellement à Harvard et au John Jay...

— Jim, je veux en arriver tout de suite au motif de ma présence ici. C'est extrêmement urgent. Nous lançons un appel au Dr Oscar Bane : il doit contacter le FBI...

— Permettez-moi juste de préciser à nos téléspectateurs que cette annonce est liée aux affaires dont nous avons tous entendu parler – impossible de passer à côté –, ces deux meurtres horribles commis à New York au cours des deux dernières nuits. Que pouvez-vous nous en dire ?

Marino avançait en direction de Columbus Circle et des gratte-ciel de Time Warner, où Benton se trouvait à l'instant même, dans un studio. L'idée était mauvaise. Marino comprenait que Benton ait pensé qu'il n'avait pas le choix, et aussi pourquoi il n'avait pas souhaité en parler d'abord à Berger. Il ne voulait pas qu'elle soit jugée responsable de ce qu'il allait entreprendre. Benton ne travaillait pas pour elle et il n'avait de comptes à rendre à personne. Marino le comprenait bien, mais maintenant que Benton était sur une chaîne de télévision internationale, quelque chose n'allait pas du tout.

— Nous lui demandons, s'il nous regarde, d'appeler le FBI au plus vite, répéta Benton, dont la voix parvenait à Marino par son écouteur. Nous avons des raisons d'être très inquiets au sujet de la sécurité du Dr Bane. Il ne doit pas – j'insiste –, il ne doit sous aucun prétexte contacter la police locale ou autre. Il faut qu'il appelle le FBI, qui assurera sa sécurité.

Scarpetta disait toujours qu'il ne fallait jamais pousser quelqu'un dans ses retranchements au point que cette personne n'ait plus rien à perdre et nulle part où aller. Benton aussi le disait, ainsi que Marino. Alors pourquoi faisaient-ils cela ? D'abord Berger avait appelé Morales, et Marino avait trouvé que c'était une très mauvaise idée. Elle l'avait ni plus ni moins mis en garde, sans doute avec une sorte de jubilation. L'éblouissant Morales arrêté, en taule. Berger était un procureur hors normes. Elle était dure. Mais elle n'aurait jamais dû faire ça, et Marino ne savait toujours pas ce qui avait pu l'y pousser.

Il éprouvait la déroutante sensation qu'il y avait là quelque chose de personnel, du moins en partie. Scarpetta n'avait rien fait de tel. Pourtant elle en avait eu l'opportunité. Lorsqu'ils s'étaient réunis, juste après minuit, dans le salon du procureur, Scarpetta aurait pu lancer pas mal de choses contre Morales, qu'elle n'aimait pas et en qui elle n'avait aucune confiance – tout comme Marino –, même si, à ce moment-là, tous ignoraient que son passe-temps favori consistait à jouer le premier rôle dans ses propres foutus *snuff movies*. Mais Scarpetta avait été parfaitement professionnelle, égale à elle-même, en présence de Morales. Et si elle avait su qu'il était un meurtrier, mais sans avoir l'ombre d'une preuve contre lui, elle aurait gardé ses réflexions pour elle. Scarpetta était ainsi.

— Je dois dire, docteur Wesley, qu'il s'agit sans doute de l'appel le plus étrange que j'aie jamais entendu. Peut-être *appel* n'est-il pas le terme adapté, mais pourquoi...

Marino jeta un regard aux petites silhouettes qui papotaient sur l'écran de son PDA. L'immeuble de Berger était situé à deux pâtés de maisons. Elle n'était pas en sécurité. On pousse un type comme Morales trop loin, on lui met le nez dedans, et après ? Après, il va riposter. Contre qui va-t-il riposter en premier ? Contre cette dame qu'il a tenté de conquérir depuis qu'il est devenu enquêteur. Contre cette dame au sujet de laquelle il ment, essayant de faire gober à tout le monde qu'il a couché avec, le procureur chargé des crimes sexuels. Pas vrai. Aucune chance.

Morales n'était pas son genre.

Dans le passé, Marino avait eu l'impression de connaître le genre de Berger, un gars riche comme

Greg. Mais il avait observé Berger et Lucy ce matin dans le salon, au milieu des autres. Il avait vu Lucy la suivre dans la cuisine, puis partir soudain, et Marino avait changé d'avis. Il n'avait plus aucun doute.

La faiblesse de Berger, sa passion, ce n'étaient pas les hommes. Physiquement et émotionnellement, elle était programmée de façon différente.

— Oscar a toutes les raisons du monde de ne faire confiance à personne en ce moment, poursuivit Benton. Certains éléments nous poussent à croire que les craintes dont il s'est ouvert auprès des autorités, craintes concernant sa sécurité, sont fondées. Nous les prenons très, très au sérieux.

— Mais attendez, là... Des mandats d'arrêt ont été lancés contre lui pour meurtres. Excusez-moi, on dirait que vous cherchez à protéger le méchant.

Benton fit face à la caméra.

— Oscar, si vous m'entendez, vous devez appeler le FBI, n'importe quelle antenne locale, où que vous soyez. Ils assureront votre sécurité.

— Quant à moi, j'ai plutôt l'impression que ce sont les autres qui devraient craindre pour leur sécurité. N'est-ce pas, docteur Wesley ? C'est lui que la police soupçonne d'avoir tué ces...

— Je ne discuterai pas de ces affaires avec vous, Jim. Merci de m'avoir accordé un peu de votre temps.

Benton retira le micro-épingle et se leva.

— Eh bien, nous venons de vivre un moment très inhabituel dans le monde des enquêtes criminelles de New York. Deux meurtres ont entaché ce tout début d'année et le légendaire – oui, je crois que je peux utiliser le terme *légendaire* – profileur Benton Wesley encourage l'homme dont tout le monde pense qu'il...

— Merde ! souffla Marino.

Aucune chance qu'Oscar contacte le FBI, ou Dieu, ou n'importe qui après avoir entendu ça.

Marino se déconnecta et ferma son appareil, tout en avançant à grands pas. Il transpirait sous son vieux blouson de cuir Harley et l'air mordant lui mettait les larmes aux yeux. Le soleil tentait d'échapper à de gros nuages sombres. La sonnerie de son mobile se déclencha.

— Ouais, lança-t-il, esquivant les passants comme s'ils avaient la lèpre, évitant leurs regards.

— Je vais parler à deux agents fédéraux au bureau de New York, annonça Benton. Je vais leur expliquer ce que nous sommes en train de faire.

— Je crois que ça s'est bien passé, non ? dit Marino.

Benton ne lui avait pas demandé de commentaires, aussi ne lui répondit-il pas.

— Je vais passer quelques appels du studio et puis je me rendrai chez Berger, poursuivit Benton, qui semblait triste et découragé.

— Non, je crois que ça s'est bien passé, insista Marino. Oscar va l'entendre. Ça fait pas un pli. Il doit être planqué dans un motel ou un truc de ce genre, et tout ce qu'il a, c'est la télé. Ils vont repasser votre intervention toute la journée et toute la nuit, c'est sûr.

Marino leva le regard sur l'immeuble de verre et de métal haut de cinquante et un étages, jusqu'au penthouse qui donnait sur le parc. Au-dessus de l'entrée principale s'étalaient les énormes lettres dorées TRUMP. Mais, après tout, tel était le cas de toutes les choses chères dans le coin.

— Parce que si Oscar vous voit pas à la télé, je veux même pas penser à ce que ça pourrait impliquer, poursuivit Marino, qui avait le sentiment de se parler à lui-même tant Benton était devenu silencieux. À moins qu'il se soit opéré tout seul, ses moindres mouvements sont suivis par GPS – et vous savez à qui appartient la puce en question. Donc vous avez fait le bon choix. D'ailleurs vous ne pouviez rien faire d'autre.

Il continua à monologuer jusqu'au moment où il se rendit compte que la communication avait été coupée. Marino parlait dans le vide depuis un moment.

La gueule du canon appuyé contre la base du crâne de Scarpetta ne suscitait pas la peur qu'elle aurait imaginée. Elle ne parvenait pas vraiment à comprendre la scène.

C'était un peu comme s'il n'existait plus aucune connexion entre ses actions, leurs causes et conséquences, maintenant ou après. Une seule chose avait conservé son implacable réalité : son effarante consternation. C'était de sa faute à elle si Morales avait pu pénétrer dans l'appartement de Berger, et il avait fallu qu'elle parvienne à la fin de sa vie pour commettre le seul péché impardonnable. Elle était responsable de la tragédie et de la souffrance. Sa faiblesse et sa naïveté allaient occasionner aux autres les maux contre lesquels elle s'était toujours battue.

D'ailleurs tout était de sa faute. La pauvreté de sa famille et la mort de son père. Le mécontentement permanent de sa mère, la personnalité à la limite de la pathologie de sa sœur Dorothy et son extrême dysfonctionnement, et tout ce qui était advenu de mal à Lucy.

— Il n'était pas là lorsque j'ai sonné, répéta Scarpetta, déclenchant l'hilarité de Morales. Je ne lui aurais pas permis d'entrer.

Figée en bas des marches de l'escalier en spirale qui montait vers l'étage, son téléphone mobile à la main, Berger fixait Morales. Au-dessus d'elle se trouvait une collection de magnifiques œuvres d'art. La ligne des toits de New York les environnait, révélée par tout un mur incurvé en verre étincelant. Un peu plus loin, en contrebas, se trouvait le salon avec ses meubles de bois précieux et ses sièges tapissés d'ocre et de marron, sur lesquels tous avaient pris place peu de temps auparavant, des alliés, des amis, unis dans leur lutte contre l'ennemi, l'ennemi qui venait d'être démasqué et qui se trouvait à nouveau ici.

Mike Morales.

La gueule du canon abandonna le crâne de Scarpetta. Elle ne se tourna pas, le regard toujours rivé sur Berger. Elle espérait que le procureur avait compris que lorsqu'elle était sortie de l'ascenseur, lorsqu'elle avait sonné pour s'annoncer, elle était seule. Et puis, soudain, une poigne herculéenne lui avait saisi le bras et l'avait poussée à l'intérieur de l'appartement de Jaime Berger. Peut-être une réflexion lancée par l'un des employés de la réception aurait-elle dû l'alerter, du moins la surprendre.

Lorsque Scarpetta avait pénétré dans l'immeuble quelques minutes plus tôt, la très jolie jeune femme, dans son très élégant uniforme, lui avait souri et déclaré :

— Les autres vous attendent, docteur Scarpetta.

Quels autres ?

Elle aurait dû demander des précisions. Mon Dieu, pourquoi ne l'avait-elle pas fait ? Il suffisait à Morales de montrer son badge. Sans doute n'en avait-il même pas eu besoin. Il était déjà venu quelques heures auparavant. Il était charmant, persuasif, et il n'aimait pas qu'on lui résiste.

Le regard de Morales balaya l'espace. Ses pupilles étaient dilatées. Sa main gantée de latex lâcha le petit sac de sport qu'elle tenait. Il fit descendre la fermeture à glissière. Et Scarpetta vit à l'intérieur le trépied replié et des entraves en Nylon transparent. Elle ne put identifier les autres objets dans le sac. Mais ce furent les bracelets de plastique qui lui firent remonter le cœur dans la gorge. Elle savait ce que pouvaient faire ces liens, et elle en avait peur.

— Laissez Jaime partir. Quant à moi, faites ce que vous voulez, lança Scarpetta.

— Oh, la ferme ! répliqua-t-il, comme s'il la jugeait assommante.

Il lia les poignets de Berger dans son dos en quelques gestes, puis il la propulsa vers le canapé et la poussa avec brutalité pour la forcer à s'asseoir.

— Sois sage ! ordonna-t-il à Scarpetta pendant qu'il lui entravait à son tour les mains, serrant le bracelet de plastique au maximum.

Aussitôt ses doigts se contractèrent et une souffrance terrible irradia dans ses avant-bras. On aurait cru qu'un cercle de métal enserrait ses poignets, comprimant les vaisseaux sanguins, mordant dans l'os. Il la poussa à son tour sur le canapé, juste à côté de Berger. La sonnerie d'un téléphone retentit en haut.

Les yeux de Morales se posèrent sur le mobile qu'il avait arraché des mains de Berger, puis il leva le regard vers la galerie de l'étage, à laquelle faisaient suite les chambres.

La sonnerie du téléphone retentit à nouveau, puis s'arrêta. De l'eau coulait quelque part. Le bruit cessa. Scarpetta pensa à Lucy au même moment que Morales.

Berger déclara :

— Vous pouvez mettre un terme à tout cela, Mike. Vous n'avez pas besoin de...

Scarpetta bondit sur ses pieds. Morales la poussa avec une rare violence et elle retomba sur le canapé.

Il gravit les marches quatre à quatre, ses pieds semblant à peine les effleurer.

Lucy sécha ses cheveux très courts à l'aide d'une serviette et inspira une longue bouffée de buée à l'intérieur d'une des plus jolies cabines de douche qu'elle ait vues depuis longtemps.

Celle de Greg. Un écrin de verre avec d'énormes pommes de douche, des jets massants, un sauna et de la musique, sans oublier un siège chauffant si l'on souhaitait juste s'asseoir sous le jet et écouter la musique. Berger avait inséré le CD d'Annie Lennox dans sa chaîne. Une coïncidence, peut-être, puisque Lucy l'avait mis la nuit dernière dans le loft. Greg et ses whiskys, ses belles choses, son avocate. Lucy était déroutée par cet homme qui savait indiscutablement vivre, mais qui avait choisi la mauvaise personne pour y parvenir, tout cela à cause d'un léger détail génétique.

C'était un peu comme d'omettre une décimale en mathématique. Lorsqu'on était enfin parvenu au bout de la longue et complexe équation, on se trouvait à des années-lumière du résultat. On avait échoué. Berger était la personne adéquate, mais la réponse erronée. Lucy était un peu triste pour Greg, mais certainement pas pour elle-même. Elle était envahie par un bonheur indescriptible, qui ne ressemblait en rien à ce qu'elle avait pu éprouver avant, et elle avait l'impression de revivre et de revivre encore.

C'était un peu comme se repasser sans cesse le même morceau de musique enivrant, ce qu'elle venait de faire sous la douche. Elle avait repensé à chaque geste, chaque regard, chaque intention qui avait abouti à un frôlement de corps érotique et même bouleversant, parce qu'il signifiait véritablement quelque chose. Rien n'avait été médiocre. Rien n'était entaché de culpabilité ou de honte. Tout était parfait, et Lucy ne parvenait pas à croire que ça lui arrivait, à elle.

Tout cela était un rêve, un rêve qu'elle n'avait jamais fait parce qu'elle ne savait pas assez de choses. Elle n'avait jamais redouté ou espéré ce qui lui arrivait, pas plus que ses cauchemars qui mettaient en scène des extraterrestres ou ses rêves fantastiques avec des machines volantes et des voitures de sport. Ceux-là n'existaient pas ou étaient réels, à portée de main. Jaime Berger n'avait jamais été une impossibilité ou une possibilité dans l'esprit de la jeune femme, même si, lors de leurs rares rencontres au cours des années précédentes, elle avait ressenti une sorte de vertige, de nervosité en sa présence. Une image s'imposa à elle : c'était comme si on lui offrait de jouer avec un très gros chat sauvage, un guépard ou un tigre, avec lequel elle ne devrait pas rester, encore moins le caresser.

Lucy se redressa dans la cabine de douche embuée, incapable de voir au travers des parois de verre, réfléchissant à la meilleure façon d'avoir une conversation sincère avec sa tante, pour expliquer, juste parler.

Elle poussa la porte au moment où une forme se matérialisait devant elle. La buée en s'évaporant dévoila le visage de Mike Morales. Il lui sourit, son pistolet pointé à quelques centimètres de sa tête.

— Crève, salope !

La porte céda sous le premier coup de bélier et cogna contre le mur en s'ouvrant.

Coldplay chantait en sourdine dans l'appartement 2D. Bacardi et un policier en uniforme – elle croyait se souvenir que son prénom était Ben – pénétrèrent et se retrouvèrent nez à nez avec le Dr Kay Scarpetta.

— Bon Dieu, c'est quoi, ça ? lança Bacardi.

Scarpetta était partout sur les murs. Des posters, certains jusqu'au plafond. Il ne s'agissait pas de photos où elle posait, plutôt des clichés d'actualité pris lorsqu'elle passait sur CNN, ou traversait Ground Zero, ou dans la morgue, l'air préoccupé, ne se rendant pas compte que quelqu'un était en train de prendre ce que Bacardi appela des « photos de réflexion ». Cela ne signifiait pas pour autant que le photographe faisait quelque chose de puissamment réfléchi, mais qu'il ou elle avait un but.

— On dirait un foutu autel ou un truc du même genre, murmura Ben.

L'appartement situé à l'arrière de l'immeuble, un étage au-dessus de celui de Terri Bridges, n'était pas meublé, à l'exception d'un simple bureau en érable installé face à un mur et flanqué d'une petite chaise. Un ordinateur portable était posé dessus, un de ces nouveaux PowerBook ou AirBook, ou autre, bref ces appareils onéreux légers comme une plume. Bacardi avait entendu dire que certains jetaient le leur par mégarde, glissé dans une pile de journaux, et elle comprenait maintenant pourquoi. L'appareil était branché sur un chargeur et *Clocks* passait sur iTunes. Le volume était bas et l'air recommençait en boucle, elle n'aurait su dire depuis combien de temps parce que quelqu'un avait sélectionné la fonction *repeat* du menu. Quatre soliflores étaient alignés à côté de l'ordinateur, en verre taillé bon marché. Dans chacun se dressait une rose fanée. Bacardi se rapprocha du bureau et tira un pétale.

— Rose jaune, commenta-t-elle.

L'officier Ben – puisque c'était ainsi qu'elle avait décidé de l'appeler – était bien trop occupé à détailler l'autel consacré à Scarpetta pour se préoccuper de quatre roses mortes ou pour comprendre que, d'un point de vue féminin, le choix du jaune n'était pas anodin. Le besoin de réconfort et de certitude de Bacardi exigeait des roses rouges, pourtant son instinct lui soufflait autre chose. L'homme qui vous offre des roses jaunes est celui que vous n'obtiendrez jamais, et c'est celui que vous voulez, celui pour qui vous remueriez ciel et terre. Elle jeta un regard à Ben, soudain inquiète à l'idée d'avoir énoncé tout haut ce qu'elle pensait tout bas.

— Tu veux que je te dise ? lança-t-elle, sa voix ricochant contre les murs de vieux plâtre tandis qu'elle foulait le parquet nu et passait de pièce en pièce. Je sais pas trop ce qu'on est censés faire, vu que les seules choses qu'il y a ici, c'est cet ordinateur et du papier toilette.

Lorsqu'elle revint sur ses pas, Ben était toujours plongé dans la contemplation des photos gigantesques de Scarpetta. Il les éclaira du faisceau de sa lampe, peut-être dans l'espoir qu'elles lui apprennent quelque chose.

— Pendant que tu es bouche bée, je vais appeler Pete – pour toi il reste l'enquêteur Marino – et lui demander ce qu'on est supposés faire avec *Dans le collimateur de Gotham*. Tu sais comment on passe les menottes à un site Web, toi, Ben ?

— Ban, la corrigea-t-il. Pour Bannerman.

Le faisceau lumineux de sa lampe balaya les énormes posters à la manière d'une comète.

— Si j'étais à la place du Dr Scarpetta, je crois bien que je recruterais deux gardes du corps, conclut-il.

Chapitre 34

La sonnerie du téléphone intérieur retentit et Berger expliqua à Morales qu'il s'agissait de l'interphone.

— C'est sans doute la sécurité, lança-t-elle du canapé.

Elle était pâle et souffrait.

Ses mains liées derrière le dos étaient devenues d'un rouge cerise. Scarpetta ne sentait plus du tout les siennes, deux morceaux de roc.

— Ils ont dû entendre le coup de feu, poursuivit le procureur.

Si une voix avait pu être grise, c'eût été la couleur de celle de Berger.

Lorsque Morales avait grimpé à toute vitesse les escaliers après avoir entendu la sonnerie d'un téléphone, une sonnerie familière, Scarpetta avait posé la question de nature à changer l'éternité pour elle. Elle avait demandé à Berger :

— *Lucy est à l'étage ?*

Seuls les yeux écarquillés du procureur lui avaient répondu et elle avait entendu le coup de feu.

Un claquement qui évoquait celui produit par une porte de métal rabattue avec force, un peu comme celles du Bellevue.

Et puis le silence.

Et Morales était redescendu. Plus rien n'avait maintenant d'importance aux yeux de Scarpetta, hormis Lucy.

— Appelez une ambulance, je vous en prie, lui demanda-t-elle.

Il fit tourner son pistolet, son comportement devenant de plus en plus étrange.

— Je vais vous raconter ce qui se passe, Doc. Ce qui se passe, c'est que votre petit super-héros de nièce a pris une putain de balle dans sa putain de tête. Vous rendez-vous compte du QI que je dégomme ce matin ? Waouh !

Il récupéra son sac de sport ouvert et contourna le canapé pour se planter devant. Sur l'écran du PDA accroché à la ceinture de son jean taille basse s'affichait une carte. Une épaisse ligne rose la sillonnait.

Il lâcha le sac sur la table basse et s'accroupit à côté. Il plongea ses mains gantées de latex à l'intérieur et en tira une petite paire de chaussures de sport Brooks et un sachet à congélation qui renfermait les empreintes en polyvinyle que Scarpetta avait moulées des doigts d'Oscar. Le sachet était graisseux. Morales avait sans doute enduit les impressions de graisse ou de lubrifiant. Il posa son revolver en équilibre sur sa cuisse.

Il tira les moules du sachet et les enfila au bout de ses doigts gauches. Scarpetta se rendit compte qu'il était gaucher.

Il récupéra son arme de l'autre main et se releva. Il tendit la main gauche et écarta les doigts terminés par ces étranges capuchons blancs en caoutchouc. Il sourit, les pupilles si dilatées qu'on aurait cru qu'il avait deux trous noirs à la place des yeux.

— Bon, je ne serai plus là pour inverser l'inversion, dit-il. Celles-ci sont à l'envers.

Il faisait bouger ses bouts de doigt en caoutchouc, s'amusant beaucoup.

— D'accord, docteur Sherlock ? Vous savez de quoi je veux parler. Mais combien de personnes s'en rendraient compte ?

Il voulait dire que puisque les empreintes étaient des impressions, elles abandonneraient un dessin inversé lorsqu'elles seraient transférées sur une surface. Morales avait dû trouver une parade lorsqu'il avait photographié celles qu'il avait lui-même appliquées sur le plafonnier posé dans la baignoire d'Eva Peebles. La personne qui photographierait et relèverait les empreintes digitales dans l'appartement de Jaime Berger découvrirait une image inverse, identique à celle que pourrait renvoyer un miroir, et se demanderait sans doute comment une telle chose avait pu se produire. Quant au technicien spécialisé dans leur reconnaissance, il devrait avoir recours à des ajustements, utiliser différentes perspectives pour parvenir à une analyse géométrique correcte en vue de la comparaison de ces empreintes avec celles d'Oscar, stockées dans les mémoires de l'IAFIS.

— Tu réponds quand je te parle, salope !

Morales se rapprocha de Scarpetta jusqu'à la toucher, et elle put sentir l'odeur de sa sueur.

Il s'installa contre Berger et lui mit sa langue entre les lèvres, caressant lentement l'intérieur de ses cuisses de son arme.

— Personne n'y pensera, dit-il à Scarpetta, tout en caressant Berger du canon de son revolver.

Elle demeura inerte.

Il fut à nouveau debout et appuya ses bouts de doigt en silicone sur le verre de la table basse. Puis il se dirigea vers le bar, dont il ouvrit une des portes pour en tirer la bouteille de whisky irlandais. Il choisit un verre coloré, probablement une pièce vénitienne souf-flée à la bouche, et se versa une rasade d'alcool. Il abandonna ainsi les empreintes d'Oscar sur la bou-teille et sur le verre, dont il avala le contenu à longues gorgées.

Le téléphone intérieur sonna à nouveau.

Morales l'ignora.

— Ils ont une clé, précisa Berger. S'ils entendent quelque chose de suspect dans l'immeuble, ils appel-lent. Lorsqu'ils n'obtiennent pas de réponse, ils montent. Laissez-moi leur répondre et les rassurer. Personne d'autre n'a à pâtir de la situation.

Morales but encore. Il fit tourner le whisky dans sa bouche, produisant de petits sons, et menaça Berger de légers mouvements circulaires de son arme.

— Dis-leur de se casser. T'essaie un coup foireux et tout le monde y passe.

— Je ne peux pas décrocher.

Morales poussa un soupir d'exaspération et se rap-procha pour récupérer le téléphone sans fil, qu'il colla à l'oreille du procureur.

Scarpetta découvrit les minuscules points rouges apparus sur sa peau, très visibles parmi ses taches de rousseur. Quelque chose bascula à l'intérieur d'elle.

La ligne rose qui s'affichait sur son PDA progres-sait. Quelqu'un ou quelque chose qui se déplaçait vite. Oscar.

— S'il vous plaît, appelez une ambulance, répéta Scarpetta.

Morales articula sans un son le mot *dé-so-lé* et haussa les épaules.

— Allô ? Vraiment ? Vous savez quoi ? C'est sans doute la télé, déclara Berger au téléphone. Un film de Rambo ou autre chose. Merci de votre sollicitude.

Morales récupéra l'appareil. Le visage de Berger était livide.

— Il faut appuyer sur la touche 0 pour couper la communication, précisa-t-elle d'une voix atone.

Morales s'exécuta et replaça le téléphone sans fil sur sa base.

Marino posa l'index sur le panneau de la porte déverrouillée et l'entrouvrit de quelques centimètres en tirant son Glock de la poche de son blouson de cuir. Le carillon du système d'alarme égrena ses notes, destinées à prévenir qu'une porte ou une fenêtre avait été forcée.

Marino se faufila dans le penthouse de Berger, son pistolet tenu à deux mains. Il avança à pas prudents, et le salon en contrebas, qui lui évoquait un vaisseau spatial, apparut par l'ouverture d'une arche.

Berger et Scarpetta étaient assises sur le canapé, les bras tirés derrière le dos, et il sut à leurs visages qu'il était trop tard. Un bras apparut derrière le canapé et une main poussa le canon d'une arme à l'arrière du crâne de Scarpetta.

— Lâche ton flingue, trou du cul ! lança Morales en se redressant.

Marino visait Morales, dont le pistolet était enfoui dans les cheveux de Scarpetta. Son doigt était posé sur la détente.

— Tu m'entends, l'homme-gorille ? Lâche ton arme ou tu vas voir des bouts de cervelles de génies sur tous les murs de l'appartement.

— Fais pas ça, Morales. Tout le monde sait que c'est toi. Tu peux arrêter maintenant.

Marino prononça ces mots alors que son esprit passait en revue l'éventail des possibilités, qui le laissaient toutes plaqué dos au mur, un mur dont il ne parvenait pas à s'écarter.

Il était piégé.

Il pouvait appuyer sur la détente. Morales l'imiterait aussitôt. Peut-être que cette ordure y laisserait sa peau, et que Berger et lui s'en sortiraient. Mais Scarpetta serait morte.

— T'as vraiment un petit problème avec les preuves, l'homme-gorille. On t'a déjà appelé comme ça ? Moi, j'aime bien. L'homme-gorille.

Marino était incapable de décider s'il était saoul ou camé. Cela étant, il était défoncé à quelque chose.

Morales ricana :

— Parce que... parce que... tu es le proverbial gros beauf à peine descendu de son arbre, n'est-ce pas ? Go-ril-le à la va-nil-le ! Ça te branche, ça ?

— Ne lâchez pas votre arme, Marino, jeta Scarpetta avec un calme sidérant, en dépit du fait que son visage semblait mort. Il ne peut pas descendre tout le monde en même temps. Ne lâchez pas votre arme.

— Tu sais, elle est vraiment héroïque, non ?

Le canon heurta l'arrière du crâne de Scarpetta avec brutalité. Elle grimaça de douleur sans proférer un son.

— Une dame très brave qui a tous ces raidis comme patients. Et ils ne peuvent ni la remercier, ni se plaindre, poursuivit Morales.

Il se pencha vers elle et passa sa langue sur son oreille.

— Pauvre petite chose ! On ne pouvait pas travailler avec des vivants ? C'est ce qu'on raconte sur des médecins dans ton genre. On dit même qu'il faut que vous baissiez la température de votre chambre à dix degrés, faute de quoi vous ne pouvez pas dormir. Pose ce putain de flingue ! hurla-t-il à Marino.

Ils se défièrent du regard.

Morales haussa les épaules et dit à Scarpetta :

— Okay... il est temps de dormir, et comme ça tu vas revoir ta précieuse petite Lucy. Tu n'as pas raconté à Marino comment je lui avais fait sauter la cervelle ? Quand tu seras au paradis, n'oublie pas de dire coucou de ma part à tout le monde.

Marino était certain qu'il allait la tuer. Il savait que les gens mettaient leurs menaces à exécution lorsqu'ils n'en avaient plus rien à faire de rien. Et Morales était dans ce cas. Scarpetta ne représentait rien à ses yeux. Personne ne représentait rien. Il allait appuyer sur la détente.

— Ne tire pas ! lança Marino. Je vais poser mon flingue. Ne tire pas !

— Non ! cria Scarpetta. Non !

Berger gardait le silence. Il n'y avait rien qu'elle puisse dire qui aurait une quelconque utilité. Mieux valait qu'elle se taise et elle ne l'ignorait pas.

Marino n'avait pas envie de se défaire de son arme. Morales avait abattu Lucy. Il allait tuer tout le monde. Lucy était morte. Son corps devait être en haut. Si Marino conservait son arme, Morales ne pourrait pas tirer sur les autres en même temps. Mais il abattrait Scarpetta. Marino ne pouvait pas l'accepter. Lucy était morte. Tous allaient mourir.

Un minuscule point laser rouge atterrit sur la tempe droite de Morales. Le point oscillait. Puis le tremblement diminua et il bougea faiblement, évoquant une luciole couleur rubis.

Marino s'accroupit en annonçant :

— Je pose mon flingue par terre.

Il ne leva pas le regard. Il se débrouilla pour que l'autre ne soupçonne pas qu'il venait de voir quelque chose. Il posa son Glock sur le tapis oriental, ses yeux ne lâchant pas ceux de Morales.

— Maintenant relève-toi. Tout doux ! ordonna celui-ci.

Il leva le canon de son arme et le pointa sur le grand flic. La luciole rubis rampa autour de son oreille.

— Et crie *Maman !*, plaisanta Morales alors que le laser s'immobilisait au milieu de sa tempe droite.

La détonation claqua avec fracas depuis la galerie et Morales s'effondra. Marino n'avait jamais assisté à ça : un corps s'effondrant comme une marionnette privée de fils. Il se rua derrière le canapé et récupéra l'arme qui avait glissé à terre. Du sang coulait du côté de la tête de Morales, se répandant sur le marbre noir du sol. Marino arracha le téléphone de son socle et composa le numéro d'urgence de la police. Il fonça dans la cuisine, attrapa un couteau, puis changea d'avis et tira une paire de ciseaux à volaille d'un bloc de couteaux et coupa d'un mouvement sec les liens qui enserraient les poignets de Berger et Scarpetta.

Scarpetta se précipita à l'étage. Elle ne sentait plus sa main qui agrippait la rampe.

Lucy était adossée au chambranle d'une porte qui menait de la galerie à la chambre de Berger. Du sang partout. De grandes traces rouges sur le sol qui indiquaient qu'elle s'était traînée à plat ventre de la salle de bains jusqu'au parquet de la galerie, d'où elle avait abattu Morales avec le pistolet Glock calibre 40 qui gisait à côté d'elle. Une serviette posée sur les genoux, elle était assise et grelottait. Elle était couverte de sang, au point que Scarpetta ne parvenait pas à déterminer au juste où elle avait été touchée. À la tête, c'était certain. Peut-être à l'arrière du crâne. Ses cheveux étaient collés de carmin et un filet rouge coulait le long de son cou, dévalant ensuite dans son dos pour former une mare qui s'élargissait derrière et autour d'elle.

Scarpetta se débattit pour retirer son manteau puis sa veste et s'accroupit au sol, à côté de sa nièce. Ses mains semblaient mortes lorsqu'elle frôla l'arrière de la tête de la jeune femme. Elle pressa sa veste contre le crâne de Lucy qui protesta bruyamment.

— Tout va aller très bien, affirma sa tante. Que s'est-il passé au juste ? Tu peux me montrer où tu as été blessée ?

— Juste là. Waouh, ça fait mal. Oh, merde ! Juste là. Ça va. J'ai terriblement froid.

Scarpetta passa la main le long du cou poisseux et du dos de Lucy, incapable de sentir quoi que ce soit. Ses mains commençaient à la brûler et à la picoter, mais elle avait l'impression que ses doigts ne lui appartenaient plus.

Berger apparut en haut des marches.

— Allez chercher des serviettes, lui lança Scarpetta. Plein.

Le procureur constata que Lucy était consciente, qu'elle allait bien, et se précipita dans la salle de bains.

— Un endroit sensible derrière ? Dis-moi si tu as mal, demanda Scarpetta.

— Non, rien derrière.

— Tu es sûre ?

Scarpetta fit son possible pour palper avec douceur, à l'aide d'une main qui lui refusait sa coopération.

— Je m'assure qu'il n'y a rien à la colonne vertébrale, expliqua-t-elle.

— Ce n'est pas derrière. Mais j'ai l'impression que mon oreille gauche a explosé. J'entends à peine.

Scarpetta se glissa derrière Lucy et s'assit à même le sol, ses jambes allongées de chaque côté de la jeune femme. Adossée au mur, elle tâta avec délicatesse l'arrière du cuir chevelu gluant de sang.

— Mes mains sont engourdies. Guide mes doigts. Montre-moi où ça fait mal.

Lucy attrapa sa main et la dirigea vers un point.

— Juste là. Bordel, ce que ça fait mal ! Je me demande si ça n'est pas juste sous la peau. Merde, ça fait vraiment mal. Hé, n'appuie pas comme ça !

Scarpetta n'avait pas ses lunettes et ne distinguait rien d'autre qu'une masse floue de cheveux sanglants. Elle appuya la paume de sa main nue contre le crâne de sa nièce, qui hurla de douleur.

— Il faut arrêter ce saignement, déclara-t-elle d'un ton très calme, doux, comme si elle s'adressait à une enfant. Je pense que la balle s'est logée juste sous le cuir chevelu et c'est pour cela que ça fait mal quand on appuie dessus. Tu vas très bien t'en sortir. Tout va parfaitement se passer. L'ambulance va arriver d'une minute à l'autre.

Des sillons creusaient les poignets de Berger. Ses mains étaient rouge vif et raides, ses gestes maladroits lorsqu'elle déplia plusieurs grands draps de bain blancs. Elle en enroula un autour du cou de Lucy et fourra les autres sous ses jambes. Lucy était nue et mouillée. Sans doute sortait-elle de la douche lorsque Morales lui avait tiré dessus. Berger s'accroupit à côté des deux autres femmes et du sang recouvrit ses mains, éclaboussant son corsage. Elle caressa Lucy, lui répétant encore et encore que tout irait bien. Tout allait se passer à merveille.

— Il est mort, annonça le procureur à la jeune femme. Il allait descendre Marino. Il allait tuer tout le monde.

Les nerfs des mains de Scarpetta se réveillaient et la malmenaient, telles des millions d'épingles qui se seraient enfoncées dans sa chair. Elle sentit vaguement la courbe d'une petite bosse dure située à l'arrière du crâne de Lucy, quelques centimètres à gauche de la ligne médiane.

— Juste là. Aide-moi, Lucy.

La jeune femme guida sa main jusqu'à la perforation. Scarpetta extirpa la balle de la blessure, malgré les bruyantes protestations de sa nièce. Elle avait été tirée par un calibre moyen ou gros. Il s'agissait d'une balle demi-blindée, et l'impact l'avait déformée. Elle la tendit à Berger et appliqua avec fermeté une serviette sur la plaie afin d'endiguer l'hémorragie.

Le sang avait détrempé son pull et rendu le sol glissant. Scarpetta doutait que la balle ait perforé l'os du crâne. Selon elle, le projectile avait frappé en angle et avait libéré le gros de son énergie cinétique en quelques millisecondes dans un espace très restreint. Une multitude de vaisseaux sanguins irriguent la surface proche du cuir chevelu. Les saignements paraissent souvent beaucoup plus alarmants qu'ils ne le sont. Elle pressa la serviette encore plus fermement sur la blessure, posant sa main droite sur le front de Lucy pour retenir sa tête.

La jeune femme se laissa aller lourdement contre sa tante et ferma les yeux. Scarpetta tâta le côté de son cou à la recherche d'un pouls. Il était rapide, mais pas de façon inquiétante. Elle respirait sans difficulté. Elle n'était pas agitée et semblait en pleine possession de ses facultés intellectuelles. Aucun signe n'indiquait qu'elle était en train de plonger en état de choc. Scarpetta raffermit la pression de sa main sur son front et appuya encore plus fort la serviette contre son crâne.

— Lucy, il faut que tu ouvres les yeux et que tu restes éveillée. Tu m'entends ? Peux-tu nous raconter ce qui s'est passé ? insista sa tante. Il s'est précipité à l'étage et nous avons entendu une détonation. Te souviens-tu de la façon dont les choses se sont déroulées ?

— Tu nous as sauvé la vie, intervint Berger. Tu vas très bien t'en sortir. On va tous aller très bien.

Elle caressa le bras de Lucy.

— Je ne sais pas, répondit la jeune femme. J'étais sous la douche. Et puis je me suis retrouvée par terre, avec l'impression qu'on m'avait assommée avec une enclume. Comme si une voiture m'avait percutée, cogné l'arrière de la tête. Je ne voyais plus rien. Ça a duré une petite minute. D'abord je me suis dit que j'étais devenue aveugle, et puis soudain j'ai vu des lumières, des images. Je l'ai entendu en bas, mais je ne pouvais pas marcher. J'avais la tête qui tournait et j'ai rampé jusqu'à la chaise, glissant sur le bois pour atteindre mon blouson et récupérer mon arme. Et puis j'ai commencé à voir à nouveau.

Le Glock ensanglanté gisait sur le sol, maculé de sang lui aussi, non loin de la balustrade de la galerie. Scarpetta se souvint que Marino lui en avait fait cadeau pour un Noël. C'était l'arme préférée de sa nièce. Elle répétait qu'il s'agissait de la plus jolie chose qu'il lui ait jamais offerte : un pistolet calibre 40 de poche, équipé d'une visée laser et accompagné de balles à tête creuse haute vélocité. Marino connaissait ses goûts. C'était lui qui lui avait appris à tirer lorsqu'elle était encore petite fille. Ils disparaissaient tous les deux, lui au volant de son énorme pick-up. Ensuite la mère de Lucy – Dorothy, la sœur de Scarpetta – appelait, elle l'injuriait et la maudissait, en général lorsqu'elle avait descendu pas mal de verres, hurlant que Scarpetta fichait la vie de sa fille en l'air, menaçant de lui interdire de rendre visite à sa tante.

Sans doute Dorothy aurait-elle refusé que sa fille

rende visite à Scarpetta si elle n'avait pas eu ce léger problème : elle n'avait jamais voulu d'enfant. Car Dorothy était une fillette qui voulait un papa qui s'occupe d'elle, qui l'aime, qui l'adore de la même façon que le père de Scarpetta l'avait adorée, elle, et avait compté sur elle.

Elle retint le front de Lucy d'une main et pressa la serviette de l'autre sur son crâne. Ses mains étaient bouillantes et enflées, son sang cognait contre sa peau. Le saignement avait diminué, mais elle résista à l'envie de regarder, maintenant sa pression.

— On dirait un calibre 38, dit Lucy en fermant à nouveau les paupières.

Elle avait dû remarquer la balle lorsque Scarpetta l'avait tendue à Berger.

— Je veux que tu gardes les yeux ouverts et que tu restes éveillée, exigea sa tante. Tu vas bien, mais nous ne devons pas dormir. Je crois que je viens d'entendre un bruit. C'est peut-être l'équipe de secours. Nous allons être conduites aux urgences et on va s'amuser comme des folles avec tous ces tests que tu adores. Des radios, une IRM... Dis-moi comment tu te sens.

— Merdique. J'ai très mal. Mais je vais bien. Est-ce que tu as vu son arme ? Je me demande ce que ça pouvait être. Je ne me souviens pas de l'avoir vue. D'ailleurs je ne me souviens même pas de lui.

Scarpetta entendit la porte palière s'ouvrir. Elle perçut des claquements, le brouhaha indistinct de voix tendues. Les membres de l'équipe de secours entrèrent et Marino les poussa en haut de l'escalier. Tous parlaient très fort. Le grand flic s'écarta du chemin. Son regard passa de Lucy, des serviettes trempées de sang au Glock abandonné sur le parquet. Il se pencha pour le récupérer. Il fit ce qu'on ne fait jamais sur une scène de crime. Il le serra entre ses mains nues et disparut dans la salle de bains.

Deux ambulanciers parlaient à Lucy, lui posaient des questions auxquelles elle répondait encore lorsqu'ils la sanglèrent sur une civière. Scarpetta s'affairait tellement qu'elle ne vit pas que Marino était redescendu et se trouvait en compagnie de trois policiers en uniforme. D'autres ambulanciers soulevaient le corps de Morales pour le déposer sur une civière, personne ne tentant un massage cardiaque puisqu'il était mort depuis pas mal de temps.

Marino expulsait le chargeur du Glock – apparemment celui de Lucy – et vidait la chambre de sa balle dans le sac qu'un policier tenait ouvert en dessous. Marino était en train d'expliquer que Berger avait discrètement ouvert la porte du penthouse grâce à la télécommande afin qu'il puisse entrer sans que Morales s'en aperçoive. Marino leur servait une fable selon laquelle il s'était rapproché à pas de loup, puis avait fait du bruit pour que Morales détourne le regard vers lui.

— Ça m'a pris une seconde pour lui balancer une balle avant qu'il descende quelqu'un, improvisa Marino à l'intention des flics. Il se tenait derrière la Doc, son flingue pointé sur son crâne.

Berger les avait rejoints et elle renchérit :

— Nous étions toutes les deux là, assises sur le canapé.

— Un calibre 38.

Il mentait, soulignant chaque détail. Il était prêt à subir les conséquences d'une faute et ne recherchait aucune gloire pour avoir abattu un homme. Berger cautionnait ses moindres mots. On aurait pu croire que sa nouvelle fonction dans la vie consistait à éviter que Lucy ait des ennuis.

D'un strict point de vue légal, Lucy ne pouvait en aucun cas détenir une arme de poing à New York, pas même dans une résidence privée, pas même en cas de légitime défense. Toujours d'un point de vue légal, l'arme appartenait toujours à Marino, parce qu'il ne s'était jamais décidé à remplir la paperasse et à transférer la propriété de son cadeau au nom de Lucy. Tant de choses s'étaient produites après ce dernier Noël à Charleston. Tout le monde en avait voulu à tout le monde. Et puis Rose avait changé, durant un moment personne n'avait su pourquoi, et Scarpetta semblait incapable de réparer les dégâts survenus à leur petit monde qui partait dans tous les sens. Cela avait été, ainsi qu'elle l'avait formulé peu de temps auparavant, le commencement de la fin de leur groupe.

Sa main gantée de sang serrait la main ensanglantée de sa nièce alors que les ambulanciers poussaient la civière jusqu'à l'ascenseur dans des claquements de métal. L'un d'entre eux communiquait par radio avec leur véhicule garé en bas de la rue. Les portes de la cabine coulissèrent et Benton en sortit, toujours vêtu de son costume bleu sombre à fines rayures, avec la même allure que lorsqu'il était passé sur CNN, lorsqu'elle l'avait regardé sur son BlackBerry en se rendant à pied chez Berger.

Il agrippa l'autre main de Lucy et fixa Scarpetta. La tristesse et le soulagement qui se peignirent sur son visage avaient la profondeur et la gravité des moments cruciaux d'une vie.

Chapitre 35

Le 13 janvier.

Ce ne fut pas le nom réputé de Scarpetta qui lui valut une table chez Elaine. Nul n'était assez important pour jouir d'indulgences ou d'une immunité souveraine si la restauratrice légendaire n'aimait pas le client en question.

Depuis qu'Elaine avait pris l'habitude de s'installer à l'une de ses tables chaque soir, une attente, un espoir se diffusait à la manière de la fumée de cigarette des temps révolus, de ces temps où l'on adorait l'art, où on le critiquait, le redéfinissait – bref, où il était tout sauf ignoré –, et où n'importe qui, de n'importe quel milieu, pouvait passer la porte. Entre ces murs persistaient les échos d'un passé dont Scarpetta portait le deuil, sans pour autant le regretter. Elle était entrée dans ce lieu pour la première fois des décennies auparavant, lors d'une escapade de week-end en compagnie d'un homme dont elle était tombée amoureuse à Georgetown Law.

Il était parti. Elle avait Benton. Quant à la décoration du restaurant, elle n'avait pas changé. Tout était noir, à l'exception du sol carrelé de rouge. Des porte-manteaux dépassaient du mur. Les téléphones à pièces existaient toujours, bien que Scarpetta n'ait vu personne les utiliser. Sur des étagères s'alignaient des livres autographiés. Tous les clients savaient qu'il ne fallait pas les toucher. Des photographies des stars de la littérature ou du cinéma couvraient chaque centimètre carré des murs, du sol au plafond.

Scarpetta et Benton s'arrêtèrent à la table qu'occupait Elaine pour la saluer – un baiser sur chaque joue et un *Ça fait longtemps que je ne vous ai pas vus, où étiez-vous passés ?* Scarpetta apprit ainsi qu'elle venait juste de manquer un ancien secrétaire d'État et que la semaine dernière un ex-*quarterback* de l'équipe des Giants, qu'elle n'aimait pas particulièrement, était passé, et ce soir le présentateur d'un *talk-show* qu'elle aimait encore moins. Elaine poursuivit en précisant qu'elle attendait d'autres personnalités, ce qui n'était pas une surprise puisque la grande dame connaissait tous les gens qui venaient chez elle.

Louie, le serveur favori de Scarpetta, leur dénicha la table idéale.

Tirant la chaise pour lui permettre de s'installer, il lança :

— Je ne devrais pas aborder le sujet, mais je suis au courant de tout par les informations. (Il secoua la tête.) Je ne devrais pas dire ça, surtout à vous. Gambino, Bonanno ? C'était bien mieux avant. Vous savez ? Ils faisaient ce qu'ils faisaient, mais ils avaient leurs raisons, si vous voyez ce que je veux dire. Ils ne descendaient pas des gens juste pour le plaisir. Surtout une pauvre dame comme ça. Une naine. Et cette veuve âgée. Et cette autre dame et ce jeune garçon. Ils n'avaient aucune chance.

— En effet, approuva Benton.

— Moi, je crois aux souliers de ciment. Il y a des situations particulières. Si je n'abuse pas, comment va l'autre petit... vous savez, l'autre nain ? Je crois que je ne devrais pas utiliser ce terme. Beaucoup de gens disent que c'est péjoratif.

Oscar avait contacté le FBI et se portait bien. Une micropuce GPS avait été extraite de sa fesse gauche. Il se reposait, ainsi que le formulait Benton, au Pavillon, l'unité psychiatrique privée et très chic du McLean. Il était suivi psychologiquement et, surtout, il était enfin en sécurité, jusqu'à ce qu'il puisse reprendre le contrôle de sa vie. Quant à Scarpetta et Benton, ils repartaient le lendemain matin pour Belmont.

— Il se débrouille bien, le renseigna Benton. Je lui dirai que vous avez demandé de ses nouvelles.

— Qu'est-ce que je peux vous offrir ? Un apéritif ? Des *calamari* ? proposa Louie.

— Kay ? fit Benton.

— Un scotch. Votre meilleur *single malt*.

— Deux alors, décida Benton.

Louie cligna de l'œil et murmura :

— Pour vous, ce sera ma réserve secrète. J'en ai deux nouveaux qu'il faut que vous goûtiez. Vous conduisez ?

— Fort, sourit Scarpetta.

Louie se dirigea vers le bar.

Un grand homme charpenté qui portait un Stetson blanc était installé à la table de fenêtre qui se trouvait derrière elle et donnait sur la 2e Avenue. Il dégustait ce qui paraissait être une vodka ou du gin avec une rondelle de citron. Il tendait par moments le cou afin de vérifier où en était le match de basket-ball diffusé sans son sur l'écran de télé au-dessus de sa tête. Scarpetta aperçut la mâchoire large, les lèvres épaisses et les longues rouflaquettes blanches. Le regard de l'homme se perdit dans le vague. Il faisait lentement tourner son verre sur la nappe blanche. Quelque chose chez lui semblait familier à Scarpetta. Soudain, des bribes de reportage télé lui revinrent en mémoire. L'idée incroyable qu'elle avait Jake Loudin à côté d'elle lui traversa l'esprit.

Mais c'était impossible. Il était en détention provisoire. Elle réalisa soudain qu'il s'agissait d'un acteur qu'on ne voyait plus sur les écrans.

Benton étudiait le menu, disparaissant derrière la carte plastifiée où s'affichait le sourire d'Elaine.

— Tu ressembles à la Panthère rose en planque, plaisanta Scarpetta.

Il referma la carte et la posa sur la table avant de demander :

— Y a-t-il quelque chose en particulier que tu souhaites leur dire ? Tu as organisé cette petite réunion pour des raisons qui dépassent la simple sociabilité. Il m'a semblé important de le mentionner avant qu'ils n'arrivent.

— Rien de particulier. J'avais juste envie de me changer les idées. Je crois que nous devrions tous en faire autant avant de rentrer chez nous. Au fond, ça m'ennuie un peu de partir. C'est bizarre de penser que nous allons retrouver le Massachusetts alors que les autres restent à New York.

— Tout se passera parfaitement pour Lucy.

Les larmes montèrent aux yeux de Scarpetta. Elle n'arrivait pas à s'en remettre. Une sorte de constant effroi l'habitait. Même dans ses rêves, elle ne parvenait pas à s'ôter de l'esprit qu'elle avait failli perdre Lucy.

— Elle est là où elle doit être, poursuivit Benton en rapprochant sa chaise de la sienne et en lui prenant la main. Dans le cas contraire, il y a longtemps qu'elle aurait tout envoyé balader.

Scarpetta se tamponna les paupières à l'aide de sa

serviette et leva le regard vers la télévision silencieuse, alors qu'elle n'en avait rien à faire du match qui se déroulait.

Elle s'éclaircit la gorge et murmura :

— Mais c'est presque impossible.

— Non. Ces revolvers ? Ceux dont je te répète qu'ils sont une très mauvaise idée parce qu'ils sont si légers. Eh bien, tu vois pourquoi, sauf que dans ce cas précis la chance a tourné en notre faveur. Le recul est considérable, comme une ruade de cheval. Je pense que la main de Morales a eu un sursaut lorsqu'il a enfoncé la détente, et sans doute que Lucy a tenté de s'écarter. Ajoute à cela un calibre assez modeste, basse vélocité. De plus, elle est censée rester avec nous. Elle n'est pas censée aller... ailleurs. Nous sommes bien tous ensemble. Mieux que bien.

Benton lui baisa la main avant de déposer un baiser tendre sur ses lèvres.

Il n'avait pas l'habitude des démonstrations d'affection en public. Toutefois, il ne semblait plus se préoccuper du regard des autres. Si *Dans le collimateur de Gotham* avait toujours existé, sans doute auraient-ils été le morceau de choix dans une des chroniques du lendemain. L'entière tablée de Scarpetta.

Elle n'avait jamais visité l'appartement dans lequel l'auteur anonyme rédigeait ses articles cruels et vindicatifs. Pourtant, maintenant qu'elle était certaine de connaître son identité, elle éprouvait de la pitié pour cette femme. Elle comprenait parfaitement pour quelle raison Terri Bridges s'en était prise à elle. Terri avait reçu des *e-mails* cruels, rabaissants, de son idole – du moins le croyait-elle –, et lorsqu'elle avait été dégoûtée, elle avait décidé de crucifier Scarpetta sur la place publique. Terri avait utilisé ses propres armes et visé à plusieurs reprises une femme dont les propos honteux avaient rouvert la blessure d'une vie qui n'avait pas dû être facile. La goutte d'eau avait fait déborder le vase.

Lucy était parvenue à déterminer que Terri avait écrit les deux articles du nouvel an le 30 décembre et qu'elle les avait stockés. Ils avaient ensuite été envoyés automatiquement à Eva Peebles après le meurtre de la jeune femme. Lucy avait également découvert que le 31 décembre dans l'après-midi, quelques heures avant sa mort, Terri avait supprimé tous les *e-mails* reçus de Scarpetta612, non pas parce qu'elle sentait sa fin proche – Benton était formel sur ce point –, mais parce qu'elle venait juste de commettre son crime à elle, anonymement, contre une femme médecin légiste qu'elle rencontrerait au bout du compte, mais à la morgue.

Selon Benton, Terri avait une conscience, une véritable conscience, et c'était pour cette raison qu'elle avait supprimé la bonne centaine de messages électroniques qu'elle avait échangés avec celle qu'elle pensait être Scarpetta. L'anxiété de Terri l'avait poussée à éradiquer toute preuve d'un lien entre elle et le site *Dans le collimateur de Gotham*. De surcroît, cet effacement avait également été une façon pour elle d'évacuer de sa vie son idole fracassée.

Du moins était-ce la théorie de Benton. Quant à Scarpetta, elle n'en avait qu'une : qu'il y aurait toujours des théories.

Elle ouvrit son sac à main et en tira une enveloppe en expliquant :

— J'ai écrit une lettre à Oscar. Je pense que tout le monde devrait la lire, que je vais la leur montrer. Mais j'aimerais d'abord avoir ton sentiment. Je n'avais pas envie d'envoyer un *e-mail*. Je préférais une vraie lettre rédigée sur du vrai papier, avec mon en-tête. Je ne me souviens même plus depuis quand je ne me suis pas servie de mon papier à lettres personnel. Je ne l'ai cependant pas écrite à la main, mon écriture est de plus en plus illisible. Puisqu'il n'y aura jamais de procès, Jaime m'a affirmé que je pouvais dire ce que je souhaitais à Oscar. C'est ce que j'ai fait. Je me suis efforcée d'expliquer à Oscar que les épreuves que la famille de Terri avait imposées à la jeune femme, qui l'avaient en quelque sorte programmée très jeune, étaient à l'origine de son besoin de tout contrôler. Une terrible colère couvait en elle parce qu'elle avait été blessée. Les gens qui ont été blessés font souvent à leur tour du mal aux autres. Mais, malgré tout, c'était quelqu'un de bien. Je te résume la teneur de ma lettre parce qu'elle est assez longue.

Elle tira quatre feuilles d'un épais papier crème de l'enveloppe et les déplia avec soin. Elle parcourut les lignes jusqu'à l'extrait qu'elle voulait lire à Benton :

... Les roses jaunes que vous lui aviez offertes étaient dans la chambre secrète du haut, où elle rédigeait ses articles. Elle les avait toutes conservées, mais je suis certaine qu'elle ne vous l'avait pas dit. Aucune femme ne ferait une telle chose si ses sentiments n'étaient pas profonds. Oscar, je souhaite que vous vous en souveniez toujours, et si vous veniez à l'oublier un jour, relisez cette lettre. C'est la raison pour laquelle je l'ai écrite : pour que vous la gardiez.

J'ai aussi pris la liberté de joindre les membres de sa famille afin de leur exprimer mes condoléances et de leur dire ce que je pouvais, parce qu'ils ont tant de questions. J'ai bien peur que le Dr Lester n'ait pas été aussi obligeante qu'ils l'auraient souhaité, aussi ai-je fait mon possible pour répondre à leurs incertitudes. La plupart de ces échanges ont eu lieu au téléphone, en plus de quelques *e-mails*.

Je leur ai parlé de vous et peut-être vous ont-ils

contacté. Si tel n'était pas encore le cas, je suis certaine que cela ne saurait tarder. Ils m'ont dit qu'ils voulaient vous informer de ce que Terri avait prévu dans son testament et qu'ils comptaient vous écrire à ce sujet. Peut-être l'ont-ils déjà fait.

Je ne divulguerai rien concernant ses dernières volontés puisqu'il ne m'appartient pas de le faire. Toutefois, en accord avec les souhaits de sa famille, je peux vous révéler ceci : Terri lègue une somme d'argent considérable au Petit Peuple d'Amérique. Ce legs doit servir à créer une fondation qui offrira une aide médicale à ceux qui veulent ou ont besoin de certaines interventions, comme de la chirurgie corrective, que leur assurance ne couvre pas. Vous le savez, beaucoup de ce qui peut et devrait être fait est souvent jugé facultatif, assez injustement. L'orthodontie, voire l'allongement osseux, par exemple.

Il est évident que Terri avait bon cœur...

Scarpetta interrompit sa lecture. Une vague de chagrin la submergeait à nouveau. Elle replia les feuilles et les fourra dans leur enveloppe.

Louie apparut avec leurs apéritifs et disparut avec discrétion. Elle avala une gorgée. L'alcool la réchauffa et ses vapeurs allégèrent un peu son humeur, comme si son cerveau s'était terré dans un endroit protégé et avait besoin de courage. Elle tendit l'enveloppe à Benton.

— Si cela n'interfère pas avec le traitement d'Oscar, pourrais-tu t'assurer qu'on lui remettra ?

— Ça va représenter beaucoup pour lui. Bien plus que tu le crois.

Il glissa l'enveloppe dans la poche intérieure de sa veste de cuir noir velouté.

Elle était neuve, tout comme sa ceinture ornée d'une boucle Winston représentant une tête d'aigle et ses boots sur mesure. Lucy avait choisi d'offrir des

cadeaux pour fêter d'avoir évité un autre gros pépin
– elle l'avait formulé ainsi –, en l'occurrence une
balle. Des cadeaux qui n'étaient pas bon marché. Elle
avait acheté à Scarpetta une nouvelle montre dont elle
n'avait vraiment pas besoin, une Breguet en titane
avec un cadran en fibre de carbone, pour aller avec
la Ferrari F430 Spider dont elle avait prétendu avoir
aussi fait l'acquisition pour sa tante. Une plaisanterie,
Dieu merci. Scarpetta aurait encore préféré enfourcher
un vélo que de conduire l'une de ces choses. Marino
avait reçu une moto de course, une Ducati 1098 rouge,
que Lucy abritait dans son hangar de White Plains
parce qu'il n'avait pas le droit de conduire un engin
monté sur moins de quatre roues à New York. Elle
avait précisé, assez abruptement, qu'il ne devait pas
prendre de poids, à défaut de quoi il deviendrait
incompatible avec une moto, même conçue pour les
courses Superbike.

Scarpetta ne savait rien du cadeau qu'avait réservé
sa nièce à Berger. Elle ne posait de questions à Lucy
que lorsqu'elle sentait que celle-ci était prête à les
entendre. Scarpetta patientait. Lucy continuait à
craindre d'elle un jugement qu'elle n'avait aucune
intention de lui infliger parce que ce n'était pas ainsi
qu'elle percevait la situation. Pas du tout. Après avoir
surmonté le choc initial, bien qu'il n'y eût pas de raisons d'être choquée, pas vraiment, Scarpetta était
ravie.

Berger et elle avaient enfin trouvé le temps de
déjeuner ensemble la semaine précédente, en tête
à tête. Elles avaient choisi Forlini, non loin de One
Hogan Place, et s'étaient installées dans un box dont
Berger affirmait qu'il avait presque le même nom que
Scarpetta. Le procureur avait ajouté que le box en
question portait chance puisqu'il servait aux ruptures.

Scarpetta s'était étonnée de cette sortie et Berger – qui lui révéla être une fan des Yankees, avoir assisté à de nombreux matchs et compter reprendre cette habitude – avait rétorqué que tout dépendait de la personne qui maniait la batte.

Scarpetta n'avait pas besoin d'être une fan de base-ball pour comprendre l'essentiel. Elle avait simplement été contente qu'un box baptisé du nom d'un ancien commissaire au feu de New York ne soit pas l'épineux souvenir d'un passé pas si lointain que cela. Peu de gens savaient autant de choses au sujet de Scarpetta que Berger.

— Je n'ai pas répondu à ta question, pardon, dit Benton en fixant la porte.

— Je l'ai oubliée.

— Ta lettre. Merci de me l'avoir lue, mais je ne crois pas qu'il faille que les autres en prennent connaissance.

— Vraiment ?

— Ils n'ont pas besoin de preuves supplémentaires pour être convaincus que tu es un bel être humain, poursuivit Benton, le regard posé sur elle.

— C'est tellement évident ?

— Tout le monde est au courant de cette merde balancée sur Internet, les *e-mails* que Morales a expédiés en se faisant passer pour toi et tout le reste. Nous savons qui tu es. Rien de ce qui s'est produit n'est de ta faute, et toi et moi continuerons à en discuter pour arriver à la même conclusion. Il faut toujours beaucoup de temps pour que tes émotions rattrapent ton intellect. De plus, je devrais me sentir coupable. Morales a récupéré tous ces ragots auprès de Nancy Machin-Chose. Or Marino n'aurait jamais eu cette dingue pour thérapeute si je ne l'avais pas envoyé dans ce centre de traitement et perdu mon temps à discuter avec elle.

— Elle n'aurait jamais dû parler à Morales, je suis d'accord. D'un autre côté, je la comprends un peu.

— Non, trancha Benton. Cela n'aurait jamais dû arriver. Il l'a probablement séduite au téléphone. J'ignore ce qu'il a pu lui dire, mais elle n'avait pas à révéler la moindre chose confiée par Marino. C'est une énorme violation de l'HIPAA et elle doit connaître ce règlement qui interdit aux personnels de soins de divulguer des informations sur leurs patients. Elle peut dire adieu à sa carrière. J'y veillerai.

— Évitons de punir. Nous avons eu notre content de punitions. Assez des gens qui ne se supportent pas, qui se trompent de batailles, qui décident à la place des autres et qui leur font payer. D'une certaine manière, c'est pour cette raison que Terri est morte. Pour cette raison qu'Eva Peebles a été tuée, elle aussi. Si Terri n'avait pas appliqué la loi du talion... Si Marino veut régler ses comptes avec son ancienne thérapeute dépourvue de jugeote, c'est son choix.

— Tu as sans doute raison. Tiens, les voilà !

Benton se leva pour que Marino l'aperçoive dans la pénombre du restaurant bondé. Le groupe de leurs quatre invités, dont la nouvelle petite amie de Marino, Bacardi – qui avait un prénom : Georgia –, suivie de Berger et de Lucy, se fraya un chemin dans la salle à manger bourrée à craquer, salua Elaine, échangeant avec elle quelques phrases que Scarpetta ne put saisir. Puis tous tirèrent leurs chaises et s'installèrent, de toute évidence de bonne humeur. Lucy portait une casquette de base-ball en l'honneur des Red Sox, l'équipe star de Boston, peut-être pour faire bisquer Berger, surtout pour dissimuler la zone rasée de son crâne.

Pas d'autre séquelle, juste une petite blessure de

vanité. La plaie occasionnée par la balle à l'arrière de sa tête avait cicatrisé, la contusion limitée qui en avait résulté était résorbée. Marino avait résumé le tout, comme lui seul était capable de le faire, en affirmant que Lucy était au poil puisqu'il n'y avait rien à abîmer au-dessus de son cou, si ce n'était des os.

Louie réapparut, portant des assiettes des fameux *calamari* d'Elaine, et écouta leurs commandes sans prendre de notes. Lucy et Berger insistèrent pour goûter sa réserve secrète de scotch, et Bacardi insulta son propre nom en commandant un *apple martini*, un cocktail de vodka, de calvados et de jus de pomme. Marino hésita, hocha la tête, l'air gêné. Personne ne le remarqua, sauf Scarpetta qui savait ce qui lui arrivait. Elle passa le bras derrière Lucy et tira doucement la manche du grand flic.

Il se pencha en arrière, sa chaise en bois protestant, et lâcha :

— Ça va bien ?

— Vous êtes déjà venu ici ? demanda-t-elle.

— Non. Pas mon style de bouge. J'aime pas échanger des conversations privées quand Barbara Walters dîne à deux tables de moi.

— Ce n'est pas elle. Ils ont de la Red Stripe, de la Buckler et de la Sharp's. Je ne sais pas ce que vous préférez boire en ce moment.

Elle ne l'encourageait ni à boire, ni à rester abstinent. Elle voulait juste lui faire savoir qu'elle ne s'inquiétait pas de ce qu'il allait choisir, que lui seul devait décider et que l'unique chose importante à ses yeux était lui.

Marino lança à Louie :

— Vous servez encore de la Red Stripe ?

— Un peu !

— Peut-être plus tard, hésita Marino.

— Plus tard alors, approuva Louie en répétant leurs commandes.

Il disparut aussitôt.

Berger fixait Scarpetta. Elle lança un regard furtif à l'homme assis près de la fenêtre et coiffé d'un large Stetson blanc.

— Vous savez à quoi je pense ? lança-t-elle à Scarpetta.

— Ce n'est pas lui.

— J'ai cru que j'avais une crise cardiaque lorsque je suis entrée et que je l'ai vu. Vous ne pouvez pas savoir. Je me suis dit : mais c'est impossible !

— Est-il toujours où il doit être ?

— Tu veux dire en enfer ? intervint Lucy qui paraissait savoir de quoi elles discutaient. C'est sa place.

— Évite-nous les idées de génie, Rocky, ironisa Marino.

Il avait donné ce surnom à Lucy lorsqu'elle était petite parce qu'elle ne savait jamais quand lâcher le morceau et qu'elle le mettait toujours au défi de boxer ou de lutter contre elle, du moins jusqu'à ses douze ans, lorsqu'elle avait eu ses premières règles. Le deuxième prénom de Marino était « Rocco ». Scarpetta avait toujours vu une sorte de projection dans le fait qu'il avait baptisé sa nièce « Rocky ». Ce qu'il aimait en Lucy était au fond ce qu'il aimait chez lui sans l'avoir jamais su.

— J'en ai rien à faire de ce que les gens disent, moi, je suis dingue de ces films, lança Bacardi comme Louie s'approchait de leur table. Même le dernier, *Rocky Balboa*. Je pleure toujours à la fin. Je sais pas pourquoi. Le sang et les tripes dans la réalité, je chiale jamais. Mais le cinéma, ça me met dans tous mes états.

— Quelqu'un conduit ? demanda à nouveau Louie

pour répondre aussitôt, à son habitude : Bien sûr que non. Personne ne conduit ! Je ne sais pas ce qui se passe. La gravité sans doute, ajouta-t-il en leur faisant savoir que leurs alcools étaient très forts. Je commence à verser et la gravité s'en mêle. Je ne peux plus relever la bouteille et ça coule, ça coule.

— Mes parents m'emmenaient ici lorsque j'étais petite, confia Berger à Lucy. C'est le vieux New York. Tu devrais mémoriser les moindres détails parce qu'un jour il ne restera rien d'une époque où tout était meilleur, même si on ne s'en apercevait pas. Les gens venaient ici et discutaient d'art, d'idées. Hunter Thompson. Joe DiMaggio.

— Tu as intérêt à ce que les fantômes n'existent pas, lança Benton à sa presque nièce. Après ce que tu as fait.

— Ça fait un moment que je veux t'en parler, intervint Bacardi. Waouh... Y a une sacrée quantité de pommes là-dedans.

Elle passa son bras sous celui de Marino et s'appuya contre son épaule. Un papillon tatoué sur un renflement de poitrine apparut sous son haut ajusté en tricot. Elle poursuivit :

— Puisque ce foutu site s'est planté – un vrai mystère –, j'ai jamais pu voir la fameuse photo. C'est un trucage, non ?

— Qu'est-ce que vous voulez dire ? biaisa Lucy en feignant l'innocence.

— Me joue pas le je-suis-plus-crétine-qu'un-balai, sourit Bacardi en sirotant son cocktail sans grande délicatesse.

— Vous avez dû rencontrer des gens fascinants lorsque vous étiez petite, dit Scarpetta à Berger.

— Pas mal de ceux qui sont sur les photos aux

murs. Lucy n'a jamais entendu parler de la moitié d'entre eux.

— Ah, ça recommence ! protesta l'intéressée. C'est même sidérant qu'on accepte de me servir une boisson alcoolisée. J'ai toujours dix ans. J'aurai dix ans toute ma vie !

— Tu n'étais pas là lorsque JFK a été abattu, ni Bobby, pas même lorsque ce fut le tour de Martin Luther King. Ni pour le *Watergate*, énuméra Berger.

— Est-ce que j'ai aussi raté de jolies choses ?

— Quand Neil Armstrong a marché sur la lune. C'était bien.

Bacardi revint à la charge :

— Ben, moi, j'étais là, et quand Marilyn Monroe est morte aussi. Allez, déballe. Parle-moi de la photographie. Le ver ou je ne sais plus comment les médias l'appellent.

— Il y a des photos d'elle morte sur Internet. Deux, je crois. C'est ce qui arrive. Un connard qui travaille dans une morgue prend un cliché et le vend. (Se tournant vers Scarpetta, il suggéra :) On pourrait interdire aux gens de conserver leurs téléphones mobiles dans les salles d'autopsie. Ils les laisseraient dans le bureau de la morgue, comme je me sépare de mon flingue lorsque je me rends en taule. On pourrait s'équiper d'un coffre ou un truc de ce genre.

— Il ne s'agit pas d'une vraie photographie, rectifia Lucy. Pas vraiment. Juste du cou au haut de la tête. Pour le reste, j'ai coupé, recollé et agrandi.

D'un ton très sérieux, Bacardi demanda :

— Tu crois que c'est vrai qu'elle a été assassinée ?

Scarpetta avait vu la photographie montée et ce qu'Eva Peebles en avait écrit. Elle connaissait très bien tous les rapports concernant cette affaire. Si elle n'avait pas déjà bu la moitié de son scotch *single malt* sec, sans doute n'aurait-elle pas été si sincère.

— Probablement, lâcha-t-elle.

— Ce ne serait pas très futé de l'annoncer sur CNN, lui recommanda Benton.

Elle avala une nouvelle gorgée. L'alcool était rond et moelleux, avec un arrière-goût de tourbe. Les vapeurs lui montaient le long du nez pour rejoindre son cerveau, encore plus que tout à l'heure.

— Les gens seraient surpris s'ils connaissaient ce que je garde pour moi, dit-elle. Eva Peebles avait presque tout compris.

Lucy serra son verre entre ses doigts et le leva pour saluer sa tante, avant de le porter à ses lèvres. Elle le dégusta de la langue et du nez, à la manière d'un taste-vin évaluant un brevage précieux. Les yeux protégés par la visière de sa casquette, elle jeta un long regard à sa tante et sourit.

Patricia Cornwell
dans Le Livre de Poche

Les enquêtes de Kay Scarpetta

Postmortem   n° 37110

Lori est la quatrième. Violée, torturée, étranglée par le meurtrier psychopathe qui terrorise Richmond. Aucune piste, hormis celles que pourront peut-être fournir les ordinateurs et les laboratoires de Kay Scarpetta, médecin légiste. Mais qui a intérêt à pirater le système informatique, à organiser les fuites vers la presse, au risque de saboter l'enquête.

Mémoires mortes   n° 37109

Beryl Madison, romancière à succès, a fui l'homme qui la harcèle pour se terrer à Key West. Le manque d'argent la contraint à rentrer à Richmond, le temps de vendre sa maison. On la retrouve violée et égorgée. Kay Scarpetta est perturbée : des témoignages incohérents, des rencontres déplaisantes troublent ses recherches.

Et il ne restera que poussière   n° 37111

En deux ans, quatre couples ont disparu dans la région de Williamsburg. On a retrouvé leurs voitures et, plusieurs semaines après, leurs restes... Cette fois, l'étudiante qui a disparu avec son petit ami est la fille du numéro un de la lutte antidrogue, bien décidée à remuer ciel et terre pour élucider cette disparition.

Une peine d'exception — n° 37112

Kay Scarpetta attend le corps de Ronnie Joe Waddell, qui ne sera officiellement déclaré mort sur la chaise électrique qu'à 23 h 05. Cette même nuit, le corps d'un adolescent est découvert, mutilé, contre une benne à ordures. Et l'on relève sur les lieux du crime l'empreinte digitale de Ronnie Waddell...

La Séquence des corps — n° 37113

Crime sadique à Black Mountain, au fin fond de la Caroline-du-Nord : Emily, onze ans, n'a été retrouvée que plusieurs jours après sa disparition, et bien des indices mènent au sinistre Temple Gault. L'affaire se complique gravement lorsqu'un policier local, Ferguson, est retrouvé mort à son tour, victime d'une mise en scène érotique des plus singulières.

Une mort sans nom — n° 37114

Une jeune femme est retrouvée nue dans Central Park. Tuée selon un rituel qui rappelle Temple Gault, le meurtrier psychopathe qui échappe encore à toutes les recherches... Deux questions pour Kay Scarpetta et ses collègues : pourquoi a-t-il voulu les attirer à New York ? Et comment cette inconnue a-t-elle pu se laisser déshabiller et assassiner sans la moindre trace de résistance de sa part ?

arrêté, mais le cauchemar n'est pas terminé pour autant. Car, de victime, Kay risque de se retrouver sur le banc des accusés.

Baton Rouge   nº 37070

Baton Rouge, Louisiane : la ville détient le triste record du crime, de la corruption, des trafics de toutes sortes. C'est là que débarque, à l'appel d'un juge, Kay Scarpetta, marquée par la mort de l'homme de sa vie, Benton. Sa mission : enquêter sur d'énigmatiques disparitions de femmes... Et si c'était un piège ?

Signe suspect   nº 37115

Kay Scarpetta s'est installée en Floride. Elle a quitté la médecine légale institutionnelle pour l'expertise privée. Pourtant, elle va devoir revenir dans cette ville de Richmond qui lui a tourné le dos cinq ans plus tôt. Sur place, des surprises désagréables l'attendent.

Sans raison   nº 37270

Kay Scarpetta, promue consultante à l'Académie nationale des sciences légales de Floride, se trouve plongée dans une affaire de meurtres où les indices matériels divergent mais semblent confirmer l'hypothèse d'un tueur agissant sans mobile. Parallèlement, elle enquête sur l'étrange disparition, dans un quartier en apparence tranquille, de quatre personnes.

Registre des morts   nº 31256

Lorsqu'elle s'installe à Charleston, en Caroline-du-Sud, pour y ouvrir, avec sa nièce Lucy et Pete Marino, un cabinet de médecine légale, Kay Scarpetta entre en conflit avec des politiciens locaux ; on cherche visiblement à saboter son projet. C'est alors que va se produire une série de morts violentes.

MORTS EN EAUX TROUBLES
Calmann-Lévy, 1997
Le Livre de Poche, 1998

MORDOC
Calmann-Lévy, 1998
Le Livre de Poche, 1999

LA VILLE DES FRELONS
Calmann-Lévy, 1998
Le Livre de Poche, 1999

COMBUSTION
Calmann-Lévy, 1999
Le Livre de Poche, 2000

LA GRIFFE DU SUD
Calmann-Lévy, 1999
Le Livre de Poche, 2000

CADAVRE X
Calmann-Lévy, 2000
Le Livre de Poche, 2001

DOSSIER BENTON
Calmann-Lévy, 2001
Le Livre de Poche, 2002

L'ÎLE DES CHIENS
Calmann-Lévy, 2002
Le Livre de Poche, 2003

JACK L'ÉVENTREUR
Éditions des Deux Terres, 2003
Le Livre de Poche, 2004

BATON ROUGE
Calmann-Lévy, 2004
Le Livre de Poche, 2005

 **www.livredepoche.com**

- le **catalogue** en ligne et les dernières parutions
- des **suggestions de lecture** par des libraires
- une **actualité éditoriale permanente** : interviews d'auteurs, extraits audio et vidéo, dépêches…
- **votre carnet de lecture** personnalisable
- des **espaces professionnels** dédiés aux journalistes, aux enseignants et aux documentalistes

Composition réalisée par NORD COMPO

Achevé d'imprimer en février 2010 en Allemagne par
GGP Media GmbH, Pößneck
Dépôt légal 1re publication : avril 2010
LIBRAIRIE GÉNÉRALE FRANÇAISE – 31, rue de Fleurus – 75278 Paris Cedex 06